系統看護学講座

専門基礎分野

解剖生理学

人体の構造と機能 1

坂井　建雄　順天堂大学特任教授
岡田　隆夫　順天堂大学名誉教授
宇賀　貴紀　山梨大学大学院教授

医学書院

■歴代執筆者一覧

日野原重明	関　泰志
阿部　正和	熊田　衛
淺見　一羊	

系統看護学講座　専門基礎分野
人体の構造と機能[1]　解剖生理学

発　行	1968年2月1日	第1版第1刷
	1973年6月1日	第1版第14刷
	1974年2月1日	第2版第1刷
	1983年2月1日	第2版第11刷
	1984年1月6日	第3版第1刷
	1987年2月1日	第3版第4刷
	1988年1月15日	第4版第1刷
	1995年2月1日	第4版第14刷
	1996年2月1日	第5版第1刷
	2000年2月1日	第5版第5刷
	2001年1月6日	第6版第1刷
	2004年2月1日	第6版第5刷
	2005年3月1日	第7版第1刷
	2008年2月1日	第7版第5刷
	2009年1月6日	第8版第1刷
	2013年9月15日	第8版第9刷
	2014年1月6日	第9版第1刷
	2017年2月1日	第9版第4刷
	2018年1月6日	第10版第1刷
	2021年2月1日	第10版第4刷
	2022年1月15日	第11版第1刷Ⓒ
	2025年2月1日	第11版第4刷

著者代表　坂井建雄
発行者　株式会社　医学書院
　　　　代表取締役　金原　俊
　　　　〒113-8719　東京都文京区本郷1-28-23
　　　　電話　03-3817-5600(社内案内)
　　　　　　　03-3817-5650(販売・PR部)

印刷・製本　アイワード

本書の複製権・翻訳権・上映権・譲渡権・貸与権・公衆送信権(送信可能化権を含む)は株式会社医学書院が保有します.

ISBN978-4-260-04687-9

本書を無断で複製する行為(複写, スキャン, デジタルデータ化など)は, 「私的使用のための複製」など著作権法上の限られた例外を除き禁じられています. 大学, 病院, 診療所, 企業などにおいて, 業務上使用する目的(診療, 研究活動を含む)で上記の行為を行うことは, その使用範囲が内部的であっても, 私的使用には該当せず, 違法です. また私的使用に該当する場合であっても, 代行業者等の第三者に依頼して上記の行為を行うことは違法となります.

JCOPY〈出版者著作権管理機構　委託出版物〉
本書の無断複製は著作権法上での例外を除き禁じられています. 複製される場合は, そのつど事前に, 出版者著作権管理機構(電話 03-5244-5088, FAX 03-5244-5089, info@jcopy.or.jp)の許諾を得てください.

＊「系統看護学講座／系看」は株式会社医学書院の登録商標です.

はしがき

　解剖学と生理学は，人体の「構造」と「機能」を学ぶ学問であり，看護師を含む医療専門職の教育において最重要の基礎となるものである。医学と医療技術は急速に進化・発展しており，社会とのかかわりはきわめて密接になり，医療に対する期待とニーズも大きくなっている。医療専門職の教育においても十分な質を確保しつつ，高度な内容を効率的に学習することが求められている。本書は故日野原重明先生らによる1968年の第1版から始まり，時代の流れを先取りした改訂により版を重ね，これまでに140万人をこえる人たちの学習に用いられてきた。

　本書は第7版から解剖学の坂井と生理学の岡田の2名で担当し，学習者の理解しやすさの視点から，①解剖学と生理学を融合する，②器官系を有機的に結びつける，③全ページをフルカラーにするという，書物の骨格をかえる全面的な改訂を行った。その後の3回の改訂を経て，体表からみた人体の構造を加えるなど内容をさらに深化させ，幸いにも高い評価を得て多くの人たちに受け入れられてきた。

　今回の改訂では，高等学校を卒業して看護師をはじめとする医療専門職を目ざす人たちが，最初に人体について学ぶにあたって，大切なことはなにかということをあらためて考えてみた。そこで第1章の解剖生理学の基礎知識の内容を，A 構造からみた人体，B 人体のさまざまな器官，C 素材からみた人体，に再編成して，分かり易い切り口を提供した。また第1章の冒頭で扱っていた内容の一部を，第11章の体表からみた人体の構造として独立させた。

　各章の内容についてもこれまでと同様に見直しをはかり，一例をあげれば，本文につながるような注記を側注（NOTE）として加え，臨床に関わるコラム Clinical Eye を「臨床との関連」と改め，新たに15個ほど追加した。本書の改訂を通じてとくに心がけているのは，内容が正確であるのはもちろんのこと，解剖学と生理学を融合させて人体の構造と機能が平易に学習できること，臨床的な視点をいかして学習者の動機づけをはかることである。

　現在の著者，坂井と岡田による改訂は今回で5回目となるが，今回から新たに宇賀が執筆者として加わった。改訂を重ねるごとに著者と編集部の間であうんの呼吸が生まれ，解剖学と生理学という垣根をこえて有機的に統合されて，類書にない新鮮で充実した教科書に育ってきたと感じている。伝統をふまえて新しい発展を目ざしている本書が，医療のあらゆる場で幅広く活用されることを願っている。今後とも忌憚のないご意見，ご批判，ご叱正をお願いするしだいである。

2021年11月

坂井建雄　岡田隆夫　宇賀貴紀

目次

序章 人体の構造と機能を学ぶために
坂井建雄・岡田隆夫

1 人体の構造と機能をどのように学ぶか … 2
2 解剖学と生理学の歴史と現在 …………… 3
3 自然界における人類の位置 ……………… 5
4 社会のなかの人体 ………………………… 6

第1章 解剖生理学のための基礎知識
坂井建雄・岡田隆夫

A 構造からみた人体 …………………… 8
1 人体の階層性 ……………………………… 8
2 体表からみえる人体の部位 ……………… 11
3 骨格による人体の区分 …………………… 12
4 人体の内部にある腔所 …………………… 13
5 方向と位置を示す用語 …………………… 14

B 人体のさまざまな器官 ……………… 16
1 機能からみた人体と器官系 ……………… 16
 1 はたらきからみた器官系の分類 ……… 16
 2 生命維持システム（植物機能）………… 18
 3 運動・情報システム（動物機能）……… 20
2 全身に広がる人体の器官 ………………… 22
 1 身体を包む皮膚 ………………………… 22
 2 血管とリンパ管 ………………………… 22
 3 末梢神経 ………………………………… 23
3 部位による人体の器官 …………………… 23
 1 頭部の器官 ……………………………… 24
 臨床との関連 フィジカルイグザミネーション ……………………………………… 24
 2 頸部の器官 ……………………………… 25
 臨床との関連 頸部の触診ではなにをみているのか ………………………………… 25
 3 胸部の器官 ……………………………… 25
 4 腹部の器官 ……………………………… 26
 5 骨盤部の器官 …………………………… 27

C 素材からみた人体 …………………… 27
1 細胞の構造 ………………………………… 27
 1 核 ………………………………………… 28
 2 細胞小器官と細胞骨格 ………………… 29
 column ミトコンドリアはどこから来たのか ………………………………………… 29
2 細胞を構成する物質とエネルギーの生成 ……………………………………………… 30
 1 細胞の化学成分 ………………………… 30
  ◆糖質（炭水化物）……………………… 30
  ◆脂質 …………………………………… 30
  ◆タンパク質 …………………………… 31
 2 エネルギーの変換とATP産生 ……… 31
  ◆ATPの産生と消費 …………………… 32
  ◆酵素とその機能 ……………………… 32
 3 核酸とタンパク質の合成 ……………… 33
  ◆核酸 …………………………………… 33
  ◆タンパク質の合成 …………………… 34
  ◆タンパク質の役割 …………………… 34
3 細胞膜の構造と機能 ……………………… 36
 1 細胞膜の構造 …………………………… 36
 2 細胞膜のタンパク質 …………………… 36
  ◆輸送体 ………………………………… 36
  ◆受容体 ………………………………… 38
  ◆酵素 …………………………………… 38
 3 細胞膜の特性 …………………………… 38
 4 細胞膜が分ける細胞内と細胞外の体液 ………………………………………… 38
 5 細胞の生命を保つ細胞膜の機能 ……… 40
 6 膜電位と細胞の興奮 …………………… 41
4 細胞の増殖と染色体 ……………………… 42

- **1** 細胞周期 …… 42
- **2** 染色体とゲノム …… 43
- **3** 幹細胞 …… 44
  - ◆ 多能性幹細胞 …… 44
  - ◆ 組織幹細胞 …… 44
- **5** 分化した細胞がつくる組織 …… 45
  - **1** 上皮組織 …… 45
    - ◆ 上皮組織の構成要素 …… 45
    - ◆ 上皮組織の種類と分布 …… 46
    - ◆ 腺上皮 …… 47
  - **2** 筋組織 …… 48
    - ◆ 骨格筋 …… 48
    - ◆ 心筋 …… 49
    - ◆ 平滑筋 …… 49
  - **3** 結合組織 …… 49
    - ◆ 結合組織の構成要素 …… 49
    - ◆ 結合組織の種類と分布 …… 50
    - ◆ 骨組織 …… 50
    - ◆ 軟骨組織 …… 51
  - **4** 神経組織 …… 51
    - ◆ ニューロン …… 51
    - ◆ 末梢神経の構造 …… 52
    - ◆ シナプス …… 53
- **6** 腔所を包む組織 …… 53
  - ◆ 上皮性の膜 …… 53
  - ◆ 結合組織性の膜 …… 53

第2章 栄養の消化と吸収

坂井建雄・岡田隆夫

A 口・咽頭・食道の構造と機能 …… 58
- **1** 口の構造と機能 …… 58
  - **1** 口腔 …… 58
  - **2** 口蓋・頬・口唇 …… 59
  - **3** 舌 …… 59
  - **4** 歯列 …… 60
  - column 咀嚼が脳を刺激する …… 61
  - **5** 唾液腺 …… 62
  - **6** 口腔の運動と感覚 …… 63
  - **7** 咀嚼 …… 63
  - column 咀嚼をする動物，しない動物 …… 63
- **2** 咽頭と食道の構造と機能 …… 64
  - **1** 咽頭 …… 64
  - **2** 嚥下 …… 65
  - 臨床との関連 誤嚥性肺炎 …… 65
  - **3** 食道 …… 66

B 腹部消化管の構造と機能 …… 67
- **1** 胃の構造 …… 67
  - **1** 胃の形状 …… 67
  - **2** 胃壁と胃液 …… 68
- **2** 胃の機能 …… 68
  - **1** 胃の運動 …… 68
  - **2** 胃液の分泌とタンパク質の消化 …… 69
  - **3** 胃液の分泌調節 …… 70
  - 臨床との関連 胃食道逆流症（GERD） …… 70
  - column 食事に関する古人の知恵 …… 71
- **3** 小腸の構造 …… 72
  - **1** 十二指腸 …… 72
  - **2** 空腸と回腸 …… 72
  - **3** 小腸の壁 …… 73
- **4** 小腸の機能 …… 75
  - **1** 小腸の運動 …… 75
  - **2** 十二指腸における消化 …… 75
  - **3** 空腸と回腸における消化 …… 76
- **5** 栄養素の消化と吸収 …… 76
  - **1** 糖質（炭水化物）の消化と吸収 …… 78
  - 臨床との関連 乳糖不耐症 …… 78
  - **2** タンパク質の消化と吸収 …… 78
  - **3** 脂肪の消化と吸収 …… 79
  - **4** 水・電解質・ビタミンの吸収 …… 80
- **6** 大腸の構造 …… 80
  - **1** 盲腸と虫垂 …… 80
  - **2** 結腸 …… 81
  - **3** 直腸と肛門 …… 81
  - 臨床との関連 直腸の構造とグリセリン浣腸 …… 82
  - **4** 大腸の壁 …… 82
- **7** 大腸の機能 …… 83

| 臨床との関連　下痢と便秘 … 83
C 膵臓・肝臓・胆嚢の構造と機能 … 84
　1 膵臓 … 84
　　1 膵臓の構造 … 84
　　2 膵臓と膵液 … 85
　2 肝臓と胆嚢の構造 … 85
　　1 肝臓の肉眼的構造 … 85
　　2 肝臓の組織構造 … 86
　　3 胆嚢と胆道 … 87
　　4 門脈 … 88
　3 肝臓の機能 … 88
　　1 代謝機能 … 88
　　2 解毒・排泄機能 … 89
　　3 胆汁の産生 … 89
　　臨床との関連　肝硬変と黄疸 … 89
　　4 貯蔵機能 … 90
　　5 胎児期の造血機能 … 90
D 腹膜 … 90
　1 腹膜と腸間膜 … 90
　臨床との関連　腹部の打診ではなにをみているのか … 90
　column　胃は右に90度ねじれている … 92
　2 腹膜と内臓の位置関係 … 93
　3 胃の周辺の間膜 … 93

第3章　呼吸と血液のはたらき

坂井建雄・岡田隆夫

A 呼吸器の構造 … 97
　1 呼吸器の構成 … 97
　2 上気道 … 98
　　1 鼻 … 98
　　　◆鼻腔 … 98
　　　◆副鼻腔 … 99
　　2 咽頭 … 99
　　3 喉頭 … 100
　　4 発声と構音 … 101
　3 下気道と肺 … 102
　　1 気管・気管支 … 102
　　臨床との関連　胸部の聴診ではなにをみているのか——呼吸音 … 102
　　2 肺 … 103
　4 胸膜・縦隔 … 106
　　1 胸膜 … 106
　　2 縦隔 … 107
B 呼吸 … 108
　1 内呼吸と外呼吸 … 108
　2 呼吸器と呼吸運動 … 108
　　1 気道の機能 … 108
　　column　咳・くしゃみ・あくび・しゃっくり … 109
　　2 肺胞の機能 … 110
　　3 呼吸のメカニズム … 110
　　4 呼吸筋 … 112
　　臨床との関連　呼吸困難時の体位 … 112
　3 呼吸気量 … 113
　　1 呼吸数 … 113
　　2 1回換気量・死腔・肺胞換気量 … 113
　　3 予備吸気量と予備呼気量 … 114
　　4 肺活量 … 114
　　5 残気量 … 115
　　6 1秒量と1秒率 … 115
　4 ガス交換とガスの運搬 … 116
　　1 肺におけるガス交換 … 116
　　2 吸気・呼気のガス組成と血液ガス … 116
　　3 酸素の運搬 … 118
　　4 二酸化炭素の運搬 … 118
　5 肺の循環と血流 … 119
　　1 肺循環 … 119
　　2 換気血流比不均等の調節 … 119
　6 呼吸運動の調節 … 120
　　1 呼吸の神経性調節 … 120
　　2 化学受容器 … 121
　　3 肺の伸展受容器を介する反射 … 121
　　4 非特異的な反射性呼吸促進 … 122
　　5 呼吸運動の異常と病的呼吸 … 122
　　column　睡眠時無呼吸症候群による事故 … 123
　7 呼吸器系の病態生理 … 124

1 換気障害 ………………………… 124
　　2 拡散障害 ………………………… 125
　　3 換気血流比不均等 ……………… 125
　　臨床との関連　慢性閉塞性肺疾患（COPD）… 125
　　4 右-左短絡 ……………………… 126
C 血液 …………………………………… **126**
　1 血液の組成と機能 ………………… 126
　　1 血液の組成 ……………………… 126
　　2 血液の機能 ……………………… 127
　2 赤血球 ……………………………… 127
　　1 赤血球の数・ヘモグロビン濃度・
　　　 ヘマトクリット ………………… 127
　　2 ヘモグロビンの構造と機能 …… 129
　　　◆ 酸素解離曲線 ………………… 130
　　3 赤血球の新生 …………………… 132
　　4 赤血球の破壊 …………………… 133
　　column　エリスロポエチンと高地トレー
　　ニング ……………………………… 133
　　5 貧血と赤血球増加症 …………… 135
　　臨床との関連　なぜ，女性は鉄欠乏性貧血
　　になりやすいのだろうか ………… 136

　3 白血球 ……………………………… 136
　　1 顆粒球 …………………………… 137
　　　◆ 好中球 ………………………… 137
　　　◆ 好酸球 ………………………… 139
　　　◆ 好塩基球 ……………………… 139
　　2 リンパ球 ………………………… 139
　　3 単球 ……………………………… 139
　4 血小板 ……………………………… 139
　5 血漿タンパク質と赤血球沈降速度 … 140
　　1 血漿タンパク質 ………………… 140
　　2 赤血球沈降速度 ………………… 141
　6 血液の凝固と線維素溶解 ………… 142
　　1 血液凝固の阻止 ………………… 142
　　2 血液凝固 ………………………… 142
　　3 出血時間・凝固時間 …………… 144
　　4 線維素溶解 ……………………… 144
　7 血液型 ……………………………… 145
　　1 ABO 式血液型 ………………… 145
　　2 Rh 式血液型 …………………… 146
　　3 交差適合試験 …………………… 147
　　4 主要組織適合抗原 ……………… 147

第4章　血液の循環とその調節

坂井建雄・岡田隆夫

A 循環器系の構成 ……………………… **150**
B 心臓の構造 …………………………… **152**
　1 心臓の位置と外形 ………………… 152
　2 心臓の4つの部屋と4つの弁 …… 153
　　1 ポンプとしての心臓 …………… 153
　　2 構造面からみた心臓 …………… 153
　　臨床との関連　胸部の聴診ではなにをみて
　　いるのか——心音 ………………… 154
　3 心臓壁 ……………………………… 155
　　臨床との関連　心房中隔と心室中隔の先天
　　異常 ………………………………… 155
　4 心臓の血管と神経 ………………… 156
　　1 冠状血管系 ……………………… 156
　　2 冠状循環 ………………………… 156
　　3 心臓に分布する神経 …………… 157
C 心臓の拍出機能 ……………………… **157**

　1 心臓の興奮とその伝播 …………… 157
　　1 心臓の自動性と歩調とり ……… 157
　　2 興奮の伝播 ……………………… 158
　　3 リズムの変化と潜在的歩調とり … 159
　2 心電図 ……………………………… 161
　　臨床との関連　房室ブロック …… 161
　　1 心電図の導出（誘導） …………… 162
　　2 心電図で記録される波形とその意味
　　　 …………………………………… 163
　　3 アイントーベンの三角形と電気的
　　　 心軸 ……………………………… 165
　　4 不整脈 …………………………… 166
　　5 心停止とみなされる4つの状態 … 166
　　臨床との関連　心室性期外収縮 … 166
　3 心臓の収縮 ………………………… 167
　　1 心拍出量と血圧 ………………… 167

◆血流量 ……………………… 167
臨床との関連　心室細動 ……… 167
　　◆血圧（BP） ……………… 168
column　血圧の単位 mmHg とはなにか … 168
2 心周期 …………………………… 169
臨床との関連　心房細動 ……… 169
3 心室の圧-容積関係 …………… 171
　　◆圧-容積関係 …………… 171
　　◆前負荷と後負荷 ………… 172
臨床との関連　外頸静脈の視診による右心房圧の評価 …………………………… 172
　　◆収縮性 …………………… 175
4 心音と心雑音 ………………… 175

D 末梢循環系の構造　175
1 血管の構造 …………………… 175
　1 動脈 ………………………… 175
　2 毛細血管 …………………… 176
　3 静脈 ………………………… 177
　4 側副循環と吻合 …………… 177
column　皮膚循環 ……………… 177
　5 血管の神経 ………………… 178
2 肺循環の血管 ………………… 178
　1 肺動脈 ……………………… 178
　2 肺静脈 ……………………… 178
3 体循環の動脈 ………………… 178
　1 上行大動脈 ………………… 180
　2 大動脈弓 …………………… 180
　3 胸大動脈 …………………… 180
　4 腹大動脈 …………………… 180
　5 総腸骨動脈とその枝 ……… 182
4 体循環の静脈 ………………… 183
　1 上・下大静脈 ……………… 183
　2 頭頸部の静脈 ……………… 183
　3 上肢の静脈 ………………… 183
　4 下肢の静脈 ………………… 185
　5 骨盤と腹部の静脈 ………… 186
　6 門脈系 ……………………… 186

E 血液の循環の調節　187
1 血圧（動脈圧） ……………… 187
　1 最高血圧と最低血圧 ……… 187

　2 血圧の測定 ………………… 188
臨床との関連　音で血圧が測定できるのはなぜか ………………………………… 190
2 血液の循環 …………………… 191
　1 システムとしての循環器系 … 191
　2 補助ポンプ ………………… 191
　　◆弾性動脈のポンプ作用 … 192
　　◆静脈弁と筋ポンプ ……… 193
　3 平均血圧と最高血圧・最低血圧の決定要因 ………………………… 193
column　エコノミークラス症候群 … 194
　4 脈波と脈拍 ………………… 194
3 血圧・血流量の調節 ………… 195
　1 血圧の調節 ………………… 196
　2 血管と心臓の自律神経支配 … 197
　3 神経系による血圧調節 …… 197
column　脳循環の特徴 ………… 197
　4 液性因子による血管収縮状態の調節 …………………………………… 198
　　◆血管収縮物質 …………… 199
　　◆血管拡張物質 …………… 199
　5 腎臓による血圧の調節 …… 199
4 微小循環 ……………………… 200
　1 微小循環の構築と血流 …… 200
　2 物質交換の機序 …………… 201
column　臓器の機能の違いによる毛細血管の形態の違い …………………………… 201
　　◆拡散 ……………………… 202
　　◆濾過と再吸収 …………… 202
　3 浮腫 ………………………… 203
5 循環器系の病態生理 ………… 203
　1 チアノーゼ ………………… 203
　2 起立性低血圧 ……………… 203
　3 慢性心不全 ………………… 204
　4 急性心不全 ………………… 205
　5 高血圧 ……………………… 205

F リンパとリンパ管　206
1 リンパ管の構造 ……………… 206
2 リンパの循環 ………………… 207

第5章 体液の調節と尿の生成

坂井建雄・岡田隆夫

- **A 腎臓** 211
  - 1 腎臓の構造と機能 211
    - 1 腎臓の構造 211
    - 2 腎臓の機能 212
  - 2 糸球体の構造と機能 214
    - 1 糸球体の組織構造 214
    - 2 糸球体濾過 215
  - 3 尿細管の構造と機能 216
    - 1 尿細管の組織構造 216
    - column 糸球体はきわめてこわれやすい ... 216
    - 2 尿細管の機能 217
      - ◆ 近位尿細管の機能 218
      - ◆ 尿の濃縮 219
      - ◆ 尿の成分の調節 220
  - 4 傍糸球体装置 222
    - 1 傍糸球体装置の構造と機能 222
    - 2 レニン-アンギオテンシン-アルドステロン系 222
  - 5 クリアランスと糸球体濾過量 223
  - 6 腎臓から分泌される生理活性物質 225
    - 1 エリスロポエチン 225
    - 2 ビタミンDの活性化 225
- **B 排尿路** 225
  - 1 排尿路の構造 225
    - 1 尿管 225
    - 2 膀胱 226
    - 3 尿道 226
  - 2 尿の貯蔵と排尿 227
    - 1 尿の輸送と貯蔵 227
    - 2 排尿の機序 227
    - 3 尿の成分と性状 228
    - 4 尿・排尿の異常 229
      - ◆ 尿量の異常 229
      - ◆ 尿の色の異常と混濁 229
      - ◆ 排尿の異常 229
- **C 体液の調節** 230
  - 1 水の出納 230
  - 2 脱水 231
  - 3 電解質の異常 232
    - 臨床との関連 高カリウム血症はこわい ... 233
  - 4 酸塩基平衡 234
    - ◆ アシドーシスとアルカローシス ... 235
    - 臨床との関連 過換気症候群 235

第6章 内臓機能の調節

坂井建雄・岡田隆夫

- **A 自律神経による調節** 241
  - 1 自律神経の機能 241
    - 1 自律神経の特徴 241
    - 2 交感神経と副交感神経 243
    - 3 自律神経の中枢と反射弓 243
  - 2 自律神経の構造 244
    - 1 交感神経の構造 244
    - 2 副交感神経の構造 246
    - 3 内臓感覚の神経 247
  - 3 自律神経の神経伝達物質と受容体 247
- **B 内分泌系による調節** 249
  - 1 内分泌とホルモン 249
    - 1 分泌物の伝わりかたとホルモンの特徴 249
    - 2 ホルモンの生理作用 250
  - 2 ホルモンの化学構造と作用機序 251
    - 1 ホルモンの化学構造 251
    - 2 ホルモンの作用機序 251
- **C 全身の内分泌腺と内分泌細胞** 254
  - 1 視床下部-下垂体系 254
    - 1 下垂体の構造 254
    - 2 神経内分泌 255
    - 3 視床下部ホルモン 256
    - 4 下垂体前葉ホルモン 256

- ◆成長ホルモン（GH） 257
- ◆プロラクチン（PRL） 258
- ◆甲状腺刺激ホルモン（TSH）と副腎皮質刺激ホルモン（ACTH） 258
- ◆卵胞刺激ホルモン（FSH） 258
- ◆黄体形成（黄体化）ホルモン（LH） 258
- 5 下垂体後葉ホルモン 258
  - ◆バソプレシン（抗利尿ホルモン〔ADH〕） 258
  - ◆オキシトシン 259
- 2 甲状腺と副甲状腺 259
  - 1 甲状腺と副甲状腺の構造 259
  - 2 甲状腺ホルモンの産生 259
  - 3 甲状腺ホルモンの作用 260
  - 4 甲状腺ホルモンの分泌調節 261
    - ◆甲状腺機能の異常 262
  - 5 カルシトニンの作用 262
  - 6 副甲状腺の機能 263
    - ◆副甲状腺機能の異常 263
- 3 膵臓 263
  - 1 膵島の構造 263
  - 2 膵島の機能 263
    - ◆インスリン 264
    - 臨床との関連　糖尿病 264
    - ◆グルカゴン 265
- 4 副腎 265
  - 1 副腎の構造 265
  - 2 副腎皮質の機能 267
    - ◆糖質コルチコイド 267
    - ◆電解質コルチコイド 269
    - ◆男性ホルモン 269
    - ◆副腎皮質機能の異常 269
  - 3 副腎髄質の機能 270
- 5 性腺 270
  - 1 性腺の構造 270
  - 2 性腺の機能 271
    - ◆女性ホルモン 271
    - ◆男性ホルモン 271
- 6 その他の内分泌腺 272
- D ホルモン分泌の調節 273
  - column　レプチン 273
  - 1 神経性調節 274
  - 2 物質の血中濃度による自己調節 274
  - 3 促進・抑制ホルモンによる調節 274
  - 4 負のフィードバック 274
  - column　フィードフォワード調節 274
  - 5 正のフィードバック 275
- E ホルモンによる調節の実際 275
  - 1 ホルモンによる糖代謝の調節 275
  - 2 ホルモンによるカルシウム代謝の調節 276
  - 3 ストレスとホルモン 278
  - 4 乳房の発達と乳汁分泌 279
  - 5 高血圧をきたすホルモン 279

第7章 身体の支持と運動

坂井建雄・岡田隆夫・宇賀貴紀

- A 骨格とはどのようなものか 283
  - 1 人体の骨格 283
  - 2 骨の形態と構造 286
  - 3 骨の組織と組成 287
  - 4 骨の発生と成長 288
    - 臨床との関連　骨粗鬆症と骨軟化症 288
  - 5 骨の生理的な機能 289
- B 骨の連結 289
  - 1 関節 289
    - 1 関節の一般構造 289
    - 2 関節の形状と可動性 290
    - 3 関節運動の障害 291
  - 2 不動性の連結 292
- C 骨格筋 292
  - 1 骨格筋の構造 292
    - 1 筋の形状と名称 292
    - 2 筋と腱の補助装置 293
  - 2 骨格筋の作用 293
  - 3 骨格筋の神経支配 293
- D 体幹の骨格と筋 296

- 1 脊柱 297
- 2 胸郭 300
- 3 背部の筋 300
  - 1 浅背部の筋群 300
  - 2 深背部の筋群 301
- 4 胸部の筋 301
  - 1 浅胸部の筋群 302
  - 2 深胸部の筋群 303
  - 3 横隔膜 304
- 5 腹部の筋 304
  - 1 前腹部の筋 305
  - 臨床との関連　ヘルニア 305
  - 2 側腹部の筋 306

E 上肢の骨格と筋 306
- 1 上肢帯の骨格 306
- 2 自由上肢の骨格 308
  - 1 上腕骨 308
  - 2 前腕の骨 308
  - 3 手の骨 309
- 3 上肢帯の筋群 310
  - 1 肩の浅層の筋 310
  - 2 回旋筋群 310
  - 3 下方の筋 310
- 4 上腕の筋群 310
  - 1 上腕前面の筋群(屈筋群) 310
  - 2 上腕後面の筋群(伸筋群) 311
- 5 前腕の筋群 312
  - 1 前腕前面の筋群(屈筋群) 312
  - 2 前腕後面の筋群(伸筋群) 312
- 6 手の筋群 314
- 7 上肢の運動 314
  - 1 肩関節と肩甲骨の運動 314
  - 臨床との関連　五十肩 316
  - 2 肘の運動 316
  - 3 手首と前腕内の運動 318
  - 4 手の運動 319

F 下肢の骨格と筋 320
- 1 下肢帯と骨盤 320
  - 1 骨盤 320
  - 2 寛骨 321
- 2 自由下肢の骨格 322
  - 1 大腿骨 322
  - 2 下腿の骨 324
  - 3 足の骨 324
- 3 下肢帯の筋群 325
  - 1 骨盤内の筋 325
  - 2 骨盤外の筋群 325
- 4 大腿の筋群 326
  - 1 大腿前方部の筋群(伸筋群) 326
  - 2 大腿内側部の筋群(内転筋群) 326
  - 3 大腿後方部の筋群(屈筋群) 327
- 5 下腿の筋 327
  - 1 下腿後方部の筋群(屈筋群) 327
  - 2 下腿前方部の筋群(伸筋群) 328
  - 3 下腿外側部の筋群(腓骨筋群) 328
- 6 足の筋 328
  - 臨床との関連　筋区画症候群 328
- 7 下肢の運動 329
  - 1 股関節の運動 329
  - 2 膝関節の運動 330
  - 3 足根の運動 331

G 頭頸部の骨格と筋 332
- 1 神経頭蓋(脳頭蓋) 332
- 2 内臓頭蓋(顔面頭蓋) 334
  - 1 眼窩 335
  - 2 骨鼻腔と副鼻腔 335
  - 3 下顎骨と顎関節 336
  - 4 舌骨 336
- 3 頭部の筋 336
  - 1 咀嚼筋の群 337
  - 2 表情筋の群 337
  - 3 その他の頭部の筋 338
- 4 頸部の筋 338
  - 1 頸部浅層の筋群 338
  - 2 前頸部の筋群 339
  - 3 後頸部の筋群 339

H 筋の収縮 339
- 1 骨格筋の収縮機構 339
  - 1 骨格筋の収縮装置 339
  - 2 骨格筋細胞の興奮から収縮まで 341
  - 3 骨格筋収縮のメカニズム 342
  - column　赤筋と白筋 342

	2 骨格筋収縮の種類と特性 …………… 344
	1 骨格筋収縮の種類 ………………… 344
	2 力発生の調節 ……………………… 344
	3 等尺性収縮と等張性収縮 ………… 345
	4 骨格筋の長さ-張力関係 ………… 345
	臨床との関連　死後硬直 ………… 345
	5 骨格筋の肥大と萎縮 ……………… 347
	3 不随意筋の収縮の特徴 ……………… 348
	1 心筋の収縮の特徴 ………………… 348
	◆心筋の収縮と弛緩 ……………… 348
	◆心筋の収縮の調節 ……………… 349
	2 平滑筋の収縮の特徴 ……………… 350
	◆平滑筋の収縮メカニズム ……… 350
I	運動と代謝 ……………………………… 351
	1 エネルギー代謝 ……………………… 351
	2 運動とエネルギー …………………… 352
	1 運動の強度 ………………………… 352
	2 運動時の循環・呼吸の変化 ……… 352
	3 運動時のエネルギー供給 ………… 353
	◆クレアチンリン酸系による
	エネルギー供給 ………………… 353
	◆解糖系によるエネルギー供給 … 354
	◆有酸素系によるエネルギー供給 … 354

第8章　情報の受容と処理

坂井建雄・岡田隆夫・宇賀貴紀

A　神経系の構造と機能 …………………… 359
1 ニューロンと支持細胞 ……………… 359
2 ニューロンでの興奮の伝導 ………… 361
3 シナプスでの興奮の伝達 …………… 364
　column　中枢神経の発生 ………… 366
4 神経系の構造 ………………………… 367
　1 中枢神経の外観 …………………… 368
　2 末梢神経線維の構造 ……………… 368

B　脊髄と脳 ………………………………… 368
1 脊髄の構造と機能 …………………… 368
　1 脊髄の構造 ………………………… 368
　2 脊髄の機能 ………………………… 370
　臨床との関連　腰椎穿刺の体位と部位 … 370
2 脳の構造と機能 ……………………… 371
　1 脳幹 ………………………………… 371
　　◆脳幹の構造 ……………………… 371
　　◆脳幹の機能 ……………………… 372
　2 小脳 ………………………………… 373
　　◆小脳の構造 ……………………… 373
　　◆小脳の機能 ……………………… 374
　column　自転車の練習と小脳の機能 …… 374
　3 間脳 ………………………………… 374
　　◆間脳の構造 ……………………… 374
　　◆間脳の機能 ……………………… 375
　4 大脳 ………………………………… 375
　　◆大脳の構造 ……………………… 375
　　◆大脳皮質 ………………………… 376
　　◆大脳基底核 ……………………… 377
　　◆辺縁系 …………………………… 377
　　◆大脳の白質 ……………………… 378
　　◆大脳の機能 ……………………… 378
　　◆大脳基底核の機能 ……………… 380
　5 脳室と髄膜 ………………………… 380
　　◆脳室 ……………………………… 380
　　◆髄膜 ……………………………… 381
　6 脳脊髄液の循環 …………………… 381
　　◆脳脊髄液の産生と循環 ………… 381
　　◆脳脊髄液の圧と組成 …………… 382
　　◆脳脊髄液の機能 ………………… 382
　　◆頭蓋内圧(脳圧)亢進 …………… 382
　　◆血液脳関門 ……………………… 382

C　脊髄神経と脳神経 ……………………… 383
1 脊髄神経の構造と機能 ……………… 383
　1 脊髄神経の構成 …………………… 384
　2 脊髄神経(前枝)のおもな支配域 … 384
　臨床との関連　脊髄損傷 ………… 386
　3 脊髄神経の機能 …………………… 387
2 脳神経の構造と機能 ………………… 387
　1 脳神経のおもな支配域 …………… 388
　2 脳神経の機能 ……………………… 391

D 運動機能と下行伝導路 ... 391
1. 運動ニューロン ... 391
2. 下行(遠心)伝導路 ... 392

E 感覚機能 ... 393
1. 感覚の種類 ... 393
2. 感覚の性質 ... 393
   - column 手術着はなぜ緑や青なのか ... 393

F 体性感覚と上行伝導路 ... 394
1. 体性感覚の受容器の種類 ... 394
2. 皮膚の感覚受容器の分布 ... 394
3. 上行(求心)伝導路 ... 395
   1. 体性感覚の伝導路 ... 395
   2. 視覚伝導路 ... 396
   3. 聴覚伝導路 ... 397

G 眼の構造と視覚 ... 397
1. 眼球の構造 ... 397
   1. 眼球線維膜(外膜) ... 398
   2. 眼球血管膜(ブドウ膜) ... 398
   3. 網膜(眼球内膜) ... 399
   4. 眼房水 ... 400
   5. 水晶体 ... 401
   6. 硝子体 ... 401
2. 眼球付属器 ... 401
   1. 眼瞼・結膜 ... 401
   2. 涙器 ... 401
   3. 眼筋(外眼筋) ... 402
3. 視覚 ... 403
   1. 視野と視力 ... 403
   2. 色覚 ... 403
   3. 遠近調節 ... 404
   - column 距離感 ... 405
   4. 明暗順応 ... 406
   5. 眼球運動の調節 ... 406
   6. 眼球に関する反射 ... 407
   - 臨床との関連 直接対光反射と間接対光反射 ... 407

H 耳の構造と聴覚・平衡覚 ... 408
1. 耳の構造 ... 408
   1. 外耳 ... 408
   2. 中耳 ... 408
   3. 内耳 ... 409
2. 聴覚 ... 412
   - column 老人性難聴 ... 412
3. 平衡覚 ... 413

I 味覚と嗅覚 ... 413
1. 味覚器と味覚 ... 413
   1. 味覚器の構造 ... 413
   2. 味覚の特徴 ... 414
2. 嗅覚器と嗅覚 ... 414
   1. 嗅覚器の構造 ... 414
   2. 嗅覚の特徴 ... 415

J 痛み(疼痛) ... 415
1. 痛みの分類 ... 416
   1. 体性痛と内臓痛 ... 416
   2. 誘因による分類 ... 416
2. 疼痛の発生機序 ... 417
   1. 疼痛の原因 ... 417
   - 臨床との関連 腹痛と腹膜刺激症状 ... 417
   2. 疼痛の伝導 ... 418
   3. 急性痛と慢性痛 ... 418
   4. 関連痛 ... 419
   5. 内因性鎮痛物質 ... 420
   - 臨床との関連 オピオイド ... 420

K 脳の統合機能 ... 420
1. 脳の活動の測定と脳のリズム ... 421
   1. 脳波 ... 421
   2. 睡眠 ... 421
   - 臨床との関連 聴性脳幹反応 ... 422
   3. 概日リズム ... 424
2. 記憶 ... 424
   - column 海馬が障害されるとどうなるか ... 425
3. 本能行動と情動行動 ... 426
   1. 本能行動 ... 426
     - ◆摂食行動 ... 426
     - ◆飲水行動 ... 426
     - ◆性行動 ... 427
   2. 情動 ... 428
4. 内臓調節機能 ... 428
   1. 自律神経系による内臓機能の調節 ... 428
   2. 防衛反応と死にまね反応 ... 428
5. 中枢神経系の障害 ... 429
   1. 意識障害 ... 429

column　覚醒を維持する脳のしくみ……… 429
②大脳皮質の局所障害……………………… 430
③精神神経疾患……………………………… 431

第9章　身体機能の防御と適応

坂井建雄・岡田隆夫

A 皮膚の構造と機能……………………… 435
１皮膚の組織構造…………………………… 435
①表皮……………………………………… 435
②真皮……………………………………… 436
③皮下組織………………………………… 436
２皮膚の付属器……………………………… 436
①毛………………………………………… 436
臨床との関連　褥瘡と潰瘍…………… 436
②爪………………………………………… 437
③皮膚腺…………………………………… 437
３皮膚の血管と神経………………………… 438
①皮膚の血管……………………………… 438
②皮膚の神経……………………………… 438
臨床との関連　皮膚の色とアセスメント…… 438
４皮膚の機能………………………………… 439
臨床との関連　皮膚の蒸発阻止作用…… 439
B 生体の防御機構………………………… 439
１非特異的防御機構………………………… 440
①皮膚・粘膜における防御……………… 440
②貪食作用・細胞傷害物質による防御
……………………………………………… 441
臨床との関連　温湿布と冷湿布……… 442
２特異的防御機構──免疫………………… 442
①免疫に関与するリンパ球の機能……… 442
◆B細胞………………………………… 443
◆T細胞………………………………… 443
②液性免疫………………………………… 443
◆抗体の種類…………………………… 443

◆抗体の機能…………………………… 444
③細胞性免疫………………………………… 445
④予防接種…………………………………… 446
⑤免疫の異常………………………………… 446
３生体防御の関連臓器……………………… 447
①リンパ節………………………………… 447
②粘膜付属リンパ組織と扁桃…………… 449
③胸腺……………………………………… 449
④脾臓……………………………………… 450
C 体温とその調節………………………… 451
１熱の出納…………………………………… 451
①熱産生…………………………………… 451
②熱放散…………………………………… 451
２体温の分布と測定………………………… 452
①体温の分布……………………………… 452
②体温の測定……………………………… 453
③体温の日内変動と性周期による変動
……………………………………………… 453
３体温調節…………………………………… 453
column　お酒を飲んだとき，身体は本当に
あたたかくなるだろうか…………… 453
①温度受容器……………………………… 454
②体温調節中枢…………………………… 454
４発熱………………………………………… 454
５高体温と低体温…………………………… 456
①高体温（うつ熱）………………………… 456
②低体温…………………………………… 456

第10章　生殖・発生と老化のしくみ

坂井建雄・岡田隆夫

A 男性生殖器……………………………… 461
１精巣（睾丸）………………………………… 461
臨床との関連　尿道の構造と導尿…… 462

２精路（生殖路）と付属生殖腺……………… 463
①精路……………………………………… 463
②付属生殖腺……………………………… 464

- 3 男性の外陰部 …… 464
- 4 男性の生殖機能 …… 465
  - 1 精子の形成と成熟 …… 465
  - 2 勃起と射精 …… 465
- B 女性生殖器　466
  - 1 卵巣 …… 467
  - 2 卵管・子宮・腟 …… 469
    - 1 卵管 …… 469
    - 2 子宮 …… 469
    - 3 腟 …… 470
  - 3 女性の外陰部と会陰 …… 470
    - 1 外陰部 …… 470
    - 2 会陰 …… 471
  - 4 乳腺 …… 472
  - 5 女性の生殖機能 …… 472
    - 1 卵巣周期 …… 474
    - 2 月経周期 …… 474
- C 受精と胎児の発生　475
  - 1 生殖細胞と受精 …… 475
    - 1 生殖細胞 …… 475
    - 2 受精 …… 477
  - 2 初期発生と着床 …… 479
  - 3 胎児と胎盤 …… 482
    - 1 胎盤と臍帯 …… 482
    - 2 生殖器の分化と発達 …… 484
    - 臨床との関連　精巣下降と停留睾丸 …… 485
    - 3 妊娠中の母体の変化 …… 486
    - 4 分娩 …… 487
    - 5 胎児の血液循環 …… 488
- D 成長と老化　489
  - 1 小児期の成長 …… 489
    - 1 成長に影響を与える因子 …… 490
    - 2 身長と体重の変化 …… 491
    - 3 思春期における性成熟 …… 492
      - ◆ 思春期の発現機序 …… 492
    - 臨床との関連　性同一性障害 …… 493
  - 2 老化 …… 494
    - 1 老化のメカニズム …… 494
    - column　生殖と寿命 …… 495
    - 2 各器官系・組織における老化現象 …… 496

第11章　体表からみた人体の構造

坂井建雄

- 1 体表から触知できる骨格部分 …… 502
  - 1 頭頸部で触知できる骨格部分 …… 502
    - ◆ 顔面の骨格 …… 502
    - ◆ 頸部の骨格 …… 503
  - 2 体幹上部で触知できる骨格部分 …… 503
    - ◆ 胸郭の部分 …… 503
    - ◆ 背部の骨格 …… 504
  - 3 上肢で触知できる骨格部分 …… 504
    - ◆ 肩周囲の骨格 …… 504
    - ◆ 肘周囲の骨格 …… 504
    - ◆ 手首と手の骨格 …… 504
  - 4 体幹下部で触知できる骨格部分 …… 504
    - ◆ 骨盤の骨格 …… 504
  - 5 下肢で触知できる骨格部分 …… 505
    - ◆ 股関節周囲の骨格 …… 505
    - ◆ 膝と下腿の骨格 …… 505
    - ◆ 足首周囲の骨格 …… 505
- 2 体表から触知できる大きな筋 …… 505
  - 1 頭頸部で触知できる筋 …… 505
    - ◆ 顔の筋 …… 505
    - ◆ 頸部の筋 …… 506
  - 2 体幹上部で触知できる筋 …… 506
    - ◆ 胸部の筋 …… 506
    - ◆ 背部の筋 …… 506
  - 3 上肢で触知できる筋 …… 506
  - 4 体幹下部で触知できる筋 …… 506
    - ◆ 腹壁の筋 …… 506
    - ◆ 殿部の筋 …… 506
  - 5 下肢で触知できる筋 …… 507
    - ◆ 大腿の筋 …… 507
    - ◆ 下腿の筋 …… 507
- 3 体表から触知できる動脈 …… 507
  - 1 頭頸部で触知できる動脈 …… 507
    - ◆ 顔の動脈 …… 507

| 2 体幹で触知できる動脈 …………… 508
　　◆腹部の動脈 ………………… 508
| 3 上肢で触知できる動脈 …………… 509
　　◆手首の動脈 ………………… 509
| 4 下肢で触知できる動脈 …………… 509

臨床との関連　脈拍の触知と血圧 ………… 509
| 4 **体表から到達できる静脈** …………………… 509
　　◆上肢の静脈 ………………… 510
　　◆下肢の静脈 ………………… 510

- 巻末資料　1 解剖学によく出る漢字と概念 ……………………………………………………… 511
　　　　　　2 解剖生理学を学ぶための化学の基礎知識 ………………………………………… 513
- 索引 ……………………………………………………………………………………………………… 519

― 解剖生理学 ―

序章

人体の構造と機能を
学ぶために

医療は，人体の不具合を治し，生命の維持と健康の増進を目ざして行われている。現代の医療は，医師だけでなく，看護師や薬剤師などのさまざまな職種の人たちが協力して行われている。さらに患者となる一般の人たちにも，医療の内容をよく理解し，みずから判断することがすすめられている。医学は，そのような現代の医療を支える幅広い科学であり，看護学もその一翼を担っている。

　解剖学と生理学は，医学の体系のなかでも基礎中の基礎となる領域である。医学を学ぶ人たちは，**解剖学** anatomy によって人体の形態と構造を学び，**生理学** physiology によって役割と機能を学ぶことから医学の学習を始める。その人体の正常な構造と機能がもとになって，病気のなりたちが理解されるようになり，それに基づいて診断と患者の治療・看護が行われる。病気に苦しむ人たちを救う医療行為には，人体へのさまざまな介入が含まれるため，人体の構造と機能についての正確な理解がなければ，その医療行為そのものが害悪をもたらすことになりかねない。解剖学と生理学についての十分な理解なしでは，現代の医療はなりたたない。

1 人体の構造と機能をどのように学ぶか

　人体の内部を見ると，その内部には，肉眼的に扱える構造物，すなわち器官 organ がいくつもおさまっている。解剖学はおもに構造を，生理学はおもに機能を扱うが，医学の基礎としての学習では，それらの器官の1つひとつについて，構造と機能を一体のものとして学んでいくのがよい。それぞれの器官については，まずその位置関係や形状，内部構造を，つづいてそれぞれの機能や人体における役割を学んでいこう。

　器官は人体の内部にあって，直接に見たり触れたりすることはできない。器官をよく知る最良の方法は，実際に人体を解剖して実物を観察することである。とはいえ人体解剖には大きな制約があり，医学・歯学の教育の場でのみ許されているため，解剖体や解剖標本を見学するような機会を利用して，できる限り実物に接するのが望ましい。

　解剖学と生理学では，人体の中にある多数の器官を，整理してまとめながら扱っていく。そのまとめ方には大きく2つの方法がある。その1つは局所的な方法であり，身体を部位ごとに分けて整理していくものである。頭部・胸部・腹部・上肢・下肢などに分けて記述することになる。もう1つは系統的な方法であり，いわば解剖学と生理学を1つにまとめ，機能に従って整理していくもので，消化器系・泌尿器系・循環器系など，器官系という機能システムに分けて記述することになる。本書の内容はこの系統的な方法に従っている。

　人体の構造と機能についての学習は，肉眼的に見える器官だけにとどまらない。それぞれの器官の構造と機能は，それを構成する素材である組織によって支えられている。肝臓・腎臓・筋・骨など，人体の器官はそれぞれ固有の組織からなり，それぞれの組織は特有のはたらきをもっている。さらに

組織をつくる細胞にも、それぞれの構造と機能がある。こうして、人体をつくる器官を細かく掘り下げていき、人体とその器官の構造と機能を、組織・細胞、そして分子のはたらきからなりたつものとして学んでいく。器官のミクロの構造を扱うのは組織学 histology、器官をつくる細胞そのものに焦点をあてるのは細胞生物学 cell biology である。

これに加えて解剖学では、時間軸の面からも人体を探究する。由来を知ることによって、形態と構造の意味がより深く理解されるからである。胎児にさかのぼる個体の発生過程や、地球上の生命の起源にさかのぼる系統進化も、その意味で興味深いテーマである。個体の発生過程を調べるのは発生学 embryology、系統発生をもとにほかの動物体との差異を調べるのは比較解剖学・生理学 comparative anatomy/physiology である。

最近では画像診断学の進歩によって、CT（コンピュータ断層撮影）やMRI（磁気共鳴撮影）などにより生体の断面画像が豊富に得られるようになった。さらに、画像をコンピュータで再構築して立体画像として表現することも可能になってきた。これらの画像は、人体の構造についての正確な理解があってはじめて的確に読みとることができ、また人体の構造の学習や復習にも大いに役だつ。診断や手術などの臨床応用を目的に人体の構造と機能を調べるのは、臨床解剖学・生理学 clinical anatomy/physiology である。

本書には、こういった広い意味での解剖学・生理学の知見が含められている。とくに臨床の場で出会うさまざまな症状や現象は、医学の基礎としての解剖学・生理学をより深く理解する手がかりとして重視した。人体の構造と機能が、さまざまな意味と広がりをもつことを学びとってもらいたい。

2 解剖学と生理学の歴史と現在

解剖学と生理学が医学の基礎であるように、近代医学は解剖学と生理学によって始まった。近代医学の祖といわれるブリュッセル（現在のベルギーの首都）生まれのアンドレアス＝ヴェサリウス Andreas Vesalius（1514-64）は、みずから人体解剖を行い、その実証に基づいて1543年に『ファブリカ（人体の構造に関する7巻）』を出版した（◯図1）。この著作により、それまで権威として尊ばれてきた古代ローマのガレノスの著作ではなく、人体そのものの中に真実が探究されるようになった。ガレノス説を否定し、血液が血管を通って循環すること、すなわち血液循環の原理を示したのは、イギリスのウィリアム＝ハーヴィー（1578-1657、◯図2）である（1628）。17世紀と18世紀には、顕微鏡を使って生物の中の複雑なミクロの世界が、また博物学的な探索によって地球上の未知の動物・植物が、つぎつぎと報告されていった。医学においては解剖学・生理学の発見がつぎつぎとなされ、のちの医学の発展の基礎が築かれていった。

19世紀になると、それまでの積み重ねと研究技術の発展をもとに、医学と生物学を変革する2つの大きな発見が行われた。その1つはシュライデンとシュワンによる細胞説（1838, 1839）であり、これは細胞があらゆる生物体

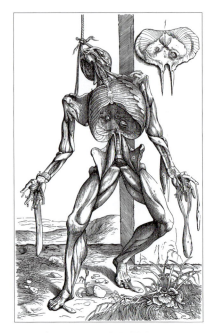

○図1　アンドレアス=ヴェサリウス(左)と『ファブリカ』の筋肉人(右)

をつくる生命の単位であると主張するものであった。もう1つはダーウィンによる進化論(1859)で，地球上のさまざまな生物が太古の原始的な生命から出発し，さまざまに進化して生じたというものである。これ以外にも，人体と細胞について構造と機能の両面からさまざまな研究が積み重ねられ，19世紀の後半には，今日の解剖学と生理学の大きな枠組みが築き上げられた。また，外科手術の基礎となる消毒法・麻酔法が開発され，感染症をおこす病原体が発見されたのも19世紀のことである。

　一方，わが国においては，杉田玄白・前野良沢らによる『解体新書』の翻訳(1774)が，西洋の学問に道を開く契機となった(○図3)。明治維新(1868)ののちに，西洋医学が本格的に導入され，人体解剖実習が行われ，解剖学・生理学が医学の基礎として広く教えられるようになった。

　20世紀になって，細胞の構造と機能についての研究が大きく進歩した。とくに遺伝子の本体が二重らせん構造をもったDNA分子であるというワトソンとクリックの発見(1953)は，遺伝子の研究に道を開いた。1つの細胞，1つの個体がもつ遺伝子の全体であるゲノムについても，ヒトをはじめとしたさまざまな生物において明らかにされてきている。

　現在の人体の構造と機能についての研究は，細胞と分子のレベルでおおいに発展している。これらの研究には，分子までのミクロの構造を可視化する電子顕微鏡，分子の局在を明らかにする免疫組織化学，遺伝子の発現部位を調べるインサイチューハイブリダイゼーションといった解剖学的な技術，細胞膜上のチャネル1個の活動を調べるパッチクランプ法などの生理学的な技術，タンパク質や遺伝子といった細胞を構成する微量な成分を同定するノーザンブロット法・サザンブロット法・ウェスタンブロット法などの生化学

●図2　ウィリアム=ハーヴィー　　　●図3　『解体新書』とびら

的・分子生物学的な技術など，さまざまな技術が用いられている。これらの技術を駆使して，遺伝子がタンパク質を通して細胞のはたらきを制御し，細胞どうしが互いに影響し合いながら，人体というバランスのとれたしくみをダイナミックに構築している姿が明らかにされてきている。1つひとつの知識を単に増やすだけではなく，互いに関連づけて総合し，人体という小宇宙のなかの生命現象として統合的に理解することが，医学・看護学の学習者・研究者に求められる最重要の目標であることは，いつの時代においてもかわりがない。

3　自然界における人類の位置

　私たちは地球の環境のなかで，さまざまな生物たちとともに生きている。太陽の光エネルギーと土壌から吸収した無機物，空気中の二酸化炭素を利用して自身の身体を合成する植物たち，その植物を食物にして生きる草食性の動物たち，それらを捕食して生きる肉食性の動物たち，さらにこれら生物の死骸を分解している微生物たち，こういったあらゆる生物が互いを利用し，たすけ合いながら，生物が生きることのできる環境を地球上につくりあげている。この生物が共存するシステムを**生態系** ecosystem という。私たちは地球上の資源を利用してさまざまな活動を行っているが，生態系のバランスをこわさないような配慮が必要である。

　生態系を構成する現在の地球上に生きるあらゆる生物は，三十数億年前の地球上に生じた原始的な生物から**進化** evolution し，さまざまな形をもつ種に分かれ，さらに身体のしくみを発展させて生じたものである。したがって，人体の構造と機能は，背骨をもつ動物（魚類，両生類，爬虫類，鳥類，哺乳類）と共通するしくみが数多くみられる。とくに，私たちと同じ哺乳類に

属する動物とは非常によく似ている。

4 社会のなかの人体

　医学 medicine とは人体のしくみを調べる科学であり，その知識を利用して行われるのが**医療** medical care である。医学の学習や研究のためには，人体を実際に調べる必要がある。人体解剖実習のための解剖体は，自分自身の意志によって死後の身体を提供していただく献体によってまかなわれている。死亡した患者さんの生前の病気の状態や死の原因を調べるための病理解剖は，ご遺族の了解を得て行われる。さらに血液を供給するための献血，角膜移植のためのアイバンク，臓器移植のためのドナー登録など，多くの人々の身体が医療に役だてられている。

　さらに医療行為そのものも，患者さんの理解と承認のもとに行われるようになった。したがって，医療に携わる者には，人体についての医学的な知識をより深く学び，患者さんに十分な説明ができるようになることが求められている。

― 解剖生理学 ―

第 1 章

解剖生理学のための基礎知識

本章の概要

　私たち人間は，1人ひとりが違っている。食べ物の好き嫌いから，性格の違い，生まれ育った環境の違い，専門知識の違い，経済力の違いなど，千差万別である。身体的にも違っていて，ある人にはよくきいた薬がほかの人にはまったくきかない，といったこともよくある。そのため，医療は1人ひとりの個性や身体的特徴に合わせて行われなければならない。洋服屋でハンガーにかかっている服やマネキンが着ている服のようなレディーメイドではなく，採寸して自分の体型に合った服をつくるようなオーダーメイドの医療が必要である。

　とはいえ，耳は2つ，肝臓は1つで腎臓は2つといったように，私たちの多くに共通していることも少なくない。走ると心臓がドックンドックンと速く拍動することも，皆さんが経験することだろう。解剖生理学（形態機能学）では，このような誰にでも共通していることを扱う。

　これから皆さんは，解剖生理学という人体の構造と機能を学ぶ旅に出る。この教科書が皆さんの旅を導くよい地図になってくれることを願っている。地図に従ってめぐり歩けば，新しい知識を得ることができ，私たちの身体のすばらしさをより深く感じることができるだろう。

　この章では，まず「A．構造からみた人体，① 人体の階層性」で，人体を形づくる構造と機能について深さと広がりの全体像をつかんでほしい。つづいて「② 体表からみえる人体の部位」以降で人体の構造のあらましを理解し，さらに「B．人体のさまざまな器官」で構造と機能を結びつけながら人体の各器官・部位について学んだのち，「C．素材からみた人体」で人体を構成する細胞などの素材について学んでいこう。患者さん，あるいは社会で暮らしている人々にオーダーメイドの医療を提供できるよう，その手始めとして人間の身体の基本構造とそのなりたちをしっかりと理解しておこう。

A 構造からみた人体

1 人体の階層性

　人体は，さまざまな構造が集まってできている。身体をつくる構造で，肉眼で見えるような形をもつものを，**器官** organ という（●図 1-1）。たとえば，肝臓や心臓などが器官の例である。さらに細かく顕微鏡で見ていくと，**細胞** cell という生命の単位となる小さな構造が見えてくる。

> **NOTE**
> ❶人体を構成する細胞
> 　人体は約 37 兆個もの細胞で構成されているといわれる。細胞の構造については，「C．素材からみた人体」（● 27 ページ）で説明する。

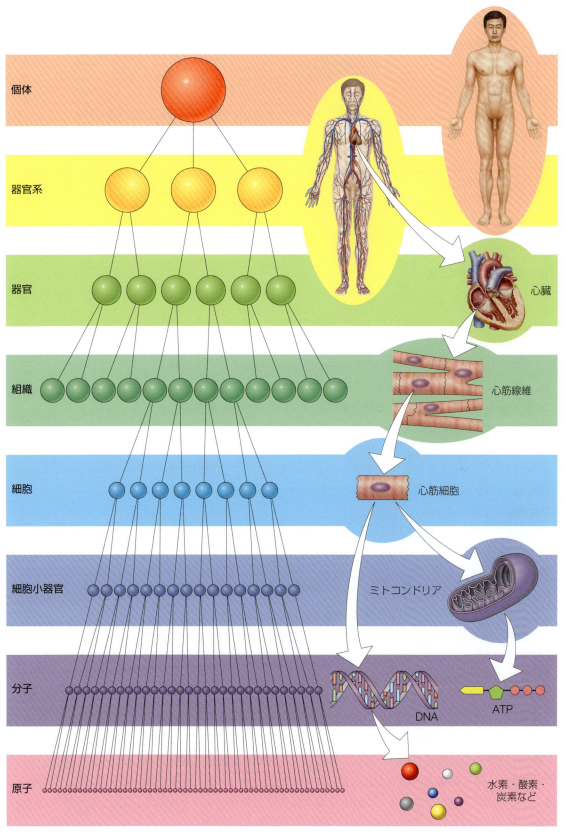

◯図1-1　人体の階層性

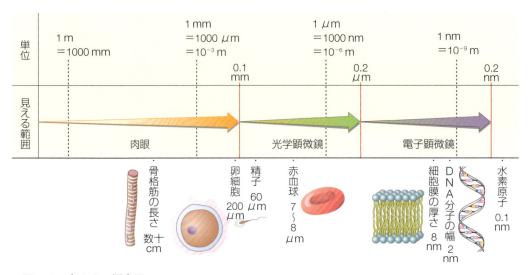

○図 1-2　大きさの概念図

　人体は器官や細胞が無秩序に集まったものではなく，共通のはたらきをもつ器官が集まって**器官系** organ system という機能系（システム）をつくっている。人体では 10 個ほどの器官系が区別される。また器官をつくる素材は，いくつかの種類の細胞が集まってできており，**組織** tissue とよばれる。さらに細胞の構造を細かくみると，**細胞小器官** organelle という電子顕微鏡で見えるような構造があり，それらはさらにタンパク質などの**分子** molecule からつくられている。

　このように，人体の構造は肉眼で見える大きなものから，顕微鏡を使わないと見えない小さなものまで，次のようないくつもの階層に分けて整理される（○図 1-1, 2）。

　1 **個体**　人体（例：あなたの身体，大きさは 1～2 m，重さは数十 kg）
　2 **器官系**　共通のはたらきをもつ器官の集まり（例：循環器系）
　3 **器官**　肉眼で見えるような形をもつ構造（例：心臓，大きさは握り拳ほど，重さは 200～300 g）
　4 **組織**　器官をつくる素材で，細胞の集まり（例：心筋組織）
　5 **細胞**　顕微鏡で見える生命の単位（例：心筋細胞，長さは約 100 μm，重さは 1 億分の 1 g〔10 ng〕ほど）
　6 **細胞小器官**　細胞の中で一定のはたらきをもつ構造（例：ミトコンドリア）
　7 **分子**　複数の原子からなり，人体のはたらきにおける最小単位（例：ATP，遺伝子の本体である DNA，大きさは数 nm）

　解剖生理学では，器官や細胞の構造と機能を，より細かな階層に掘り下げて学ぶこと，同じ階層の別のものと比較して学ぶこと，さらにより大きな階層のなかに位置づけて学ぶこと，これらを通して人体の全体の構造と機能とを総合的に理解することが求められる。

2 体表からみえる人体の部位

　人体を外から見たり，触れたりするのは，医療において人体を扱う第一歩である。まずは，外から見た人体の姿を知ろう。

　人体の表面には，いろいろな部位に名前がついている。それらの名前の多くは，内部の構造に基づいてつけられている。人体の中軸部分は**体幹**であり，そこから左右に**上肢**と**下肢**が突き出している（◎図1-3，4）。上肢と下肢を合わせて**体肢**とよぶ。

● **体幹**　体幹は，**頭・頸・胸・腹**に分かれる。頭の前下の部分は**顔**，頸の後面は**項**，腹の後面は**腰**である。体幹の下端部で，左右の下肢の間を**会陰**という。

● **上肢**　上肢は**上腕・前腕・手**に分かれる。上肢のつけ根は**肩**，その下面のくぼみは**腋窩**である。上腕と前腕の境い目は**肘**，その前面のくぼみは**肘窩**である。手のひらは**手掌**，その裏面は**手背**である。上肢で触れる目印としては，肩峰・三角筋・肘頭・爪などがある。

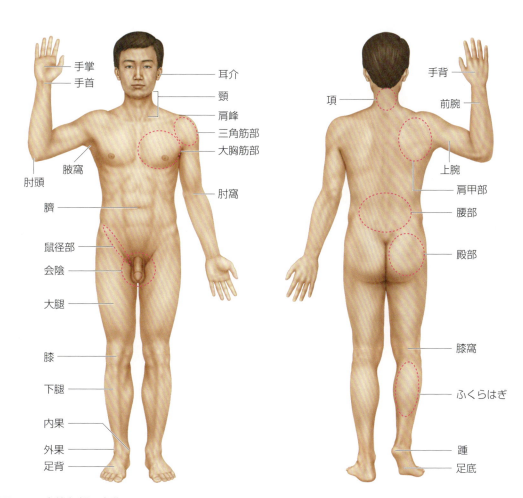

◎図1-3　**人体各部の名称**

● **下肢** 下肢は**大腿・下腿・足**に分かれる。下肢のつけ根の後面のふくらみは**殿部**(しり)である。大腿と下腿の境い目は**膝**，その後面のくぼみは**膝窩**である。足の裏は**足底**，その上面は**足背**である。下肢で触れる目印としては，骨盤(寛骨の腸骨稜・恥骨結節・坐骨結節)・大殿筋，膝蓋骨・ふくらはぎ・外果・内果・踵・爪がある。

3 骨格による人体の区分

人体の形を内部構造からみたときも，大きく体幹と体肢(上肢と下肢)に分けられる(◎図1-4)。

● **体幹** 体幹は，上方から**頭部・頸部・胸部・腹部・骨盤部**に区分される(◎表1-1)。胸部・腹部・骨盤部は体幹の太い部分で，胴とよばれ，内部に内臓をおさめている❶。

(1) 頭部：脳と顔がある。
(2) 頸部：頭と胴体をつなぐ細い部分である。
(3) 胸部：籠状の骨組みがあり，肺・心臓などをおさめている。
(4) 腹部：筋でできた壁からなり，胃・腸・肝臓などをおさめている。
(5) 骨盤部：受け皿状の骨組みがあり，膀胱・直腸・生殖器などをおさめている。

> **NOTE**
> ❶胸部には肺と心臓，腹部には胃・腸・肝臓などの消化器，骨盤部には膀胱・直腸など，重要な臓器が胸・腹・骨盤にかけて集まっている。

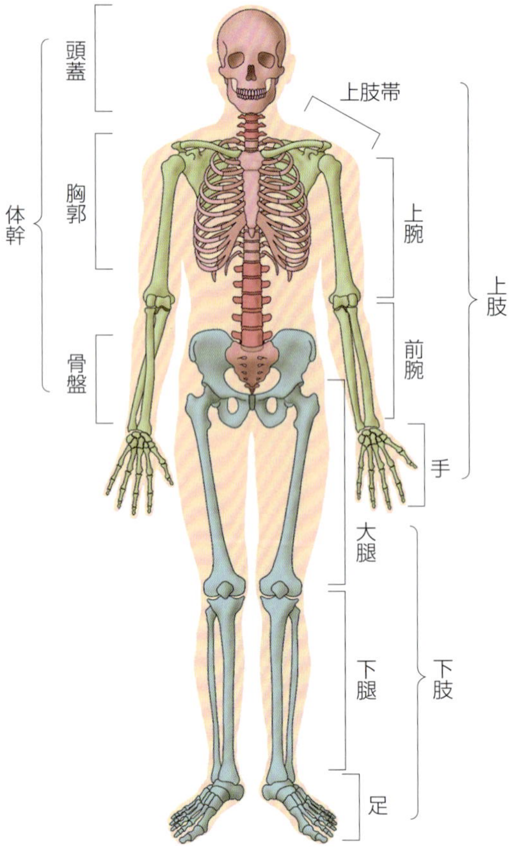

◎**図1-4 前面から見た人体の骨格**
体幹の骨格は，脊柱を中心に，頭蓋・胸郭・骨盤を含む。
体肢の骨格は，上肢・下肢となって，体幹から突き出ている。

▶表1-1　体幹の区分

	骨格	臓器
頭部	頭蓋	脳・眼・耳・口・鼻など
頸部	頸椎	咽頭・喉頭など
胸部	胸郭	肺・心臓・食道・気管など
腹部	腰椎	胃・小腸・大腸・肝臓・膵臓・脾臓・腎臓など
骨盤部	骨盤	直腸・膀胱・生殖器など

　頭部の骨組みは**頭蓋**であり，頸部から骨盤部までは中軸に**脊柱**があって身体を支えている。胸部の籠状の骨組みは**胸郭**とよばれ，わずかに動いて呼吸運動を行う。**骨盤**はその内部の内臓を保護するとともに，腹部の内臓（▶26ページ，図1-12）を下から支える受け皿になっている。脊柱は，頭蓋と胸郭の間の**頸**と，胸郭と骨盤の間の**腰**において可動性が高い。すなわち体幹は，重要な内臓をおさめる頭蓋・胸郭・骨盤の間を，動きのよい頸と腰でつないだ形になっている。

●**体肢**　上肢は手で物をつかんで作業をするために，運動の自由度が大きい。下肢は全身の体重を支えて歩行するために，じょうぶにできている。上肢と下肢の付け根は，外見上は体幹の中にあって，それぞれ**上肢帯**と**下肢帯**とよばれる。

　体幹から外に突き出した部分は，それぞれ自由上肢と自由下肢とよばれる。自由上肢の骨組みは，上腕・前腕・手に分かれ，自由下肢の骨組みは，大腿・下腿・足に分かれる（▶図1-4）。

上肢：上肢帯―（肩関節）―上腕―（肘）―前腕―（手首）―手
下肢：下肢帯―（股関節）―大腿―（膝）―下腿―（足首）―足

4　人体の内部にある腔所

　人体の内部には，性質の異なる2種類の腔所（空いた場所）がある（▶図1-5）。1つは中枢神経（脳と脊髄）をおさめる腔所で，頭の中にある**頭蓋腔**と，脊柱の中にある**脊柱管**とからなる。もう1つは胴の中にある**胸腔**と**腹腔**であり，内臓をおさめ，互いに横隔膜で仕切られている。腹腔の下部でとくに小骨盤（▶320ページ）に囲まれた部分を**骨盤腔**という。

●**体腔**　胸腔の心臓や肺，腹腔の胃・小腸・大腸・肝臓などの内臓は，その表面の大部分がなめらかな**漿膜**におおわれている。また，胸腔と腹腔の壁の内面も漿膜でおおわれている。臓器の表面をおおう**臓側**の漿膜と，壁の内面の**壁側**の漿膜とは，臓器の出入り口の周囲のところで互いにつながる。臓器と体壁の間の狭い空間は体腔とよばれ，またひとつながりになった漿膜の袋に包まれるので，**漿膜腔**ともよばれる。

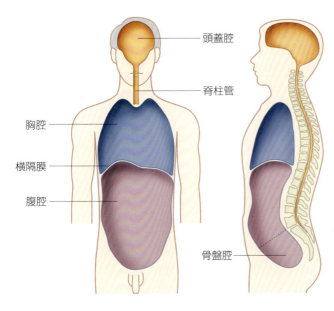

◐ 図 1-5　人体内部の腔所
頭蓋腔から脊柱管につながるひと続きの腔所には，中枢神経（脳と脊髄）がおさまっている。
胸腔・腹腔・骨盤腔にかけての腔所には，内臓が集まっている。

5　方向と位置を示す用語

● **基準面**　人体の位置と方向を示す際には，人体が直立しているものとして，互いに垂直に交わる3方向の基準面（**水平面・前頭面・矢状面**）を想定する（◐図1-6）。
（1）水平面：地表と平行な面で，人体を上下に分ける。
（2）前頭面：前頭部と平行な面という意味で，人体を前後に分ける。**前額面**ともいう。
（3）矢状面：正面から飛んでくる矢の方向という意味で，人体を左右に分ける。このうち身体を左右半分に分けるものを**正中面**という。

● **対になる方向用語**　身体の部位の方向を示す用語は，対になっているものが多い。
（1）上／下：人体の頭に近いほうと，足に近いほう。ほかの動物と比較するために，頭側／尾側ともいう。
（2）前／後：直立した人体の前と後ろ。動物と比較するために，腹側／背側ともいう。
（3）内側／外側：正中面に近いほうと，正中面から遠いほうをいう。
（4）近位／遠位：体肢などで，身体の中心に近いほうと，身体の中心から遠いほうをいう。

● **縦の基準線**　身体の表面の位置を示すために，縦線がいくつか使われる（◐図1-7）。
（1）正中線：正中面を通る体表の線である。
（2）胸骨線：胸骨の外側縁に沿った縦の線である。
（3）鎖骨中線（または乳頭線）：鎖骨の中央を通る縦の線である。乳頭の上を通る線にあたるが，成人女性では乳頭の位置が動くので不正確になる。

(4) 腋窩線：腋窩の中央を通り，人体の側面を縦に通る線である。腋窩の前後の端を通る前腋窩線と後腋窩線が使われる。
(5) 肩甲下線：肩甲骨の下角を通り，人体の背面を縦に通る線である。

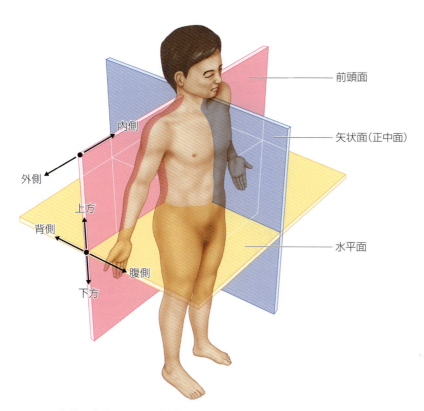

図1-6 身体の方向の3つの基準面
人体の方向は，水平面・前頭面・矢状面という3つの基準面をもとに記述される。

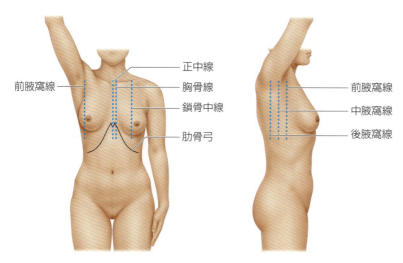

図1-7 人体における縦の基準線

B 人体のさまざまな器官

1 機能からみた人体と器官系

1 はたらきからみた器官系の分類

　生命を維持し活動を行うために，人体にはさまざまな機能が必要である。人体のさまざまな器官は，これらの機能を果たすために集まって10個ほどの器官系という機能系（システム）を形成している。その器官系のはたらきを調べていくと2つの部類に大別される。

● **植物機能と動物機能**　1つは**植物機能**とよばれ，ものを食べて栄養を取り入れ，呼吸をして空気を取り入れ，身体中に血液を循環させるなど生命を維持するはたらきである。もう1つは**動物機能**とよばれ，視たり聴いたり，ものを考え，そして行動するなど，運動・情報のはたらきである。

　植物機能を行う器官は，胸部・腹部など体幹の中心部分に集まっていて，**内臓**とよばれる。これに対して動物機能を行う器官は，体幹の壁および上肢・下肢をつくっていて，**体壁**❶とよばれる。支配する神経の種類も内臓と体壁では違っていて，内臓に分布する神経は**自律神経**とよばれ，感覚が意識にのぼりにくく，また内臓の運動も意識的に行うことができない。これに対して体壁に分布する神経は**体性神経**とよばれ，感覚が意識されやすく，また筋肉の運動を意識的に行うことができる（◯表1-2）。

　以上をまとめると，植物機能は生命維持システム，動物機能は運動・情報システムということができる。

■ **植物機能のはたらき**

　生命を維持していくために，植物機能のはたらきにより人体を取り巻く外部環境（気温や湿度，病原微生物の有無など）が変化しても，身体が活発に活動しても，細胞を取り巻く**内部環境**はつねに一定程度に保たれている。これを**ホメオスタシス**（**生体恒常性**）という（◯図1-8）。

　たとえば気温がかわっても体温は36～37℃に保たれており，このほかにも体内水分量や，血液中の塩分濃度，体液のpH（◯514ページ）などが狭い範

> NOTE
> ❶体幹の壁を体壁とよぶこともある。

◯表1-2　植物機能と動物機能

	植物機能	動物機能
はたらき	身体の生命維持	身体の運動・情報
身体の部位	内臓（体幹の中心部）	体壁（体肢を含む）
支配神経	自律神経	体性神経
感覚	意識されにくい	意識されやすい
運動	意志に従わない	意志に従う

囲で一定に保たれている。

■ 動物機能のはたらき

動物機能は生命を活用して，外から情報を取り入れたり，積極的に身体を動かしたりして，人間らしく生きていくためのはたらきをする。ホメオスタシスの観点からみると，どちらかというと動物機能はホメオスタシスをくずす方向にはたらく。

たとえば長距離を走ると，筋肉が激しくはたらくために酸素需要が増大し，血液の酸素濃度が低下する。つまり一定の範囲でおさまらなくなる。そうすると植物機能がはたらき，呼吸の回数と深さが増えて，外界から酸素をより多く取り込み，また心臓は心拍の回数と量を増やしてより多くの血液を送り出す。あわせて筋肉に分布する血管がゆるんでより多くの血液が筋肉に運ばれ，不足する酸素をまかなうためにより多くの酸素が送り届けられる。

■ ホメオスタシスのしくみ

外部環境や身体の活動の影響によって内部環境が大きく変化しそうになったときには，内臓がはたらきを強めたり弱めたりして，ホメオスタシスを維持することになる。人体は，内臓のはたらきを調節するために自律神経とホルモンという 2 つのしくみを使っている（● 240 ページ）。

たとえば，気温が高いときには体温を下げるために汗が分泌され，気温が低いときには体内の熱が逃げないように皮膚の血流が減らされる。これは身体の温度の変化が脳の調節中枢に伝えられ，設定された温度と比較され，体温を調節するように自律神経のはたらきが調節されるのである。

● **フィードバック機構** このように一定の目標値に合致するように入力に応じて出力を調節するしくみを**フィードバック機構**とよぶ。ホメオスタシスの調節のほとんどは，出力が抑制される**負のフィードバック機構**によって行われる❶。

> **NOTE**
> ❶出力を促進する正のフィードバック機構や，変化を予測して出力を調節するフィードフォワード調節については第 6 章で取り上げる（● 274 ページ）。

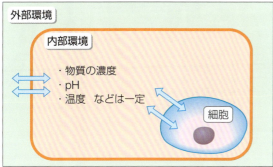

a. 休息しているとき
細胞と内部環境の物質のやりとりは少なく，外部環境と内部環境の物質のやりとりも少ない。

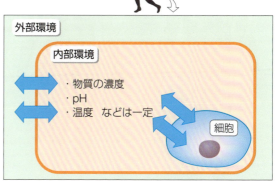

b. 運動しているとき
からだを動かすことで細胞の代謝が活発になり，内部環境とのやりとりが増える。それに応じて，呼吸数が増えるなど，内部環境と外部環境のやりとりも増える。

● 図 1-8　ホメオスタシス

2 生命維持システム（植物機能）

　生命維持をする器官系には，エネルギーを獲得するために外界と物質交換をするもの（1 消化器系，2 呼吸器系，3 泌尿器系），体内で物質を流通させるもの（4 循環器系），種族の生命を維持するもの（5 生殖器系），調節や防御を行うもの（6 内分泌系，7 免疫系）がある（●図1-9）。

　1 消化器系 digestive system❶　エネルギーの素材となる食物を消化し，**栄養** nutrition として体内に吸収するはたらきをする。中心となる1本の消化管は，口腔から始まって頸部と胸部（咽頭，食道）を下り，腹部の消化管（**胃・小腸・大腸**など）になり肛門まで達する。口から取り入れた食物の栄養は，胃腸のところで血液に取り込まれる。また消化管につながる付属腺（**肝臓・膵臓**など）が，消化のはたらきをたすけている。消化器系の器官の主要部分は，腹部に集まっている。

　2 呼吸器系 respiratory system❷　栄養を燃焼（代謝）させてエネルギーを引き出すのに必要な**酸素**（O_2）を外界から取り入れるはたらきをする。鼻・口から始まる気道（咽頭，喉頭，気管，気管支）と，ガス（O_2とCO_2）を血液とやりとりする**肺**からなる。喉頭は声を発するのにも役だつ。呼吸器系の主要器官である肺は，胸部にある。

　3 泌尿器系 urinary system❸　**尿** urine をつくり出して，体内での燃焼によって生じた不要な物質を排出し，体液の量と成分を一定に保つホメオスタシスの役割を担う。尿をつくる**腎臓**と，尿を運び出す排尿路（尿管，膀胱，尿道）からなる。泌尿器の主要器官である腎臓は，腹部の背面にある。

> NOTE
> ❶詳細は第2章「栄養の消化と吸収」を参照。

> NOTE
> ❷詳細は第3章「呼吸と血液のはたらき」を参照。

> NOTE
> ❸詳細は第5章「体液の調節と尿の生成」を参照。

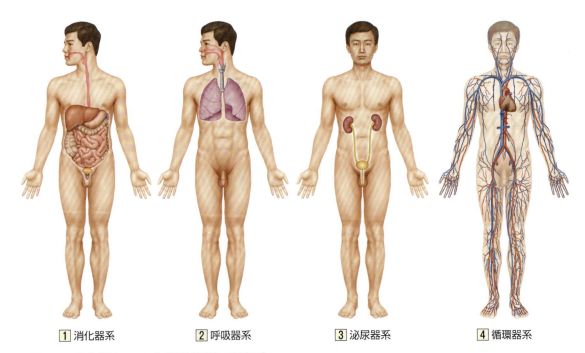

　1 消化器系　　2 呼吸器系　　3 泌尿器系　　4 循環器系

●図1-9　生命維持システム（植物機能）の器官系

④ **循環器系** circulatory system❶　生命維持に必要な物質を身体の各部にいきわたらせるために，全身に**血液**を循環させるはたらきをする。ポンプのはたらきをする**心臓**と，パイプにあたる**血管**からなる。血管のうち**動脈**は心臓から出る血液を運び，**静脈**は心臓に戻る血液を運ぶ。循環器系の中枢器官である心臓は胸部の中央にあり，血管は全身に広がっている。

⑤ **生殖器系** reproductive system❷　個体の生命維持には必要ではないが，精子と卵子をつくり，子孫を残すはたらきをする。男性と女性で構造が大きく異なるが，**生殖腺**（男性：**精巣**，女性：**卵巣**），**生殖路**（男性：精管など，女性：子宮など），**付属腺**（男性：前立腺など，女性：大前庭腺など）の3種類の器官からなる。生殖器系の主要器官である精巣は外陰部に，卵巣は骨盤部にある。女性の乳腺は生まれた子に栄養を与える。

⑥ **内分泌系** endocrine system❸　器官や細胞のはたらきを調節するために**ホルモン**をつくり血液中に放出するはたらきをする。**内分泌腺**はホルモンを分泌する器官で，とくに**下垂体**から出るホルモンは，ほかの内分泌腺（甲状腺，副腎皮質，精巣・卵巣）のはたらきを調節する。ホルモンを分泌する内分泌細胞もさまざまな組織の中に含まれている。

⑦ **免疫系** immune system❹　体内に侵入した外敵を攻撃して身体を防御するはたらきをする。血液と体液に含まれる白血球（リンパ球など）が主役である。免疫系の細胞を豊富に含む組織は**リンパ組織**とよばれ，リンパ管の途中にはさまるリンパ節，消化管の粘膜，脾臓に多く含まれる。胸腺はリンパ球を成熟させる場となる。リンパ球がつくる**抗体**というタンパク質は，異物と特異的に結合して身体を防御する。

> **NOTE**
> ❶詳細は第4章「血液の循環とその調節」を参照。

> **NOTE**
> ❷詳細は第10章「生殖・発生と老化のしくみ」を参照。

> **NOTE**
> ❸詳細は第6章「内臓機能の調節」を参照。

> **NOTE**
> ❹詳細は第9章「身体機能の防御と適応」を参照。

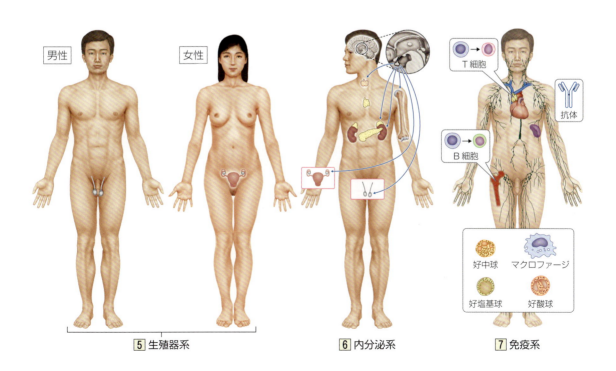

⑤ 生殖器系　　⑥ 内分泌系　　⑦ 免疫系

3 運動・情報システム(動物機能)

　運動・情報のはたらきをする器官系には，身体の運動を行うもの(⑧骨格系，⑨筋系)，情報を集めて処理するもの(⑩神経系，⑪感覚器系)，身体全体をおおうもの(⑫外皮系)がある(◯図1-10)。

　⑧ **骨格系** skeletal system❶　身体の骨組みをつくり，力学的に支持するはたらきをする。骨格は206個の**骨**と軟骨などからつくられ，骨は動きの可能な**関節**および動きのできない結合によってつながれている。

　体幹の骨格は身体の中軸で頭蓋と脊柱からできている。**頭蓋**は頭の骨格で，15種23個の骨が集まってできている。**脊柱**は背中の頸より下の骨格で，単位となる椎骨が多数積み重なってできている。上から頸椎が7個，胸椎が12個，腰椎が5個あり，その下に仙骨(5個の椎骨からなる)と小さな尾骨(数個の椎骨からなる)がある。

　上肢は腕の骨格で，つけ根にあたる上肢帯と，外に突き出た上腕・前腕・手の3部分からなる。下肢は脚の骨格で，つけ根にあたる下肢帯と，外に突き出た大腿・下腿・足の3部分からなる。

　⑨ **筋系** muscular system❷　骨格に付着して収縮し，身体を動かすはたらきをする。全身には大小さまざまな229種類の**骨格筋**があり，それぞれ両端で骨格につながり，神経の指令に従って収縮し，身体を自由に動かすことができる。全身の骨格筋の重さは体重に対して男性で35%，女性で30%ほどである。

　⑩ **神経系** nervous system　全身から情報を集め，情報を学習・判断して，

> **NOTE**
> ❶詳細は第7章「身体の支持と運動」を参照。

> **NOTE**
> ❷詳細は第7章「身体の支持と運動」を参照。

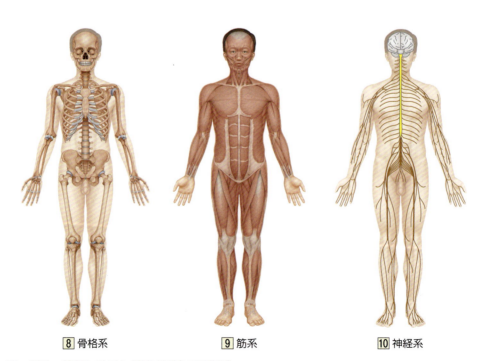

⑧骨格系　　⑨筋系　　⑩神経系

◯図1-10　運動・情報システム(動物機能)の器官系

適切な反応・行動をするために全身に指令を送るはたらきをする。**中枢神経**はコンピュータに相当する情報を処理する部分で、脳（頭蓋の中にある）と**脊髄**（脊柱の中にある）からなる。**末梢神経**は配線に相当して情報を運ぶ部分で、枝分かれをしながら全身のすみずみまでいきわたっている。

末梢神経には脳から出てくる脳神経と、脊髄から出てくる脊髄神経がある。脳神経は12対あり、おもに頭部と頸部に分布している。脊髄神経は31対あり、頸よりも下の体幹に分布している。末梢神経のうちで体壁（骨格筋、皮膚など）に分布する神経は**体性神経**[1]であり、内臓と血管に分布する神経は**自律神経**[2]である。

11 **感覚器系** sensory system[3]　外界からさまざまな情報を受容して、中枢神経系に送り出すはたらきをする。頭部には特殊感覚のための3種類の感覚器があり、担当する特別な脳神経がある。眼は視覚を受け入れる装置で、顔の前面に左右2つの眼球がある。耳は聴覚と平衡覚を受け入れる装置で、頭の両側から頭の内部につながっている。鼻は呼吸の器官であるとともに嗅覚を受け入れる装置でもある。舌の味蕾は味覚を受け入れる。また全身をおおう皮膚は、体性感覚（触覚、温痛覚など）を受け入れる感覚器でもある。

12 **外皮系** integumentary system[4]　全身をおおって体内の器官・細胞を外界からさえぎるはたらきをする。**皮膚**は丈夫でしなやかなシートで、物理的な力や化学的な物質から体内を保護するはたらきだけでなく、触覚や温度覚など感覚のはたらき、さらに体温を調節するはたらきもある。全身の皮膚の広さは1.5～2.0 m^{2}であり、重さは体重の15～20%である。

> **NOTE**
> [1] 詳細は第8章「情報の受容と処理」を参照。
> [2] 詳細は第6章「内臓機能の調節」を参照。
> [3] 詳細は第8章「情報の受容と処理」を参照。

> **NOTE**
> [4] 詳細は第9章「身体機能の防御と適応」を参照。

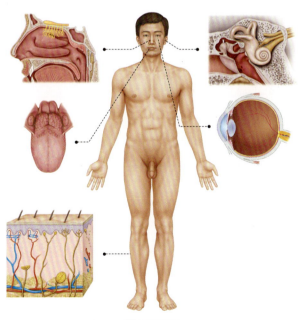

11 感覚器系

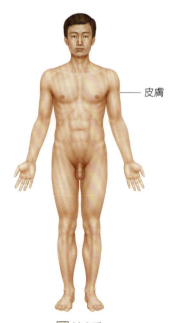

12 外皮系

2 全身に広がる人体の器官

　前述したように，人体のさまざまな器官の多くは，身体の特定の場所に存在する。その一方で，全身に切れ目なく存在する器官もあり，外皮系の皮膚，循環器系に含まれる血管とリンパ管，神経系に含まれる末梢神経がそれにあたる。

　血管とリンパ管は，体液（●38ページ）にのせて物質を運ぶ輸送路であり，運ばれる物質は生命活動に役だつとともに，ホルモンとして情報を伝えるはたらきをする。また末梢神経は，電気的に情報を伝える道筋である。すなわち身体の中での情報伝達には，化学物質の輸送と電気的な情報伝達の２つの方法がある。

1 身体を包む皮膚

　皮膚は全体として，身体を包んで外力から保護し，さらに体外からの物質の進入を妨げるとともに体内の水分が蒸発によって失われるのを防ぐはたらきもしている。

　皮膚 skin は全身をおおうしなやかで強靱(きょうじん)なシートで，表皮と真皮の２層からなる。

　①**表皮** epidermis　角化した上皮細胞が多数の層をなして集まり，化学物質の進入や水分の蒸発を防ぐバリアをつくっている。

　②**真皮** dermis　丈夫なコラーゲン線維(膠原(こうげん)線維)が密に集まってできており，物理的な力に抵抗する支持装置をつくっている。

　皮膚の深層にはやわらかな**皮下組織**があり，脂肪細胞を含んでクッションの役割をするとともに，深部の骨格や筋肉との間をゆるくつないでいる。このため手足を動かしたときに，深部の骨格や筋が皮膚を無理に引っぱられることがない❶。

> NOTE
> ❶詳細は第９章「身体機能の防御と適応」を参照。

2 血管とリンパ管

　心臓から上に出た**大動脈** aorta は胸の上部でＵターンし(大動脈弓)，胸と腹の深部を下行する。大動脈弓からは，頭部に行く動脈(総頸動脈)と上肢に行く動脈(鎖骨下動脈)が分かれる。大動脈が骨盤に入る手前で左右に分かれて，骨盤と下肢に行く動脈(総腸骨動脈)になる(●179ページ，図4-24)。

　心臓に入る**大静脈** vena cava は２本あり，上半身からの上大静脈と下半身からの下大静脈が別々に心臓に戻る(●184ページ，図4-27)。静脈の枝はおおむね動脈の枝と一緒に走るが，次のように動脈と離れて走る特別な静脈がいくつかある。

（1）腹部の消化器からの静脈は**門脈** portal vein に集まって肝臓に注ぐ(●187ページ，図4-30)。

（2）脳からの静脈は脳表面の**硬膜静脈洞**に集まる(●185ページ，図4-28)。

（3）上肢・下肢の静脈は２系統あり，深静脈は動脈と一緒に深部を通るが，

表 1-3 末梢神経の分類

興奮を伝える方向による区分		分布する領域による区分	
感覚ニューロン，感覚神経線維（求心線維）	感覚器からの情報を脳に伝える。	体性神経	体壁に分布する。
運動ニューロン，運動神経線維（遠心線維）	脳からの指令を全身に伝える。	自律神経	内臓と血管に分布する。

　皮静脈は浅部を通り皮膚の上からも見える（● 186 ページ，図 4-29）。
　リンパ管は動脈や静脈の近くを通る細い管で，全身の毛細血管からもれ出た液（リンパ）を運んで静脈に戻す。リンパ管の途中にはフィルターのはたらきをする**リンパ節**が要所にはさまり，ここに免疫系のリンパ組織が集まっている❶。

3 末梢神経

　末梢神経には，頭蓋から出る脳神経と脊柱から出る脊髄神経が区別される。
　脳神経は 12 対あり，それぞれ明確に異なる特徴をもち，1～12 番をローマ数字（Ⅰ～Ⅻ）で示す。由来により 3 群に分かれ，① 特殊感覚器への神経（Ⅰ，Ⅱ，Ⅷ），② 頭部の骨格筋（眼筋，舌筋）への神経（Ⅲ，Ⅳ，Ⅵ，Ⅻ），③ 咽頭壁由来の器官への神経（Ⅴ，Ⅶ，Ⅸ，Ⅹ，Ⅺ）がある。
　脊髄神経は 31 対あり，脊柱からの出口の高さにより 5 種類に区分され，それぞれ略号で示される❷。**頸神経**（C）8 対，**胸神経**（T）12 対，**腰神経**（L）5 対，**仙骨神経**（S）5 対，**尾骨神経**（Co）1 対である。隣接する脊髄神経の性質は類似している。上肢に向かう神経はおもに下部の頸神経から生じて腕神経叢を形成し，下肢に向かう神経は腰神経叢と仙骨神経叢を形成する。
　末梢神経のニューロンと神経線維は，興奮を伝える方向によって 2 種類に分かれる。**感覚ニューロン（感覚神経線維）**❸は全身からの感覚情報を中枢神経に伝え，**運動ニューロン（運動神経線維）**は中枢神経からの指令を全身に伝える（● 表 1-3）❹。
　自律神経は，末梢神経のうちで内臓に分布する部分で，正反対のはたらきをもつ 2 つからなる。**交感神経**は，胸神経と上位の腰神経に含まれ，脊柱の両側を上下にのびる**交感神経幹**を形成する。内臓に加えて血管と皮膚にも分布して，身体の活発な活動や精神的な緊張の際によくはたらく。**副交感神経**は脳神経の**迷走神経**（Ⅹ）などに含まれ，内臓に分布して，身体的・精神的に休息するときによくはたらく❺。

> NOTE
> ❶詳細は第 4 章「血液の循環とその調節」を参照。

> NOTE
> ❷脊髄神経の略号は，脊柱の領域の頭文字のアルファベットからとられている（● 383 ページ）。

> NOTE
> ❸「感覚神経」，「運動神経」という従来からの名称は，より正確な「感覚ニューロン（感覚神経線維）」，「運動ニューロン（運動神経線維）」に改めた。

> NOTE
> ❹詳細は第 8 章「情報の受容と処理」を参照。

> NOTE
> ❺詳細は第 6 章「内臓機能の調節」を参照。

3 部位による人体の器官

　体幹は頭部，頸部，胸部，腹部，骨盤部の 5 つの部位に分けられそれぞれに重要な器官が配置されている。

1 頭部の器官

頭部は体幹の最上部に位置しており，後上半部には脳があり，前下半部は顔を形づくっている。

頭部の後上半部には頭蓋腔という大きな腔所があり，ここに脳がおさめられている。頭の上面は頭蓋の骨の形に合わせて，前頭部・頭頂部・側頭部・後頭部に区分される。

顔には重要な感覚器（眼・耳・鼻）があり，消化器と呼吸器の入り口（口・鼻）がある（◯図 1-11）。

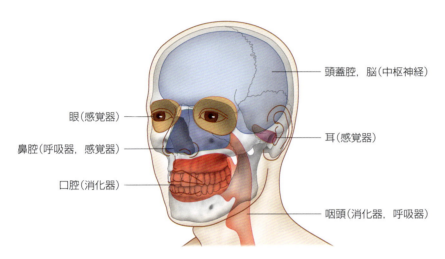

◯図 1-11　頭部の主要な部位と器官

臨床との関連　フィジカルイグザミネーション

医療の場では，健康状態を評価するために身体からさまざまな情報を入手する。身体を観察する視診，手で触れてみる触診，軽くたたいて反響音を聞く打診，聴診器を用いて体内の音を聞く聴診などを，フィジカルイグザミネーション（理学的検査）とよぶ。重要臓器の集まっている頭頸部・胸部・腹部でよく行われ，頭頸部では視診と触診が有用である。

打診では胸腹部の内臓の状態をある程度知ることができる。18世紀末にウィーンのアウエンブルッガーが考案し，19世紀初頭にフランスのコルヴィサールによって広められた診察法である。打診をするには，左手（利き手でないほう）を開いて腹壁に軽く押し当て，右手（利き手）の指を軽く曲げ，中指の先で左手の中指の指先から3〜4 cmのところを目がけて軽くたたきつけ，その反響音を聞きとる。

たとえば胸の肺のあるあたりでは大きな音（清音）が聞こえ，大腿部のあたりでは小さな音（濁音）が聞こえる。また，健康な人の腹部を打診すると，右上腹部の肝臓のある部分では周囲に比べて音が小さい（濁音）ので，肝臓の大きさを判断することができる。

聴診器を用いて体内の音を聞く間接聴診法は，19世紀はじめにラエンネックが考案した。初期の聴診器は単純な筒型であったが，19世紀後半にはゴム管を用いる現在の聴診器に近いものがつくられた。胸部では，呼吸によって肺に空気が出入りし，心臓の拍動によって血液が動脈に送り出されていく。肺や気道，心臓やその出入り口に異常があると，空気や血液の流れが乱れて異常な音が発生する。聴診器を用いることで，このような空気や血液の流れによって生じる音を聞きとることができ，肺や心臓の病気を発見することができる。

眼は視覚の感覚器で，頭蓋前面で左右の**眼窩**というくぼみに眼球がおさめられている。眼の前面には上下の眼瞼があり，そのすきまを開いて眼球に光が入る。

　耳は頭の側面にあり，外耳の耳介が外に突き出し，外耳道の奥には鼓膜を隔てて中耳がある。その奥で頭蓋の骨の内部にある内耳で音を感じる。

　鼻は顔の中央にあり，高くなった外鼻の下の鼻孔が開き，その奥に**鼻腔**が広がり，その最上部ににおいを感じる部位がある。鼻腔は後方で咽頭につながっている。

　口は上顎と下顎の間にはさまれた腔所である。この口腔の側面の壁は頰で，前面には上下の口唇があり，そのすきまを開いて物を取り込む。口腔は後方で咽頭につながっている。

2　頸部の器官

　頸部は頭部と胸部にはさまれた細い部位で，可動性があり頭の位置を動かすのに役だつ。頸の側面を頭部に向かう太い血管が通り，また頸の下部には上肢に向かう太い血管と神経が通る。頸の前面には呼吸器の通路の喉頭があり，その下方で気管の前面に甲状腺（◎ 259 ページ）がある。頸の後面は項とよばれる。

3　胸部の器官

　胸部は，胸郭という骨格に囲まれ，内部に胸腔という腔所があり，下方は**横隔膜**によって腹腔から隔てられている（◎ 14 ページ，図 1-5）。胸腔の左右には**肺**があり（◎図 1-12），胸膜という漿膜に包まれている。左右の肺にはさまれた領域は**縦隔**とよばれ，その大部分を**心臓**が占めており，**心囊**という分厚い袋におさまっている。縦隔の後部には，大動脈や食道などが通っている。

　胸部では打診により肺と心臓の違いを区別し，聴診により肺音と心音を聴取することができる。

　心臓はほぼ胸骨の後方に位置しており，左下に向かってややはり出している。心臓で最も大きく拍動する**心尖**は心臓の左下に位置しており，正中から

臨床との関連　　頸部の触診ではなにをみているのか

　頸部は頭のつけ根に位置し，骨格や筋肉で頭部を支持するとともに，頭部と胸部をつなぐ内臓（消化器，呼吸器）や血管（総頸動脈，内頸静脈）の通路になっている。また，上肢に向かう血管（鎖骨下動静脈）と神経（腕神経叢）の通路にもなる重要な場所である。

　頸部を触診すると，気管や甲状腺などの内臓の位置や大きさの異常を知ることができる。気管は胸骨のすぐ上で正中に触れるが，大動脈瘤や縦隔の腫瘍，肺の広範な病変などによって横にずれることがある。甲状腺は喉頭の直下で気管の前面に触れるが，腫大や結節，圧痛などから甲状腺の疾患を判断できる。また，頸部のリンパ節の腫大も，触診によって観察することができる。

6〜10 cm 左で第 4〜5 肋間隙に位置している。

左右の肺の最上部(**肺尖**)は，鎖骨の後上方の鎖骨上窩にまで達している。肺の下縁は，鎖骨中線で第 6 肋骨の高さに位置する。

4 腹部の器官

腹部は筋性の腹壁に囲まれ，内部に**腹腔**という腔所があり，上方は横隔膜によって胸腔から隔てられ，下方は骨盤腔につながっている(◯14 ページ，図 1-5)。腹腔では消化管の**胃・小腸・大腸**と付属する**肝臓**と**膵臓**などが腹膜に包まれており，腹膜より後方の領域に**腎臓**と**副腎**，**大動脈**と**大静脈**などがある(◯図 1-12)。

腹部の前面は 9 等分されて，中央の上腹部(心窩部)・臍部・下腹部と，左右の下肋部(季肋部)・側腹部・鼠径部に分けられる(◯図 1-13)。横隔膜は肋骨の下縁よりもやや上方にあるので，腹腔の最上部の肝臓や胃を体表から触知するのはむずかしい。

肝臓は大部分が右の胸郭下部に隠れており，一部が上腹部にあり，体表から触知することができる。深く息を吸い込むと，位置が下がるので触知しやすくなる。

胃はおもに上腹部に位置するが，食事との関係によって，また個人によって位置と大きさが大きくかわる。胃から十二指腸に移る幽門の位置は安定しており，正中から 2〜4 cm 右で第 6 肋軟骨の後方にある。

虫垂は可動性があり，盲腸からさまざまな方向にのびる。しかし，虫垂の基部の位置は安定しており，右上前腸骨棘と臍を結ぶ斜線上で外側から

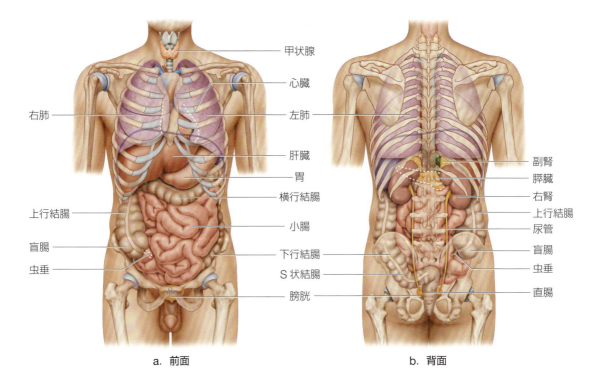

a. 前面　　　　　　　　　　　　b. 背面

◯図 1-12　頸胸腹部の内臓

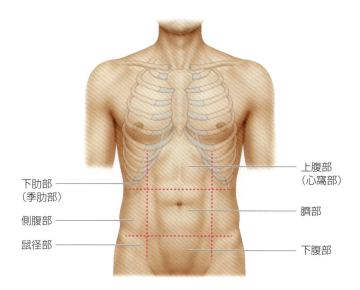

○図1-13 腹部の領域
腹の前面は，2本の垂直線と2本の水平線によって，9つの領域に分けられる。

1/3の部位に位置している（マックバーニー点）。虫垂炎の際，ここを押すと圧痛がある。

　腎臓は脊柱の両側で肋骨になかば隠れる高さに位置する。右腎のほうが左腎よりも1〜2cm下方にある。また息を吸う動作（吸息）の際にわずかに下降する。やせた人では腎臓の下端に触れることができる。

5 骨盤部の器官

　骨盤部では骨盤に囲まれて狭い**骨盤腔**があり，上方で腹腔につながっている。骨盤腔では前方に**膀胱**，後方に**直腸**があり（○462ページ，図10-2），さらに女性では**子宮**と**卵巣**などの生殖器があり，腹膜に包まれている（○466ページ，図10-4）。体幹の下端部で左右の下肢の間を**会陰**といい，膀胱からの尿道と直腸の出口の肛門がここに開いている。

　生殖器は男性と女性で大きく異なる。男性生殖器では外から見える外生殖器の部分が大きく，女性生殖器では骨盤内の内生殖器の部分が大きい。

C 素材からみた人体

　人体のさまざまな器官は，細胞が集まってできている。器官によって細胞の種類は少しずつ異なるが，分裂して新たな細胞を生み出せる生命の単位でもある。

1 細胞の構造

　生命活動を営むために，細胞は複雑な内部構造をもっている（○図1-14）。

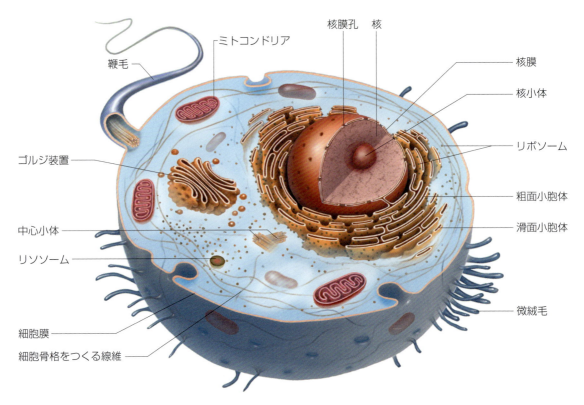

○図1-14 細胞の構造
細胞の形はさまざまであるが、核や細胞小器官といった内部の構造は、多くの細胞に共通してみとめられる。

生命を支えるという観点から整理すると、第一に遺伝情報をたくわえるもの、すなわち核をもつ。第二に細胞の内容、すなわち細胞質にはさまざまな細胞小器官と細胞骨格があり、生命活動を営むとともに秩序を保っている。そして第三に、細胞は二重のリン脂質で構成される1枚の細胞膜で囲まれており、細胞の内容を外部から隔てている。

1 核

細胞内にはふつう1個の**核** nucleus（細胞核）があり、形はおおむね球形である。核は内外2枚の膜（**核膜**）で囲まれている。核膜のところどころには**核膜孔**があり、核の内部とその外の細胞質の間の交流を可能にしている。核内には、網状構造を示す1個ないし複数の核小体がみられる。細胞の種類によって、核の数❶や形（楕円形・分葉形のものもある）には、多少の違いがある。

核には、DNA（デオキシリボ核酸）が、ヒストンというタンパク質と結合してたくわえられている。細胞分裂の際には、DNAとヒストンが凝集して**染色体**となる（◯43ページ）。DNAは遺伝情報をたくわえる分子であり、人体の設計図として機能している（◯33ページ）。核小体にはRNA（リボ核酸）が集まっている。RNAはDNAの遺伝情報を写しとって、核から細胞質に運ぶなどのはたらきをする（◯33ページ）。

NOTE
❶核の数
　骨格筋の筋細胞のように2個以上の核をもつ細胞もある。また赤血球は、成熟の過程で核が脱落し、無核となっている。

2 細胞小器官と細胞骨格

　細胞を構成する内容のうち，核を除いた部分を**細胞質** cytoplasm とよぶ。細胞質には**細胞小器官**がある。細胞小器官にはさまざまな種類がある[❶]が，多くは細胞膜と同じ種類の膜で包まれている。このほかに，細胞骨格とよばれる線維状の構造物があり，細胞の構造を保持したり，運動を行ったりしている。

> NOTE
> [❶]核を細胞小器官に含めることもあるが，分けるのが一般的である。

- **小胞体** endoplasmic reticulum　細胞質に広がる膜に囲まれた袋で，内腔が互いに連絡していて，小管状・小胞状・扁平囊状など，さまざまな形をとる。小胞体には，表面にリボソームが付着した**粗面小胞体**と，付着しない**滑面小胞体**とがある。

- **リボソーム** ribosome　小さな顆粒状で，粗面小胞体に付着するものと，細胞質内に遊離するものがある。核から遺伝情報を運んできた RNA をもとに，タンパク質を合成する場所である（◯ 35 ページ，図 1-19）。粗面小胞体では，細胞膜に埋め込まれるタンパク質や細胞外に分泌されるタンパク質がつくられ，遊離リボソームでは細胞質内で使われるタンパク質がつくられる。

- **ゴルジ装置** Golgi apparatus（ゴルジ体）　積み重なった扁平囊のまわりに小胞が集まったもので，核の近くによくみられる。粗面小胞体でつくられたタンパク質に糖などをつけ加えて，細胞表面に運べるようにする。

- **中心体** centrosome　2 つ 1 組の中心小体からなる。中心小体は，3 本 1 組の微小管が 9 組集まって，短い円筒をつくったものである。細胞分裂のときに細胞の両極に移動し，染色体を引き寄せる中心となる（◯ 43 ページ，図 1-26）。線毛や鞭毛の基部には，中心小体によく似た構造がみられる。

- **ミトコンドリア** mitochondria　0.5〜1 μm の球形ないし糸状の構造で，内膜と外膜という二重の袋からなる。内膜はしばしば内向きに折れ込んでひだをつくる。炭水化物や脂肪を酸化する酵素を多く含み，細胞内の活動のエネルギー源となる ATP を効率的に産生する（◯ 32 ページ，図 1-17）。

- **リソソーム** lysosome（水解小体）　膜に包まれた球形の小体で，高分子の物質を加水分解する酵素を多く含んでいる。不要になった細胞の構成成分や，

---

column　ミトコンドリアはどこから来たのか

　本文で後述するように，ミトコンドリアは ATP 産生の主要な場であり，人体を構成する細胞が生存するためには必須の細胞小器官である。このように重要な役割を果たしているミトコンドリアではあるが，もともとは太古の昔，おそらく地球上には単細胞の生物だけが存在していた時代に，単細胞生物であった私たちに寄生した別種の生物であったと推定されている。その証拠に，ミトコンドリアは，細胞の核に収納されている私たち自身の遺伝子とは別に，独自の遺伝子を有している。

　精子は受精によって父方の遺伝子を卵子にもたらすが，父方のミトコンドリアは運び込まない。したがって，私たちのもつミトコンドリアは，すべて母親由来のものである。

細胞内に取り込んだ物質を分解する。
- **細胞骨格 cytoskeleton**　タンパク質がつくる細胞質内の線維で，細胞の形を保ったり，細胞の運動をおこしたりする。径が 5 nm ほどの微小線維はアクチンというタンパク質から，また径が 25 nm ほどの微小管はチューブリンというタンパク質からなる。このほかに径が 10 nm ほどの中間径線維などもある。細胞の種類によって特定の細胞骨格が発達して，突起をつくったり（線毛と鞭毛には微小管，刷子縁の微絨毛〔● 46 ページ，図 1-29-c〕は微小線維からなる），収縮装置をつくったり（筋細胞で発達）する。

2 細胞を構成する物質とエネルギーの生成

　細胞内で最もありふれた物質は水（H_2O）である。しかし生命を維持するためには，エネルギー源や人体を形づくる物質も必要となり，糖質（炭水化物）・脂質・タンパク質がその代表的なものである。これらの物質は細胞内で分解されて ATP が合成され，これが細胞活動のエネルギー源として利用されている。

　生体内では生命維持のためにさまざまな化学反応が生じており，これを**代謝** metabolism という。代謝は大きく 2 つに分けられ，物質を分解してエネルギーを取り出す作用は**異化**，エネルギーを消費して生体に必要な物質を産生する作用は**同化**とよばれる。

1 細胞の化学成分

◆ 糖質（炭水化物）

　糖質はエネルギー源として重要であり，構造によって，単糖類，二糖類，多糖類に分けられる（● 516 ページ）。
- **単糖類**　単糖類は糖質の最小単位であり，消化により糖質が分解されたときの最終産物となる。**グルコース**（ブドウ糖），**フルクトース**（果糖），**ガラクトース**がある。グルコースはエネルギー源の代表的なものである（●図 1-15-a）。
- **二糖類**　二糖類は 2 つの単糖類からなり，**スクロース**（ショ糖，いわゆる砂糖）や**ラクトース**（乳糖）が代表的なものである。
- **多糖類**　多糖類は，数十〜数百の単糖類からなる分子である。**デンプン**や**グリコーゲン**，**セルロース**などがある。

◆ 脂質

　人体に最も多い脂質は**トリグリセリド**（中性脂肪，トリアシルグリセロール）❶であり，これは 1 分子のグリセリン（グリセロール）に 3 分子の脂肪酸が結合した分子である（●図 1-15-b）。細胞膜を構成するリン脂質は，トリグリセリドの 3 つの脂肪酸のうちの 1 つがリン酸基になったものである。

NOTE
❶単に脂肪ともよばれる。

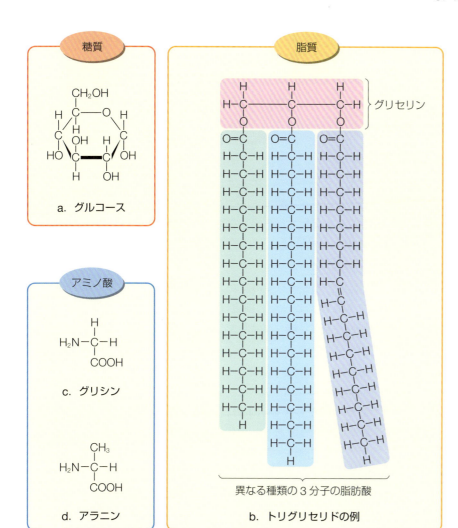

○図1-15　代表的な糖質、脂質、アミノ酸の化学構造

◆ タンパク質

　タンパク質は100〜1万個ほどの**アミノ酸**が結合してできた長い分子である。タンパク質を構成するアミノ酸は、グリシンやアラニンなどの20種類である（○図1-15-c, d）。この20種類のアミノ酸が結合する順番と数はDNAの遺伝情報（○33ページ）によって決められており、非常に多くの種類のタンパク質がつくられている❶。アミノ酸が2つ以上結合したものは**ペプチド**とよばれ（2つならジペプチド、3つならトリペプチド）、アミノ酸が10〜100個つながったものは**ポリペプチド**とよばれる。

2 エネルギーの変換とATP産生

　グルコースなどを分解して取り出したエネルギーはそのまま使われるのではなく、いったん**アデノシン三リン酸** adenosine triphosphate（**ATP**）をつくるのに使われる。ATPはエネルギーが必要になったときに分解され、エネル

> [!NOTE]
> ❶ **人体でつくられるタンパク質**
> 　20種類のアミノ酸がさまざまな順番、数で結合することで、人体では10万種類ものタンパク質がつくられるといわれている。

ギーが取り出されることから,エネルギーの通貨のような役割を果たしているといえる(◯図1-16)。エネルギーを取り出すためにATPからリン酸が1個外れたものをアデノシン二リン酸 adenosine diphosphate(ADP),2個外れたものをアデノシン一リン酸 adenosine monophosphate(AMP)という。

◆ ATPの産生と消費

細胞内で1分子のグルコースからATPを産生する場合,まず細胞質中でグルコースが2分子のピルビン酸に変化し,2分子のATPを生じる。この経路を**解糖系**とよび,酸素を必要としない。ピルビン酸はミトコンドリア内に入り,**クエン酸回路**,さらに**電子伝達系**とよばれる反応系を経て酸化される。1分子のグルコースからは,この過程で二酸化炭素(CO_2)と水(H_2O)❶,そして30分子程度のATPが産生される(◯図1-17)。

ATPはすべての生命活動に利用されるエネルギー源であるが,化学的に不安定であり,長時間貯蔵することはできない。このため細胞は,ATPより安定な化合物であるグリコーゲンや脂肪をたくわえ,必要に応じてATPを産生している。

NOTE
❶私たちにとって呼吸により酸素(O_2)を体内に取り込むことが必須である理由は,電子伝達系で発生するH^+をO_2と反応させて水(H_2O)にする必要があるからである。

◆ 酵素とその機能

化学反応において,その反応速度を高めるはたらきを示す物質を**触媒**という。**酵素**は生体内において合成されるタンパク質であり,生体内の化学反応を促進する生体触媒である。解糖系・クエン酸回路・電子伝達系といったATP産生のための化学反応ばかりでなく,体内でおこるほとんどすべての化学反応において酵素が必要とされる。

酵素には単独ではたらくものもあるが,大部分の酵素はその機能を発揮するために,低分子の有機化合物,ビタミンなどの**補酵素**を必要とする。私たちにとって必須の栄養素の1つであるビタミンの多くは,体内で変化を受けて補酵素としてはたらいている。

◯図1-16 ATPの化学構造
ATPにはリン酸が3つある。
リン酸どうしの結合部分に,エネルギーがたくわえられている。

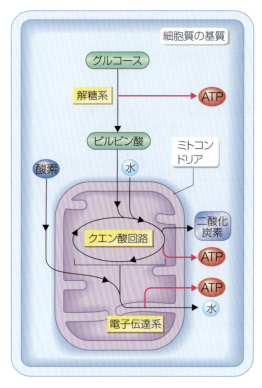

●図1-17 グルコースの代謝とATPの産生
細胞に入ったグルコースは、解糖系によりピルビン酸にかわる。ピルビン酸はミトコンドリアに入り、クエン酸回路と電子伝達系で分解され、最終的には水と二酸化炭素になる。この過程で、1分子のグルコースから30分子程度のATPが産生される。

3 核酸とタンパク質の合成

　核内にはDNAとRNAとよばれる物質が存在し、合わせて**核酸** nucleic acidとよばれる。DNAの遺伝情報がRNAに伝えられ、タンパク質の合成が行われる。

◆ 核酸

● **DNA**　私たちの身体的特徴は、遺伝子が発現することにより決定されている。遺伝子の本体は、化学的には**DNA**(**デオキシリボ核酸** deoxyribonucleic acid)とよばれる物質である。DNAは塩基・糖(デオキシリボース)・リン酸で構成される**ヌクレオチド**とよばれる単位がつながった鎖であり、通常は対になっている2本のDNAが結合した二重らせんとよばれる構造をしている(●図1-18)。

　DNAの塩基には**アデニン**(A)、**グアニン**(G)、**チミン**(T)、**シトシン**(C)の4種類があり、AはTと、GはCと結合する。この4種類の塩基の並ぶ順番(塩基配列)がコード化(記号化)された遺伝情報である。

● **RNA**　細胞内には、DNAと構造は似ているが、デオキシリボースに酸素原子が1つ結合したリボースという糖で構成されているものがあり、**RNA**(**リボ核酸** ribonucleic acid)とよばれる。さらに、DNAとRNAとは4つの塩基のうちの1つが異なっており、RNAはTのかわりの**ウラシル**(U)をもつ。RNAには、DNAの情報を伝達するなどのはたらきをもつ**メッセンジャーRNA**(**mRNA**)❶と、タンパク質合成の場となるリボソームを構成す

NOTE
❶mRNAワクチン
ウイルスの遺伝子と同じ情報をもつmRNAを合成してmRNAワクチンがつくられる。人体の細胞はそのmRNAをもとにウイルスのタンパク質の一部をつくり、免疫細胞がそのタンパク質に対する抗体をつくり、免疫を獲得する。新型コロナウイルス感染症(COVID-19)に対して使われたのが、このmRNAワクチンである。

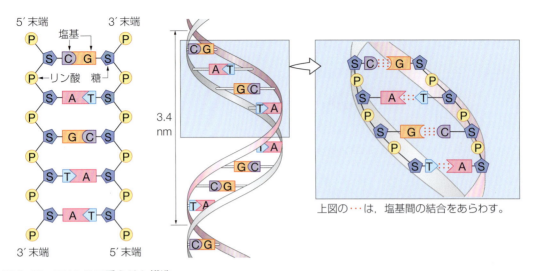

◎図1-18　DNAの二重らせん構造

るリボソーム RNA（rRNA），アミノ酸を運搬する**トランスファー RNA**（転移 RNA，**tRNA**）の3種類がある。

◆ タンパク質の合成

　タンパク質の合成にあたり，まず DNA の二重らせんの一部が開き，酵素が結合して DNA の塩基配列に対応する mRNA が合成される（◎図1-19）。したがって，mRNA は DNA の塩基配列を写しとる，つまりコピーしていることになり，この過程は**転写**とよばれる。

　タンパク質を構成するアミノ酸の並ぶ順番は，mRNA の3塩基が1組となり1つのアミノ酸に対応することで決定されている。この mRNA からタンパク質が合成される過程を**翻訳**とよぶ。たとえば，UGG はトリプトファンというアミノ酸に対応し，AUG はメチオニンというアミノ酸に対応している。

　このように，DNA の塩基配列により mRNA の塩基配列が決定され，mRNA の塩基配列によりタンパク質のアミノ酸の配列が決定されている。したがって DNA の塩基配列が異なれば，異なるアミノ酸配列のタンパク質が合成されることになる。体内には多くの種類のタンパク質があるが，それは DNA のさまざまな場所にある塩基配列，つまり遺伝子がそれぞれ発現することで合成されている。

◆ タンパク質の役割

　リボソームでつくられたタンパク質は，細胞内外のいろいろな場所に運ばれてさまざまなはたらきをする。線維状の細胞骨格や代謝をする酵素などは細胞内ではたらくタンパク質であり，線維状の細胞外基質（細胞外マトリックス）や消化酵素などは細胞外ではたらくタンパク質である。また，細胞膜に組み込まれたタンパク質は，細胞の生命維持に重要なはたらきをする。タ

ンパク質のなかには，核に入って遺伝情報の発現を調節するものもある。個人の特徴は，遺伝情報がタンパク質を通してあらわれたものである。

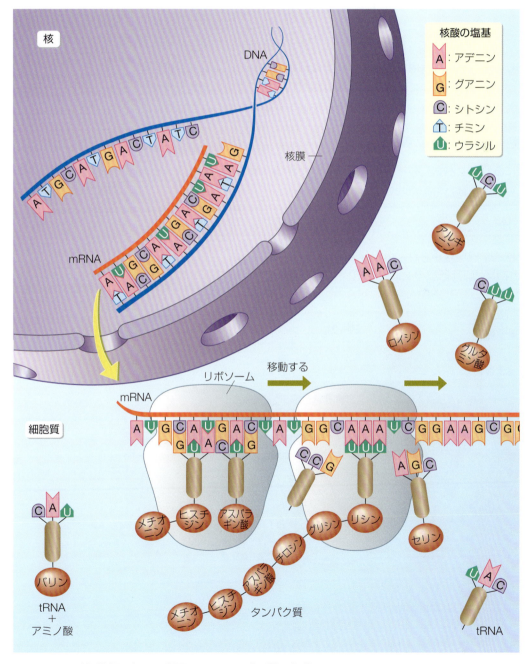

○図1-19　遺伝情報の転写と翻訳によるタンパク質の合成

3 細胞膜の構造と機能

1 細胞膜の構造

　細胞膜 cell membrane を構成する主成分は，**リン脂質**である。これらのリン脂質は親水性（水にとけやすい）の部分と疎水性（水にとけにくい）の部分があり，親水性の部分を外側にして並んだ二重層を形成する（◯図1-20）。親水性の部分は，細胞の外側では細胞外液（◯38ページ）に，内側では細胞内液に接している。

　細胞膜を構成するリン脂質❶の二重層には，タンパク質が組み込まれている。これらのタンパク質は固定されておらず浮遊しており，ある程度自由に動くことができる。細胞膜にはリン脂質以外の脂質としてコレステロールが含まれており，コレステロールは膜の流動性を低下させるはたらきがある。

> **NOTE**
> ❶リン脂質
> 　膜を構成するリン脂質は，プロスタグランジンやロイコトリエンなどの重要な生理活性物質をつくる際の原料にもなる。

2 細胞膜のタンパク質

　細胞膜にあるタンパク質の機能は，輸送体，受容体，酵素に分けられ，それぞれ次のようなはたらきをしている（◯図1-21）。

◆ 輸送体

　輸送体は，その性質によって次の3つに分けられる。
　①**チャネル**　膜貫通型のタンパク質がいくつか集まり，中心部分に孔（あな）が

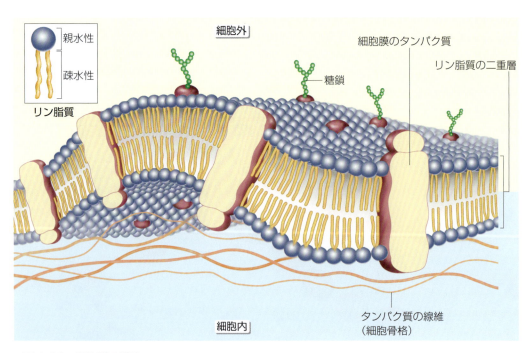

◯図1-20　細胞膜の構造
細胞を含む細胞膜は，リン脂質の二重層とそこに組み込まれているタンパク質などからできている。

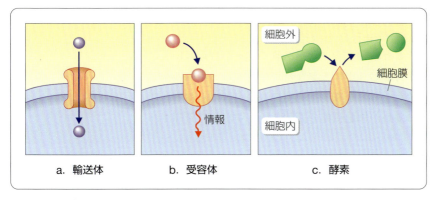

○図 1-21　細胞膜のタンパク質の機能

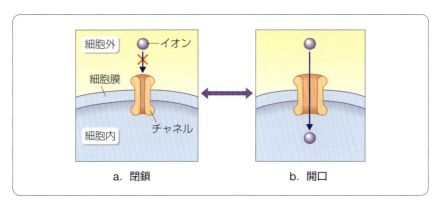

○図 1-22　チャネル

開いた構造になっている。必要に応じて孔が開閉し，物質を通す（○図 1-22）。チャネルを通る物質は，主としてイオンである。チャネルには，ナトリウムチャネル，カリウムチャネル，カルシウムチャネル，塩素チャネルなどがあり，それぞれ特定のイオンを通す。これらのチャネルとイオンは，次項で述べる活動電位発生の際の主役である。また水を通す水チャネルもある。

2 ポンプ　ATP のエネルギーを利用して，電気的勾配あるいは濃度勾配に逆らって物質を輸送するシステムをポンプとよぶ。細胞内にカリウムイオン（K^+）を取り込み，ナトリウムイオン（Na^+）を細胞外に排出する**ナトリウム-カリウムポンプ**（○40 ページ）は，細胞内のイオン成分と電位を一定に保つために重要である。そのほかにも，細胞内のカルシウムイオン（Ca^{2+}）を細胞外に排出するカルシウムポンプ，胃酸分泌細胞の H^+-K^+ 交換ポンプなどがある。

3 担体　細胞が必要とする物質をエネルギー（ATP）を消費せずに細胞内外に移動させる際にはたらくタンパク質である。グルコースを細胞内に取り込むグルコース輸送体 glucose transporter の一種である GLUT2 が代表的である。輸送速度は，チャネルなどよりもはるかに遅い。

◆ 受容体

　ホルモンや神経伝達物質などと結合するタンパク質である。特定の物質に対しては特定の受容体のみが対応し，ホルモンなどが結合すると膜内のタンパク質の構造を変化させることなどにより，細胞内に情報が伝えられる。これによって，ホルモンなどの効果が細胞機能の変化というかたちで発揮される。

　受容体は，イオンチャネル型受容体と代謝調節型受容体に分けられる。

● **イオンチャネル型受容体**　イオンチャネル型受容体とは，イオンチャネルと受容体が一体となっているもので，神経筋接合部（ 342ページ，図7-55）の筋細胞膜上にある受容体が代表的である。運動ニューロンの末端からアセチルコリンという神経伝達物質が放出され，これが受容体に結合することでイオンチャネルが開き，陽イオンが細胞内に流入する。これによって筋の収縮が引きおこされる。

● **代謝調節型受容体**　代謝調節型受容体にホルモンや神経伝達物質が結合すると，酵素がつぎつぎに活性化することなどによって情報が細胞内で伝達され，細胞の機能状態が変化する。

◆ 酵素

　細胞膜上のタンパク質には，酵素としての役割を担っているものがある。代表的なものとしては，血管内皮細胞表面にあるアンギオテンシン変換酵素 angiotensin converting enzyme（ACE）がある。ACE は，アンギオテンシンⅠとよばれるタンパク質をアンギオテンシンⅡにかえ，血圧を上昇させる。また，小腸上皮の細胞表面には糖質やペプチドを分解する酵素があり，糖質やタンパク質の消化で重要な役割を果たしている。

3 細胞膜の特性

　細胞膜の最も重要な役割は，細胞内外を隔てる仕切りとしてのはたらきである。細胞膜をつくる脂質二重層は，水や電解質（ 39ページ）は透過しにくく，一部のホルモンなどの脂溶性の物質は透過しやすい。また，細胞膜にはさまるタンパク質によって，水などの特定の分子や電解質を選択的に透過させるはたらきをする。分子や電解質の透過速度は物質によって異なる。そのはたらきによって，人体のどの細胞でも細胞内の環境は細胞外とは異なるものになっている。このような水と一部の溶質だけを透過させる膜を**半透膜**（ 514ページ）とよび，細胞膜は半透膜であるといえる。

4 細胞膜が分ける細胞内と細胞外の体液

　人体の細胞の内外は液体成分で満たされており，この液体成分を**体液**という。体液の水分は体重の約 60% を占め，人体を構成する最大の要素である。細胞膜により細胞内外が隔てられ，液体成分の組成も異なる。

● **細胞内液と細胞外液**　細胞内を満たす液体を**細胞内液**といい，細胞の機

能を発揮するためのさまざまな化学反応はここで進行する。また細胞の外にある液体を**細胞外液**といい，細胞の周囲を満たしたり血管の中を循環したりする。体液の水分のうちの2/3（体重の40％）は細胞内液であり，残りの1/3（体重の20％）は細胞外液として存在する（◯図1-23）。

細胞外液の3/4（体重の15％）は，細胞の周囲の間質を満たす液体で間質液（組織液）という。残りの1/4（体重の5％）の大半は，血液の液体成分である血漿である。細胞は血漿（血液の液体成分）を介して間質液からO_2や栄養素を供給され，間質液へCO_2や老廃物を排出している。そのほかに量的にはわずかであるが，リンパ・脳脊髄液などとして管腔内にも体液が含まれる。

水分の移動は，細胞内液と間質液の間，間質液と血漿の間で行われる。また外界と血漿の間で水分の出し入れが行われるが，おもに消化管で水分が取り入れられ，尿や汗，呼気などとして水分が排出される。

● **電解質と非電解質** 体液にはさまざまな物質がとけており，それは電解質と非電解質に分けられる（◯513ページ）。

（1）電解質：ナトリウムイオン（Na^+），カリウムイオン（K^+），カルシウム

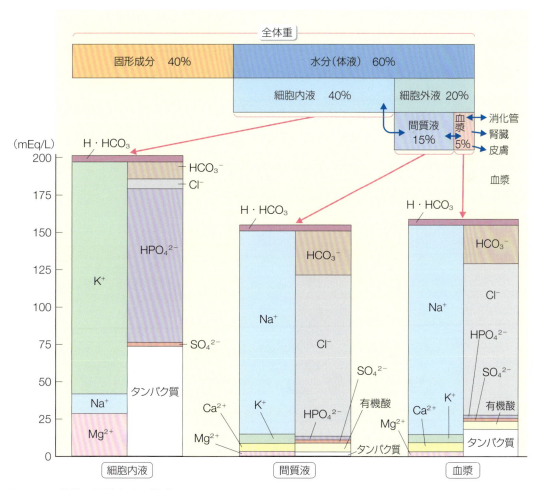

◯図1-23　体液の区分とその組成
体液は，細胞内液と，細胞外液である間質液と血漿に分けられる。図中の➡は体液の移動が可能な向きを示している。

イオン(Ca^{2+}），マグネシウムイオン(Mg^{2+}），塩化物イオン（塩素イオン❶，Cl^-)，炭酸水素イオン（重炭酸イオン❷，HCO_3^-)，リン酸水素イオン（HPO_4^{2-})など。正（＋）の電荷をもつものを**陽イオン**，負（−）の電荷をもつものを**陰イオン**とよぶ。タンパク質も電荷をもち，イオンとなっているものもある。

(2)非電解質：グルコース，尿素，クレアチニンなど。

イオンは，体液の浸透圧（◯515ページ）やpHを調節し，またニューロン（◯51ページ）や筋細胞が機能するために重要な機能を果たしている。

細胞内液と細胞外液とでは，その組成に大きな違いがある。血漿の主要な陽イオン・陰イオンはそれぞれ Na^+（142 mEq/L）・Cl^-（103 mEq/L）であるのに対し，細胞内液では陽イオンとしては K^+（157 mEq/L）が多い❸。

> **NOTE**
> ❶臨床では塩素イオンとよぶことが多い。
> ❷臨床では重炭酸イオンとよぶことが多い。

> **NOTE**
> ❸ mEq（ミリイクイバレント）
> 物質量の単位であるモル(mol)にイオンの価数をかけたものである（◯514ページ）。

5 細胞の生命を保つ細胞膜の機能

身体の中で生きている細胞では，細胞膜を隔てて細胞の内外で液の成分が異なり，細胞内外に一定の電位差がある。この状況は，人体のあらゆる細胞でほぼ共通している。細胞は，細胞膜を通して間質液との間で物質のやりとりをして，この生きている状況を維持している。

● **細胞内外の成分の分布と電位差**　細胞のほとんどでは，細胞内液に K^+ が多く含まれ，間質液には Na^+ と Cl^- が多く含まれている。また，細胞内が細胞外よりも電気的に負となる静止電位（◯41ページ）が共通してみられる。

この液体成分の分布と電位差を生み出すために，細胞膜に2つの重要な輸送体が備わっている（◯図1-24）。

◯**図1-24 外部環境・内部環境の変化と生体の反応**
外部環境は，一定ではなく変化していく。生体内の器官・組織は，その変化に対応し，内部環境を一定のレベルに保つために，さまざまな調節を行う。

[1] **ナトリウム-カリウムポンプ**[1]　ATP を分解し，そのエネルギーを使って Na$^+$ を濃度勾配に逆らって細胞外に運び，K$^+$ を細胞内に運ぶ。

[2] **カリウムチャネル**　細胞の内外で K$^+$ の濃度に差があるため，正の電気をもつ K$^+$ が細胞外に出ていくことで，細胞内が負となる電位差ができる。

　腸上皮細胞での栄養素の吸収や，神経の興奮など，さまざまな細胞の活動は，このイオンの分布と電位差を利用して行われている。

6 膜電位と細胞の興奮

　神経や筋など興奮をする細胞の細胞膜にはナトリウムチャネル（Na$^+$ チャネル），カリウムチャネル（K$^+$ チャネル），カルシウムチャネル（Ca^{2+} チャネル）が存在する。静止状態で Na$^+$ チャネルと Ca^{2+} チャネルは閉じているが，K$^+$ チャネルは開口している。

● **静止電位**　細胞内には K$^+$ が多い（150 mM）が，細胞外では少ない（5 mM）[2]。そのため K$^+$ は，濃度勾配に従って細胞外に向かって流出する。すると，正（プラス）の電荷をもつ陽イオンである K$^+$ が流出したため，細胞内は細胞外よりも電気的に負となり，陽イオンの流出を引きとめる力が発生する（◯図 1-25）。このような K$^+$ を細胞外に引き出す力（濃度勾配）と細胞内に引き戻す力（電気的勾配）がちょうどつり合った状態（平衡状態）での電位を**静止電位**とよぶ。ニューロンの静止電位はおよそ −70 〜 −60 mV だが，細胞の種類によって一定ではない。

● **活動電位**　ニューロンや筋細胞を電気的に刺激すると，電気的に負になっていた細胞内の電位が上昇し，0（ゼロ）に近づいていく。これを**脱分極**という。膜の脱分極がある一定のレベル（**閾値**）をこえると，Na$^+$ チャネルが開き，Na$^+$ 濃度の高い細胞外（142 mM）から，濃度の低い（14 mM）細胞内に Na$^+$ が流入する。陽イオンの流入によって膜電位は急激に脱分極し，瞬間的に細胞内は細胞外に対して正に帯電する（オーバーシュート）。その後，K$^+$

> **NOTE**
> [1] **ナトリウム-カリウムポンプ**
> 　ナトリウムポンプともよばれる細胞膜を貫通するタンパク質である。このタンパク質は ATP を加水分解して Na$^+$ と K$^+$ を輸送する酵素であり，ナトリウム-カリウム ATP アーゼ（Na$^+$/K$^+$-ATP アーゼ）ともよばれる。ATP 分子が 1 つ分解されることにより，細胞内の 3Na$^+$ が細胞外に，細胞外の 2K$^+$ が細胞内に輸送される。

> **NOTE**
> [2] **mol（モル）**
> 　「M」は mol/L を意味し，「m」はミリ，つまり 1/1,000 の意味である。mol（モル）は，原子・分子といった物質の量の基本単位である（◯ 514 ページ）。

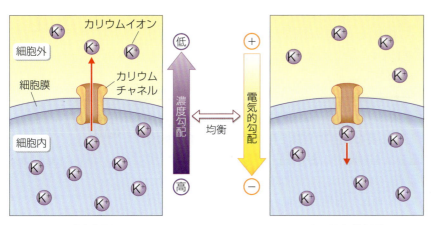

a. 濃度勾配　　　　b. 電気的勾配

◯**図 1-25　静止電位の発生**
K$^+$ は濃度勾配に従って，細胞内から細胞外へと流出するが，それにより発生する電気的勾配が K$^+$ を細胞内に引きとめる。これがつり合ったときの電位が静止電位となる。

の流出によって**再分極**がおこり，膜電位は再び負になっていくが，いったん静止電位よりも負になる**後過分極**となったのちに静止電位に戻る（● 362ページ，図 8-5）。

このような，急激な脱分極と，それに続く急激な再分極を示す膜電位変化を**活動電位**といい，その持続時間は 1～5 m 秒（ミリ秒）である。棘波状なのでスパイクあるいはインパルスとよぶこともある。

活動電位の大きさは一定であり，閾値をこえる刺激であれば刺激をそれ以上強くしても活動電位が大きくなることはない。つまり活動電位は発生するか，発生しないかのどちらかである。活動電位のこのような性質を**全か無かの法則** all-or-none law という。また，活動電位の発生している経過中は刺激を与えても反応しない。この時期を不応期という。

4 細胞の増殖と染色体

細胞は，分裂して 2 つの細胞に分かれることによって，増殖することができる。これを**細胞分裂**という。人体の細胞はすべて，1 つの受精卵が繰り返し分裂して生まれたものである。また細胞の多くは，身体から取り出しても，条件さえ整っていれば試験管の中で増殖させることができる。

成熟した身体では，すべての細胞が分裂を続けているわけではない。ニューロンや心筋細胞のような一部の細胞は，分裂することがない。また肝細胞や平滑筋細胞のように，ふだんは分裂しないが，必要が生じたとき（肝臓を部分切除した場合や血管が新生される場合など）にだけ分裂する細胞もある。一方では，小腸の上皮細胞や皮膚の表皮細胞のように，少しずつ失われる細胞を補うために，たえず分裂を続けているものもある。細胞分裂は，組織の秩序をこわさないように調節されているが，がん細胞とはそのしくみがこわれて無制限に増殖するようになったものである。

1 細胞周期

細胞分裂を繰り返している細胞は，細胞分裂の時期（**分裂期；M 期**）と分裂していない**間期**とを繰り返している。この繰り返しを**細胞周期** cell cycle という。間期は，DNA の合成準備期（G_1 期），DNA を複製する時期（S 期），分裂の準備期（G_2 期）に分けられる（●図 1-26）。

人体の細胞には，細胞分裂を行わないように分化❶した細胞（ニューロンなど）や，細胞分裂を中止して必要なときに分裂を再開する細胞（肝細胞など）もあるが，これらは細胞分裂を再開するまで静止期（G_0 期）でとどまっていると考えられる。

M 期，すなわち細胞分裂の時期は，前期，中期，後期，終期に分けられる。核内の DNA と，ヒストンとよばれる DNA を巻きつけているタンパク質が凝集して染色体となり（前期），核膜と核小体が消えて染色体が細胞の中央に並ぶと（中期），紡錘糸によって両極に引き寄せられ（後期），核膜が形成されたあと，収縮輪によって細胞質が分けられる（終期），といった一連の変

📝 NOTE

❶分化
　それぞれの細胞が変化して，特殊化した構造と機能をもつようになることである。

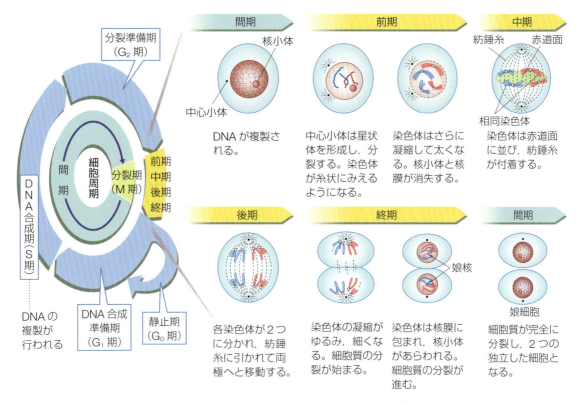

○図1-26　細胞周期と体細胞分裂

化をおこす。

　正常な真核細胞の分裂は，このように染色体や紡錘糸があらわれるため有糸分裂 mitosis とよばれる。また，この細胞分裂は，生殖細胞でおこる減数分裂（○475ページ）に対して**体細胞分裂**とよばれる。体細胞分裂と減数分裂のどちらも有糸分裂である。

2　染色体とゲノム

　人体のほとんどすべての細胞の核内には，46本の**染色体** chromosome が含まれている。そのうちの44本は2本1組の対をなし，男女に共通であり，**常染色体**とよばれる。残りの2本は男女で異なるため，**性染色体**とよばれる。常染色体は大きさの順に1〜22までの番号でよばれる。性染色体には，大きなX染色体と小さなY染色体があり，男性の細胞はXとY，女性の細胞はXを2本もつ（○図1-27）。

　このように人体の細胞には，常染色体と性染色体を合わせて，23組46本の染色体があるが，その片方の23本は父親から，残りの23本は母親からゆずり受けたものである。染色体のそれぞれには，1本の長いDNAの二重らせんが含まれており，そこに遺伝子がのっている。生物の細胞の染色体に含まれる遺伝情報の全体は，**ゲノム** genome とよばれる。

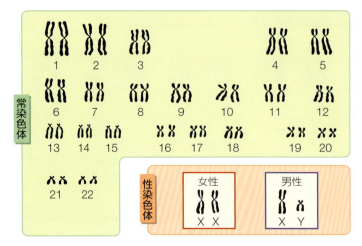

◉図1-27　ヒトの染色体
22組44本の常染色体と2本の性染色体とからなる。

3 幹細胞

　それぞれ特殊に分化した細胞(たとえば酸素を運ぶ赤血球,皮膚の強靱さを生み出すケラチン細胞,コラーゲンなどのタンパク質線維を産生する線維芽細胞など)を生み出すもととなる細胞を幹細胞 stem cell という。幹細胞は多能性幹細胞と組織幹細胞に分類される。幹細胞に共通している特殊性は1つの細胞の細胞分裂によって生まれる2つの細胞(これを娘細胞という)のうち1つは前述のような特殊な細胞に分化するが,もう1つの娘細胞は幹細胞のままとどまる(自己複製)という点である。

◆ 多能性幹細胞

　最も未分化な幹細胞は受精卵そのものであり,人体のすべての細胞がこの1個の細胞に由来する。発生が進み受精後10日ほどたった胞胚(◉479ページ)の内部細胞塊は胚性幹細胞 embryonic stem cell(ES細胞)とよばれ,受精卵に匹敵する多分化能を有している。2007年には,ヒトの皮膚の細胞に特定の4つの遺伝子を組み込むことで,多分化能の高い人工多能性幹細胞 induced pluripotent stem cells(iPS細胞)をつくることに成功した❶。ES細胞の場合のように生命のめばえである胞胚を用いるという倫理的問題を避けることができ,すでに臨床応用が進みつつある。

◆ 組織幹細胞

　1つあるいは限られた複数の組織細胞に分化することのできる幹細胞である。たとえば造血幹細胞(◉128ページ,図3-30)は骨髄中にあり,赤血球や白血球,血小板のもととなる巨核球などに分化することができる。また表皮の基底(◉435ページ,図9-1)に一列に並んでいる細胞群がケラチン細胞の幹細胞であり,この幹細胞の細胞分裂によってケラチン細胞と新たな幹細胞が

> NOTE
> ❶この研究成果により、2012年に山中伸弥教授がノーベル生理・医学賞を受賞している。

誕生する。

5 分化した細胞がつくる組織

　人体には，心臓や肝臓，骨や筋のように，肉眼的に見えるような形をもった器官がいくつもある。器官は種類によって，固有の素材，すなわち組織からできている。心臓や肝臓，骨，筋など，器官によってはたらきが異なるのは，組織が異なるからである。顕微鏡で調べると，器官の組織は何種類かの細胞群が集まってつくられている。器官をつくる細胞群は，その特徴によって上皮組織，結合組織，筋組織，神経組織という4種類の基本組織に分類される。

1 上皮組織

　上皮組織 epithelial tissue は，身体の表面や体内の腔所の内面をおおう組織であり，細胞が並んで1枚のシートをつくることで2つの空間を仕切っている。体表や腔所に液を分泌する外分泌腺（唾液腺や肝臓など）は，内部にある小さな腔所を細胞が囲んでいる。この細胞群は腺上皮とよばれ，広い意味での上皮組織に含まれる。

◆ 上皮組織の構成要素

　上皮組織をつくる上皮細胞は，隣り合う細胞との間をタイト結合 tight junction（密着帯）でつながれて切れ目のないシートをつくり，さらにデスモソーム desmosome（接着斑）などによって細胞間が機械的補強されている（●図1-28）❶。細胞間の結合部では，上皮細胞の細胞膜はこのタイト結合を境にして，体表や腔所に面する自由面と，その反対側の基底面とに分けられる。上皮細胞の自由面には，微絨毛・線毛などの特殊に分化した構造もみられる。基底面が上皮周囲の間質に接するところは，基底膜が裏打ちしている。

> **NOTE**
> ❶細胞間結合
> 　細胞どうしをつなぐ装置を細胞間結合といい，タイト結合，デスモソームのほか，ギャップ結合 gap junction（●348ページ）などがある。

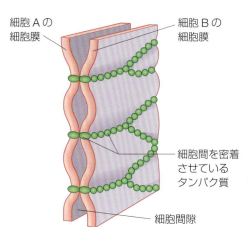

●図1-28 タイト結合
上皮組織の細胞は，タイト結合などによって隣接する細胞どうしが結合されている。

◆ 上皮組織の種類と分布

身体の部位によって，上皮組織の構造や機能はさまざまである。配列と形状によって，上皮組織は次のように分類される（◯図 1-29）。

① **上皮細胞の配列** 単層上皮は 1 層の細胞層からなり，物質を通しやすく，吸収や分泌などに適している。重層上皮は 2 層以上の細胞層からなり，じょうぶで，機械的な保護に適している。

② **上皮細胞の形状** 扁平上皮細胞は平べったい形，立方上皮細胞はサイコロのような形，円柱上皮細胞は縦長の形である。

このような配列と形状の分類を組み合わせて，単層円柱上皮であるとか，重層扁平上皮といったように表現される。

● 代表的な部位の上皮組織

① **重層扁平上皮** 皮膚，口から食道までの消化管の粘膜，腟の粘膜にみられ，機械的に強靱である。皮膚の上皮はとくに表皮とよばれる。

② **単層円柱上皮** 胃や腸の粘膜などにみられる。液の分泌や吸収を効率的に行う。

③ **多列線毛上皮** 気管や精管にみられる。多列上皮というのは，細胞層としては 1 層であるが，細胞の高さが異なるために核の高さがばらばらにみえるものをいう。自由面にある線毛によって，表面の液をゆるやかに運ぶ。

④ **移行上皮** 膀胱や尿管にみられる。内圧によって細胞の形と層数とをかえて，伸展する性質をもつ。

⑤ **単層扁平上皮** 肺胞・腹膜・血管などにみられる。肺胞の上皮は酸素（O_2）や二酸化炭素（CO_2）などのガスを通す。血管の上皮はとくに内皮とよばれ，腹膜などの上皮は中皮とよばれることがある。

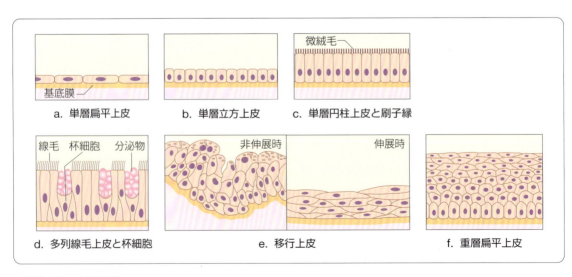

◯図 1-29 上皮組織

◆ 腺上皮

　肝臓や膵臓など，身体の臓器のいくつかは，内部に顕微鏡で見えるくらいの空間をもっていて，それを腺上皮がおおっている。腺上皮は血液中から材料を得て液状の物質をその空間に分泌し，分泌物は導管を通して体表や消化管などの臓器の内腔に運ばれる。こういった腺を**外分泌腺**という（◯図1-30-a）。これに対して，物質を血液に向かって分泌する腺は**内分泌腺**とよばれる（◯249ページ）。内分泌腺からはホルモンが分泌される。

　腺上皮は，発生の過程で表面の上皮の一部が内部に落ち込んで生じたもので，特殊な上皮組織である。シート状の上皮組織の一部が管状に陥没し，先がのびて分岐し，しだいに複雑な形を呈する。陥没した先端部には分泌能力をもつ細胞が集まって終末部をつくり，途中の部分は分泌物を運ぶ導管となる。

　表面をおおう上皮組織の中に分泌能力をもった細胞がはさまっているものを単細胞腺という。気道や消化管の杯（さかずき）細胞などがその例である（◯図1-29-d）。これに対して複数の細胞からなる外分泌腺を多細胞腺という。

● **分泌物の種類**　外分泌腺から出される分泌液は成分の大半が水であり，そこにとけている物質によって液の性質がかわる。粘液はムチンという糖に富む物質を多く含み，消化管や気管の粘膜などに分布する。外分泌腺のなかでも唾液腺や膵臓からの分泌液には，タンパク質が多く含まれていて消化酵素のはたらきをする。また毛包に付属する脂腺は，脂質を分泌して皮膚をなめらかにする。

● **腺細胞からの分泌機構**　外分泌腺の終末部の腺細胞は，水分を放出するほかに，細胞内で合成した物質を自由面から分泌する。腺細胞からの分泌には，いくつかの様式がある。

　膵臓や唾液腺などの多くの外分泌腺では，分泌物が**開口分泌** exocytosis に

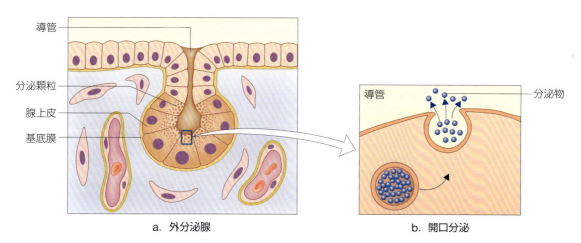

◯図1-30　外分泌腺と開口分泌
汗腺や唾液腺などの外分泌腺は，上皮組織の一部が落ち込んで生じたもので，導管を通じて外部の空間につながっている。分泌物は，開口分泌により導管に放出される。

よって放出される（◯図1-30-b）。この機構では，分泌物は膜で包まれた分泌顆粒の中にたくわえられていて，顆粒の膜が細胞膜と癒合して分泌される。

　毛包に付属する脂腺では，細胞自身は死んで，細胞全体が分泌物となってしまう。これを**ホロクリン** holocrine **分泌**（全分泌）という。また，腋窩などの大汗腺や乳腺では，自由面に向かう細胞質の一部がちぎれて分泌物となる。これを**アポクリン** apocrine **分泌**（離出分泌）という。大汗腺のことをアポクリン汗腺とよび，これに対し全身の皮膚に分布する小汗腺はエクリン汗腺とよばれ，おもに水や無機塩類などを分泌する。

2 筋組織

　筋組織 muscle tissue は，細胞骨格の一種であるアクチンとミオシンのフィラメントを，収縮装置として発達させた**筋線維**❶（筋細胞）からなる（◯339ページ）。筋組織には，骨格を動かす骨格筋のほか，心臓壁をつくる心筋，ほかの内臓❷や血管の壁をつくる平滑筋という3種類がある（◯図1-31）。

　骨格筋と心筋は，筋線維の中に縞模様があるため**横紋筋**とよばれる。また，骨格筋は運動ニューロンの支配を受け，意志の力によって収縮させたり弛緩させたりできるのに対し，心筋と平滑筋の収縮は意志の影響を受けない。このため骨格筋は**随意筋**，心筋と平滑筋は**不随意筋**ともよばれる。

◆ 骨格筋

　骨格筋 skeletal muscle を構成する筋線維は，太さ最大で約100 μm，長さ数十 cm の円柱状であり，多数の核をもつ1つの大きな細胞である。骨格筋細胞の内部には，筋原線維というアクチンとミオシンのフィラメントの束がいくつもみられる（◯341ページ，図7-54）。筋原線維の中でアクチンとミオシンは規則正しく並び，長さ約2.5 μm の収縮単位をつくる。筋原線維がそろって並ぶので，顕微鏡で観察すると骨格筋細胞には横紋が観察される。

　骨格筋細胞には運動ニューロンの終末が必ず結合しており，中枢神経からの指令に従って動くため，随意筋である。

> **NOTE**
> ❶生物学では筋繊維と表記する。神経線維や線毛についても，生物学では「繊」の字を用いる。
> ❷たとえば，胃・小腸などの消化管や子宮をつくる。

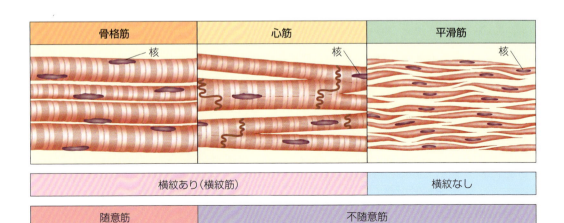

◯図1-31　筋組織

◆ 心筋

　心筋 cardiac muscle をつくる心筋細胞は，太さ約 10 μm，長さ約 100 μm で，横枝を出し，介在板（◎ 348 ページ）をはさんで縦につながりながら心臓壁全体に広がる。心筋細胞は単核ないし二核であり，細胞質には骨格筋細胞と同様に筋原線維というフィラメントの束があり，顕微鏡で横紋が観察される。
　心筋細胞は自律神経によって調節を受ける不随意筋で，心臓の収縮のリズムは心臓自身がつくっている。特殊心筋とよばれる筋原線維に乏しい一部の心筋細胞が，規則的な興奮の発生と伝導を行っている。

◆ 平滑筋

　平滑筋 smooth muscle をつくる平滑筋細胞は，細長い紡錘状で，太さ 5 μm 前後，長さ 20 μm（血管）〜200 μm（腸壁）ほどである。消化管・気管・尿管・膀胱・子宮などの内腔をもつ臓器の筋層や，血管壁，皮膚の立毛筋，眼球の瞳孔筋や毛様体筋として存在する。平滑筋細胞は単核で，細胞質の中にアクチンとミオシンが豊富にあるが，筋原線維のような束をつくらないため，顕微鏡で見えるような横紋がない。
　平滑筋細胞は運動ニューロンと結合をつくらない不随意筋で，自律神経やホルモンの支配を受ける。また，引っぱられると収縮するなど，機械的な刺激の影響も受ける。

3 結合組織

　結合組織 connective tissue は，線維状のタンパク質に富む多量の細胞外基質によって，身体を機械的に支持する組織である❶。腱や靱帯など大量の線維を含む強靱なものや，器官の組織に入り込んですきまを満たす柔軟なものなど，さまざまである（◎図 1-32）。骨格をつくる骨組織や軟骨組織は，特殊な結合組織である。

◆ 結合組織の構成要素

　結合組織には，線維状のタンパク質に富む多量の細胞外基質が含まれ，その間に細胞が散在する。

● **結合組織の細胞**　結合組織の主要な細胞は，基質の線維を合成する線維芽細胞である。このほかに，間質の結合組織には遊走性の細胞が少なからず含まれていて，ヒスタミンを含む肥満細胞，貪食作用をするマクロファージ（大食細胞）や好中球，抗体産生を行う形質細胞，リンパ球などがみられる。

● **結合組織の細胞外基質**　コラーゲン線維は，結合組織の細胞外基質の主体をなし，コラーゲン collagen とよばれる線維状のタンパク質によってつくられる。コラーゲンの分子がより合わさってつくられた線維は，引きのばされにくく，組織に機械的な強靱さを与える。
　また，弾性線維は血管の壁などにあり，エラスチン elastin というタンパク質を含んでいる。弾性線維はゴムのようによくのび縮みする性質がある。

NOTE
❶血液とリンパを結合組織に含めることもあるが，ほかの結合組織とは性格が異なるため，ここでは含めないこととする。

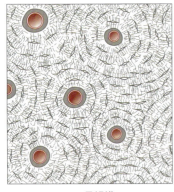

a. 骨組織　　　　　　　　　　　b. 軟骨組織

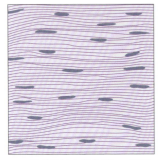 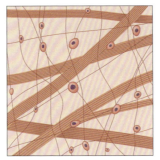 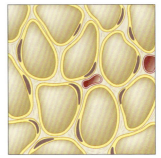

c. 線維性結合組織（腱の組織）　d. 疎性結合組織（臓器の間質）　e. 脂肪組織

○図 1-32　結合組織

◆ 結合組織の種類と分布

① **線維性結合組織**　コラーゲン線維が基質の主体となる。とくにコラーゲン線維が密集し，すきまが少ないものを強靱結合組織（密性結合組織）という。筋膜・靱帯・腱・真皮などが代表例である。

② **疎性結合組織**　線維や細胞の間にすきまが多く，間質液を多量に含む。器官のすきまにあたる間質や，皮下・粘膜下の柔軟な組織などが代表例である。

③ **弾性組織**　弾性線維が豊富にあってゴムのような弾力に富む。大動脈の壁などにみられる。

④ **細網組織**　細かなコラーゲン線維網と，その表面をおおう星状の細網細胞からなる。リンパ節・脾臓・骨髄などにみられる。

⑤ **脂肪組織**　疎性結合組織の中に，多量の脂肪細胞が集まったものである。皮下組織・眼窩の脂肪などが代表例である。

◆ 骨組織

　骨がかたいのは，基質にコラーゲン線維のほかに，多量のリン酸カルシウムが沈着しているためである。かたい基質の間のところどころに骨小腔という小さなすきまがあり，**骨細胞**をおさめている。骨小腔は細い骨細管によって互いにつながり，骨細胞は突起をのばして互いに連絡する。骨の内部には

血管が分布する（◉286ページ，図7-3）。

骨組織は生きており，基質が代謝されてたえず入れかわっている。また力が加わる部分では基質が発達してじょうぶになり，力の加わらない部分の骨は吸収される。骨基質をつくるのは骨細胞のはたらきであるが，骨基質をとかすのは血液中のマクロファージに由来する**破骨細胞**である。骨はまた，カルシウムの貯蔵庫としての役割もあり，血液中へのカルシウムの出し入れは，ホルモンによって調節されている（◉276ページ）。

◆ 軟骨組織

軟骨は，かたさでは骨に劣るが弾力性があり，骨格の一部（肋軟骨・椎間板など）や骨の関節面にみられる。また骨のほとんどは，あらかじめ軟骨で形がつくられ，その内部のいくつかの場所で骨におきかわりながら成長するため，胎児の骨格の大部分は軟骨からつくられていることになる。

軟骨細胞は2～3個ずつ軟骨小腔におさまっている。軟骨基質はコラーゲン線維のほかに大量のムコ多糖類❶を含んでいて，プラスチックのようなかたさをもつと同時に弾力がある。軟骨の内部に血管は分布しない。基質の成分によって軟骨の性質はさまざまである。

① **硝子軟骨** 基質は半透明で均質にみえる。肋軟骨，関節軟骨，気管・気管支など，多くの軟骨がこの種類である。

② **弾性軟骨** 黄色みを帯びて不透明で，弾性線維を豊富に含む。耳介軟骨・喉頭蓋軟骨などにみられる。

③ **線維軟骨** 多量のコラーゲン線維を含み，軟骨細胞が少ない。柔軟で簡単に曲がるが，圧迫や牽引（けんいん）に対しては強靱である。椎間円板・恥骨結合などにみられる。

4 神経組織

神経組織 nervous tissue は，脳と脊髄からなる中枢神経と，そこから出て身体全体に向かう末梢神経で構成される。神経組織の主体となる細胞は，ニューロンとよばれる。細長い突起を遠方にまでのばし，ほかのニューロンからの興奮を受け取り，それを遠方にまで伝えることができる。神経組織には，ニューロンのはたらきをたすける支持細胞も含まれる。

◆ ニューロン

ニューロン neuron は細胞体とその突起からなり，あわせて**神経細胞** nerve cell ともよばれる（◉図1-33-a）。細胞体は大きいもので直径150 μmくらいであり，形もさまざまである。ニューロンは胎児期につくられるが，いったん分化すると分裂しない。細胞体からは，次の2種類の突起が出ている。

① **樹状突起** dendrite ふつうは細胞体から周囲に向かって多数のび出し，樹枝状に先が細かく分かれる。樹状突起はほかのニューロンからの興奮を受け取る場所で，別のニューロンからの軸索の終末が連結してシナプスをつくる（◉図1-33-b）。ここで受け取った興奮は，細胞体に伝えられる。

NOTE

❶**ムコ多糖**
ムコ多糖とは，動物の粘性分泌物から得られる多糖という意味であり，ムコ多糖類とは，組織内でアミノ酸が結合した糖をもつ多糖類の総称である。ヒアルロン酸やコンドロイチン硫酸などが含まれる。

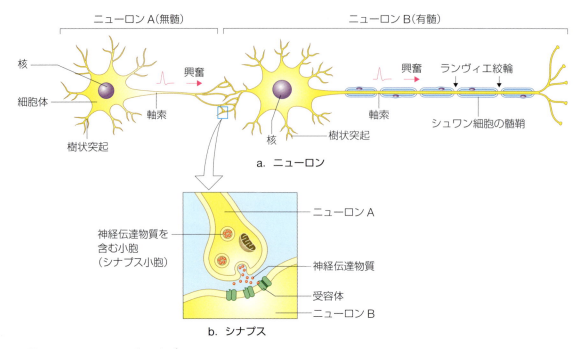

図1-33 ニューロンとシナプス
ニューロンからは、1本の軸索と多数の樹状突起が出ている。軸索の先端は枝分かれをしてほかの細胞に接触し、軸索の先端から神経伝達物質を放出して興奮を伝達する。

2 軸索 axon 細胞体から通常は1本だけ出る突起で、途中で側枝を出し末端は多数の枝に分かれる。分かれた枝の先端は、ほかのニューロンや筋線維（筋細胞）などとシナプスをつくる。細胞体から遠方に興奮を伝えて、ほかの細胞にその信号を受け渡すはたらきをする。

◆ 末梢神経の構造

末梢神経を肉眼で観察すると、白いヒモ状にみえ、細い神経線維が多数集まっている。神経線維の太さは、細いもので1μm以下、太いもので10μmほどである。神経線維の中軸にはニューロンの細胞体からのび出した軸索があり、このまわりをシュワンSchwann細胞が包んでいる（◯図1-33-a）。シュワン細胞の包み方によって、神経線維は無髄神経線維と有髄神経線維とに区分される。

無髄神経では、シュワン細胞は**神経鞘**（シュワン鞘）をつくって、1本ないし複数の軸索を単純にかかえ込むように包んでいる。交感神経と副交感神経には多くの無髄神経が含まれる。

有髄神経では、シュワン細胞が軸索の周囲を円筒状に包む白い**髄鞘**（ミエリン鞘）をつくっている。髄鞘はシュワン細胞の細胞膜が何重にも巻き込んでできている。シュワン細胞の髄鞘は長さが1〜2mmで、その間隔ごとにとぎれて**ランヴィエ** Ranvier **絞輪**をつくる。この場所では軸索の細胞膜が露出しており、興奮はランヴィエ絞輪から次の絞輪へと、跳躍するように伝わっていく（◯363ページ）。そのため、有髄神経線維の伝導速度（10〜

100 m/秒)は，無髄神経線維(1 m/秒)よりも著しく速い。

◆ シナプス

　軸索はのびていった先で枝分かれし，その末端部はふくらんで神経終末となり，ほかのニューロンの樹状突起や細胞体に付着する。この付着部位が**シナプス** synapse である。神経終末には，神経伝達物質を含んだ小胞（シナプス小胞）が含まれていて，軸索を伝わってきた電気的興奮がここに到達すると，神経伝達物質が放出される（● 364 ページ）。神経伝達物質には，アセチルコリン，カテコールアミン，γ（ガンマ）-アミノ酪酸(GABA)などさまざまな種類があり，その作用は受け取る側の細胞膜にある受容体の種類によっても違ってくる。

6 腔所を包む組織

　人体の内部には膜によって包まれたさまざまな腔所がある。そのような腔所を包む膜は，上皮組織でできたものと，結合組織によりつくられたものとが区別される。

◆ 上皮性の膜

　粘膜 mucous membrane は，消化管，気道，尿路など，外界につながる臓器の腔所をおおう膜である。粘膜の表面は，**粘液** mucus というムチンなどを含むねばねばした液でおおわれている。粘液を分泌する腺や細胞が粘膜に付属している。粘膜上皮の構造と機能は，場所によって大きく異なる。口腔や食道などは強靱で摩擦に強い重層扁平上皮からなり，胃と腸の粘膜は液の分泌や吸収に適した単層円柱上皮からなる。また，鼻腔や気管の粘膜は多列線毛上皮からなり，尿管や膀胱の粘膜は伸展性に富む移行上皮からなる。

　漿膜 serous membrane は，体腔とその内部にある器官の表面をおおう膜である。少量のさらさらした漿液を分泌するため表面はなめらかで，臓器が摩擦なしに動けるようにしている。胸腔には肺を包む胸膜と心臓を包む心膜があり，腹腔にはいくつもの腹部内臓を包む腹膜がある。漿膜の上皮は単層扁平上皮で，中皮ともよばれる。

　漿膜には，器官の表面をおおう**臓側葉** visceral layer と，体壁内面をおおう**壁側葉** parietal layer とがあり，両者はひと続きであって，胸膜腔・腹膜腔・心膜腔という閉じた袋をつくる。袋の中には少量の漿液が含まれるが，漿膜の炎症に際して液は増量し（胸水・腹水とよばれる），タンパク質成分が多く滲出液とよばれる。

◆ 結合組織性の膜

　髄膜 meninx は，頭蓋腔の脳と脊柱管の脊髄を包む膜である。硬膜・クモ膜・軟膜の3層からなる（● 381 ページ）。硬膜は丈夫な結合組織性の膜である。クモ膜と軟膜の間にはクモ膜下腔という腔所があり，脳脊髄液を含んで

いる。

　滑膜 synovial membrane は，関節腔などの内面をおおう膜である。滑膜の表面からは**滑液** synovia が分泌されて，関節の動きを円滑にさせる。腱の動きをなめらかにする滑液包や腱鞘の内面も滑膜によっておおわれている。

work 復習と課題

❶ 器官・組織・細胞の間にはどのような関係があるか。
❷ 人体内部の大きな腔所にはどのようなものがあるか。また，その中にはどのような器官がおさめられているか。
❸ 人体の方向を示す基準面を3つあげよ。
❹ 人体の機能を植物機能と動物機能に分けた場合，それぞれに属する器官系をあげなさい。
❺ 内部環境とはなにか。また，ホメオスタシスとどのような関係にあるか。
❻ 肺・心臓・肝臓・腎臓は人体のどこに位置しているか図示しなさい。
❼ 細胞小器官の種類と特徴についてまとめなさい。
❽ ATP合成の3つの過程は，細胞のどこで行われているか。
❾ 遺伝子が発現してタンパク質が合成されるまでの過程を説明しなさい。
❿ 細胞膜にあるタンパク質にはどのようなはたらきがあるか。
⓫ 静止電位と活動電位について説明しなさい。
⓬ 女性と男性との染色体の違いはなにか。
⓭ 骨格筋・心筋・平滑筋にはそれぞれどのような特徴があるか。
⓮ 結合組織の種類と分布についてまとめなさい。
⓯ 骨組織と軟骨組織の構造上の違いはなにか。
⓰ ニューロンの構造を図示しなさい。
⓱ 粘膜と漿膜にはそれぞれどのような特徴があるか。

― 解剖生理学 ―

第 2 章

栄養の消化と吸収

本章の概要

　植物はえらいと思う。根から吸い上げた養分と，空気中の二酸化炭素と日光から合成したものを使って自分の身体をつくりあげ，そして生長していく。誰に頼るでもなく，自立して生きている。

　一方の動物はだらしがない。自立できないのだ。草食動物は植物を食べて生きている。つまり植物に依存している。肉食動物はさらにその草食動物に依存している。つまり，私たち動物は結局のところ植物に依存しており，その依存を端的にあらわしているのが「食べる」という行動である。食べ，そして食べたものを消化して吸収する。私たち動物が生きていくために必須であるこのはたらきに従事しているのが**消化器系**である。

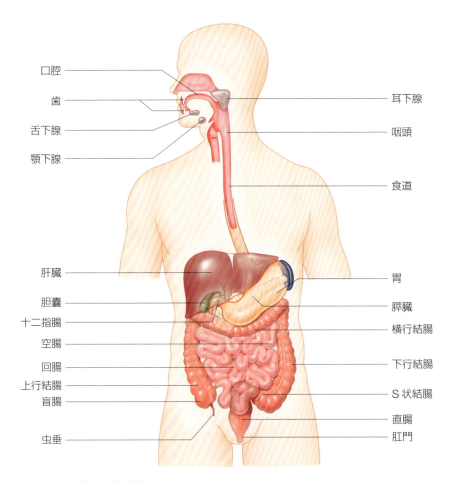

◯ 図 2-1　消化器系の概観
消化器は，口から始まり肛門にいたる 1 本の消化管と，それに付属するいくつかの臓器からなる。

本章の概要

　食べた物は，分解（消化）・吸収され，生きるためのエネルギー源となったり（主として糖質と脂質），私たち自身の身体を構築するための材料になったり（タンパク質や電解質など），さらに体内でおこる化学反応が円滑に進むための触媒として利用される（ビタミンなど）。この食物の消化と栄養のためにはたらいているのが，消化器系である。

● **消化器系の構成**　消化器系は，口から肛門まで続く1本の消化管と，それに付属するいくつかの器官で構成されている（◯図2-1）。消化管のうち，胃から大腸までの消化器の本体は腹腔におさまっている。口腔には唾液腺，十二指腸には肝臓と膵臓が付属する。消化管は身体の内部におさまっているが，その内腔は口と肛門を通して外につながる空間であり，体外にあたる。

● **食物の消化**　口から取り入れた食物は，胃・小腸へと移送される間に，消化管内に分泌される消化液中の消化酵素の作用を受けて消化される（◯図2-2）。消化液は，胃や小腸などの消化管の細胞から分泌されるだけでなく，唾液腺や膵臓，肝臓からも分泌される。

　消化された栄養素や水分，各種の電解質は，主として小腸壁から吸収される。吸収された栄養素は大部分が肝臓に送られ，そこで合成・分解・解毒を受けて，全身の細胞が利用できるかたちにかえられる。吸収されなかった残りは，大腸で水分が吸収されたのち，便として排泄される。消化管の運動と分泌機能を調節しているのは，自律神経と腸の神経叢，そして消化管壁から血液中に分泌される消化管ホルモンである。

　必要十分な，そしてバランスのとれた栄養素の摂取は，ホメオスタシスのためにも必須である。栄養の不足は，子どもでは成長を阻害し，成人でも感染やその他に対する抵抗力の減退を引きおこす。しかし，過剰な栄養素の摂取，とくに脂肪の過剰摂取は肥満を生じ，心筋梗塞や脳梗塞などの血管疾患の重大な危険因子となる。なお肝臓は，血糖値の調節や血漿タンパク質の合成などを行っており，ホメオスタシスに重要な役割を果たしている。

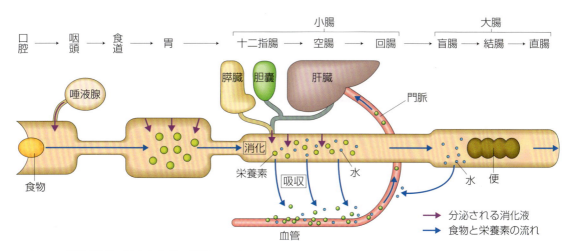

◯**図2-2　消化器系の器官と食物の消化・吸収**
口から取り入れた食物は，消化管を通るうちに消化され，吸収される。
消化されなかった食物は，便として排泄される。

A 口・咽頭・食道の構造と機能

1 口の構造と機能

1 口腔

　口腔 oral cavity は，前方は口裂によって外界に開き，後方は**口峡**(こうきょう)を通して咽頭につながっている（◯図2-3）。口腔の中には，上顎(がく)と下顎から歯列がはえており，これによって口腔は2つの部分に分けられる。
　1 口腔前庭　歯列よりも手前の領域で，頰(ほお)の粘膜の内側に耳下腺の開口部がある。
　2 固有口腔　狭い意味での口腔で，歯列よりも奥にあって，舌があり，顎下腺と舌下腺の導管が舌と歯列の間に開口する。
　口腔に取り入れた食物は，**咀嚼**(そしゃく) mastication という機械的な消化を受け，**嚥下**(えんげ) swallowing によって咽頭に送られる。
　咀嚼は，口腔のあらゆる構造が協調して行う高度な機能であり，以下のようないくつものしかけを必要とする。① 口腔を閉鎖空間にする（口蓋・頰・口唇）。② 唾液により食物を湿らせる（大唾液腺）。③ 食物を口腔内の適当な位置に動かす（舌）。④ 下顎が複雑な運動をすることにより，多様な形の歯（切歯・犬歯・小臼歯・大臼歯）によって食物をかみくだく。

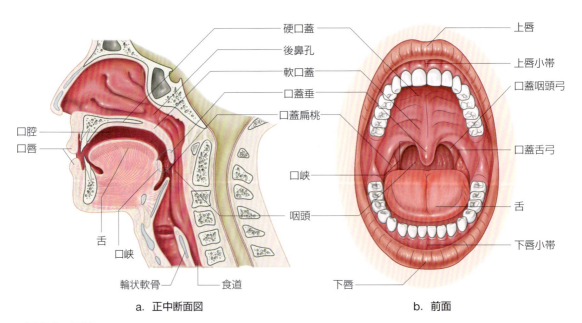

◯図2-3　口腔

2 口蓋・頬・口唇

口腔の天井は**口蓋**で，鼻腔との間を隔てている。口蓋の前 2/3 は骨を含む**硬口蓋**で，後ろの 1/3 は筋肉性の**軟口蓋**である。軟口蓋のよく動く後縁は口蓋帆とよばれ，その中央部はたれ下がって口蓋垂となる。軟口蓋から 2 対のヒダが左右に下降し，口峡の両側に 2 対のアーチ（口蓋舌弓と口蓋咽頭弓）をつくる。両ヒダの間のくぼみには，リンパ組織を含む口蓋扁桃が埋もれている。

頬は口腔の外側壁をつくり，**口唇** lip は口裂の上下にあり，ともに筋性である。頬と口唇の本体をなす筋は，顔の皮膚を動かす表情筋（◯ 337 ページ）の一部で，頬に緊張を与えたり，口唇を開閉したりするはたらきをする。

口腔が閉鎖空間になるのは，成人の咀嚼だけでなく，乳児が母乳を吸うためにも必要である。乳児は，母親の乳首に吸いつき，口腔の中に乳を吸い出す❶。

> **NOTE**
> ❶口唇裂・口蓋裂
> このとき，口腔がどこかに開いていると，吸い出した乳がもれてしまう。口唇や口蓋が左右に分かれている口唇裂や口蓋裂の乳児では，乳をうまく吸うことができないため，手術を必要とする場合がある。

3 舌

舌 tongue は，口腔底にある骨格筋のかたまりで，その表面はかたい結合組織と粘膜でおおわれている。舌の粘膜には，**舌乳頭**という小さなでっぱりがたくさんある（◯図 2-4）。舌乳頭には，いくつかの種類があり，その一部には味覚を感じる**味蕾**が備わっている。

1 糸状乳頭 舌の前 2/3 に無数に散在し，先端が角化するので舌の背面が白っぽく見える。また，口腔内の不潔や乾燥，発熱時などに，舌粘膜に白い付着物が生じることがある。これは舌苔とよばれ，粘液・食物残渣・細菌または剝離した舌の上皮細胞などが糸状乳頭の間にたまったものである。

2 茸状乳頭 舌の前 2/3 に無数に分布し，赤い点状に見える。味蕾が若干ある。

3 葉状乳頭 舌の外側面にあり，ヒダ状で，味蕾がある。

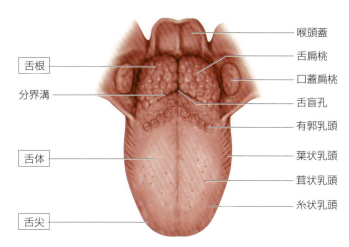

◯図 2-4 舌

4 **有郭乳頭** 舌根部との境をなすＶ字形の分界溝に沿って，10個ほどが1列に配列する。味蕾がある。

　舌根の粘膜下には，リンパ組織が集まり粘膜表面がでこぼこしていて，舌扁桃とよばれる。

　舌は，**食塊**（かみくだかれた食物）を移動させて咀嚼を受けやすくするとともに，食塊をこねまわして唾液と混合させて食塊に湿りけを与えることにより，唾液中の消化酵素がはたらきやすくしている。

4 歯列

● **歯の構造**　上顎と下顎には，**歯** tooth が１列に並んでいる。歯の突き出した部分を**歯冠**，粘膜に埋もれた部分を**歯根**といい，その大部分は**歯槽**という骨の容器の中にはまり込んでいる（●図2-5）。歯の中心部には**歯髄**をいれた歯髄腔がある。

　歯の本体は，3種類の硬組織でつくられている。歯冠の表面をおおう**エナメル質** enamel は，99％までがリン酸カルシウムからできていて，水晶にも負けないかたさがある，人体で最もかたい組織である。歯の本体をつくる**ゾウゲ質** dentine は，かたさが少し劣り，歯髄腔の内面に並ぶ細胞がゾウゲ質の中に細い突起を送り出している。エナメル質は生命も感覚もないが，ゾウゲ質は生きている組織で，むし歯の際に痛みを感じたり，歯髄腔に向かってわずかに成長したりすることがある。

　歯根は，**セメント質**という薄い骨質におおわれていて，歯槽の骨との間を歯根膜という結合組織がつないでいる。歯髄腔には，歯根の先端の孔から，感覚神経線維と血管が進入する。

● **乳歯と永久歯**　ヒトの歯は，小児にみられる一時的な乳歯（脱落歯）と，成人の歯である永久歯の２種類がある。

　永久歯は，すべてはえそろうと32本，形としては4種類のものがある。たとえば上顎の片側だけをとると，前方から，**切歯** incisor というノミの形

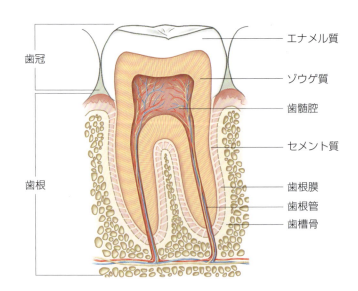

●図2-5　歯の構造
歯の表面に露出している部分を歯冠，歯肉に埋まる部分を歯根とよぶ。歯の中心には，歯髄腔という空間がある。歯をつくる材質として，歯の本体をつくるゾウゲ質，歯冠をおおうかたいエナメル質，歯根の表面をおおうセメント質がある。

をした歯が2本，**犬歯** canine という先端のとがった歯が1本，先端が立方形の**小臼歯** premolar と**大臼歯** molar はそれぞれ2本と3本で，合計8本ある（◯図2-6）。このうち最も奥の第3大臼歯（智歯，一般的に親知らずとよばれる歯）は，はえてこないこともある。切歯と犬歯は食物を切断し，小臼歯と大臼歯は食物をすりつぶして細かく粉砕する。

乳歯は，永久歯よりもやわらかく，成人の切歯，犬歯，小臼歯に対応し，20本がある。乳歯は胎児のころから発生を始めており，生後6～7か月で歯肉から外に出てきて（**萌出**という），満2歳ごろに上下8本，3歳までには上下10本ずつがはえそろう。小学校入学ころ（6歳ごろ）に，早くはえた乳歯からしだいに抜けて，永久歯に入れかわる。最初にはえるのは第1大臼歯で，第3大臼歯は思春期以後にはえてくるが，異常なはえ方をしたり，萌出しないことも多い。

● **齲歯**　齲歯（むし歯）は，食物の残りかすを細菌が分解することにより乳酸が生じ，その酸によりエナメル質やゾウゲ質が侵食されたものである。生きているゾウゲ質まで侵食されると，熱さや冷たさがしみるように感じる知覚過敏をおこす。さらに侵食が深くなると，歯髄の神経が刺激されて痛みを感じる。歯周炎（歯槽膿漏）は歯根の周囲組織の炎症で，適切な処置をしないと歯槽がしだいに浅くなり，歯が不安定になり，ついには脱落して歯が失わ

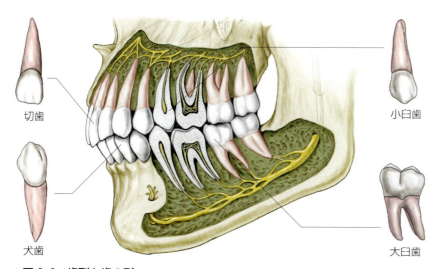

◯**図 2-6　歯列と歯の形**
第2小臼歯と第1大臼歯は断面を示す。歯の根もとから，血管と神経が歯の内部に進入する。歯には切歯・犬歯・小臼歯・大臼歯の4種類の形があり，合計32本ある。

---

column　咀嚼が脳を刺激する

齲歯や歯周炎などで歯を失った高齢者は，脳の機能低下が速く進むことがよく知られている。歯を失うと，咀嚼をせずに食物を丸飲みしてしまう。咀嚼をすると，口腔や舌で食物の感触や味をよく感じとり，その触覚・味覚が脳を刺激するため，脳の老化を防ぐのだと考えられている。

れてしまう。

5 唾液腺

口腔には，耳下腺，顎下腺，舌下腺という大唾液腺があり，そのほかにも多数の粘液腺が散在している（○図2-7）。

耳下腺 parotid gland は，耳介の前方から下方にかけて広がる大きな唾液腺である。耳下腺の導管（耳下腺管）は前方に向かい，頬の内側面で上顎第2大臼歯に相対する場所に開口する。漿液性のさらさらした唾液を分泌する❶。

顎下腺 submandibular gland は下顎骨の下面内側にあり，導管（顎下腺管）は歯列の内側で舌のつけ根の両側にある舌下小丘に開口する。粘液と漿液のまざったねばりのある唾液を分泌する。

舌下腺 sublingual gland は最も小さい大唾液腺であり，口腔底の舌下小丘の粘膜下にある。導管はいくつもあり，顎下腺管よりも後方に開口する。混合性のねばりの多い唾液を分泌する。

小さな唾液腺は，口唇・頬・口蓋・舌などの粘膜下にみられる。

唾液 saliva は塩類を含む水溶液で，分泌量は1日に1〜1.5Lに達する。有機物としては，**ムチン** mucin や**α-アミラーゼ** amylase（プチアリン）などを含む。

ムチンは特殊な糖タンパク質で，唾液にねばりけを与え，食塊の通過をたすけたり，粘膜表面を保護したりするはたらきがある。α-アミラーゼは消化酵素で，デンプンを二糖類であるマルトース（麦芽糖），あるいは分解の中間段階であるデキストリン（単糖が数個つながった多糖類）に分解する。

また，唾液中には，**リゾチーム**という殺菌作用のある酵素や，免疫グロブリン（○443ページ）の一種である IgA が含まれ，口腔内の清潔を保つのに役だっている❷。

唾液腺は交感神経と副交感神経の支配を受けるが，両者とも唾液分泌を促進する（促進作用は副交感神経のほうが強い）。また血管が豊富に分布しており，唾液分泌の際に副交感神経の作用によって血流量が大幅に増加する。唾

> **NOTE**
> ❶流行性耳下腺炎
> 流行性耳下腺炎（おたふくかぜ）は，ムンプスウイルスの感染により，耳下腺が炎症をおこし，その部位の顔がはれるものである。

> **NOTE**
> ❷唾液の殺菌作用
> イヌやネコは傷を負ったときに傷口をなめることで，唾液の殺菌作用を利用している。

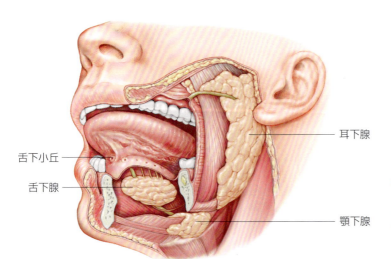

○図 2-7 唾液腺

大唾液腺は，耳のすぐ前にある耳下腺，下顎骨の内側にかくれる顎下腺，口腔底にある舌下腺である。耳下腺の導管は頬粘膜に，顎下腺と舌下腺の導管は口腔底（舌下小丘）に開く。

液の分泌は，味覚や嗅覚，口腔内の触覚などの情報が延髄にある唾液分泌中枢を刺激することによりおこる。さらに生後の学習により，梅干しを見ただけで唾液分泌がおきるなどといった，条件反射も関与するようになる。

6 口腔の運動と感覚

　食物の咀嚼は，下顎を上顎に押しつけたり，ずり動かしたりすることにより行われる。顎関節には関節円板（●290ページ）があるため，運動に大きな自由度があり，下顎骨は単に上下に開閉するだけでなく，前後・左右にずれることができる。**咀嚼筋** masticatory muscles は，下顎を引き上げて上顎に押しつける筋群で，咬筋，側頭筋，内側・外側翼突筋の４つがあり，三叉神経（●389ページ）に支配されている。顎を開くはたらきは，重力のはたらきや，下顎骨と舌骨を結ぶ舌骨上筋群と，舌骨と胸郭などを結ぶ舌骨下筋群によって行われる。

　口唇を開けたり閉めたりすることは，下顎の動きとは独立して行われる。これは顔の皮下にある**表情筋**のはたらきで，顔面神経によって支配される。

　舌の筋には，舌の内部におさまり，舌の形をかえる内舌筋と，舌と外の骨をつなぎ，舌の位置をかえる外舌筋がある。舌の運動は，舌下神経によって支配されている。

　舌の知覚は，前と後ろで異なる。舌の前 2/3 では，味覚は顔面神経によって，触覚は三叉神経によって支配されている。舌の後ろ 1/3 では，味覚も触覚も舌咽神経によって支配されている。

　口腔の粘膜と歯の知覚は，顔の皮膚の知覚と同じで，三叉神経によって支配されている。

7 咀嚼

　消化の最初の段階である口腔における消化は，上顎・下顎からはえている歯による咀嚼，唾液腺からの唾液分泌，舌による食塊のこねまわしと移動，そして嚥下（●65ページ）からなる。この間に，舌による味覚と鼻腔による嗅覚によって，口に入った物をそのまま飲み込んでもよいか，吐き出すべきかの判断がなされる。

　咀嚼とは，主として三叉神経に支配された咀嚼筋の随意的な収縮によって下顎が引き上げられ，上下の切歯による食物の切断，臼歯によるすりつぶしにより食物が細かく粉砕されることである。舌は食塊を移動させて咀嚼を受

---

column　咀嚼をする動物，しない動物

　哺乳類の口腔には，咀嚼のしかけ（口唇・頬・口蓋，多様な歯列，大唾液腺）が備わっていて，ヒトと同じように口腔内でよく物をかみくだくことができる。爬虫類や鳥類には，これら咀嚼のしかけがなく，口腔の中でものをかみくだくことができない。そのため爬虫類のワニやヘビ，鳥類などは，食物を丸飲みしてしまう。

けやすくするとともに，食塊をこねまわして唾液と混合させて食塊に湿りけを与え，唾液中の消化酵素がはたらきやすくする。この間，口唇と頰，口蓋によって口腔は閉鎖された空間になっている。このように咀嚼は口腔全体で行う複雑な動作である。

2 咽頭と食道の構造と機能

1 咽頭

　咽頭 pharynx は，鼻腔・口腔・喉頭の後ろにあり，口腔から食道に抜ける食物路と，鼻腔から喉頭に抜ける呼吸路との交差点である（◯図 2-8）。上は頭蓋底に達し，頸椎のすぐ前を下りながら細くなり，食道に続く。壁は骨格筋からできている。長さは約 12 cm で，上から鼻部・口部・喉頭部の 3 部に分けられる。

　1 咽頭鼻部　後鼻孔により鼻腔とつながる。耳管の開口部が両側壁にある。後壁上部の粘膜にリンパ組織が集まり，咽頭扁桃をつくる。

　2 咽頭口部　口蓋と舌骨の間の高さの部分で，前方は口峡により口腔とつながる。

　3 咽頭喉頭部　舌骨の高さより下方で，喉頭の後ろにある部分である。前方には喉頭口が開き，下は食道に続く。

　咽頭の鼻部と口部を取り囲むように，リンパ組織が集まって，口蓋扁桃・咽頭扁桃・舌扁桃をつくっており（**ワルダイエル咽頭輪** Waldeyer ring），外界の病原体から消化管を保護する役割をしている❶。

> **NOTE**
> ❶咽頭扁桃の肥大
> 　咽頭扁桃は小児期によく発達し，感染をして肥大することがある（アデノイド）。肥大した扁桃は，耳管の開口部を圧迫して聴力障害をおこしたり，空気の通路をふさいで鼻呼吸を困難にさせたりする。

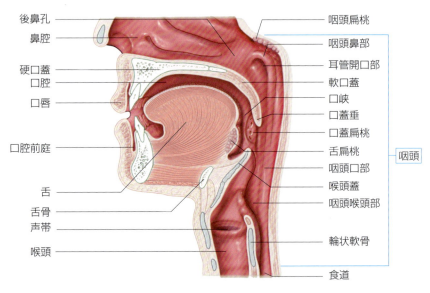

◯**図 2-8　咽頭**
咽頭は，口腔から食道への食物路と鼻腔から喉頭への呼吸路の交差するところで，鼻部・口部・喉頭部に分けられる。

2 嚥下

咀嚼された食物は，口腔から咽頭を通って運ばれ，飲み込まれる。これを**嚥下**とよび，舌・口蓋帆・咽頭・喉頭が協調した運動を行う。食物が咽頭に入ると，咽頭と鼻腔，喉頭の間がふさがって，食物が呼吸路に入ることを防いでいる。

嚥下の過程は，口腔相，咽頭相，食道相の3つに分けることができる(◯図2-9)。

● **口腔相** 口腔相は嚥下の開始であり，舌によって食塊が軟口蓋に押しつけられ，咽頭へと送り出される。この相は随意的な運動である。

● **咽頭相** 食塊が咽頭に触れると，延髄の嚥下中枢が刺激され，反射的に

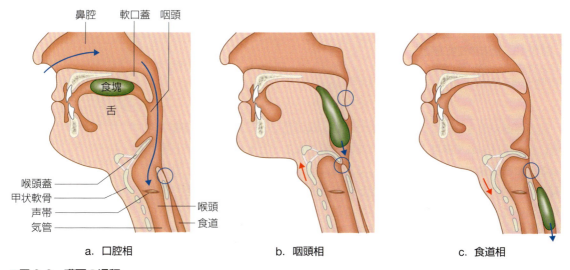

◯図2-9 嚥下の過程

臨床との関連　誤嚥性肺炎

まず，誤飲と誤嚥の違いを知っておこう。

誤飲とは，本来飲み込むべきではない物を飲み込んでしまった状態をよぶ。牛乳と間違えて農薬を飲んでしまった，幼児がボタン電池を飲み込んでしまった，などがこれにあたる。

一方の誤嚥とは，飲み込もうとした物があやまって気管に入ってしまった状態である。ジュースなどが気管に入ると，むせて非常に苦しい思いをすることになる。

年をとると嚥下反射がスムーズにおこらなくなり，喉頭蓋による気管入口の閉鎖が遅れて，しばしば食べた物が気管に入ってしまうようになる。ふつうは咳き込むなどで，これらの物は喀出(咳とともに吐き出すこと)されるが，年をとるとこの反射も衰え，気管の中に食べ物が残りやすくなる。こうしておこるのが誤嚥性肺炎で，高齢者の死因の大きな割合を占めているだけでなく，生活の質を著しく低下させる原因ともなる。

これを防ぐためには，食事を座ってとること(寝た状態では誤嚥しやすい)，ゆっくりと落ち着いて食事をすることなどが大切である。大きな物も飲み込みにくいが，細かくみじんにきざんだ物もかえって誤嚥をおこしやすくなる。細かくしたうえでとろみをつけると，誤嚥の危険が減少する。

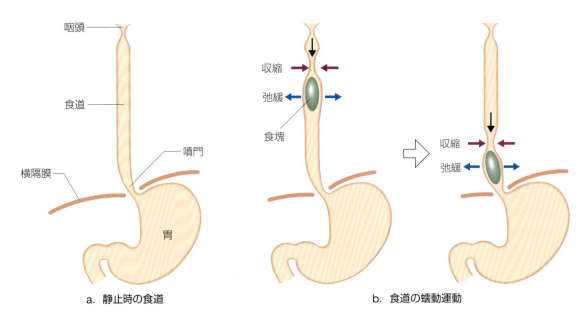

○図2-10　食道の蠕動運動
aは食塊がないとき（静止時）の食道を示す。bは食塊が胃に運ばれるときの食道の蠕動を示す。噴門が弛緩することにより，食塊は胃に入っていく。

一連の運動がおきる。これが咽頭相である。咽頭相では，軟口蓋が咽頭の後壁に押しつけられて鼻腔と咽頭との連絡が絶たれるとともに，喉頭が上昇することで喉頭蓋が気管入口を閉鎖して食塊は食道へと送られる。この相は呼吸器系（鼻腔-咽頭-喉頭-気管）と消化器系（口腔-咽頭-食道）とが交差する部分において，食塊を食道へと間違いなく送るための協調運動である。しかし，健常者であっても，急いで飲んだり食べたりすると，この協調運動が間に合わず，食塊が鼻に抜けたり，気管に入ってむせることがある。とくに高齢者では反射が鈍くなっているため，食塊が気管に入りやすく，誤嚥性肺炎をおこす危険性が高い。

● **食道相**　食塊が食道に入ると，食道の蠕動運動によって食塊は胃へ送られる（○図2-10）。これが食道相であり，食塊は8〜12秒で胃に達する。

3 食道

食道 esophagus は，長さ25 cmほど，直径1〜2 cmほどの扁平で筋性の管である。食道は，喉頭の輪状軟骨下縁の高さ（第6頸椎）で咽頭からつながり，左右の肺にはさまれた縦隔内で脊柱の前方かつ気管と心臓（左心房）の後方を下行し，横隔膜の食道裂孔を貫いて胃の噴門へとつながる。

食道の粘膜は，縦走するヒダをつくり，角化しない重層扁平上皮によりおおわれている。また筋層は，上1/3が骨格筋，下2/3が平滑筋でできている。

● **蠕動運動**　食道の筋層は蠕動運動を行い，そのはたらきにより，体位に関係なく食塊が胃に送られる。蠕動の速度は，平滑筋からなる下部よりも，骨格筋からなる上部のほうが10倍ほど速い。食塊が食道に入ってくると，食道は反射的に弛緩，ついで収縮し，食塊を下方へ送る。骨格筋部分の蠕動

運動は，胃や腸の蠕動とは異なり，延髄からの指令が迷走神経を通して送られ，食道壁の筋を刺激しておこる。

● **狭窄部** 食道には，機能的に3つの狭窄部がある。食道の入口（輪状軟骨の下縁），気管分岐の高さ（大動脈との交差），横隔膜を貫く部分である。このうち上端と下端には，食物が逆方向に進むのを防ぐはたらきがある[1]。食道下端部のしまりがわるくなり，胃内容が食道に逆流すると，「胸やけ」を感じる。

> **NOTE**
> [1] **下部食道括約筋**
> 食道下端の狭窄部は，臨床的に下部食道括約筋（LES）とよばれる。

B 腹部消化管の構造と機能

1 胃の構造

1 胃の形状

胃 stomach は，左上腹部にあり，消化管の最も広がった部分である。第11胸椎（◯297ページ，図7-10）の高さで食道からつながり，右下方で十二指腸につながる。全体として左側に向かってふくれた形をしているが，生体内での大きさと形は，内容の量により，また個体によりきわめて多様である。

胃の食道につながる部分を**噴門** cardia，十二指腸につながる部分を**幽門** pylorus といい，右側の短いへりを**小彎** lesser curvature，左側の長いへりを**大彎** greater curvature という（◯図2-11-a）。胃の大きくふくらんだ本体の部分は**胃体**で，右下の細くなった部分は幽門部である。胃体の上端で，噴門の

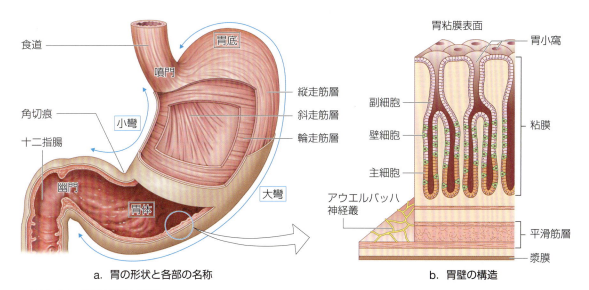

a. 胃の形状と各部の名称   b. 胃壁の構造

◯**図2-11 胃の形状と胃壁**
胃は噴門で食道とつながり，幽門で十二指腸とつながる。胃壁は粘膜・平滑筋層（斜走・輪走・縦走筋層）・漿膜からなる。

左側に盛り上がった部分を**胃底**という。X線でみると，胃体と幽門部の境目には深いくびれがあり，これを角切痕とよぶ。

胃の小彎と大彎は，胃に分布する血管の通路になっている。小彎には小網という薄い膜が付着し，肝臓下面の肝門との間をつないでいる。大彎に付着する大網は，脂肪とリンパ組織を含む薄いエプロン状の膜になり，腹部内臓の前面にたれ下がっている（◐ 92 ページ，図 2-30）。

2 胃壁と胃液

胃壁は，粘膜，平滑筋層，漿膜の3層からなる（◐ 67 ページ，図 2-11-b）。胃が空虚なときには，胃の粘膜は多数のヒダをつくり，その多くは縦走する。胃の平滑筋はかなり厚く，斜走・輪走・縦走の層が重なっている。

胃の運動は，筋層の間にある**アウエルバッハ神経叢** Auerbach plexus（**筋層間神経叢**）がつかさどる。幽門では，輪走筋がとくに発達して幽門括約筋をつくっており，十二指腸への食物の輸送が調節される。

胃粘膜の表面には，**胃腺** gastric gland の開口部である胃小窩が，1 cm^2 あたり 100 個ほど開いている。食道に近い噴門部と十二指腸に近い幽門部では，胃腺はおもに粘液を分泌する。胃の大部分の胃腺（胃底腺）は，粘液を分泌する**副細胞** accessory cell のほかに，塩酸を分泌する**壁細胞** parietal cell，ペプシノゲンを分泌する**主細胞** chief cell を有する。ペプシノゲンは，塩酸のはたらきで分解され，ペプシンというタンパク質分解酵素になる。

2 胃の機能

消化における胃の役割は，① 食べた物を一時的に収納して十分に消化するとともに少しずつ腸へ送ること，② 胃酸による殺菌作用，酵素の活性化，鉄のイオン化，③ ペプシンによるタンパク質の消化，④ 粘液分泌による胃壁の保護，⑤ 消化管ホルモンの一種であるガストリンの分泌による胃液分泌促進，⑥ 内因子放出によるビタミン B$_{12}$ の吸収促進，などである。

胃は生存のために必須の臓器ではなく，胃がんなどの場合には全摘除術が行われることもある[1]。しかし，このような手術を受けた人は，胃の貯留機能が失われるため，一度に食べられる量が減り，食後にさまざまな腹部症状（腹痛，下痢，吐きけなど）や全身症状（めまい，動悸，胸苦しさなど）を訴えたり，術後しばらくたってから鉄やビタミン B$_{12}$ 欠乏による貧血が出現することがある（胃切除後症候群）。

なお，胃では少量の水とアルコールが吸収されるのみで，その他の物はまったく吸収されない。

1 胃の運動

噴門から胃底部を含む胃の近位部は律動的な収縮を行わず，食塊が胃に入ってくると弛緩して食塊を貯蔵する。大彎上部（胃体中部）にペースメーカーがあり，ここから発した興奮が幽門方向へ伝わるとともに収縮（**蠕動**）を

NOTE

[1] **胃は生命に不可欠の臓器か**
　胃がんの治療のために胃を全摘しても，生きている人は数多くいる。また，胃の臓器移植は行われていないし，胃の人工臓器も研究されていない。これらのことからわかるように，胃はけっして，生命に不可欠の臓器ではない。

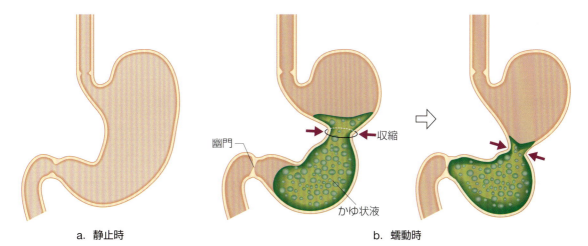

a. 静止時　　　　　　　b. 蠕動時

▶ 図 2-12　胃の蠕動運動
大彎上部に生じた収縮（蠕動）が蠕動波となり幽門へと移動する。この運動により，胃の内容物は胃液とまじり，粉砕される。

引きおこす（▶図2-12）。この蠕動波は毎分約3回の頻度で発生し，胃の内容物を胃液と混和するとともに粉砕する。

　胃の内容物（ドロドロになるため，かゆ状液とよばれる）は幽門方向へ押し出されるが，幽門は収縮して閉鎖するため，かゆ状液は通過できずに押し戻され，これを繰り返すうちに，かゆ状液の消化がさらに促進される。

　胃の蠕動はアウエルバッハ神経叢にあるニューロンによって調節されるが，このニューロンはさらに迷走神経（▶246ページ）による調節を受ける。食塊は胃の消化作用によって細かくなり，固形物の直径が1mm程度になってはじめて十二指腸に送られる。

　十二指腸への排出は液体では比較的速い（10分ほど）が，固形物では遅く3〜6時間を要する。栄養素別にみると，胃から排出されるまでにかかる時間は脂肪が最も長い。胃から十二指腸へのかゆ状液の排出は，幽門部の内圧上昇による排出促進と，十二指腸からの神経性刺激およびホルモン性刺激による抑制によって調節される。

2　胃液の分泌とタンパク質の消化

　胃の2/3を占める胃体部には多数の胃底腺があり，1日1〜2Lの胃液を分泌する。胃腺を構成する細胞には主細胞，壁細胞，副細胞の3種類がある。

　壁細胞は塩酸（HCl）を分泌する。この分泌液は**胃酸**ともよばれるが，成分は塩酸そのものである。この塩酸のために，胃液はpHが約1の強酸となっており，食物とともに胃に入った細菌を殺菌するはたらきがある。また胃酸は，タンパク質を変性させると同時に，主細胞が分泌する**ペプシノゲン** pepsinogen に作用して，これを活性型の**ペプシン** pepsin にかえる。ペプシンはタンパク質を分解してポリペプチドにする❶。さらに胃酸は，十二指腸に排出されると，十二指腸粘膜を刺激してセクレチンという消化管ホルモンを分泌させ，膵液の分泌を促進するとともに，それ以上の胃液の分泌を抑制す

NOTE
❶食物中のタンパク質は，酸のために変性し，ペプシンのはたらきによりタンパク質中の全ペプチド結合のうちの10％ほどを切られて寸断される。この強酸と強力なタンパク質分解酵素のために，胃液中で生存できる細菌は後述のヘリコバクター-ピロリを除いてほとんどない。胃液により殺菌・消毒が行われないと，胃の中で食物が腐敗し，食中毒をおこすおそれがある。

る（● 76ページ，図2-18）。

　壁細胞は内因子とよばれる糖タンパク質も分泌し，この内因子がビタミンB_{12}と結合することによってビタミンB_{12}が吸収可能となる。ビタミンB_{12}は赤血球産生に欠かせず，不足すると貧血を引きおこす（● 135ページ）。

　副細胞は，弱アルカリ性の粘液を分泌している。この粘液は，胃の上皮細胞表面をおおい，胃酸やペプシンによって上皮細胞が傷害されることを防いでいる。しかし，なんらかの原因によって胃酸の分泌が亢進したり，粘液の分泌が不足したりすると，胃壁や十二指腸の粘膜が消化されてしまい，消化性潰瘍を生じる。これが胃十二指腸潰瘍である。**ヘリコバクター-ピロリ** *Helicobactor pylori* とよばれる細菌は，アンモニアを産生するなどして胃粘膜に慢性的な炎症を引きおこし，消化性潰瘍や胃がんの発生しやすい胃粘膜を形成させることが明らかとなっている。胃十二指腸潰瘍の大部分はこの細菌が原因と考えられ，抗菌薬を用いて除菌することにより，胃がんの発生も激減すると予想されている。

3　胃液の分泌調節

　胃液の分泌調節は，頭相，胃相，腸相の3つに分けられる（●図2-13）。
- **頭相**　頭相は，食べ物を見る，においをかぐ，味わうなどが刺激となり，迷走神経を介しておこる胃液分泌の促進である。
- **胃相**　食塊が胃の中に入ると胃相が始まり，幽門部にある幽門腺のG細胞から，**ガストリン** gastrin という消化管ホルモンが血液中に放出される。ガストリンは血流にのって循環し，胃底腺の壁細胞からの胃酸の分泌を促進する。ガストリンの分泌を刺激するのは，アミノ酸による胃粘膜の刺激，胃壁の機械的伸展，迷走神経の興奮などである。また，ヒスタミンも胃酸の分泌を促進させる。
- **腸相**　腸相は，十二指腸に胃から排出された酸性のかゆ状液が入ることでおこる胃酸分泌の抑制である。酸性のかゆ状液が刺激となって放出される

臨床との関連　胃食道逆流症（GERD）

　胃食道逆流症 gastroesophageal reflux disease（GERD）とは，その名前のとおり，胃の内容物が食道に逆流してしまう病態である。胃では胃酸が分泌されるが，胃腺の副細胞から分泌される粘液によって，胃壁は酸による傷害からまもられている。しかし，食道では粘液が分泌されないため，逆流してきた胃酸によって下部食道にびらん（粘膜に限局した損傷）や潰瘍（粘膜下組織にまで及ぶ損傷）が形成されてしまう。

　症状としては胸やけがみられ，週に2回以上胸やけがある人はGERDの可能性がある。原因は高脂肪食と食べすぎで，食生活の欧米化によって増加してきた。ヘリコバクター-ピロリは胃潰瘍の原因になるとして嫌われているが，GERDはヘリコバクター-ピロリをもっていない人に多く，ピロリ菌の不在によって胃酸分泌が増えるためではないかと考えられている。

　胸やけ程度ならがまんすればいいと考える人もいるかもしれないが，この潰瘍が前がん状態となり，さらにがん化して食道がんになる可能性もあるため注意が必要である。

セクレチン secretin や，脂肪やタンパク質分解産物に刺激されて放出される**コレシストキニン** cholecystokinin（CCK）は，胃液の分泌を抑制する。そのほか，**ソマトスタチン** somatostatin や**胃抑制ペプチド** gastric inhibitory peptide（GIP）❶ などの消化管ホルモンも十二指腸粘膜から血液中に放出され，胃液の分泌を抑制する。

> **NOTE**
> ❶胃抑制ペプチド（GIP）
> 本来，胃酸抑制作用のあるペプチドとして発見されたが，近年では糖の存在下でインスリンの分泌を促進する作用が主であると考えられている。

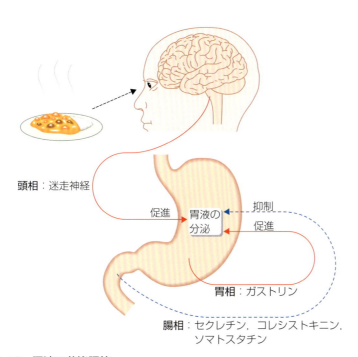

○ 図 2-13 胃液の分泌調節

---

column 食事に関する古人の知恵

　ビールやワインなどの低濃度のアルコール溶液は，胃内容物の十二指腸への排出を促進する（高濃度では効果はない）。大ジョッキでビールをガブガブ飲めるのは，この作用によって，胃に入ったビールがどんどん十二指腸へ出ていくためである。コーラなどにはこの排出促進作用はなく，すぐに胃がいっぱいになってしまうため，ビールのように大量に飲むことはできない。

　昔の人もこのアルコールの作用を知っていたらしく，ビールやワインなどの低アルコール濃度のお酒は食前酒として定着している。これは，食前酒を飲むことで胃を空にすることにより食欲が増し，食事をよりおいしく食べられるからであろう。

　また，すでに学んだように，胃の幽門腺にあるG細胞から消化管ホルモンであるガストリンが分泌され，このガストリンによって胃底腺からの胃酸分泌が促進される。ガストリンの分泌を促進するのは，ペプチドやアミノ酸などのタンパク質の分解産物である。したがって，肉や魚などの主菜の前に，このようなタンパク質分解産物をとれば，胃液の分泌が増すだけでなく，食欲も増し，消化もよくなる。

　コンソメなどのスープやみそ汁などには，タンパク質の分解産物が多く含まれており，前菜に最適となる。食事の最初にスープが出てくるのはこの効果を利用しているのであり，これも昔の人の知恵である。

3 小腸の構造

　小腸 small intestine は，胃に続く非常に長い管で，十二指腸，空腸，回腸の3つの部分に分かれる（◎ 56ページ，図2-1）。このうち十二指腸は，腹腔後壁に埋め込まれているが，空腸と回腸は腸間膜によって腹腔後壁からぶら下げられており，小腸の長さの大部分を占める（◎ 92ページ，図2-30）。

　小腸は消化管の最も重要な部分であり，栄養の消化と吸収は，ほとんどここで行われる。胃でかゆ状にされた食物（かゆ状液）は，小腸を通る間に膵臓からの膵液と小腸粘膜からの腸液とまぜられ，吸収できる大きさの分子にまで消化され，小腸粘膜の上皮細胞から吸収される。

1 十二指腸

　十二指腸 duodenum は長さ 25 cm ほどで，C字形に走行し，C字のくぼみには膵臓がおさまっている（◎ 85ページ，図2-25）。上部，下行部，水平部，上行部の4部に区別される。

　幽門につながる最初の部分は，小網の右端の肥厚部（肝十二指腸間膜）を介して肝臓と連結している。肝臓と胆嚢から出てくる胆管と，膵臓の膵管は，膵臓の中で合流して，十二指腸の下行部に開口する。この開口部には括約筋があり，**大十二指腸乳頭**（ファーター Vater 乳頭）となって十二指腸内に盛り上がっている（◎ 85ページ，図2-25）。十二指腸上半部の粘膜下層には，アルカリ性の粘液を分泌する**十二指腸腺**（ブルンネル Brunner 腺）が多数存在している。十二指腸から空腸への移行部は，左上腹部にある。

2 空腸と回腸

　空腸 jejunum と**回腸** ileum は，腸間膜によって腹腔後壁からぶら下げられた部分であり，全長は6mほどである。左上腹部（十二指腸空腸曲）で十二指腸から移行し，右下腹部（回盲部）で盲腸につながる。

　腸間膜のつけ根（腸間膜根）は，左上から右下に向かう 15〜18 cm ほどの直線となっており，ここから腸間膜がヒダの多いカーテンのようにたれ下がり，その裾に空腸と回腸がぶら下がっている。血管とリンパ管と神経は，腸間膜を通って空腸と回腸に達する。

　空・回腸のうち約 2/5 は空腸，残り 3/5 が回腸であるが，両者に明瞭な境界はない。回腸は，大腸に対し直角につながり，盲腸の内部に上下2枚の**回盲弁**（バウヒン Bauhin 弁）が突き出して，内容物の逆流を防いでいる（◎図2-14）。

　腸間膜は両面を腹膜におおわれ，小腸に出入りする動静脈・リンパ管（乳び管）・神経が通り，相当量の脂肪が貯蔵されている。空・回腸は，腸間膜により腹腔後壁にゆるくつながれているために（◎ 92ページ），腹腔の中で自由に位置をかえ，蠕動運動をすることができる。

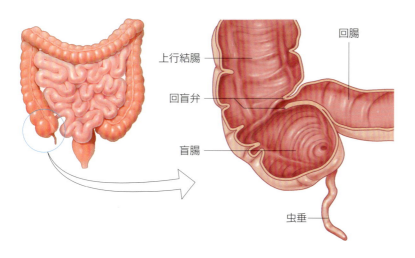

◉図 2-14　回盲弁
小腸(回腸)と大腸の境目には回盲弁があり，内容物の逆流を防いでいる。

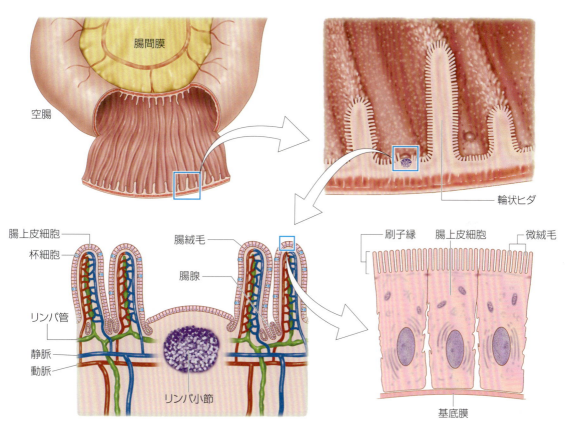

◉図 2-15　小腸壁の構造
小腸壁は，輪状ヒダ，腸絨毛，微絨毛などにより表面積を広げている。これにより効率的に栄養を摂取できる。

3 小腸の壁

　小腸の内面には，さまざまな突起やヒダがあり，表面積が広げられている（◉図 2-15）。粘膜とその下の組織が円周方向に盛り上がり，高さ 8 mm ほどの**輪状ヒダ**をつくる。粘膜の表面は，高さ 0.5〜1.5 mm の**腸絨毛** villi が多数はえているために，ビロード状にみえる。腸絨毛の間には，**腸腺**（リーベ

ルキューン Lieberkühn 腺，腸陰窩 crypt）のくぼみがある。腸絨毛や腸腺の表面をおおう腸上皮細胞は，管腔面に高さ約 1 μm の微絨毛を密にもち，**刷子縁** brush border をつくる。これらを合わせると，小腸の粘膜側の表面積は外側の漿膜面の 600 倍にもなり❶，栄養素の吸収が上皮を通じて効率的に行われるようになっている。

小腸の粘膜は組織学的に次の 4 層からなる（◯図 2-16）❷。

1. **粘膜上皮** 単層円柱上皮からなる。
2. **粘膜固有層** やや緻密な結合組織で，神経・毛細血管・リンパ管が多く分布する。
3. **粘膜筋板** 粘膜固有層の下の薄い平滑筋層で，粘膜の繊細な運動を行う。
4. **粘膜下層** ゆるい疎性結合組織で平滑筋層との間をつなぎ，より太い血管・神経を含む。

小腸の粘膜にはリンパ小節がたくさんあって，消化管の内容物に対する免疫反応の場になっている。リンパ小節がとくに多く集まった部位は**パイエル板** Peyer patch として肉眼的に見える。

空腸と回腸には，とくにはっきりした境界はないが，壁の構造に違いがみとめられる。空腸は，回腸よりも太くかつ壁も厚くなっている。輪状ヒダや腸絨毛は，空腸でよく発達し，形も大きく密度も高い。これに対しパイエル板は，回腸の下部にとくに多く見られる。

小腸は，1 日あたり 3 L ほどの液を，おもに腸腺から分泌する。この液の有機成分は，おもにムチンである。小腸のはじまりの部分の十二指腸には十二指腸腺があって粘液を分泌し，また膵臓と肝臓からの膵液と胆汁もこの十二指腸に流入する。

小腸の筋層は，内輪・外縦の 2 層の平滑筋層からなる。筋層の間にあるアウエルバッハ神経叢が平滑筋の運動を調節し，蠕動運動を引きおこす。

NOTE

❶ 表面積の拡大
小腸の粘膜の表面積は，大きなヒダや細かな突起によって大きく広がる。

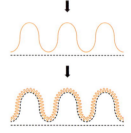

❷ 粘膜下層は，厳密には粘膜の下の層で粘膜には含めない。

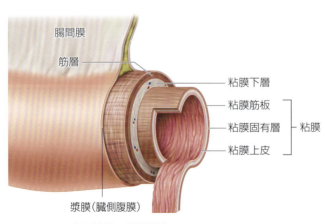

◯ 図 2-16 小腸粘膜の組織構造

4 小腸の機能

　小腸は消化・吸収における最も重要な部分であり，すべての栄養素の消化と吸収がここで行われる。小腸の最初の部分である十二指腸には，**総胆管**と膵管が合流して開口している（ 85ページ，図2-25）。この開口部からは，膵臓から分泌される各種の消化酵素を含む**膵液**と，肝臓から胆嚢を経て分泌されて脂肪の消化をたすける**胆汁**が管腔内に放出される。十二指腸に続く空腸・回腸では，腸管壁の絨毛表面における最終的な膜消化が行われ，栄養素の吸収が行われる。

1 小腸の運動

　小腸壁の平滑筋の収縮・弛緩によって，かゆ状液が消化液と混和されるとともに，徐々に大腸へ向かって移送される。

　小腸壁の運動は，胃と同様に筋原性の活動電位が基本リズムとなる。この活動電位は，筋層の間にあるアウエルバッハ神経叢による調節を受け，さらに自律神経と消化管ホルモンによってリズムが修飾される。

　小腸の運動は，かゆ状液を，①行ったり来たりさせる振り子運動，②混和させる分節運動，③大腸方向へ移動させる蠕動運動，に分けることができる（ 図2-17）。これらの腸管の運動によって，中のガス（その約70％は口から飲み込まれた空気）が移動して音を生じる。この蠕動音は，腹壁に聴診器をあてれば聞きとることができ，腸が正常に動いているか否かの指標となる。

2 十二指腸における消化

● **膵液**　十二指腸に分泌される膵液には，酸性の胃液を中和するアルカリ性の炭酸水素イオン（重炭酸イオン，HCO_3^-）と多くの消化酵素が含まれている。十二指腸壁に酸性のかゆ状液が接触すると，十二指腸壁から消化管ホ

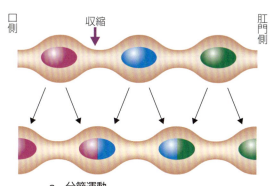

a. 分節運動
同じ場所が弛緩と収縮を繰り返すため，内容物は移動しない。

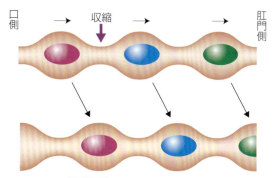

b. 蠕動運動
収縮が口側から肛門側に移動するため，内容物も肛門側に移動する。

図2-17　小腸の運動

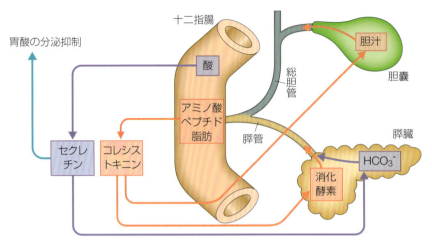

○図 2-18　膵液と胆汁の分泌調節

ルモンである**セクレチン**が分泌される（○図2-18）。セクレチンは膵臓に作用して HCO_3^- に富んだ膵液を分泌させる。

　一方，十二指腸に，アミノ酸やペプチドなどのタンパク質分解産物や，脂肪が触れると，これも消化管ホルモンの1種である**コレシストキニン（CCK）**が分泌され，消化酵素に富んだ膵液の分泌を刺激する[1]。膵液の分泌は迷走神経によっても促進される。

　膵液にはデンプンを分解するα-アミラーゼ，タンパク質を分解する**トリプシン** trypsin や**キモトリプシン** chymotrypsin など，脂肪を脂肪酸とモノアシルグリセロールに分解する**リパーゼ** lipase などが含まれており，消化・吸収のためには必須の消化液であるといえる。

● **胆汁**　胆汁は，肝臓でつくられ，胆嚢で濃縮される。胆汁は，消化酵素を含んでいないが，その主成分である胆汁酸は，脂肪を小滴にして水にまざりやすいかたちにかえるはたらきをもつ。このはたらきを**乳化**とよび，油に対する石けんの作用と同じものである。脂肪は，乳化されることにより，リパーゼの作用を受けやすくなる。

　脂肪が十二指腸壁に触れることが刺激となってコレシストキニンが分泌され，これにより胆嚢の収縮が引きおこされて，胆汁が十二指腸へ分泌される。

3　空腸と回腸における消化

　小腸内腔表面は，絨毛とよばれる無数の粘膜突起でおおわれ，栄養素吸収のための表面積を 200〜500 m² と非常に大きなものとしている。絨毛のつけ根の部分には腸腺（○74ページ，図2-15）が散在し，ここから電解質溶液である腸液が分泌される。栄養素は，この腸液に溶解して吸収される。

5　栄養素の消化と吸収

　これまでに述べたように，糖質・タンパク質・脂質は，小腸で吸収される

□ NOTE

[1] コレシストキニン

　かつて，十二指腸から放出されて消化酵素に富んだ膵液を分泌されるホルモンが発見され，パンクレオザイミン pancreozymin と名づけられた。一方，同じく十二指腸から放出されて胆嚢を収縮させるホルモンも見つかり，これはコレシストキニンとよばれた。ところが後年，この両者は同一の物質であることが判明し，現在ではコレシストキニンの名称が一般に使われている。

前に，酵素などにより分解されることで吸収できるかたちにかわる（●図2-19）。そして，この消化の過程は，ホルモンなどにより調節されている。

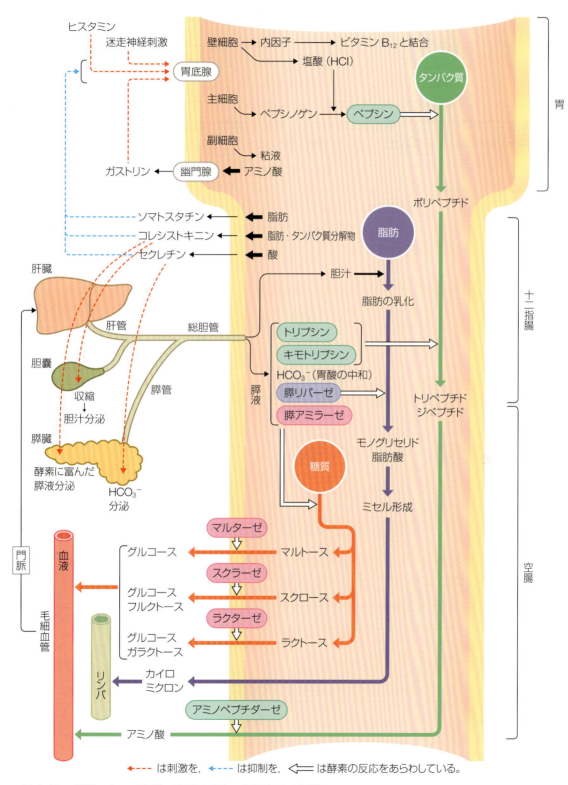

● 図 2-19 糖質・タンパク質・脂肪の消化・吸収とその調節

1 糖質（炭水化物）の消化と吸収

　デンプンは，唾液や膵液中のα-アミラーゼによって二糖類にまで分解される。スクロース（ショ糖ともよばれ，いわゆる砂糖のこと）やラクトース（乳糖ともよばれ，乳汁中に含まれる），マルトース（麦芽糖ともよばれ，水アメの主成分である）は，もともと二糖類であるためそのままのかたちで小腸まで送られる。二糖類は，単糖にまで分解されてから吸収される。

　二糖類の分解は，小腸の管腔ではなく腸上皮細胞の刷子縁にある酵素のはたらきによって行われるため，**膜消化**とよばれる。細胞表面において，ラクトースは**ラクターゼ**（乳糖分解酵素）によってガラクトースとグルコース（ブドウ糖）に，マルトースは**マルターゼ**によって2分子のグルコースに，スクロースは**スクラーゼ**によってフルクトース（果糖）とグルコースにそれぞれ分解される（○図2-20）。これらの糖類は，細胞膜にある輸送タンパク質（担体）に結合して細胞内に取り込まれ，さらに反対側（毛細血管側）の担体に結合して細胞外に放出され，毛細血管内に入る。

2 タンパク質の消化と吸収

　タンパク質は，胃液に含まれるペプシン，膵液中のトリプシンやキモトリ

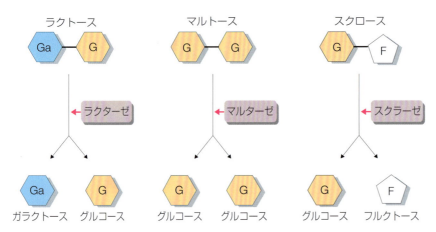

○図 2-20　二糖類の膜消化

臨床との関連　乳糖不耐症

　ラクターゼは，加齢とともに減少する傾向がある。ラクターゼが減少するとラクトースが分解できなくなるため，ラクトースがそのまま腸管内にとどまり，浸透圧の上昇を生じる。このため，水が腸管内に吸い込まれ，下痢となる。子どものときには牛乳を飲めたが，成人してからは飲めなくなった人はこれが原因である（乳糖不耐症）。古くから牛乳をよく飲んでいた欧米人やモンゴル人には少ないが，牛乳を飲む習慣のなかった日本人には多くみられる。

プシンなどの作用により、アミノ酸が2個つながったジペプチド、または3個つながったトリペプチドにまで分解される。ジペプチドとトリペプチドは、絨毛の粘膜細胞がもつ**アミノペプチダーゼ** aminopeptidase により、1個1個のアミノ酸にまで分解されて吸収される。その後は、糖質と同様に細胞膜の担体により輸送され、毛細血管内へ放出される。

3 脂肪の消化と吸収

脂肪は十二指腸において胆汁酸の作用によって乳化され、膵液中のリパーゼの作用により脂肪酸と**モノグリセリド** monoglyceride（モノアシルグリセロール）に分解される。脂肪酸とモノグリセリド、コレステロールなどは胆汁酸の作用によってミセルとよばれる小滴となって腸上皮細胞に取り込まれる。モノグリセリドとは、**トリグリセリド** triglyceride（トリアシルグリセロール；◯31ページ、図1-15）から脂肪酸が2本外れたものである。

ミセルは細胞内において種々の酵素の作用によりトリグリセリドとなり、その周囲がリポタンパク質（脂肪とタンパク質が結合した物質）で包まれた直径1μm以下の小球（カイロミクロン〔キロミクロン〕とよばれる）となってリンパ管内に放出される（◯図2-21）。腸管を経由したリンパは、吸収された脂肪滴であるカイロミクロンを多量に含むために白くにごっており、**乳び**とよばれる。リンパは左静脈角（内頸静脈と鎖骨下静脈の合流部分）において静脈に合流する（◯207ページ、図4-46）。

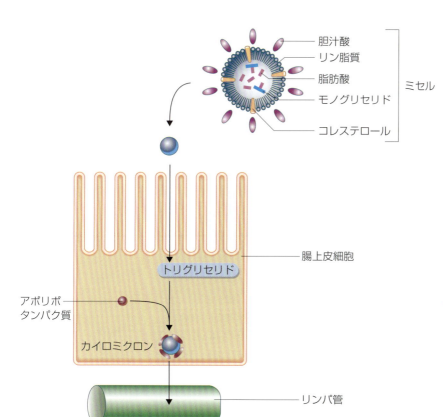

◯**図2-21 脂肪の消化と吸収**
脂肪は脂肪酸とモノグリセリドに分解されたのち、コレステロールとともに胆汁酸によってミセルとなる。小腸絨毛細胞に取り込まれたミセルは、カイロミクロンとなり、リンパ管に入る。

4 水・電解質・ビタミンの吸収

水や各種の電解質，ビタミンも小腸において吸収される。

● **水**　飲食物として摂取される水は1日あたり1.5 L程度であるが，消化管内に分泌される消化液（1日の分泌量は，およそ唾液1〜1.5 L，胃液1〜2 L，膵液1 L，胆汁0.5 L，腸液2.5 Lで計6〜7 L）を再吸収する必要があるため，吸収量は10 L近くなる。水の約90％は小腸で吸収される。

● **電解質**　ナトリウム（Na）やカリウム（K），カルシウム（Ca）などの電解質も，その大部分が小腸で吸収される。カリウムは大腸でも吸収されるが，大腸ではカリウムの吸収能よりも分泌能が高くなっている。したがって，下痢をするとカリウムの排泄が増え，低カリウム血症の原因となる。カルシウムは小腸上部で吸収されるが，その吸収は活性型ビタミンDによって著明に促進される（◯276ページ）。鉄は胃酸の作用によって酸化型（Fe^{3+}）または還元型（Fe^{2+}）のイオンの状態となり，さらにビタミンCなどの作用によってFe^{3+}がFe^{2+}に還元され，小腸で吸収される。

● **ビタミン**　水溶性ビタミン（B群，C，葉酸など）は，小腸上部ですみやかに吸収される。脂溶性ビタミン（A，D，E，Kなど）は，脂肪とともに吸収されるため，吸収は胆汁の分泌量や膵液中のリパーゼの活性の影響を受ける。ビタミンB_{12}は，胃から分泌される**内因子**とよばれる糖タンパク質と結合したかたちで，回腸から吸収される。

6 大腸の構造

大腸 large intestine は，小腸よりも太く，全体で1.5 mほどの長さがある。右下腹部の盲腸から結腸に続く。結腸は，右腹部の上行結腸，上腹部の横行結腸，左腹部の下行結腸，下腹部にまわるS状結腸と続き，骨盤内の直腸となって肛門に開く（◯図2-22）。盲腸の先端には，長さ6 cmほどのミミズのような形の虫垂がついている。大腸では，小腸で消化吸収された残りから水分などを吸収し，固形状の糞便をつくるはたらきをする。糞便は，消化されないで残った食物の残渣や腸上皮，腸内細菌，およびその産生物からなる。

1 盲腸と虫垂

盲腸 cecum は，回盲弁より下にある短い袋状の部分（長さ6〜8 cm）で，腹腔後壁に癒着している。**虫垂** vermiform process は，盲腸の左後壁から出る鉛筆くらいの太さの突起で，長さ（2〜20 cm，平均6.5 cm）も位置も個人差が著しい。虫垂の粘膜にはリンパ組織が豊富にあり，免疫系の一部をなす。青年期には細菌感染により虫垂炎[1]をおこしやすく，**マックバーニー点** McBurney point（臍と右上前腸骨棘を結ぶ線上の臍から2/3の位置）に圧痛を生じる。

> NOTE
> [1] 一般の人々が盲腸炎あるいは単に盲腸とよぶのは虫垂炎のことである。

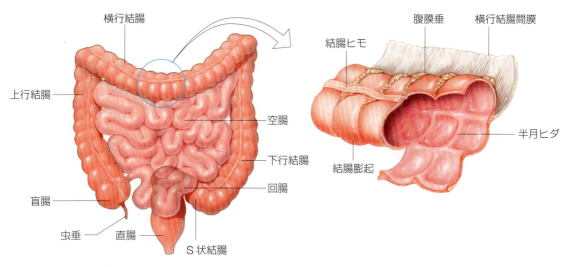

○図 2-22　大腸の構造
横行結腸の壁の一部を切り開いて，結腸の内面と外面を示す。結腸には，3 条の縦走する結腸ヒモがある。

2　結腸

　結腸 colon は，大腸の大部分を占め，上行，横行，下行，S 状結腸の 4 部に分かれる。

　上行結腸は，右下腹部の盲腸から続き，腹腔後壁の右側縁を上行して肝臓下面にある**右結腸曲**までをさす。**横行結腸**は，そこから左に曲がって胃の深層を横切り，脾臓の下の**左結腸曲**までをさし，**下行結腸**はここから下方に向かい，左腸骨窩までをさす。**S 状結腸**はそこから大きくうねり，骨盤に入って仙骨（第 3 仙椎）の前面までであり，そこで直腸に移行する。上行結腸と下行結腸は腹腔後壁にくっついているが，横行結腸と S 状結腸は短い腸間膜によってぶら下げられている。

　結腸では，壁をつくる平滑筋のうち縦走する筋が 3 か所に集合して**結腸ヒモ** teniae coli をつくっている（○図 2-22）。結腸ヒモの間の部分は，外に向かってふくれだして**結腸膨起**となり，内面には**半月ヒダ**をつくる。結腸の外面には，**腹膜垂**という脂肪を含む房がぶら下がっている❶。

3　直腸と肛門

　直腸 rectum は，骨盤内で仙骨前面に沿って下行し，尾骨の先端をこえたところで後下方に急に向きをかえ，**肛門** anus に達する（○図 2-23）。内腔の広い部分が**直腸膨大部**，そこから急に細くなった部分が**肛門管**である。直腸の内面には横走するヒダが 2〜3 本あり，とくに大きいコールラウシュ Kohlrausch ヒダが肛門から約 6 cm 上の右側にある。直腸の前方には，男性では膀胱・前立腺・精嚢があり，女性では子宮・腟がある。

　肛門で粘膜と皮膚の境には，**痔帯**（肛門櫛）という輪状の高まりがある。その上縁には，8〜10 本の肛門柱という縦方向の高まり（ヒダ）がある。この一帯の粘膜下には，内腸骨静脈の枝につながる**直腸静脈叢**がよく発達しており，

―NOTE
❶**大腸と小腸の区別**
　結腸ヒモやこれらの特徴は，手術のときに大腸と小腸を区別する手がかりとなる。

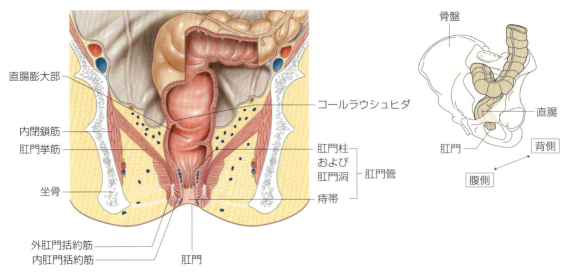

○図 2-23 直腸と肛門
直腸は，内腔の広い直腸膨大部から細くなった肛門管へと続き，肛門につながる。

痔による出血がおこりやすい原因となっている。

肛門では，輪走の平滑筋層がよく発達して**内肛門括約筋**をつくり，その外方に骨格筋の**外肛門括約筋**があって，意識的な排便の調節を行うことができる。

4 大腸の壁

大腸の壁は，小腸と同じように粘膜と平滑筋層を備えているが，少し違いがある。大腸の粘膜には輪状ヒダも腸絨毛もなく，腸腺だけが備わっている。平滑筋層は内輪・外縦の2層からなるが，結腸では外縦の筋が3か所に集まって結腸ヒモをつくる。

大腸では，消化はほとんど行われない。栄養素もほとんどが小腸で吸収さ

臨床との関連　　直腸の構造とグリセリン浣腸

　肛門からカテーテルなどの医療器具を差し入れることがあるが，そのためには直腸末端部の構造をよく理解しておくことが必要である（○図2-23）。直腸は小骨盤の後壁に沿って下行し，最後は骨盤底の筋（肛門挙筋や外肛門括約筋）を貫いて肛門となって開口する。直腸の末端3cmほどの部分は内腔がとくに細くなっていて肛門管とよばれ，それより上の3〜4cmほどは内腔が広がっていて直腸膨大部とよばれている。直腸膨大部の上縁には，右後方からヒダ（コールラウシュヒダ）が内腔に突き出ており，直腸も右後方に急に折れ曲がっている。肛門からコールラウシュヒダまでの長さは6〜7cmほどである。

　グリセリン浣腸を行う際にはカテーテルを肛門から挿入するが，その挿入する深さは約5cmが適当で，長すぎても短すぎてもいけない。長すぎると直腸の壁を傷つける危険があり，一方で短すぎるとカテーテルの先が肛門管の中にとどまり，注入した浣腸液が直腸に十分に届かず，肛門管を広げて早く便意を引きおこしてしまう。

れるため，大腸では水と電解質のみが吸収される。しかし，大腸の吸収能は高いため，肛門から大腸内に挿入して薬剤を吸収させる坐薬などに利用される。

7 大腸の機能

　口から摂取した食物は，口腔，胃，小腸を進む間に消化され，栄養素が吸収される。そして消化できなかった食物繊維やその他の残渣が大腸に入る。大腸には絨毛はなく，水と電解質を吸収して糞便を形成する。

● **運動**　大腸の運動は主として分節運動であり，内容物の移動速度は遅い。ただし，食事のあとには大腸の蠕動運動が亢進し（**胃大腸反射**），結腸の内容を急激に直腸に送る。この強い蠕動運動を**大蠕動**ともよぶ。朝食後に便意を感じるのはこのためである。

● **腸内細菌叢**　大腸内には大腸菌や腸球菌，ビフィズス菌など，1,000種類以上の細菌が常在している（これらの細菌群は腸内細菌叢とよばれる）。その数は膨大で，大腸内容物1 mLあたり1000億〜1兆個の細菌が存在する。これらの腸内細菌は，消化液では分解できなかったセルロースなどの植物性の繊維を分解してくれるため，草食動物にとっては非常に重要な意味をもつ。人体にとっては，セルロースの分解はほとんど意味がないが，腸内細菌によるビタミンKの産生は，1日の必要量をまかなえるほどの量に達しており，重要である。また，外来の病原微生物の定着・増殖を防ぐという意味でも効果がある。一方，腸内細菌の存在によって，老化が促進される，寿命が短縮する，発がんの原因となるなど，不利な点も知られている。

● **排便**　直腸は，通常は空虚であるが，大蠕動により糞便が直腸に送られ，直腸壁が伸展されると便意を生じる。肛門周囲には副交感神経性の骨盤内臓

臨床との関連　　下痢と便秘

　便に含まれる水分が増え，液状またはそれに近い便が排出される状態を下痢とよぶ。通常は排便の回数も増えるが，1日何回以上といった定義があるわけではない。

　食中毒や赤痢など，細菌やウイルスの感染でおこった下痢は，下痢をとめないほうが早く治る。それは，下痢によって細菌や毒素を排泄したほうがよいからである。ただし，幼児の場合は脱水の危険があるため，下痢が続くようなら早めに受診するべきである。

　また，食後30分程度でよく下痢となる場合は過敏性腸症候群とよばれ，大腸の運動が強すぎることが原因である。病気ではないので，心配はいらない。

　本文で述べたように，乳糖不耐症も下痢の原因となる。欧米人ではほとんどみられないが，日本人には多いことがよく知られている。

　便秘は排便回数が減少した状態で，通常は2〜3日に1回よりも少なくなったものをよぶ。がんや癒着などによる場合もあるため注意が必要ではあるが，大部分は習慣性便秘である。食物繊維の多い食事を心がけ，毎日定時（朝が好ましい）にトイレに入る習慣をつけるとよい。

　便意をがまんしていると便意が消えて，便秘に移行することが多く，授業中でも便意を生じたらトイレに駆け込むことをおすすめする。

　なお妊娠中の便秘は，通常は心配する必要はない。下剤は胎児に影響を及ぼす場合があるため，かってには服用せず，産科医に相談するようにすべきである。

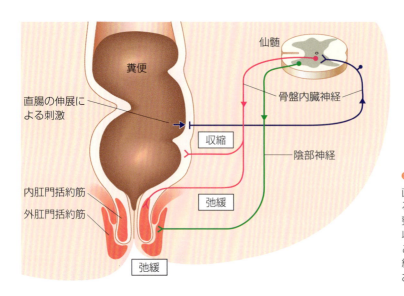

◯図 2-24 排便を調節するしくみ
直腸壁が糞便による伸展刺激を受けると、便意が生じる。排便の準備が整うと、骨盤内臓神経により直腸の収縮と内肛門括約筋の弛緩が引きおこされる。排便が始まると、陰部神経により外肛門括約筋の弛緩が引きおこされる。

神経に支配される**内肛門括約筋**と、体性神経である陰部神経に支配される**外肛門括約筋**があり、通常は収縮して肛門を閉じている。

　排便反射の中枢は仙髄にあるが、通常は大脳皮質からの神経線維により抑制されている。大脳皮質からの抑制がなくなると（つまり排便の準備が整うと）、副交感神経である骨盤内臓神経を介して直腸の収縮と内肛門括約筋の弛緩を生じる（◯図 2-24）。このとき、外肛門括約筋は一時的に収縮するが、意志によって排便開始を決めると、陰部神経を介して弛緩がおこる。息を吸い込んだ状態（吸息位）でとめ、腹筋を収縮させて腹腔内圧を上昇させることで排便は促進される。

C 膵臓・肝臓・胆嚢の構造と機能

1 膵臓

1 膵臓の構造

　膵臓 pancreas は、重さ 60〜70 g、長さ 15 cm ほどの細長い器官である。腹腔後壁にあり、網嚢を隔てて胃の後面に接し、第 1・第 2 腰椎の前で腹腔後壁に付着して横走する（◯91 ページ, 図 2-29）。**膵頭**が十二指腸の C 字にはまり込み、**膵体**は左側に向かってのびて、**膵尾**は脾臓に接する。導管は、**主膵管**として器官の中心部を右に走り、膵頭の内部で総胆管と合流し、十二指腸乳頭に開口する（◯図 2-25）。

　膵臓の大部分は、膵液をつくる外分泌部からなるが、その間にインスリンなどのホルモンを出す**膵島**（**ランゲルハンス島** islets of Langerhans）、すなわち

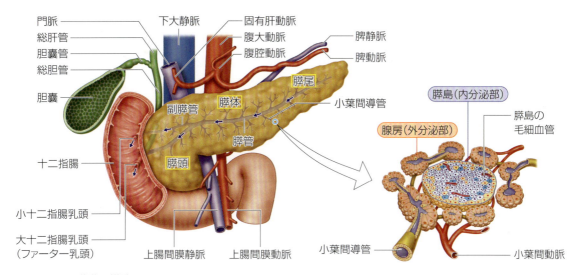

○図2-25 膵臓の構造

内分泌部が散在する（○263ページ）。膵臓の中で，血管はいったん膵島を通ってから，ホルモンを含む血液を外分泌部に運ぶように配置されている（膵門脈系）。

2 膵臓と膵液

膵外分泌部の組織は，小葉に分かれて，その中に導管と腺房が含まれる。膵液の中の有機成分は腺房の細胞から分泌され，電解質と水分は腺房と導管の両方から分泌される。膵液の分泌は，迷走神経からのアセチルコリンによる刺激と，十二指腸の粘膜から分泌される消化管ホルモン（コレシストキニン，セクレチン）により刺激される。

2 肝臓と胆嚢の構造

1 肝臓の肉眼的構造

肝臓 liver は，重さ 1〜1.5 kg ほどの人体で最大の実質臓器で，上腹部のやや右寄りにあり，横隔膜の下面に付着する。肝臓の上面は，横隔膜に沿って丸く膨隆し，下面は胃・十二指腸・横行結腸・右腎臓などに接するためにでこぼこしており，全体にくぼんでいる。肝臓の下面には，胆嚢と**胆管**がある。肝臓に出入りする血管は 3 種類あり，そのうち流入する 2 種類（**固有肝動脈**と**門脈**）は，胆管とともに下面にある**肝門**とよばれるくぼみから入り，流出する 1 種類（**肝静脈**）は，肝臓の後面に接する下大静脈に注ぐ。

肝臓を前方から見ると，大きい**右葉**と小さな**左葉**に区分される（○図2-26-a）。肝臓を後下方から見ると，浅い溝によって右葉・方形葉・尾状葉・左葉の 4 つの葉に区分される。4 つの葉に囲まれた下面の中央には肝門があり，2 種類の血管（門脈と固有肝動脈）および胆管❶，あわせて 3 種類の管（三つ

NOTE
❶胆管

胆管は，肝臓が分泌する胆汁を運ぶ管の総称である。胆管のうち，肝臓から出る管を肝管（右肝管，左肝管，総肝管がある），胆嚢から出る管を胆嚢管，両者が合流したものを総胆管という。

組)が出入りする。肝門の右前方では，右葉と方形葉の間に胆囊が付着している❶(図 2-26-b)。

肝門から十二指腸始部と胃の小彎までの間に，小網という薄い膜が広がっている。肝門に出入りする血管や胆管は，小網の右辺縁部の分厚くなった部分を通っており，この部位をとくに肝十二指腸間膜とよぶ。肝臓の前面で右葉と左葉の間には肝鎌状間膜というヒダがあり，前腹壁との間をつないでいる❷。

● **門脈**　胃腸に送られた血液は，吸収された栄養分を取り込み，門脈に集められて肝臓に流入する。門脈の枝と肝動脈の枝は，肝臓の中で枝分かれして肝小葉の周囲に達し，そこから肝細胞の間を通る毛細血管を通過し，中心静脈→肝静脈→下大静脈を経て，心臓に戻る。肝臓を流れる全血液量のうち，約 1/5 は肝動脈から，4/5 は門脈から流入する。

2　肝臓の組織構造

肝臓の組織は，直径 1 mm ほどで多面体の形をした**肝小葉** hepatic lobule という単位からできている。肝小葉の周縁部で多面体の稜(辺)にあたる部分には，**グリソン鞘** Glisson's capsule という結合組織の区域があり，肝動脈，門脈および胆管の 3 種類の枝(三つ組)を含んでいる(図 2-27)。

小葉の中心にある中心静脈❸は，肝静脈につながる。肝小葉の中では肝細胞が並んで索(511 ページ)をなし，その間に**洞様毛細血管(類洞)** sinusoid という幅広い毛細血管があり，肝細胞索と洞様毛細血管は肝小葉の中で放射状に配列されている。

血液は周辺のグリソン鞘から中心静脈に向かって流れ，胆汁を運ぶ毛細胆管は，肝細胞索の中で隣接する肝細胞の間のすきまとして始まり，周縁部に向かって走る。肝細胞と毛細血管内皮の周辺には，異物を貪食する細胞や，

NOTE
❶ **肝臓の区分**
方形葉と尾状葉は，前面から見た肝臓の右葉に含まれる。しかし肝門から肝臓内に入った血管と胆管の枝の分布から見ると，方形葉と尾状葉は，むしろ左葉に含まれる。

❷ **胎児期の構造**
胎児期には，肝鎌状間膜の下縁に臍静脈があり，胎盤から動脈血を肝門に運び，ここから静脈管が下大静脈まで血液を運んでいる。生後，臍静脈と静脈管はともに閉鎖し，結合組織性のヒモ(肝円索，静脈管索)として残る(488 ページ)。

NOTE
❸ **中心静脈**
心臓の収縮機能を評価するために，右心房近傍の大静脈の血圧が測定されることがあり，これを中心静脈圧とよぶ(171 ページ)。これは，肝小葉の中心にある中心静脈とはまったく別のものであることに注意する必要がある。

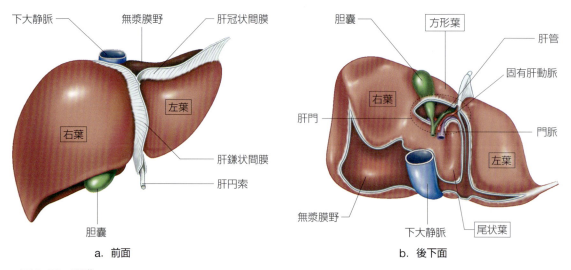

a. 前面　　　　　　　　　　b. 後下面

● 図 2-26　肝臓
肝臓は，前方から見ると右葉と左葉に，後下方から見ると右葉・方形葉・尾状葉・左葉に区分される。

ビタミン A を貯蔵する細胞がはさまっている。

3 胆囊と胆道

肝門の下面の右前方にあるナス形の袋（長さ約 8 cm，最大幅 4 cm，内容量約 70 mL）が，**胆囊**〔たんのう〕gall bladder である。太い前端は肝臓の前下縁に達し，後上方は細くのびて胆囊管に移行する（▶85 ページ，図 2-25）。

胆囊から出た**胆囊管**と肝臓から出た**肝管**は，肝門の少し下方で合流して**総胆管**となる。総胆管は，肝十二指腸間膜の中を下って膵臓に達し，そこで膵管と合流して大十二指腸乳頭に開く。開口部には**オッディ括約筋** Oddi sphincter がある。胆汁を運ぶ管を**胆管**といい，肝臓の中の毛細胆管と小葉間胆管から始まり，肝臓の外に出て十二指腸にいたる。肝臓の中と外の胆汁の通路をあわせて**胆道**という。

オッディ括約筋はふだん閉じており，肝臓から出された胆汁は胆囊に戻ってそこにたくわえられる。胆囊は，胆汁を一時的に貯蔵し，水分を吸収して濃縮する❶。食事（とくに脂肪の多い食事）をとると，コレシストキニンが小腸粘膜から分泌され，胆囊を収縮させ，オッディ括約筋を弛緩させて胆汁が十二指腸に排出される。

NOTE
❶胆石
胆汁はさまざまな固形成分を含んでおり，胆囊で胆汁が濃縮されると，これらの成分から石がつくられることがある（胆石）。胆石を排出しようとして胆道に蠕動がおこると，激しい痛みがおこる（胆石疝痛）。

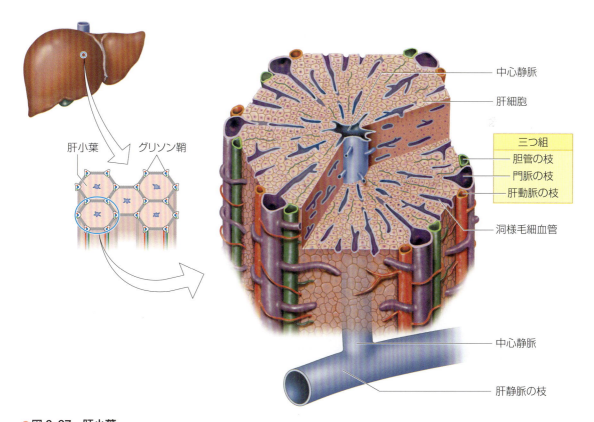

図 2-27 肝小葉
肝臓の組織は肝小葉という単位からなる。肝小葉では肝細胞とその間を通る洞様毛細血管が放射状に並んでいる。肝動脈・門脈・胆管のそれぞれの枝が三つ組をつくっている。

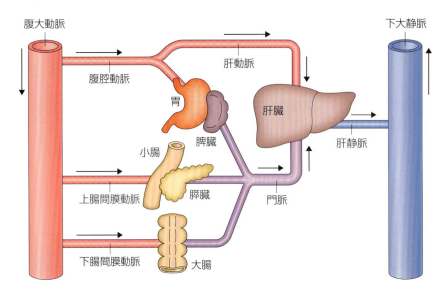

◉図 2-28　肝臓に流れる血管系の模式図
肝臓には，肝動脈からの血液のほかに，胃・小腸・脾臓・膵臓からの静脈血が門脈を通って流入する。

4　門脈

　胃や腸，脾臓，膵臓を経た静脈血は，合流して門脈に入り，肝臓に流入する（◉図 2-28）。肝臓では，吸収されたさまざまな物質の処理（解毒・分解・合成）が行われる。肝臓には肝動脈も流入するため，肝臓には 2 系統の血管から血液が入ることになる。

　門脈は一種の静脈であるため，門脈圧は約 8 mmHg と低い。しかし，肝臓の循環抵抗がきわめて低いため，毎分 1.2〜1.5 L という大量の血液が流れ込むことができる。ただし，肝硬変などにより，肝循環抵抗が増大したり，下大静脈にうっ血が生じたりすると，逆行性に門脈のうっ血をきたし，門脈圧が上昇する。これが**門脈圧亢進症**である。門脈圧亢進症では，腹腔内諸臓器からの血流が門脈・肝臓を迂回（バイパス）して下大静脈に注ごうとするため，食道静脈瘤や痔核など各種の症状が出現する（◉ 187 ページ）。

3　肝臓の機能

　肝臓には，酸素を多く含んだ動脈血が流れる肝動脈ばかりでなく，消化管を経由した静脈血を集めた門脈が流入する。血流量としては，門脈から流入する血流は肝動脈の血流の約 4 倍である。小腸で吸収されたグルコースやアミノ酸，その他の物質は，門脈を通って肝臓に流入し，ここで合成・分解・貯蔵・解毒などを受ける。したがって，肝臓は体内における代謝の中枢臓器といえる。さらに，不要・有害な物質を胆汁中に分泌し，腸管を通して排泄するという重要な役割も担っている。

1　代謝機能

　肝臓は，門脈を介して腸管で吸収された栄養素を受け取り，これを分解・

合成して別の成分にかえる。

① **グリコーゲンの合成と分解**　血液中のグルコース濃度(血糖値)が高いときには，膵臓から分泌されるホルモンであるインスリンの刺激に応じて肝細胞がグルコースを取り込み，グルコースをつなげてグリコーゲンにかえて肝臓内に貯蔵する(○276ページ，図6-26)。血糖値が低下すると，同じく膵臓から分泌されるグルカゴンに反応してグリコーゲンを分解してグルコースにかえ，血液中に放出して血糖値を正常範囲に維持する。

② **血漿タンパク質の生成**　吸収されたアミノ酸から，アルブミン，グロブリン，フィブリノゲンなどの血漿タンパク質や，種々の凝固因子を合成する(○140ページ)。

③ **脂質代謝**　中性脂肪，コレステロール，リン脂質などを合成する。

④ **ホルモン代謝**　エストロゲン(女性ホルモン)やバソプレシン(抗利尿ホルモン，ADH)など，多くのホルモンを不活化する。

2 解毒・排泄機能

　肝臓は，主として脂溶性の有毒物質を，毒性の低い物質にかえて尿中に排泄したり，胆汁として腸管内に排泄したりする。たとえば，タンパク質の分解によって生じたアンモニアは，肝細胞によって毒性の少ない尿素にかえられ，また摂取されたアルコールも肝細胞によって分解される。経口投与された薬物も，小腸で吸収されたあと，門脈を経て肝臓に運ばれ，そこで解毒される(初回通過効果)。

3 胆汁の産生

　脂肪の消化に重要な役割を果たす胆汁は，肝細胞によって産生される。胆汁のおもな成分は，胆汁酸・リン脂質・コレステロール・胆汁色素(赤血球の破壊によって生じるビリルビンが主)であり，総肝管を経て胆嚢に入り，ここで濃縮され胆汁として十二指腸内に分泌される。

臨床との関連　　肝硬変と黄疸

　肝臓は，その機能が障害されると死にいたるため，生命に不可欠の臓器である。しかし，Ｂ型やＣ型の肝炎ウイルスにより慢性肝炎がおこったり，過剰な飲酒によるアルコール性肝障害が原因となって，しばしば肝硬変が生じたりする。肝硬変では，肝臓の全体に線維性結合組織が増え，肝細胞がこわれて，肝機能が障害される。さらに肝硬変が進行すると，かなりの高率で肝細胞がんが発生する。肝細胞がんは，わが国の悪性新生物による死亡のうち上位であり，その90％以上が肝炎ウイルス感染に起因している。

　肝硬変では，肝臓内の血行が妨げられる。そのため門脈を経て下大静脈に入る血液が，逆に門脈の末梢枝から，腹壁の皮静脈や食道・直腸の静脈にまわって右心房に戻るようになる(門脈圧亢進症)。食道壁内の静脈が拡張する(食道静脈瘤)と，静脈が破れて大出血し，死にいたることもある。

　肝硬変などで肝細胞が障害されたり，胆道が詰まったりすると，胆汁が消化管内に排泄されず，胆汁色素が逆に血液中に入って黄疸がおこり，また毒性物質が体内に蓄積して全身状態がわるくなる。腸に送られる胆汁の最大の役割は，身体に不要な物質を排出することである。

腸に送り出される胆汁の最大の役割は，身体に不要な物質を排出することである。肝細胞がおかされたり，胆道が詰まって胆汁が消化管に排泄されず血液中に入ると，黄疸（◯133ページ）がおこり，全身状態が悪化する。

4 貯蔵機能

肝臓には，赤血球産生のために必須の鉄や，ビタミンA，Dなどの脂溶性ビタミン類が貯蔵されている。また，血液の貯蔵部位としても，脾臓とともに重要であり，運動時や出血によって循環血液量が不足したときには，肝臓や脾臓に貯蔵されていた血液が動員される。

5 胎児期の造血機能

肝臓は胎児期には赤血球産生の場として重要であるが，誕生後は造血機能を失う。肝臓で産生される胎児型のヘモグロビン（◯129ページ）はヘモグロビンF（HbF）とよばれ，骨髄で産生される成人型のヘモグロビンA（HbA）と比べて酸素結合能が高い❶。

> **NOTE**
> ❶ヘモグロビン
> Hbはヘモグロビンhemoglobinの略称であり，Fは胎児fetusを，Aは成人adultを意味する。

D 腹膜

1 腹膜と腸間膜

腹腔の内臓の大部分（肝臓，脾臓，胃，小腸，大腸など）は，なめらかで光沢のある漿膜によりおおわれている。腹部内臓をおおう漿膜は，**腹膜** peritoneum とよばれる。人体の漿膜には，腹膜のほかに，左右の肺をそれぞれ包む胸膜，心臓を包む心膜がある。

臓器の表面をおおう腹膜（**臓側腹膜**とよばれる）は，臓器に血管などが出入りする場所の周囲で折り返して，腹壁の内面をおおう腹膜（**壁側腹膜**とよばれる）に続く。臓側腹膜と壁側腹膜にはさまれた空間は**腹膜腔**とよばれ，少量の液を含んでいて，臓器の動きをなめらかにしている（◯図2-29）。

臨床との関連　腹部の打診ではなにをみているのか

腹部がふくれているとき，いくつかの原因が考えられる。まずは単純な肥満，また女性の場合には妊娠の可能性も考えておく必要がある。しかし，病気が原因となって腹部がふくれる場合があるため注意が必要である。

病的な腹部膨満としてよくあるのが，腸閉塞などにより腸内に多量のガスがたまった状態（鼓腸）と，腹膜炎などにより腹膜腔内に多量の液体がたまった状態（腹水）である。鼓腸と腹水は，打診によって区別することができる。膨満した腹部を打診すると，鼓腸の場合には，腸の中の空気で反響して太鼓のように澄んでいて比較的大きな音（鼓音）が聞こえる。腹水の場合には，液が貯留しているためににごって小さな音（濁音）が聞こえる。

D. 腹膜

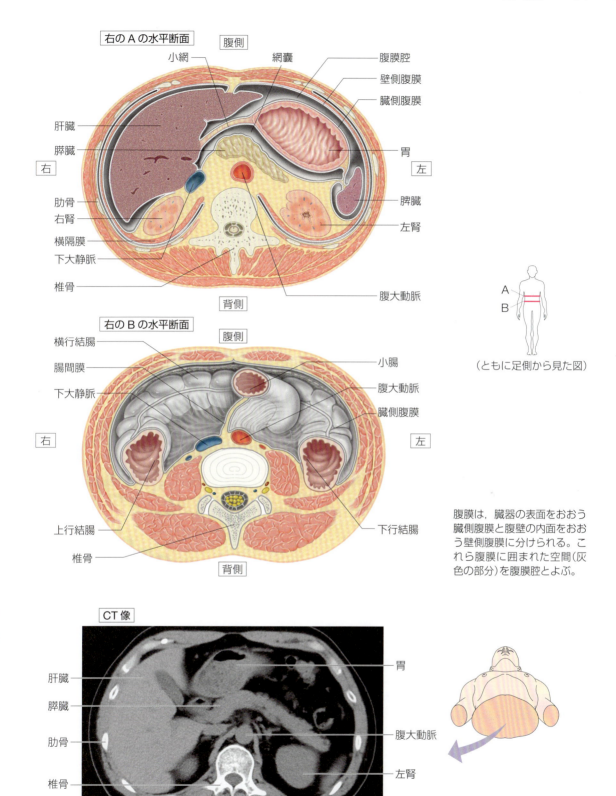

図 2-29　腹部の水平断面（足側から見た図）
（写真提供：順天堂大学　今一義准教授）

腹部消化管のかなりの部分(胃，空腸，回腸，横行結腸，S状結腸)では，臓側腹膜と壁側腹膜が直接につながるのではなく，**腸間膜** mesenterium❶が間にはさまっている(○図2-30)。腸間膜は，腹壁からたれ下がった膜状の構造で，両面を腹膜におおわれ，消化管に向かう血管・リンパ管・神経の通路になっている。

漿膜は中皮 mesothelium ともよばれ，単層扁平上皮とこれを裏打ちする疎性結合組織からなる。上皮細胞間の結合はかなりゆるく，受動的な拡散によって物質が透過しやすい❷。

> NOTE
> ❶腸間膜のうち，胃につながるものを胃間膜，結腸につながるものを結腸間膜とよぶ。
>
> ❷**腹膜透析**
> 　腎不全患者に行う腹膜透析は，この性質を利用したもので，腹腔内に透析液を注入して1〜数時間貯留し，その後，液を排出することにより，不要な物質を身体から除去することができる。

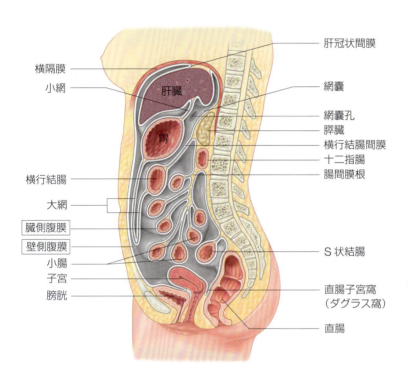

○図2-30　腹部の正中断面(女性)
腹部消化管の多くは，小腸のように間膜によってつるされているが，膵臓のように後腹壁に付着するものもある。

---

column　胃は右に90度ねじれている

胃の右側にある小彎は，もともとは胃の前縁にあたり，左側にある大彎は，胃の後縁にあたる。発生初期の胃の前縁と後縁はそれぞれ，前胃間膜と後胃間膜によって腹腔の前壁と後壁につながれていた。その状態から胃は右に90度回転し，さらに左に向かって大きくはり出して，胃の形ができあがった。胃の小彎と肝臓をつなぐ小網は前胃間膜から生じたもの，胃の大彎からぶら下がる大網は後胃間膜から生じたものである。

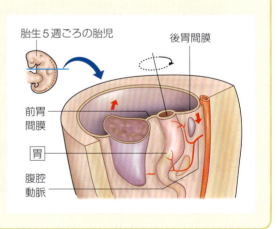

2 腹膜と内臓の位置関係

腹部の内臓は，腹膜との位置関係により分類される。臓器の大部分が腹膜によって包まれているものは**腹膜内器官**（胃，空腸，回腸，肝臓など），腹腔後壁に埋め込まれているものは**後腹膜器官**（上行結腸，下行結腸，十二指腸，膵臓など）である。後腹膜器官のうちで，腹膜におおわれないものをとくに腹膜外器官という（腎臓・副腎など）。

3 胃の周辺の間膜

発生初期の胃は，前腹壁と後腹壁の両方に，前胃間膜と後胃間膜によってつながっている。成人では胃の周辺の間膜の位置関係はわかりにくいが，胎児期の様子と比較するとわかりやすい。

前胃間膜は，内部に巨大な肝臓が発生して，前腹壁と肝臓の間の**肝鎌状間膜**と，肝臓と小彎の間の**小網**とに分かれる。後胃間膜は大彎からエプロンのようにぶら下がる**大網**になる。胃の発生過程で回転したために，初期胎児で胃の前縁だった小彎は，成人で右側に位置し，胃の後縁だった大彎は，左側に位置するようになる（▶column）。

胃の周辺の腹膜腔は，胃と前・後胃間膜によって左右に分けられるが，胃の回転によって右半の腹膜腔は，胃と小網の裏側にまわって，網嚢というなかば閉ざされた空間になる。腹部の外科手術の際に，小網の下縁の裏側の**網嚢孔**（**ウィンスロー孔** Winslow foramen）を通して網嚢にカテーテルを置くのは，ここにたまる滲出液や膿などを排出するためである。

✏ work 復習と課題

❶ 消化管を図示し，口腔から順に各部の名称を述べなさい。
❷ 消化管に付属する腺には，どのようなものがあるか。
❸ 乳歯と永久歯について，その相違点をあげなさい。
❹ 咀嚼により，食物はどのように変化するか述べなさい。
❺ 嚥下の３つの過程をあげなさい。
❻ 胃壁を構成する細胞を，分泌する物質と合わせて述べなさい。
❼ 小腸と大腸とでは，構造にどのような相違点があるか。
❽ 糖質・タンパク質・脂肪は，それぞれどのような過程で消化され，どこに吸収されるか。
❾ 排便の調節機序について説明しなさい。
❿ 肝臓の血液循環について説明しなさい。
⓫ 膵臓・肝臓・胆嚢と十二指腸の位置関係，および膵液と胆汁の流れる道を図示しなさい。
⓬ 膵液と胆汁に含まれる物質を，そのはたらきとともに述べなさい。
⓭ 肝臓にはどのような機能があるか。
⓮ 小腸ならびに大腸の腸間膜は，腹腔内でどのような状態になっているかを説明しなさい。
⓯ 後腹膜臓器には，どのようなものがあるか。

― 解剖生理学 ―

第 3 章

呼吸と血液のはたらき

本章の概要

　あなたは，小さな子どもに添い寝して寝かせつけたことはあるだろうか。子どもの呼吸は大人に比べて速い。「スーハー，スーハー」といっていた呼吸がある時点で急に遅くなり，添い寝しているあなたの呼吸と同じくらいの速度になる。これが寝入った瞬間である。しかし，ここで抜け出そうと思ってはならない。まだ眠りは浅い。身動きせずに5分はがまんする。呼吸のリズムがかわらないことを確認して，そっとふとんを抜け出すのがコツである。

　子どもがやすらかに眠っているときも，身体の中では，晩ご飯に食べた食物が消化され，腎臓は尿をつくって老廃物を捨てている（その証拠に，子どもはときどきおねしょをする）。さらに，夢をみていれば，大脳もはたらいている。そのため，呼吸を続けて酸素(O_2)を取り入れ，二酸化炭素(CO_2)を排出しつづけなくてはならない。しかし，その呼吸はそれほど急ぐ必要はなく，ゆっくりとしたものとなる。

　あなたが走るとき，足は地をけり，腕も大きく打ち振るわれている。足や腕の筋は，この運動のために膨大な量のエネルギーを消費している。筋は，この消費されたエネルギーに見合うだけのエネルギーを新たにつくらなくては動けなくなってしまう。このエネルギーをつくり出すためには酸素が必要となる。そのため，あなたの呼吸は激しくなり，必死に酸素を体内に取り込もうとする。

　呼吸によって取り込まれた酸素は，血液によって全身の細胞に送り届けられる（▶図3-1）。この酸素を利用して，細胞はエネルギーを産生する。そしてこのエネルギーを利用して，細胞はさまざまな活動を行い，ホメオスタシスが達成される。一方，エネルギー産生の過程で発生する二酸化炭素は血流に乗って肺に送られ，そこで体外に排出される。血液中の二酸化炭素濃度は血液のpHに直接影響するため，pHのホメオスタシスのために呼吸運動が調節されている。

　血液は酸素や二酸化炭素ばかりでなく，糖やタンパク質，ホルモン，その他さまざまなものを運ぶことでホメオスタシスにも貢献している。また，血液中の白血球は，私たちの身体を細菌などの外敵からまもるべく，血流に乗って常時全身をめぐっている。さらに，血小板や血液中にとけているいくつもの凝固因子は，血管が破れたときにすみやかに補修をするために備えている。

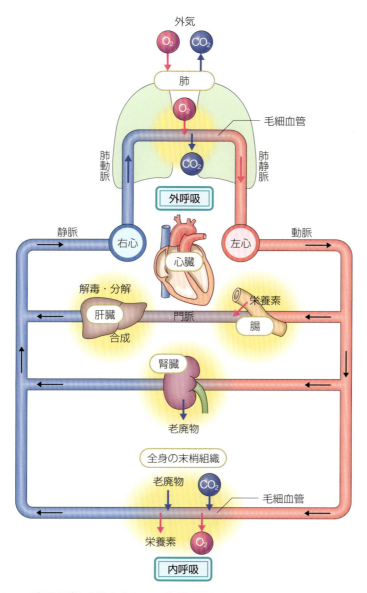

図 3-1 呼吸器系と血液を介しての物質のやりとり
右心からの血液は，肺で O_2 を取り込み，CO_2 を排出する。これを外呼吸という。その血液は左心に戻り，動脈を通って全身の末梢組織に送られる。末梢組織の毛細血管では，組織の細胞からの CO_2 と老廃物が血液に入り，O_2 と栄養素が血液から供給される。末梢でのガス交換を内呼吸という。次章で学ぶように，心臓は血液を全身に拍出するために機能している。

A 呼吸器の構造

1 呼吸器の構成

呼吸器で空気を取り入れて運ぶ通路を**気道**という。気道は鼻腔を通って咽

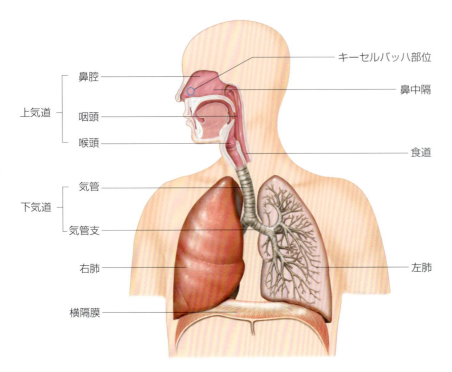

○図 3-2　呼吸器系の概観
空気を取り入れて運ぶ通路を気道とよぶ。気道のうち，鼻腔から喉頭までを上気道，気管より下を下気道という。

頭に達し，そこで口から食道に抜ける食物の通路と交差する。咽頭からは前方の喉頭に抜け，気管・気管支を通って肺に達する（○図 3-2）。

とくに鼻腔から喉頭までの気道は**上気道**とよばれ，感冒などの感染症がよくおこる場所である。これに対して気管から下は，**下気道**とよばれる。

2　上気道

1　鼻

鼻 nose は，顔の中央にあって，気道の入り口となる器官であり，また嗅覚を受けもつ。

外鼻は，顔の中央に飛び出した鼻の高まりで，鼻腔の前壁をなし，**鼻根・鼻背・鼻翼・鼻尖**の各部からなる（○図 3-3）。鼻骨と鼻軟骨が骨組みをつくる。1 対の外鼻孔が，鼻腔の入り口となる。

◆ 鼻腔

鼻腔は**鼻中隔**によって左右に分けられ，側壁からは，上，中，下の 3 つの**鼻甲介**が突き出て，鼻腔を上，中，下の鼻道に分けている。鼻甲介と鼻中隔との間は**総鼻道**という。鼻腔の後ろは，1 対の**後鼻孔**となって咽頭に続く。

内眼角からおこる鼻涙管は，下鼻甲介の陰に開き，余分な涙を鼻に導いて

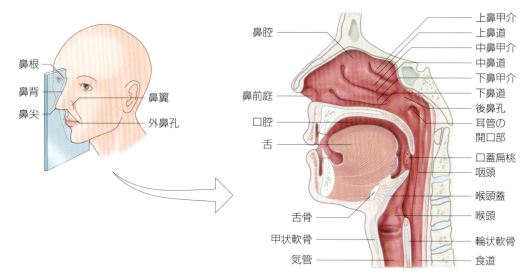

○図3-3 上気道の構造
上気道の矢状断面図。外鼻孔から入った空気は，鼻腔・後鼻孔を通り，咽頭・喉頭へ向かう。

いる。泣くと鼻水が出るのはこのためである。また，副鼻腔の開口部もいくつかある。外鼻孔に近い部分は鼻前庭とよばれ，重層扁平上皮でおおわれて鼻毛がある。

　鼻腔をおおう鼻粘膜の大部分は呼吸部といい，多列線毛上皮でおおわれ，血管に富み，多くの鼻腺がある。鼻中隔の前端部で外鼻孔近くの粘膜は**キーセルバッハ部位** Kiesselbach area といい，毛細血管が多く集まり，直下に軟骨があって，鼻出血をおこしやすい。鼻腔の後上の小部分は，嗅部の粘膜になり，嗅覚を受けもつ。

◆ 副鼻腔

　頭蓋をつくる一部の骨（上顎骨，前頭骨，蝶形骨，篩骨）の内部には空洞があり，鼻腔と交通しているので，副鼻腔（**上顎洞，前頭洞，蝶形骨洞，篩骨洞**）とよばれる（○図3-4）。副鼻腔の開口する場所は決まっており，たとえば前頭洞と上顎洞は中鼻道に開口する。副鼻腔の内面をおおう粘膜は，鼻腔の呼吸部と同様である。副鼻腔は，頭蓋骨の重さを軽減するとともに，発声時の共鳴腔として機能している❶。

> **NOTE**
> ❶副鼻腔炎
> 　鼻腔の炎症が波及すると，副鼻腔炎となる。治療の際は，副鼻腔の鼻腔開口部から洗浄器がさし込まれ，その内容が洗われる。

2 咽頭

　咽頭 pharynx は前方の鼻腔・口腔からつながり，前下方の喉頭と下方の食道につながる（○64ページ）。長さは約12 cmで，上から鼻部・口部・喉頭部の3部に分かれる。頭蓋底のすぐ下から始まり，頸椎のすぐ前を下行しながら漏斗状に細くなり，食道に続く。咽頭は，食物の通路（口腔→食道）と呼吸気の通路（鼻腔→喉頭）の交差点で，呼吸器系と消化器系の両方に属する。

　1 咽頭鼻部　後鼻孔により鼻腔とつながる。**耳管の開口部**が両外側壁にある（○図3-4）。耳管のもう一方の端は中耳につながり，鼓膜の内外の気圧

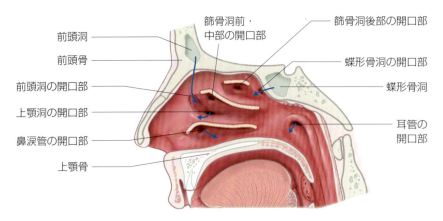

○図 3-4　副鼻腔
頭蓋の一部の骨にある空洞と鼻腔とがつながっている部分を，副鼻腔という。
上顎洞・前頭洞・篩骨洞・蝶形骨洞の 4 種類がある。

差をなくすはたらきがある❶。後壁上部の粘膜にはリンパ小節が多数集まり，**咽頭扁桃**になっている。

　②**咽頭口部**　口蓋から舌骨の高さまでの部分であり，口峡により口腔と交通する。

　③**咽頭喉頭部**　舌骨よりも下方で，喉頭の後ろにある。前方は喉頭と交通し，下は食道に続く。

3　喉頭

　喉頭 larynx は，咽頭の前にある軟骨で囲まれた空間で，咽頭から気管に向かう空気の取り入れ口である。喉頭はいくつかの軟骨を含んでいる。のどぼとけとして突き出す**甲状軟骨**，その下の**輪状軟骨**，喉頭の入り口にかぶさる**喉頭蓋軟骨**，および輪状軟骨の上にのる 1 対の**披裂軟骨**である（○図 3-5）。**喉頭蓋**は，喉頭への入り口の前上部に，舌状に飛び出ている。これらの軟骨をつなぐ喉頭筋がいくつかある。喉頭筋は骨格筋であるが，迷走神経（○ 390 ページ）によって支配されている。

　喉頭の内腔には，**前庭ヒダ**と**声帯ヒダ**という上下 2 対のヒダが壁の両側からはり出している。声帯ヒダのなかには声帯靱帯と声帯筋があるが，これらは前後方向に走り，甲状軟骨と披裂軟骨の間にはいっている。声帯ヒダと，その内部の声帯靱帯および声帯筋を含めて**声帯**とよぶ。後方の披裂軟骨を動かすことにより，声帯ヒダの間のすきま，すなわち**声門**の幅がかわる（○図 3-6）。

　声門を閉じておいて，そこに急激に呼気を通すと，声帯ヒダが振動して声が生じる。声の高さは，声帯の長さや声帯筋の緊張をかえることにより変化する。ヒトのさまざまな種類の声は，この声帯でつくられた空気の振動が，口腔や鼻腔などの付属共鳴腔で修飾されて生じたものである。

　喉頭の粘膜の大部分は多列線毛上皮でおおわれるが，前庭ヒダと声帯ヒダの一部などは重層扁平上皮でおおわれる。声帯の状態は，喉頭鏡を口から挿

NOTE

❶**中耳炎**
　感冒などで鼻から咽頭に生じた炎症が耳管を通って中耳に及び，中耳炎を引きおこすこともある。

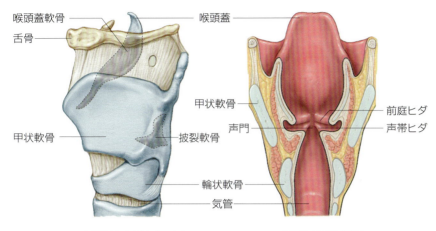

○図3-5　喉頭の構造
喉頭は，甲状軟骨・輪状軟骨・喉頭蓋軟骨・披裂軟骨などの軟骨に囲まれている。内腔には，前庭ヒダと発声にかかわる声帯ヒダがみられる。

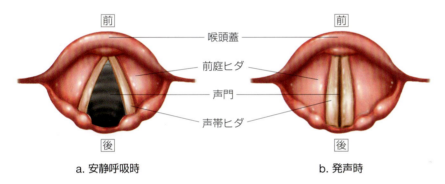

○図3-6　声帯（上から見たところ）
声は，声門の幅がせまくなり，声帯ヒダが振動することによって生じる。
声帯ヒダは，非角化重層扁平上皮でおおわれているため白く見える。

入して観察することができる。

4 発声と構音

　声を出して話すというはたらきは，喉頭での発声と，口腔・咽頭での構音という2つの過程により行われる。**発声**というのは，下気道から送り出された呼気のエネルギーを使って喉頭の声帯を振動させ，さまざまな高さと強さの音波をつくり出すことである。喉頭でつくられた音波は呼気とともに，咽頭を通して口腔に運ばれるが，そこで音波を共鳴させて言語音にしたてあげることを，**構音**という。

● **発声**　声帯を振動させて音波をつくるには，まず声門を一時的に閉じておき，そこに呼気を加えて声門の下の気圧を高める。その圧により声門が少し開き，瞬間的に少量の呼気が流出し，声門の下の圧が下がって声門は再び閉じる。この声門の開閉と呼気の断続的な流出により，声帯の振動がおこる。声の強さは，主として呼気の圧によって調節される。声の高さ，すなわち声

帯の振動数は，声帯の緊張・厚さ・長さによって決まる。声帯筋の収縮は，声を高くするはたらきがある。

　成人男性の声は，女性よりも低い。男性の甲状軟骨は，思春期に成長して前方に突き出し，その結果，声帯靱帯が長くなり，声が低くなる。この変化を声がわりという。女性でも思春期に喉頭が成長して声の高さがわずかに変化するが，顕著なものではない。

● **構音**　喉頭から出てきた呼気は，咽頭を通して口腔と鼻腔に運ばれ，外に出される。喉頭でつくられた音波を言語音に仕上げるには，呼気を口腔に通して，そこで共鳴させる必要がある。舌・下顎・口唇・軟口蓋などを動かして口腔と咽頭の形をかえることにより，さまざまな母音と子音がつくり出される。口唇を閉じて鼻腔だけに呼気を通すと，ハミングにしかならない。

3 下気道と肺

1 気管・気管支

　喉頭から肺に向かう気道のうち，左右に枝分かれするまでの部分を**気管** trachea，肺の中で枝分かれする部分を**気管支** bronchus という（◯図 3-7）。

　気管は喉頭の下に続き，頸部と胸腔内を下行し，第 5 胸椎の高さ（胸骨角，第 2 肋骨）で左右の気管支に分かれる。気管の後ろには食道があり，喉頭のすぐ下で気管の前を甲状腺が囲む。気管は長さ約 10 cm，太さ約 2.0〜2.5 cm の管で，16〜20 個の馬蹄形の軟骨が骨組みとなって壁の前方と側方を囲み，後壁は平滑筋を含む膜でできている（膜性壁）。

　気管から分かれた気管支は，右のほうが左よりも太く，短く，傾斜も急で垂直に近い（◯図 3-7）。そのため気管に吸い込まれた異物は，右気管支に入ることが多い。

臨床との関連　**胸部の聴診ではなにをみているのか——呼吸音**

　健康な人の肺の領域に聴診器をあてると，空気が肺を出入りする音を聴くことができる。胸の中央上部の気管の領域では高い音が聞こえる。これは気管音といい，吸息・呼息ともによく聞こえる。前胸部の第 2 肋間胸骨縁周囲，背部の肩甲骨間部，すなわち主気管支領域では，気管音よりもやや低い音が聞こえる。これは気管支肺胞音である。肺野全体では，肺胞に空気が出入りする低い音がかすかに聞こえ，肺胞音という。

　気管や気管支に異常があると，肺の領域から副雑音（ラ音）という異常な肺音が聞こえる。気管支喘息のように気管支が収縮したり分泌物がたまったりして気道が狭くなると，笛を吹いたときのような高い連続的なラ音（笛音）が聞こえる。また肺うっ血や気管支炎などで肺内に液体が貯留すると，低調でブツブツというあらく断続的なラ音（水泡音）が聞こえる。

気管支は肺に入ると，**葉気管支**(右3本，左2本)，そして**区域気管支**(右10本，左8本)に分かれる。さらに木の枝のように分岐を繰り返して細くなり，管壁の軟骨もしだいに小さくなり，ついには内径2mm以下で軟骨がなくなって**細気管支**になり，小葉(肺小葉)とよばれる結合組織で区切られた小区画に入り込む。細気管支の壁には，平滑筋や弾性線維が発達している。さらに枝分かれをして，ついにはブドウの房のような肺胞となって終わる。

　気管・気管支の内面は線毛のはえた粘膜でおおわれ，また粘液を分泌する腺が備わっている。細気管支から肺胞にかけては，壁の構造がしだいにかわっていき，**終末細気管支**，呼吸細気管支，肺胞管，肺胞嚢といった部分が区別され，ついには肺胞という小さな袋になって終わる(◯106ページ，図3-10)。

　気管支の平滑筋には，気管支の太さを調節するはたらきがある❶。

NOTE
❶気管支喘息
　この平滑筋が極度に収縮して気管支が細くなり，呼吸が困難になった状態が，気管支喘息である。

2 肺

　肺 lung は，胸腔の中で，中央部の縦隔(◯107ページ)を除いた大部分を占め，胸膜に包まれている。半円錐形で，上の細くなった部分を**肺尖**といい，鎖骨の上に2cmほど突き出す。下の広くなった部分を**肺底**といい，横隔膜に接する(◯図3-8)。両肺の内側面中央部には，気管支・肺動静脈などが出

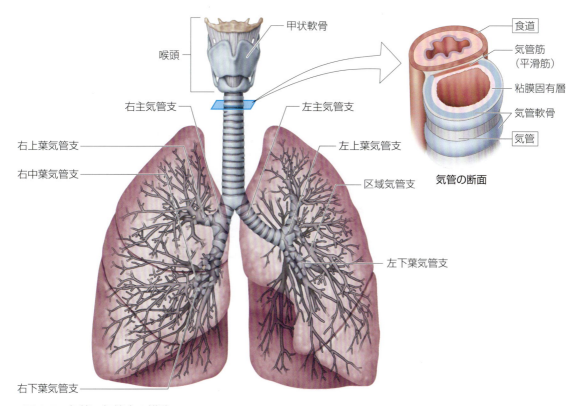

◯図3-7　気管・気管支の構造
気管は左右の気管支に分かれ，さらに葉気管支，区域気管支，細気管支へと分かれていく。右気管支は左気管支に比べて太く，短く，傾斜も垂直に近い。

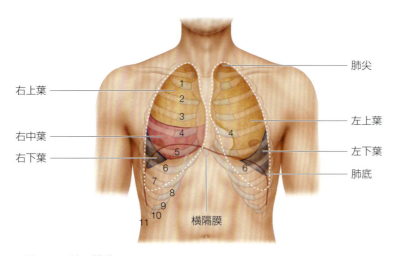

○図 3-8　肺の構造
右肺は左肺よりも大きく，上・中・下の3葉に分かれる。

入りする**肺門**があり，リンパ節もここに多数ある。
　右肺は左肺よりも大きい（重量比は，右肺：左肺＝9：8）。気管支の大きな分岐に一致して，右肺は上・中・下3葉，左肺は上・下2葉に分かれる。肺葉はさらにいくつかの**肺区域**に分かれ，右肺では10，左肺では8～9の区域（S^1～S^{10}）が区別されていて，それぞれ区域気管支（B^1～B^{10}）に対応している（○図3-9）。肺は空気を含む肺胞を無数にもち，やわらかくて弾力に富む。成人の肺は，小葉間の結合組織に炭素粒が沈着して，まだらな暗赤色を呈する。
　肺胞は，直径200μmほどの空気を含む小さな袋で，互いにごく薄い壁で隔てられ，その壁には毛細血管が広がっている（○図3-10）。肺胞の内面は，扁平な肺胞上皮細胞でおおわれ，この上皮と毛細血管の壁を通して，血液と空気の間のガス交換が行われる。肺は小児期にも成長して肺胞の数を増やし，成人では左右の肺を合わせると2～7億個もの肺胞があり，肺胞の表面積は90～100 m^2 にも達する。
　肺胞の毛細血管は，つなぎ合わせるとその長さが500 km以上（新幹線の東京-京都間の距離に相当する），おそらく1,000 km近い長さに達するものである。肺胞の毛細血管は肺動脈から静脈血を受け取り，ここでガス交換を終えた動脈血は肺静脈を通して心臓に戻る。肺動脈・肺静脈はガス交換を行う機能血管であるのに対し，**気管支動・静脈**は肺の組織を養う栄養血管である。気管支動脈は大動脈から分岐して気管支・気管支枝に沿って分布し，小葉基部まで達して肺各部の組織に向かい，一部は胸膜にも達する（○118ページ，図3-20）。

上葉
1. 肺尖区（S^1）
2. 後上葉区（S^2）
3. 前上葉区（S^3）

中葉
4. 外側中葉区（S^4）
5. 内側中葉区（S^5）

下葉
6. 上-下葉区（S^6）
7. 内側肺底区（S^7）
8. 前肺底区（S^8）
9. 外側肺底区（S^9）
10. 後肺底区（S^{10}）

上葉
1＋2. 肺尖後区（S^{1+2}）
3. 前上葉区（S^3）
4. 上舌区（S^4）
5. 下舌区（S^5）

下葉
6. 上-下葉区（S^6）
8. 前肺底区（S^8）
9. 外側肺底区（S^9）
10. 後肺底区（S^{10}）

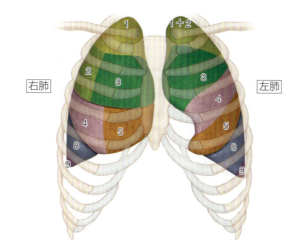

a. 前面

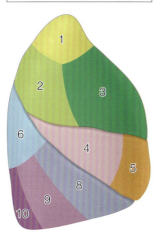

b. 右肺の外側面

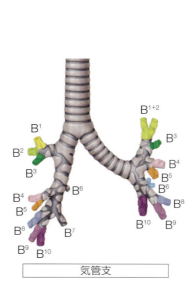

気管支

d. 右肺の内側面

c. 左肺の外側面

e. 左肺の内側面

● 図 3-9 肺区域

右肺は 3 葉（上葉・中葉・下葉）に，左肺は 2 葉（上葉・下葉）に分かれている。
さらに気管支の分岐に対応して，右肺は 10 区域に，左肺は欠番（7 がない）があり，またしばしば 1 と 2 が重複するので 8～9 区域に区別される。

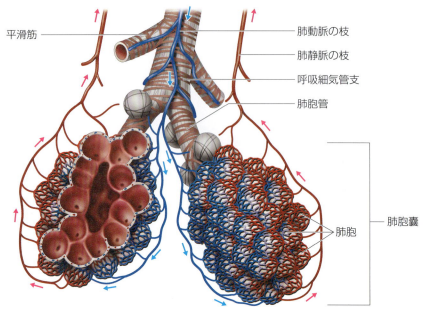

○図 3-10　肺胞と血管
枝分かれした気管支の末端は、壁の薄い肺胞という袋に分かれている。
肺の毛細血管は、肺胞壁に分布して、ここでガス交換が行われる。

4　胸膜・縦隔

1　胸膜

　肺は、気管支や肺動静脈が出入りする肺門を除いて、**肺胸膜**におおわれていて、表面が平滑である（○図3-11）。肺胸膜は、肺葉のすきまに進入する。肺胸膜は、**胸膜腔**という狭いすきまをはさんで**壁側胸膜**と向かい合い、壁側胸膜は、胸郭や横隔膜の裏打ちとなっている。肺胸膜と壁側胸膜は、肺門のところでつながり、折れ返っている。
　正常な状態では、胸膜腔には約5 mLの漿液が入っている。肺胸膜と壁側胸膜の間のすきまは陰圧になっており、わずかな厚さの漿液の層をはさんで密着している。胸膜のなめらかさと漿液の層によって、肺は周囲の構造に対して滑りやすくなり、呼吸運動によって自由に大きさをかえることができる。
　肺や胸膜に炎症がおこると、胸膜腔に滲出液が出てたまり、これを**胸水**という。胸膜に炎症がおこると、肺胸膜と壁側胸膜が癒着して、滑りがわるくなることがある。肺胞の壁には弾性線維があり、また空気と液体（細胞と間質液）の界面に表面張力がはたらくので、肺の組織はたえず縮まろうとしている。胸膜腔の内容が液体であるために、肺胸膜は壁側胸膜と密着して、離れることはない。しかし肺が傷ついたりして胸膜腔に空気が入ると、肺が縮む。この状態を**気胸** pneumothorax という。

2 縦隔

胸腔の中央部で，左右の肺にはさまれた部分を**縦隔** mediastinum とよぶ（◯図3-11）。縦隔は，後方では胸椎により，前方では胸骨により，側方では左右の壁側胸膜により境される。上方ではとくに明瞭な境界なく頸部につながり，下方では横隔膜を隔てて腹部に接する。縦隔内には，肺以外の胸部内臓と血管・神経がすべて含まれており，その最大のものは心臓である。縦隔内の臓器の多くは漿膜におおわれていないが，心臓だけは心膜に包まれている。

縦隔は，上縦隔と下縦隔に区分され，その境界面は胸骨角と第4胸椎体（T_4）下縁を結ぶ高さにある。さらに下縦隔は心臓を中心にして，前・中・後縦隔に区分される。

① **上縦隔** 縦隔の上部であり，胸腺，食道，気管のほか，血管（大動脈弓，上大静脈，奇静脈），神経（横隔神経，迷走神経など）を含む。

② **前縦隔** 胸骨と心臓の間の狭い部分で，下縦隔の前部をなす。内胸動脈の枝や胸腺の下部などが含まれる。

③ **中縦隔** 下縦隔のうち心臓を含む部分で，心臓と心膜および心臓に出入りする血管を含む。

④ **後縦隔** 心臓と脊柱にはさまれた下縦隔の後部である。食道，気管支，血管（胸大動脈，奇静脈，半奇静脈），胸管，神経（交感神経幹，内臓神経など）を含む。

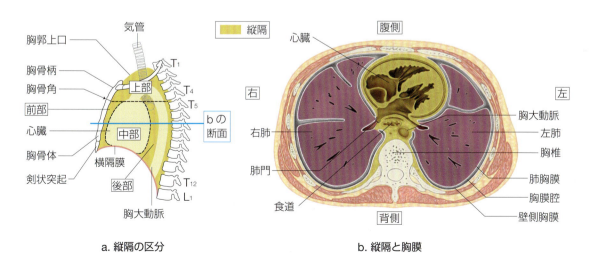

a. 縦隔の区分　　　　　　　　b. 縦隔と胸膜

◯ 図 3-11　**胸膜と縦隔**
肺の表面は肺胸膜におおわれ，胸壁の内面は壁側胸膜におおわれる。肺胸膜と壁側胸膜は肺門でつながり，胸膜腔というすきま状の空間を含む袋になる。左右の肺の間の空間は縦隔とよばれ，心臓・気管・食道・大血管などがおさまる。縦隔は，上部，前部，中部，後部に分けられる。

B 呼吸

1 内呼吸と外呼吸

- **外呼吸** 外気（空気）から酸素（O_2）を血液中に取り込み，体内で発生した二酸化炭素（CO_2）を血液中から体外へ排出するはたらきを**外呼吸**という。呼吸によって出入りする O_2 と CO_2 をまとめて呼吸ガスとよび，O_2 と CO_2 が交換されることを**ガス交換**という。換気が行われる場所は肺胞である。単に呼吸という場合は，通常この外呼吸をさす。
- **内呼吸** 外呼吸によって CO_2 を失い O_2 を受け取った血液は，動脈血となって心臓に戻り，左心室から全身に向かって拍出される。この血液は末梢に達し，毛細血管に入って，体組織との間でガス交換を行う。このときの呼吸ガスの出入りの方向は，肺における外呼吸の場合とは逆で，O_2 は血液中から出て組織の細胞に取り込まれ，細胞の代謝の結果生じた CO_2 は細胞から出て血液中に移動する。末梢におけるこのようなガス交換を**内呼吸**という（ 97ページ，図3-1）。

2 呼吸器と呼吸運動

1 気道の機能

気道は単なる空気の通り道ではなく，呼吸に関連する重要な役割を担っている。

- **加温作用** 気道の第一の役割として，加温作用があげられる。鼻腔内には上・中・下の鼻甲介とよばれる出っぱりがあり，吸い込まれた空気はその間の上・中・下鼻道を流れる（ 99ページ，図3-3）。鼻甲介があるために鼻腔内の表面積は大きくなり，ラジエター❶，すなわち熱交換器としてはたらき，吸い込まれた空気を体温近くにまであたため，冷たい空気によって受ける刺激を緩和している。
- **加湿作用** 第二に加湿作用がある。鼻腔から気管，気管支にかけての気道表面には粘液が分泌されており，吸い込まれた空気がこの気道を通過する間に加湿される。吸気の水蒸気圧は 5.7 mmHg 程度にすぎないが，肺胞に到達した時点での水蒸気圧は 47 mmHg に達し，これは 37℃ における飽和水蒸気圧である。これによって，粘液や漿液の分泌機能のない細気管支から肺胞にかけての部分が乾燥することを防いでいる。
- **防御機能** 第三が防御機能である。吸い込まれる空気中には塵埃や細菌，真菌（カビ）の胞子，その他さまざまな物質が含まれている。気道はこれらの物質を途中で除去し，有害な物質が肺胞にまで達しないようにしている。
比較的大型の物質は，鼻腔にはえている鼻毛によって濾過される。ここで

NOTE
❶ラジエター
バイクのラジエターはエンジンを冷やすために用いられる。鼻甲介のようにヒダがあることで表面積が増え，熱交換効率が高くなる。

ラジエター

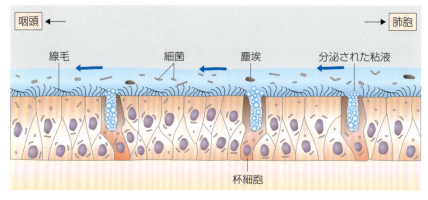

図 3-12 気道粘膜と線毛による異物の除去
鼻腔や気道表面に達した細菌や塵埃などは，杯細胞から分泌される粘液にとらえられる。また，気道粘膜の細胞の線毛によって，粘液とそれにとらえられた異物は咽頭に送られる。

　除去されたもののかたまりが，鼻垢（いわゆる鼻クソ）である。鼻毛の間をすり抜けた細菌や塵埃などの小型の物質は，鼻腔や気道表面にある杯細胞から分泌される粘液に吸着され，とらえられる。さらに気道粘膜の細胞には多数の線毛があり，この線毛は上方向（口の方向）に波状の運動をしており，これによって粘液とそれにとらえられた異物は，咽頭に送られ嚥下される（図 3-12）。分泌された粘液には，リゾチームや IgA（444 ページ）などの殺菌作用のある物質も含まれている。このような気道の異物除去機能は，ふだんは意識されないが，粘液の分泌が増加すると，痰として排出（喀出）されることにより気づかされる。

　また，鼻腔が異物によって刺激されると，くしゃみが出る。くしゃみという激しい呼息（息を吐き出すこと）によって，鼻腔内の異物が呼出される。気管以下の気道が刺激された場合は，咳が出る。これも吸入した異物を体外に除去するためにおこる反射である。

> **column　咳・くしゃみ・あくび・しゃっくり**
>
> 　咳とくしゃみは，気道が化学的・物理的に刺激されたときにおこる激しい呼息である。上気道（鼻粘膜など）が刺激されたときはくしゃみ，下気道（気管や気管支）が刺激されたときには咳となる。くしゃみは，激しい呼息によって異物を呼出しようとする反射である。したがって，鼻から吸息を行うと異物がさらに奥のほうへ吸い込まれてしまうため，くしゃみに先だっておこる吸息は口で行われる。
>
> 　あくびは，酸素不足を補うための深呼吸であり，同時に肩や頸部の筋も軽い運動をすることで緊張がゆるむ。退屈な授業を聞いているとあくびが出て，それを先生に叱られるということがあるが，これは酸素不足を補って脳を活性化させようとしているのであり，叱るほうが間違っている。
>
> 　しゃっくりは，横隔膜の痙攣によっておこる。非常に不愉快な現象であるが，放置しておいても数分から長くても数十分でおさまるのが通常である。しかし，最も長く続いたしゃっくりとして，アメリカのある農夫が，28 歳で始まったしゃっくりが 86 歳まで続いたことが記録されている。このために奥さんに逃げられてしまったとのことである。

2 肺胞の機能

肺胞と，その周囲を取り囲む毛細血管のそれぞれの壁の厚さは両者ともきわめて薄く，両者を合わせても 0.5 μm 程度である。この薄い膜を介して，肺胞内の空気と毛細血管内の血液との間でガス交換が行われる。ガスの移動は，濃度勾配に従っておこる拡散（●514 ページ）による。

肺胞は，単層扁平上皮（I型肺胞上皮細胞）からなるきわめて壁の薄い袋であるため，表面張力が袋を押しつぶす方向に作用する。これに対し，II型肺胞上皮細胞は**サーファクタント** surfactant とよばれる表面活性物質を放出して表面張力を下げ，肺胞の虚脱（つぶれてしまうこと）を防いでいる（●図3-13）[1]。

> **NOTE**
> [1] 新生児のサーファクタント
> 低出生体重児などでは，誕生時にこのサーファクタントを十分に産生することができず，肺胞がつぶれて呼吸に障害をきたすことがある。これを新生児呼吸窮迫症候群（IRDS）とよぶ。

3 呼吸のメカニズム

肺の中に空気が吸い込まれたり吐き出されること，つまり**換気**は，肺が能動的に膨張したり収縮したりするからではなく，胸骨・肋骨・脊柱そして横隔膜によって構成される胸郭の拡大と復元とにより，肺が受動的にふくらまされたり縮ませられたりすることで行われる。さらに，ふくらんだ肺は単独でも縮む力をもっている（**肺弾性収縮力**）。

この様子は，模式的に●図3-14のように示すことができる。底の抜けたガラスビンの底面には，ゴム膜がはられている。ビンの口をふさいだゴム栓を通してガラス管がビンの中に挿入されており，その先端には風船がくくりつけられている。ビンは胸郭に，ゴム膜は横隔膜に，そしてビン内部の風船を囲む空間は胸膜腔に相当する。

● **吸息相** ビン底面のゴム膜を下方に引っぱると，ビン内（胸膜腔）の容積が増加するため，ビン内部が大気圧に比べて陰圧になり，増加した容積に見合うだけの空気が風船内に流入する（●図3-14-a）。人体では，ゴム膜に相当する横隔膜が下がり，ビンの内部に相当する胸膜腔内の圧力（**胸膜腔内圧**[2]）

> **NOTE**
> [2] 胸膜腔内圧
> 臨床では，「膜」を省略して，胸腔内圧とよぶことが多い。

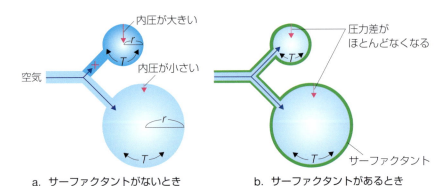

a. サーファクタントがないとき　　b. サーファクタントがあるとき

● **図 3-13　肺胞の大きさと内圧の関係**
大きさの違う2つの肺胞があると，小さい肺胞のほうが内部の圧力が高いため（内圧 $P=2 \times$ 表面張力 $T \div$ 半径 r），吸い込まれた空気は大きな肺胞にばかり流れ込んでしまい，小さい肺胞はつぶれてしまう。サーファクタントがあると小さい肺胞の表面張力が低下して圧力差がほとんどなくなり，小さい肺胞と大きな肺胞がともにふくらむようになる。

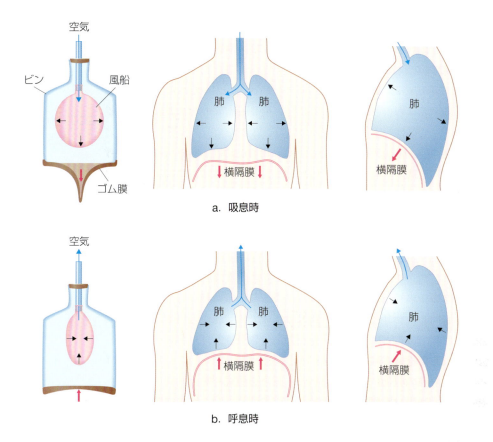

a. 吸息時

b. 呼息時

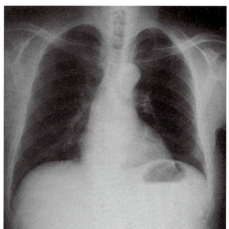

c. 吸息時のX線画像

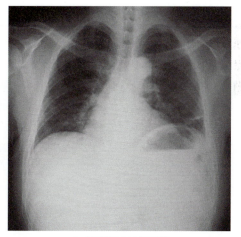

d. 呼息時のX線画像

○ 図3-14 呼吸のメカニズム

呼吸のメカニズムは，肺を風船に，胸郭をビンに，横隔膜を下部のゴム膜としたモデルを考えると理解しやすい。吸息時には，横隔膜（ゴム膜）が収縮し，胸膜腔（ビンの内部の空間）の圧が低下することにより，肺がふくらむ。逆に，呼息時には，横隔膜が弛緩し，胸膜腔の圧が上昇することにより，肺から空気が出ていく。生体では，胸郭自体も拡大したり，縮小したりする。
（写真提供：順天堂大学　鈴木勉先任准教授）

が陰圧となり，風船に相当する肺に空気が流入する。これが吸息である。安静吸息時の胸膜腔内圧は，$-7 \sim -6\,\mathrm{cmH_2O}$ である。

模式的に示された装置ではビンが拡大することはないが，人体ではビンに相当する胸郭自体も拡大する。このように吸息は，胸郭周囲の筋と横隔膜の収縮による胸郭の拡大によって行われる。

● **呼息相** 安静時の呼息は，ビン底のゴム膜を引っぱっていた手を放した場合と同様に，これらの筋が弛緩することで生じる胸郭の弾性および肺弾性収縮力により，受動的におこる（○図3-14-b）。このため吸息に要する時間と比べて，呼息に要する時間はやや長く，吸息相の1.2〜1.5倍である。安静呼息時の胸膜腔内圧は，$-4 \sim -2\ \mathrm{cmH_2O}$である。

4 呼吸筋

呼吸はさまざまな筋群によって行われ，これらの筋は**呼吸筋**とよばれる。

安静時の吸息のためにはたらく筋は，横隔膜と外肋間筋である（○303ページ，図7-17，図7-18）。胸腔と腹腔を隔てている横隔膜は，頸髄（C_4）から出る左右2本の横隔神経に支配され，収縮すると下方に移動して胸腔を拡大させる。外肋間筋は肋骨と肋骨との間にはる筋で，胸髄から出る肋間神経に支配され，収縮することによって肋骨を外上方に引き上げ，胸郭の前後・左右の幅を増大してその容積を増加させる。

主として横隔膜の収縮によって行われる呼吸を**腹式呼吸**，肋間筋の収縮によって行われる呼吸を**胸式呼吸**，両者をともに使う呼吸を**胸腹式呼吸**とよぶ。胸腹式呼吸が一般的であるが，妊娠時には増大した子宮によって横隔膜の動きが制限されるため，胸式呼吸が主体となる。

● **補助呼吸筋** 前述したように，安静時の呼息は胸郭および肺の弾性によっておこる受動的な現象であるが，深呼吸や努力呼吸（運動時や，意識的・無意識的に大きな，あるいは速い呼吸をすること）では，その他の筋群も呼吸にかかわってくる。これらの筋群を**補助呼吸筋**とよぶ。吸息のためにはたらく補助呼吸筋としては，斜角筋や胸鎖乳突筋，肩甲挙筋，大胸筋などがある。深呼吸や努力呼吸では，呼息も筋の収縮による能動的なものとなる。呼息のためには，内肋間筋のほか，腹直筋などの腹筋群がはたらく（○305ページ）。

臨床との関連　呼吸困難時の体位

呼吸が十分にできず苦しいとき（呼吸困難時）は，胸郭の拡大を容易にさせる姿勢をとらせるとらくになる。仰臥位（あおむけに寝ている状態）では，横隔膜の動きが腹部内臓（胃や腸）によって妨げられるため，呼吸困難感が増強する。このような場合，座位または立位にさせると，腹部内臓が重力によって下方へ移動するため横隔膜の動きが容易となり，呼吸困難感が軽減される。さらに，肩の高さ程度の台に両腕を組んでのせると，肋骨が上方へ引き上げられやすくなるため，胸郭の拡大が容易となり，呼吸困難感はより軽くなる。

3 呼吸気量

　肺内に含まれる空気の量を**呼吸気量** respiratory volume（肺気量）とよぶが，呼吸によってそのすべてが入れかわるわけではない。呼吸気量のうち，呼吸に伴って吸い込まれたり吐き出されたりする空気の量は，スパイロメータ（肺活量計）を用いて測定することができる（◯図 3-15）。スパイロメータは，上端が閉鎖された金属製の筒を水に浮かせ，筒内の空気を呼吸することによって筒が上下するその動きをペンで記録するものである。

　正常値は年齢・性・身長によって異なるため，臨床的には予測値で除した％予測値であらわされる。最近では流量を測定し，コンピュータで気量を算出する方法が用いられている。

1 呼吸数

　呼吸数は，1 分間に行われる呼吸の回数である。スパイロメータでも測定できるが，呼吸に伴う胸郭の動きを目視することによっても簡便に測定できる。

　成人では約 12〜20/分であり，男性よりも女性のほうがやや多い。新生児では約 40〜50/分，1 歳児では約 30〜35/分，5 歳児で約 20〜25/分であり，成長とともに減少する。しかし，成人となったあとは，老齢となっても呼吸数はほとんど変化しない。妊娠時にも呼吸数は 1 分間に 1 回程度増加するのみである。

　呼吸数増加の原因としては，酸素消費の増加（運動・発熱，甲状腺機能亢進など），酸素摂取の低下（呼吸不全など），酸素輸送の低下（貧血，心不全など），ストレスやその他の精神的影響を受けた場合（疼痛，呼吸困難感など）などがある。

2 1 回換気量・死腔・肺胞換気量

　1 回換気量は，1 回の呼吸で吸い込まれる，あるいは吐き出される空気の量であり，通常は成人で 500 mL（0.5 L）程度である（◯図 3-16）。妊娠末期には，非妊娠時の 1.5 倍ほどに増加する。

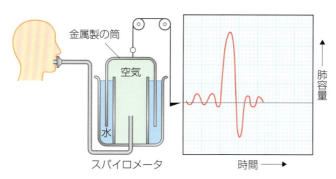

◯図 3-15　肺気量の測定

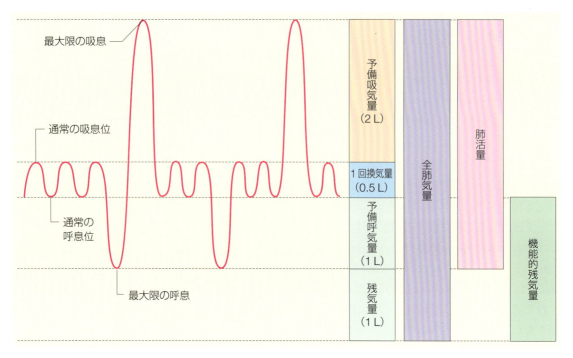

○ 図 3-16 呼吸気量
全肺気量は，図のように分類される。各量の数値は成人における標準値の例であるが，体格や年齢，性別などによって異なる。

　吸い込まれた 500 mL の空気のうちの一部は，肺胞まで達することなく，鼻腔や気管・気管支などにとどまり，血液との間のガス交換に関与しない。この空気量を**死腔**❶といい，約 150 mL である。したがって，肺胞まで達してガス交換にかかわる空気量は 500 − 150 = 350 mL であり，これを**肺胞換気量**という。これに呼吸数を乗じたのが毎分肺胞換気量である。これらは，以下の式であらわされる。

　　肺胞換気量＝1 回換気量−死腔
　　毎分肺胞換気量＝肺胞換気量×呼吸数

> NOTE
> ❶死腔というと縁起がわるそうだが，英語では dead space（デッドスペース）であり，単に「むだな空間」という意味である。

3　予備吸気量と予備呼気量

　通常の吸息位から，あとどのくらい空気を吸入することができるかが**予備吸気量**であり，通常の呼息位からさらにどのくらい空気を呼出できるかが**予備呼気量**である。どちらも個人差が大きいが，標準的な成人では，予備吸気量は約 2 L，予備呼気量は約 1 L 程度である。気管支喘息など，気道の狭窄（閉塞性換気障害）があると呼息がしにくくなるため，しだいに肺内にとどまる空気が増え，予備呼気量が増大する。

4　肺活量

　最大限の吸息から最大限の呼息を行ったときに呼出される空気量を**肺活量**

という。肺活量は，1回換気量，予備吸気量，予備呼気量の合計であり，以下の式であらわされる。

肺活量＝予備吸気量＋1回換気量＋予備呼気量

　肺活量は，胸郭の大きさや肺と胸郭の伸展性によって決まるため，個人差が大きい。通常は，女性で2〜3L，男性で3〜4Lである。運動，とくに水泳などを継続して行うと増大する。一方，肺線維症のように肺の伸展性が減少したり，重症筋無力症のように呼吸筋の筋力低下により胸郭の伸展性が減少(拘束性換気障害)したりすると，肺活量が減少する。
　通常は性・年齢・身長を考慮した計算式から予測肺活量を求め❶，計測された個人の肺活量が予測肺活量の何％かであらわす(**％肺活量**)。％肺活量は80以上が正常とされる。

> **NOTE**
> ❶予測肺活量の求め方
> 　予測肺活量は次の式で求められる。
> [女性]肺活量(L)＝0.032×身長(cm)－0.018×年齢－1.178
> [男性]肺活量(L)＝0.045×身長(cm)－0.023×年齢－2.258

5 残気量

　肺活量を測定したときのように，最大限の呼息を行っても，肺内にはまだ空気が残っている。これを**残気量**といい，標準的な成人で約1Lである。肺活量と残気量の合計が肺内に入る最大の空気量であり，これを**全肺気量**といい，以下の式であらわされる。

全肺気量＝肺活量＋残気量

　残気量と予備呼気量を合計したものを**機能的残気量**といい，呼息時に肺胞を流れる血液も，この機能的残気との間でガス交換を行うことができる。
　気道の狭窄(閉塞性換気障害)があると，残気量は増加する。前述したように，閉塞性換気障害では予備呼気量も増大するため，機能的残気量は大きく増加することになる。
　なお，残気量はスパイロメータでは測定できず，100％酸素(O_2)を数分間吸入させ，この間に呼出されるガス中の窒素(N_2)濃度を測定することにより求めることができる。

6 1秒量と1秒率

　最大限の吸息位から最大の速度で最大限の呼息を行う。このとき呼出される空気の量を**努力肺活量**といい，このうち呼出を開始してから最初の1秒間に呼出される空気量を1秒量，1秒量の努力肺活量に対する百分率(％)を1秒率という(◯図3-17)。1秒率は，正常では70％以上であるが，気道に狭窄があると呼息がしにくくなるため減少する。

4 ガス交換とガスの運搬

1 肺におけるガス交換

　肺胞内の空気と肺毛細血管内の血液との間でガスの交換が行われるが、ガスが移動するときに通過するものとしては、肺胞側から順に、肺胞内面をおおうサーファクタント（表面活性物質）の層、肺胞上皮細胞、基底膜、毛細血管内皮細胞、そして赤血球細胞膜がある。これらの厚さの合計は0.5〜0.8μmと薄く、さらにO_2やCO_2などの呼吸ガスは脂溶性であるため、脂質からなる細胞膜を貫通することができ、移動が妨げられることはない（◯図3-18）。

　ガスの移動は、分圧差（濃度差）に従う拡散によっておこる。O_2は、肺胞気の100 mmHgと静脈血の40 mmHgとの差、すなわち60 mmHgの分圧差によって肺胞から毛細血管内へと移動する（◯図3-19）。

　CO_2は逆に、肺胞気の40 mmHgと静脈血の46 mmHgとの差、つまり6 mmHgの分圧差によって静脈血から肺胞気へと移動する。CO_2の分圧差は小さいが、ガスの移動しやすさ（拡散係数という）はCO_2のほうがO_2の20〜30倍ほど大きいため、CO_2のほうが拡散は速い。

　なお、O_2分圧、CO_2分圧はそれぞれP_{O_2}、P_{CO_2}とあらわされ、とくに動脈血に限定する場合は、動脈arteryのaをつけてPa_{O_2}、Pa_{CO_2}とあらわす。

2 吸気・呼気のガス組成と血液ガス

　◯表3-1は、吸気、肺胞気、静脈血、動脈血、呼気それぞれのガス分圧を示したものである。吸気は大気そのものであり、大気圧760 mmHgのうち大気に含まれるガス成分の割合に応じた分圧がかかっている。

　たとえば、空気には酸素が約21％含まれているため、その分圧は760×0.21≒160 mmHgである。この吸い込まれた空気は、気道を通る間に加湿さ

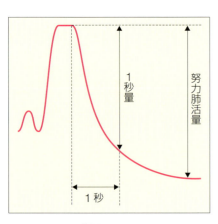

◯図3-17　1秒量

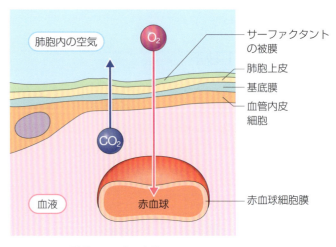

◯図3-18　肺胞でのガス交換

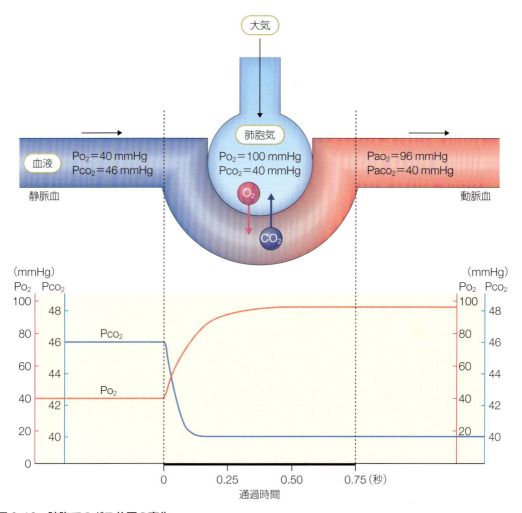

○ 図 3-19 肺胞でのガス分圧の変化
肺動脈からの静脈血の酸素分圧(Po_2)は 40 mmHg，二酸化炭素分圧(Pco_2)は 46 mmHg である。また，肺胞気の Po_2 は 100 mmHg，Pco_2 は 40 mmHg である。ガス交換と生理的シャントからの静脈血の流入の結果，動脈血の酸素分圧(Pao_2)は 96 mmHg に，二酸化炭素分圧($Paco_2$)は 40 mmHg となる。
グラフから，O_2 よりも CO_2 のほうが速く拡散することがわかる。

○ 表 3-1 ガス分圧(mmHg)

	吸気	呼気	肺胞気	動脈血	静脈血
O_2	158.0	116	100	96	40
CO_2	0.3	32	40	40	46
N_2	596.0	565	573	573	573
水蒸気	5.7	47	47		
合計	760	760	760		

れるため水蒸気圧が上昇し，肺胞に到達するときには 47 mmHg に達する。気体と接している液体(この場合は血液)にも気体のガス分圧に従って各ガスが溶解し，平衡に達する。

動脈血の O_2 分圧（96 mmHg）が肺胞気の O_2 分圧（100 mmHg）より低いのは，気管支動脈が細気管支を通過しその一部が肺静脈に合流するなど，健常人にも生理的シャント（動脈と静脈を直接つなぐ通路）が存在するためである（◉図 3-20）。

ここで記憶しておくべき数値は，動脈血の O_2 分圧（100 mmHg 足らずと覚えればよい）と CO_2 分圧（40 mmHg）である。なお，動脈血の O_2 分圧は，若年者では上記のように 96 mmHg 程度であるが，これは加齢とともに低下し，60 歳では 88 mmHg，80 歳では 83 mmHg 程度となる[1]。

> NOTE
>
> ❶圧力の単位
>
> 臨床では圧力の単位として mmHg のかわりに Torr（トル）を用いる場合もあるが，両者はまったく同じものであり，1 mmHg＝1 Torr である。

3 酸素の運搬

拡散により血漿中に移動した O_2 は，赤血球内に入り，ヘモグロビン（Hb）に結合する（◉129 ページ）。O_2 の 99% はヘモグロビンに結合する。

4 二酸化炭素の運搬

組織の細胞による代謝の結果発生した CO_2 のうち，その約 5% はそのまま CO_2 として血漿に溶解し，約 5% はヘモグロビンなどのタンパク質に結合する（◉図 3-21）。しかし残りの 90% は，**炭酸水素イオン（重炭酸イオン，HCO_3^-）**となり，その 2/3 は血漿に，1/3 は赤血球内に溶解して運ばれる。

赤血球内に入った CO_2 のうちヘモグロビンと結合しなかったものは，赤血球内の炭酸脱水酵素のはたらきにより水（H_2O）と反応して炭酸（H_2CO_3）となる。H_2CO_3 は H^+ と HCO_3^- に解離し，前述したように，HCO_3^- の 2/3 は赤血球から出て血漿に溶解する。なお，血漿中には炭酸脱水酵素は存在しない。

肺では CO_2 濃度が低いために反応は逆向きに進み，HCO_3^- から CO_2 を生じて，これがつぎつぎと排出される。CO_2 は単なる不要な老廃物なのではなく，血液の pH を調節するうえで重要な役割を演じる（◉234 ページ）。

◉図 3-20 肺静脈の生理的シャント
気管支動脈から流入した血液は，すべてが気管支静脈に戻らず，一部は細気管支などを通過して肺静脈に注ぐ。そのため，動脈血の O_2 分圧は肺胞気の O_2 分圧より低くなる。

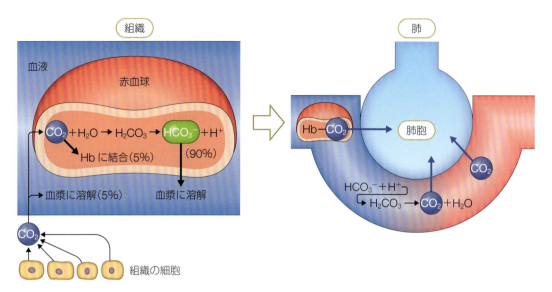

◎図 3-21　二酸化炭素の運搬
組織の細胞の代謝により発生した CO_2 は，血管に入る。その CO_2 のうち 5％は血漿に溶解し，5％は Hb などのタンパク質と結合する。残りは HCO_3^- に変換され，血漿または赤血球内に溶解して肺へと運ばれる。肺に運ばれた CO_2 は，濃度が低い肺胞へと排出される。

5 肺の循環と血流

1 肺循環

　心臓から出た血液の経路は，全身に送られたのちに心臓に戻ってくる**体循環**（大循環）と，肺へと流れて心臓に戻ってくる**肺循環**（小循環）に大きく分けられる。肺への血流は，右心室から肺動脈へと拍出される。したがって，肺動脈には静脈血が流れており，肺静脈には肺で酸素化された（酸素を多く含む）動脈血が流れていることに注意する必要がある。

●**肺の血流と血圧**　右心拍出量は左心拍出量に等しいが，肺循環抵抗は体循環抵抗の約 1/5 であるため，右心室の発生圧は左心室圧の 1/5 程度である。このように肺循環は比較的低圧であるため，肺血流量は肺動脈圧や肺静脈圧，肺胞内圧の影響を受ける。立位や座位では，心臓より上にある肺上部に行った肺動脈は重力の影響で内圧が低下し，心室拡張期には肺胞に押されて閉塞し，血流が途絶する（◎図 3-22）。一方，肺の下部では血管はつねに開口しており血流が多い。肺循環では，このように肺の部位によって血流量が異なることが特徴である。

2 換気血流比不均等の調節

　換気が十分に行われたとしても，そこに十分な血流がなければ，血液の酸素化は不十分になる。逆に，十分な血流があったとしても，その部分の肺胞の換気が不十分であれば，これも十分な血液の酸素化は行えない。このよう

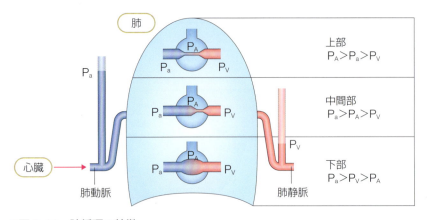

○図 3-22　肺循環の特徴
心臓より高い位置にある肺上部の血管は，心室拡張期には肺胞に押されて閉塞し，血流が途絶する。下部では血管はつねに開口しており，血流が多い。図中の P_a は肺動脈圧を，P_A は肺胞内圧を，P_V は肺静脈圧を意味する。

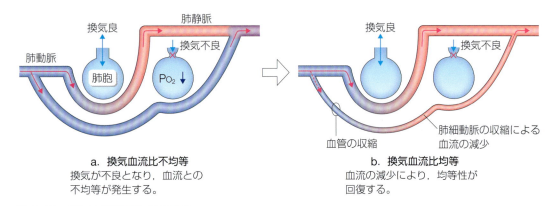

a．換気血流比不均等
換気が不良となり，血流との不均等が発生する。

b．換気血流比均等
血流の減少により，均等性が回復する。

○図 3-23　換気血流比不均等の調節

に換気と血流はちょうどよくつり合っていなくてはならない。このつり合いがくずれた状態を，**換気血流比不均等**という。

　生体には，局所的な換気血流比不均等を是正するメカニズムが備わっている。換気のわるい肺胞があると，その肺胞気の P_{O_2} が低下する。肺細動脈には P_{O_2} の低下によって収縮する性質があり，これによって換気のわるい肺胞への血流を減少させ，換気のよい肺胞へと血流をふり分けている（○図3-23）。これは非常に合理的な調節メカニズムであるが，高い山に登ったときなどには，吸入する空気そのものの P_{O_2} が低いため，肺全体で細動脈の収縮がおこり，肺高血圧状態となる。この状態から肺水腫が引きおこされる病態が高山病であり，致命的となることもある。

6　呼吸運動の調節

1　呼吸の神経性調節

　呼吸のためにはたらく横隔膜や肋間筋などの呼吸筋は，骨格筋である。そ

のため，意志の力で呼吸の速さや深さをかえることができる。また，話したり歌うときには，自由に呼息相を延長したり息をとめたりすることができる。しかし同時に，ふだんは呼吸していることを意識しておらず，睡眠によって意識を失っている間も呼吸を続けている。これは脳にある呼吸の中枢が周期的に興奮し，そこからのインパルス❶が横隔神経や肋間神経を通って呼吸筋を周期的に刺激しているからである。

呼吸中枢は，延髄（◯371ページ）の腹側部（腹側呼吸性ニューロン群）と背側部（背側呼吸性ニューロン群）に存在する。さらに延髄より上の橋にも呼吸性ニューロン群があり，呼吸のパターンを微妙に変化させている（◯図3-24）。呼吸中枢からは，前述の横隔・肋間神経への出力のほか，呼吸に関連してはたらく喉頭の筋を支配する脳神経（迷走神経の一部）も出力される。一方，橋の呼吸調節中枢には，肺や気道の伸展度を感知する受容器からの情報や，血液の P_{O_2}，P_{CO_2}，pH などの情報が求心線維を通って入力され，呼吸の速さや深さが自動的に調節される。

2　化学受容器

● **中枢化学受容器**　延髄の呼吸中枢の近傍に存在する中枢化学受容器は，動脈血の P_{CO_2} が上昇して脳脊髄液の pH が低下❷すると，興奮して呼吸中枢を刺激し，呼吸の深さと回数を促進させる。

● **末梢化学受容器**　末梢の化学受容器としてはたらくのは，**頸動脈小体と大動脈小体**である（◯図3-25）。頸動脈小体は内頸動脈と外頸動脈の分岐部にあり，P_{O_2} の低下により興奮して舌咽神経を介してその情報を呼吸中枢に伝えて呼吸を促進させる。大動脈小体は大動脈弓の内側にあって，頸動脈小体と同様に P_{O_2} の低下で興奮し，迷走神経を介してインパルスを中枢に送る。大動脈小体の役割は，頸動脈小体と比べて小さい。

これら末梢の化学受容器の特徴は，P_{O_2} の低下に反応することである。血液によって運ばれる O_2 の大部分は赤血球内のヘモグロビンに結合しており，血漿に物理的に溶解する O_2（P_{O_2} はこの物理的に溶解している O_2 の量によって決まる）はわずかでしかない。頸動脈小体と大動脈小体は，このわずかな O_2 の変化に反応して換気を促進させる。したがって，換気の低下や循環障害で P_{O_2} が低下した場合は興奮する。それに対して貧血では，ヘモグロビン濃度の低下のために輸送される O_2 の総量は減少するが，P_{O_2} は低下しないため興奮せず，したがって呼吸の促進も軽度である。

3　肺の伸展受容器を介する反射

気管支や細気管支の壁には，伸展されると興奮する伸展受容器が存在する。吸息によって気管支・細気管支壁が引きのばされると，この伸展受容器が興奮し，その情報は迷走神経を通って中枢に伝えられ，吸息が終了して呼息が始まる。これは呼吸のパターンを形成する反射であり，**ヘーリング-ブロイエル反射** Hering-Breuer reflex ともよばれる。

> **NOTE**
> ❶神経線維の活動電位の経過は1ミリ秒と短く，その伝導（◯361ページ）速度はきわめて大きい（数十 m/秒）ことから，伝導していく活動電位を神経衝撃，または単にインパルスとよぶ。

> **NOTE**
> ❷脳脊髄液の pH
> P_{CO_2} の上昇により，$CO_2 + H_2O \rightarrow H_2CO_3 \rightarrow H^+ + HCO_3^-$ の反応がおこり H^+ が増加するため，pH が低下する。pH については◯514ページを参照。

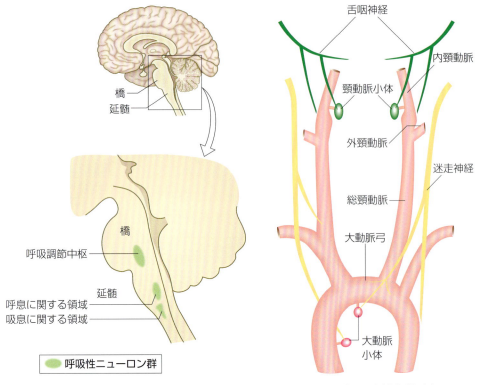

○図 3-24　呼吸の神経性調節の中枢　　○図 3-25　呼吸の末梢化学受容器

4 非特異的な反射性呼吸促進

　身体運動を行うと酸素消費量が安静時の 10 倍以上に増加し，それに応じて呼吸が促進されるが，これは P_{O_2} や酸素飽和度が低下するためではない。運動に伴う呼吸促進のメカニズムは，いまだ十分に明らかにはされていないが，四肢の関節の屈伸運動に関する情報が呼吸中枢にも伝えられる，大脳皮質の運動野からのインパルスが呼吸中枢を刺激するなど，いわゆるフィードフォワード調節（○ 274 ページ）であると考えられている。

　体温の上昇（発熱など），血液中のアドレナリン濃度上昇（精神的興奮など），プロゲステロン濃度上昇（妊娠時など）などによっても，呼吸が促進される。また皮膚の温刺激・冷刺激・痛み刺激も，呼吸促進効果がある。

5 呼吸運動の異常と病的呼吸

　呼吸は，意識をしなくても呼吸中枢の周期的興奮によって規則的に行われる。ところが，呼吸中枢の異常や気道の閉塞などにより，呼吸の規則性が失われる場合がある。

　1 睡眠時無呼吸症候群　睡眠中に呼吸が一時的にとまる状態である。健常な人でも一晩の睡眠中に 2〜7 回の無呼吸発作（10 秒以上）がみられるが，これが 1 時間の睡眠中に 5 回以上出現するのが睡眠時無呼吸症候群である。喉頭の筋が睡眠中に弛緩して下がり，気道を閉塞してしまうためにおこるこ

とが多い(◯図 3-26)。しかし，まれに呼吸中枢の異常によって呼吸がとまる場合もある。

2 チェイン(チェーン)-ストークス Cheyne-Stokes 呼吸　無呼吸のあとに，1回換気量が漸増・漸減する呼吸が出現し，その後再び無呼吸となる(◯図 3-27-b)。呼吸中枢の機能低下や器質的障害によって，呼吸の周期性が失われることによって出現する。無呼吸中に動脈血の Po_2 低下と Pco_2 上昇が生じ，これらを感知した化学受容器からの刺激によって呼吸が出現する。しかし，呼吸によって Po_2・Pco_2 が回復すると，化学受容器からの刺激が消失

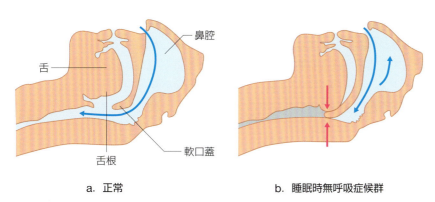

　a. 正常　　　　　　　　　　　　b. 睡眠時無呼吸症候群

◯図 3-26　睡眠時無呼吸症候群

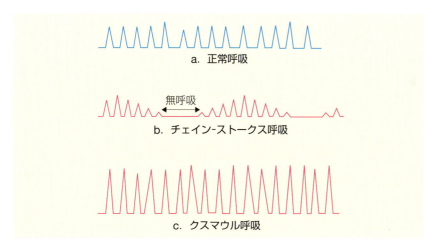

◯図 3-27　病的呼吸の呼吸パターン

> **column　睡眠時無呼吸症候群による事故**
>
> 　無呼吸発作のために夜間何度も覚醒するため寝不足になると，日中の居眠りの原因となる。アメリカのスリーマイル島原子力発電所の事故(1979年)や，スペースシャトル「チャレンジャー号」爆発事故(1986年)なども，作業員の睡眠時無呼吸症候群とそれに伴う日中の居眠りがかかわっていたことが明らかにされている。

するため再び無呼吸となり，これを繰り返す。重篤な中枢神経系の疾患や心不全の末期に出現する。

③ **クスマウル Kussmaul 呼吸**　深く，かつ深さのわりには速い呼吸である（●図 3-27-c）。糖尿病や尿毒症などの際の代謝性アシドーシス（血液のpHが酸性になる）に対する代償機序としての過換気状態（pHをアルカリ側に引き戻す）である（● 237 ページ）。

7 呼吸器系の病態生理

これまでに学んだように，私たちが正常な生活を営むためには，十分な量の酸素を取り込み，適度な量の二酸化炭素を呼出する必要がある。そのために，呼吸運動によって換気が行われ，呼吸ガスは拡散によって肺胞と血液との間を移動し，そして呼吸ガスを運ぶ血液は肺胞を通って流れ去っていく。この過程のどこかに異常が生じると，動脈血の P_{O_2} 低下と P_{CO_2} の上昇をきたすことになる。このような病態が引きおこされるメカニズムとしては，次のような原因があげられる。

1 換気障害

換気障害は，気道が狭窄・閉塞することによっておこる**閉塞性換気障害**と，肺胞の拡張が妨げられておこる**拘束性換気障害**，そして両者の混合型に分けられる。閉塞性換気障害は，呼息時に気道がより強く圧迫されることによる1秒率の減少で特徴づけられ，拘束性換気障害は，肺活量の減少が特徴である（●図 3-28）。

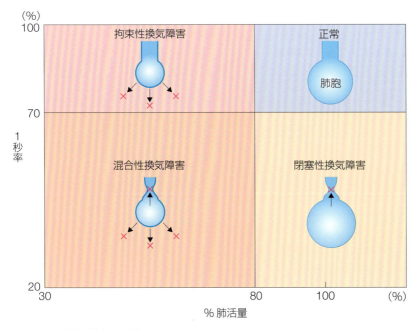

●図 3-28　換気障害のパターン

閉塞性換気障害の代表的疾患としては，気管支喘息，慢性閉塞性肺疾患 chronic obstructive pulmonary disease（COPD：慢性気管支炎や肺気腫）があげられる。拘束性換気障害としては，肺胞の拡張が障害される肺線維症，胸郭の拡張が障害される重症筋無力症などが代表的である。

2 拡散障害

呼吸ガスは，拡散によって肺胞気と肺毛細血管との間を移動する。血液が肺毛細血管を通過するのに要する時間は約 0.75 秒であり，このうちの最初の 0.25 秒で O_2 は肺胞気から毛細血管内に拡散して平衡に達する。つまり正常では O_2 の移動に必要な時間の 3 倍の時間があり，十分な余裕がある（▶ 117 ページ，図 3-19）。

しかしながら，① 肺胞壁が破壊される肺気腫や，肺組織の外科的切除などにより，ガス交換面積が減少した場合，② 間質性肺炎など肺胞壁が肥厚する場合，③ 肺水腫のように間質に液体が貯留することによって，肺胞と毛細血管壁の距離が増大する場合などは，O_2 の拡散が障害されて低酸素血症をきたす。ただし，CO_2 は O_2 と比較して拡散係数が大きく，拡散速度が速いため，拡散障害の影響はほとんど受けない。

3 換気血流比不均等

肺に障害があったとしても，すべての肺胞・気道が同程度に障害されることはほとんどなく，障害の強い部分と弱い部分の差ができるのがふつうである。強く障害された肺胞・気道部分では，肺胞気の P_{O_2} が低下するため，そこを通過する血液は十分に酸素化されない（▶ 120 ページ，図 3-23）。この血液が肺静脈に合流することにより，動脈血の P_{O_2} が低下する。

臨床との関連　慢性閉塞性肺疾患（COPD）

あなたの身のまわりにこんなお年寄りはいないだろうか。息をするたびにヒューヒュー・ゼーゼーといい，いつもかぜをひいているように咳をする。とくに寒いと具合がわるいらしい。息を吐くときに口をすぼめる癖があり，身体はやせているのに胸は分厚い。その人は COPD かもしれない。

COPD は，日本語では慢性閉塞性肺疾患とよばれる。かつては慢性気管支炎と肺気腫という別々の名前でよばれていたが，病変の場所が比較的太い気管支か（慢性気管支炎），細気管支など末梢の気管支か（肺気腫）の違いだけであるため，いまではともに COPD とよばれている。気管支喘息とともに代表的な閉塞性換気障害をきたす病気である。

わが国には 530 万人の潜在的患者がいると推定されている。中年以降に発症し，40 歳以上の人の 8.5％という高率となっている。ほとんどの場合で喫煙が原因となっていて，呼吸困難などの呼吸器症状ばかりでなく，栄養障害，骨粗鬆症，不整脈，筋力低下や筋量の減少，消化性潰瘍，精神的抑うつなどを併発しやすく，全身性疾患であるとみなされている。早期に治療すれば治るが，ただの長引くかぜと思って放置する人が多く，わが国では男性の死亡原因の第 8 位（2018 年度）である。現在では急激に増加しており，2030 年には世界的にみて死因の第 3 位にまで上昇するという予測もある。

4 右-左短絡

換気血流比不均等が極端になると、まったく換気されていない肺胞が生じる。このような肺胞を通過する血液は、まったく酸素化されることなく肺静脈に流れ込むことになる。これを右心系(静脈血)から肺を経ることなく左心系(動脈血)に直接流入するという意味で、**右-左短絡**(シャント)とよぶ。この場合は、高濃度 O_2 を吸入させても動脈血の P_{O_2} は上昇しにくい。肺胞が破れたり、胸膜に孔ができたりすることにより、胸腔陰圧が保てなくなり肺が虚脱する気胸や、さまざまな原因でおこる無気肺の際に生じる。

C 血液

1 血液の組成と機能

血液 blood は細胞外液の一種であり、血管の中を流れて全身を循環する。血液にこの流れを生じさせているのが、心臓のポンプ機能である。

血液の液体成分(血漿)は、細胞外液の 25％、細胞内液を含む体内の全水分量の 8％程度を占めるにすぎないが、細胞内液の組成の変化は間質液の組成の変化としてあらわれ、それは血液の組成の変化として反映される。つまり血液の組成は、私たちの身体の状態の変化に鋭敏に反応して変化し、逆に血液の組成の変化は全身の変化を引きおこす。このことから血液を採取してその組成や性状を調べることにより、疾病の診断や病気の経過観察を行うことができる。

1 血液の組成

血液は、**液体成分**と**細胞成分**に分けられる(◯図3-29)。
- **血漿** 液体成分は**血漿** plasma とよばれ、その大部分(91％)は水である。この水に各種の電解質やグルコース、タンパク質などが溶解している。またこれ以外にも、各種の微量元素やホルモンなども含まれている。
- **血餅・血清** 血液を採取したあと、試験管の中などに放置すると 10 分ほどで凝固する。これは血漿タンパク質の一種であるフィブリノゲン(線維素原)がフィブリン(線維素)という線維状のタンパク質に変化し、これに細胞成分がからまって生じるものである(◯142ページ)。この凝固したものを**血餅**といい、分離した透明な液体を**血清**とよぶ。つまり血清とは、血漿からフィブリノゲンなどの凝固因子を除いたものである。
- **細胞成分** 血液の細胞成分(血球)は、赤血球・白血球・血小板からなり、血液の容積の 40〜45％ を占める。血液の細胞成分を産生することを**造血**という。胎生初期には卵黄嚢、中期には肝臓や脾臓が造血器官としてはたらくが、出生後は骨髄が造血の場となる。骨髄(主として椎骨、胸骨、肋骨の骨

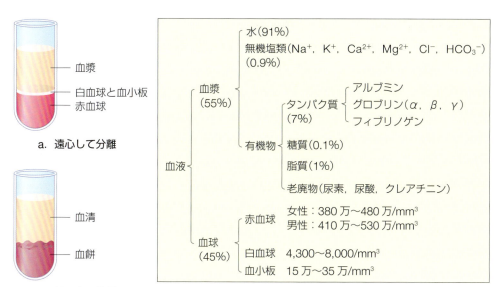

図 3-29　血液の成分

髄）において赤血球，白血球，血小板は 3 者共通のおおもとの細胞，すなわち**造血幹細胞** hemopoetic stem cell から分化してつくられ，成熟してから血流中に放出される（ 図 3-30）。

2 血液の機能

　血液は，全身を循環することによって物質の輸送を担っている。グルコースや各種の電解質のように単体で流れる物質も多いが，鉄や性ホルモンなどは血漿タンパク質に結合して，またコレステロールはリポタンパク質に結合して輸送される。酸素は赤血球内のヘモグロビンに結合して輸送される。

　血液中の白血球は，体内に侵入した異物や細胞分裂の過程で生じた奇形細胞，古くなった細胞などを除去するはたらきをしている。また血小板は，血管の損傷部位に粘着して応急的止血を行うとともに，血液の凝固を促進する。

　全身にはりめぐらされた血管を道路網にたとえるなら，血管の中を流れる血液は道路を走る車両に相当する。物資の輸送の面では，酸素を運ぶ大型トラック（赤血球）や，ホルモンやコレステロールを運ぶライトバン（血漿タンパク質）にまじって，自家用車（グルコースや電解質）も走っている。数はずっと少ないが，私たちの身体に侵入して危害を加えるおそれのある異物を発見して除去する役割を担っている白血球は，パトロールカーにたとえられるだろう。また道路を点検し，補修する工事車両が血小板であるといえる。

2 赤血球

1 赤血球の数・ヘモグロビン濃度・ヘマトクリット

　赤血球 red blood cell（RBC），erythrocyte は直径 7〜8 μm の扁平で，中心部

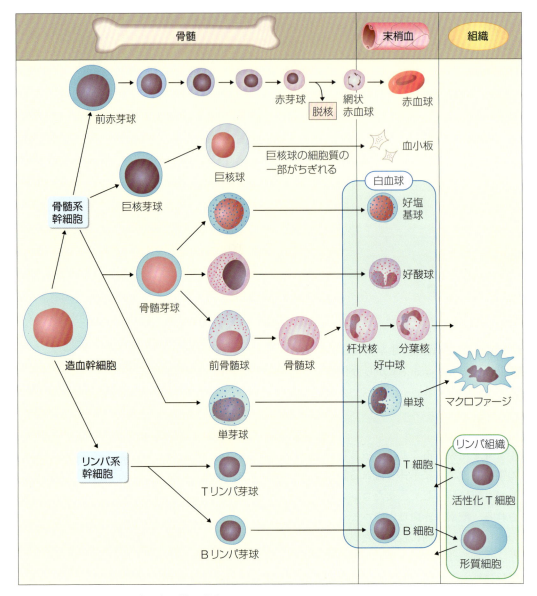

図 3-30　血液の細胞成分（血球）の分化

がくぼんだ円板状の細胞である（ 135 ページ，図 3-37-a）。変形性に富み，血流中では血流速度に応じて砲弾型〜棒状に容易に形をかえる（ 図 3-31）。赤血球は，骨髄における成熟過程で核を失った状態で血流中に放出される。

　骨髄から放出されたばかりの若い赤血球は，中心部分に網目状の模様があることから網状赤血球とよばれる。通常は，網状赤血球は全赤血球の 0.2〜2％を占めるにすぎないが，大出血のあとのように赤血球新生が盛んになると，その割合が増加する。

　酸素を運ぶという重要な役割を担っている赤血球は，細胞内に酸素を結合する**ヘモグロビン**という色素を多量に含んでいる。したがって，血液の酸素運搬能を評価しようとする場合，十分な量のヘモグロビンをもった赤血球が，

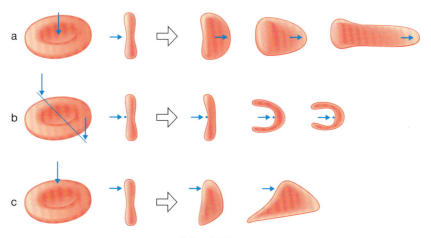

a, c: ➡ の部分に力がかかったとき。
b: 青い線(点)の部分に力がかかったとき。

図 3-31　赤血球の変形性

十分な数あるかどうかを調べる必要がある。

① **赤血球数(RBC)**　1 mm³ の血液中の赤血球の数であらわされる。成人女子で 380 万〜480 万/mm³, 成人男子で 410 万〜530 万/mm³ 程度が基準(正常)範囲である。

② **ヘモグロビン hemoglobin(Hb)濃度**　血液 100 mL 中に含まれるヘモグロビンの重さであらわされる。成人女子で 12〜16 g/100 mL, 成人男子で 14〜18 g/100 mL が基準範囲である。

③ **ヘマトクリット hematocrit(Ht)値**　血液のうち赤血球が占める容積の割合のことである❶。成人女子で 36〜42%, 成人男子で 40〜48% が基準範囲である。

赤血球数・Hb 濃度・Ht 値は貧血の指標として重要である。これらの値が低下している場合は貧血が疑われるが, Hb 濃度や Ht 値が上昇している場合は脱水によることが多い。体内水分量の不足のため血漿量が減少し, 濃縮されると, これらの値が上昇する。

2　ヘモグロビンの構造と機能

ヘモグロビン(Hb)は, ヘムという鉄(Fe)を含む色素と, グロビンというポリペプチドが結合したものが 4 個で構成されている(図 3-32)。ヘムの中心部分にある鉄には, 1 分子の酸素(O_2)が結合する。血液が赤いのは, 赤色の細胞である赤血球を多量に含むからであり, 赤血球が赤いのは, その中に赤い色素であるヘモグロビンが詰まっているからである。そして, ヘモグロビンが赤いのは, 赤色の元素である鉄(いわゆる赤サビの色を呈する)を含むからである。つまり, 血液の赤色は鉄に由来しているのである。

1 g の Hb は 1.34 mL の O_2 を結合することができるため, Hb 濃度を 15 g/100 mL とすると 100 mL の血液は最大で(すべての Hb が O_2 を結合すれば)$1.34 \times 15 = 20.1$ mL の O_2 を運ぶことができる。一方, 100 mL の血漿に

NOTE

❶血液の遠心分離によって Ht 値を測定する場合には, Ht 値＝血球成分の高さ／血液全体の高さ×100 で求める。血球成分としては赤血球が圧倒的に多いため, 血球成分の高さを赤血球の割合と考えてよい。

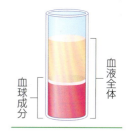

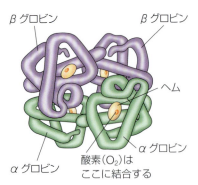
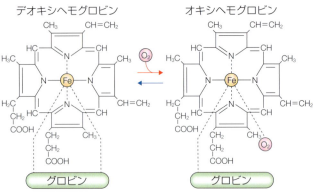

a. ヘモグロビンの構造
ヘム基と結合したグロビンとよばれるタンパク質が4つ集まった四量体である。グロビンには α グロビンと β グロビンの2種類がある。

b. ヘムの構造と O_2 の結合
赤血球に取り込まれた O_2 は，中心にある鉄（Fe）と結合する。ヘムはポリペプチド鎖と結合しており，これが4個集まってヘモグロビン（Hb）を構成している。

○図3-32 ヘモグロビン

物理的に溶解する O_2 は，酸素分圧 1 mmHg あたり 0.003 mL とされるため，血液 100 mL あたり 0.3 mL にすぎない。

　何％の Hb が O_2 を結合しているかを**動脈血酸素飽和度**（SaO_2）という。O_2 と結合していない Hb は，デオキシヘモグロビン（脱酸素化ヘモグロビン❶）とよばれ，暗赤色（静脈血の色）を呈するが，O_2 を結合してオキシヘモグロビン（酸素化ヘモグロビン）となると鮮紅色（動脈血の色）にかわる。この色調の変化は，皮膚の外側から投射する光を用いて経皮的に測定できる。この測定に用いられる機械をパルスオキシメータという。測定値は SpO_2 ❷であらわされる。SpO_2 は呼吸機能の指標（十分な酸素を取り込めているか）となり，通常，入院患者では体温とともに毎日測定される❸。

◆ 酸素解離曲線

　Hb が O_2 を結合するか解離するかは，周囲の O_2 分圧（血漿中に物理的に溶解している酸素が示す分圧；PO_2）によって決まる。Hb と O_2 との結合は S 字状の曲線を示し，これを**酸素解離曲線**とよぶ（○図3-33）。

　肺胞気の O_2 分圧は 100 mmHg と高く，肺でのガス交換および生理的シャントからの静脈血の流入の結果，肺静脈の動脈血では Hb の 97.5％ が O_2 と結合している状態になる。一方，末梢の毛細血管領域では，組織の細胞によって O_2 が消費されるため，O_2 分圧は約 40 mmHg まで低下している。このような環境では，Hb は多量の O_2 を結合していることができなくなるため，酸素飽和度は 75％ に低下する。つまり，97.5 − 75 ＝ 22.5％ の O_2 が Hb から離れて細胞に利用されることになる。

　1 g の Hb は 1.34 mL の O_2 を結合できるため，Hb 濃度を 15 g/100 mL とすると 1.34×15×0.225 ≒ 4.5 mL/100 mL の O_2 が供給される計算になる。二酸化炭素分圧（PCO_2）の上昇や pH の低下は Hb の O_2 結合能を低下させるた

NOTE

❶ 還元ヘモグロビン
　かつては，デオキシヘモグロビンを還元ヘモグロビン，オキシヘモグロビンを酸化ヘモグロビンとあらわすこともあった。

❷ SpO_2
　経皮的 percutaneous にパルスオキシメータを用いて測定しているため，SaO_2 と区別し，SpO_2 と表記する。

❸ 動脈血中の酸素飽和度は 97.5％ であり，94％ 未満の場合はなんらかの異常が考えられる。

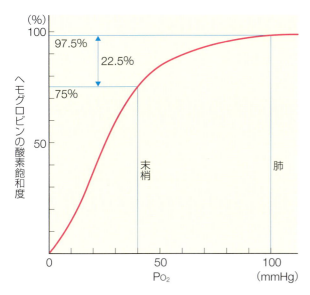

○図 3-33　酸素解離曲線
肺の O_2 分圧（P_{O_2}）は約 100 mmHg であり，末梢の O_2 分圧は約 40 mmHg である。Hb 酸素飽和度は肺では 97.5％ であるが末梢では 75％ となるため，22.5％ の O_2 が細胞に利用されることになる。

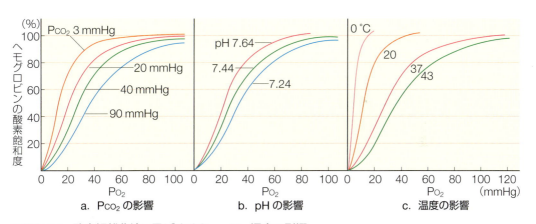

○図 3-34　酸素解離曲線に及ぼす CO_2，pH，温度の影響

め，これも末梢組織における Hb からの O_2 の放出を促進する（○図 3-34-a，b）。また，体温が上昇すると代謝が亢進し，酸素需要が増大するため，Hb からの O_2 解離を増大させる（○図 3-34-c）。

　Hb には，一酸化窒素（NO）や一酸化炭素（CO）などのガスも結合する。Hb の CO に対する親和性は O_2 の 230 倍も高く，しかもいったん CO と結合した Hb は，血漿 CO 分圧が低下しても CO を解離しない。このため CO と結合した Hb は O_2 運搬能を失い，全身の組織が O_2 不足となり重症の場合は死にいたる。これが一酸化炭素中毒である。

3 赤血球の新生

赤血球は、胎生期には肝臓や脾臓においても産生されるが、出生時にはこれらの器官での造血機能は消失している。胎生4か月ごろからは、骨髄においても産生されるようになり、これが出生後も続いていく（◯図3-35）❶。骨髄において造血幹細胞から赤血球が産生されることを**新生**とよぶ。

赤血球を産生する際にとくに必要とされるものは、鉄および、ビタミンB_{12}や葉酸などのビタミンである。

● **鉄**　鉄は Hb 合成のための素材として必須である。このため鉄が不足すると Hb 合成ができず、結果的に赤血球の新生が障害される。

● **ビタミン**　ビタミンB_{12}や葉酸は DNA 合成を促進する。前赤芽球（◯128ページ、図3-30）は盛んに分裂・増殖を繰り返すが、その際にDNA 合成が必要であり、ビタミンB_{12}や葉酸の不足は細胞分裂の遅延から貧血をきたす。

鉄やビタミンB_{12}の吸収には、胃が重要な役割を果たす。食物中の鉄は、胃酸つまり塩酸（HCl）の作用によってイオン化するが、その多くが3価（Fe^{3+}）であり、このままでは私たちはほとんど吸収することができない。Fe^{3+}は、ビタミン C などの作用により 2 価（Fe^{2+}）に還元されてはじめて吸収可能となる。またビタミンB_{12}は、胃腺の壁細胞から放出される内因子とよばれる糖タンパク質と結合することではじめて吸収される（◯70ページ）。

● **エリスロポエチン**　前赤芽球の分裂・増殖は、腎臓から分泌されるホルモンである**エリスロポエチン** erythropoietin によって促進される。エリスロポエチンは、大出血のあとなどで赤血球数が減少した場合や、高地に長期間滞在して酸素濃度の低い空気を呼吸した場合などのように、末梢組織への酸素

> **NOTE**
> ❶ 骨髄組織の採取
> 白血病などの造血器の疾患を診断するために、骨髄を穿刺して骨髄組織を採取する骨髄穿刺が行われる。穿刺場所としては、造血機能が高く維持されている胸骨または骨盤を構成する腸骨が選ばれる。胸骨は胸骨に比して加齢に伴う造血能の低下が大きいという欠点はあるが、医療事故が少ないという安全面を考慮して、穿刺場所として選択されることが多い。

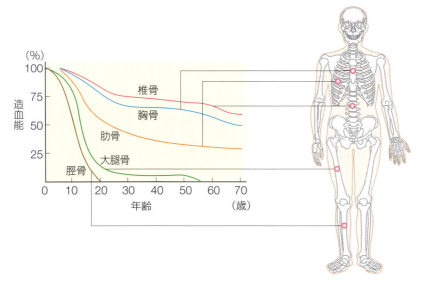

◯ 図 3-35　骨髄における造血能と年齢の関係
成人では、赤血球は骨髄で産生される。各骨髄における造血能は年齢とともに低下していくが、骨によって低下の仕方は異なる。

供給が不足したときに腎臓から血流中に放出され，骨髄における赤血球の新生を促進する。

4 赤血球の破壊

● **溶血**　血流中に放出されたあとの赤血球の寿命は平均120日（約4か月）であり，おもに脾臓（◯ 450ページ）において破壊される。赤血球の破壊は**溶血** hemolysis とよばれる。老化した赤血球は，細胞膜の変質のために変形性（◯ 129ページ，図3-31）が低下し，脾臓にあるふるいのような細い毛細血管を通過できず，ここに引っかかったのち，破壊される。破壊された赤血球の残がいは，マクロファージ（◯ 139ページ）によって貪食される。

● **ビリルビンの腸肝循環**　脾マクロファージや，肝臓のマクロファージである**クッパー細胞** Kupffer cell（星状大食細胞）に貪食されたHbのヘムは，細胞内で鉄などを失って**遊離ビリルビン**（**間接ビリルビン**）となる（◯図3-36）。鉄は血漿タンパク質の一種であるトランスフェリンと結合して，骨髄に送られて赤血球の新生のためのヘムの合成に再利用されたり，肝臓に送られて貯蔵鉄となったりする。遊離ビリルビンは，血漿タンパク質の一種であるアルブミンと結合して肝臓に送られ，肝細胞内でグルクロン酸と結合して**抱合型ビリルビン**（**直接ビリルビン**）となって胆汁として腸管内に排泄される。腸管内でビリルビンは，ウロビリノゲン，そしてステルコビリンとなって糞便とともに排泄される。糞便の黄褐色はこのステルコビリンの色である。

　ウロビリノゲンの一部は再び腸管で吸収される。吸収されたウロビリノゲンは一部は腎臓から尿として排泄されるが，一部は再び肝臓から腸管内に排泄される。これを**ビリルビンの腸肝循環**という。

● **黄疸**　血液中のビリルビン濃度が上昇すると皮膚が黄色くなる。これを**黄疸**という。ミカンなどのカロテンを多く含むものの食べすぎでも皮膚は黄染する（柑皮症）が，黄疸では眼球の強膜（白眼の部分）も黄色くなるのが特徴である。溶血が亢進した場合は，血中遊離ビリルビン濃度が上昇して黄疸となる。この場合，遊離ビリルビンは，分子量の大きい血漿タンパク質であるアルブミンと結合しているため，尿中へのビリルビン排泄は増加せず，尿は

---

column　エリスロポエチンと高地トレーニング

　マラソン選手は，大事なレースの前に，標高の高い場所で1〜2か月間トレーニングを行うことがある。標高の高い場所は空気が薄く，したがって酸素の濃度も低くなる。呼吸で取り込む空気に含まれる酸素が少ないため，当然に取り込まれる酸素も少なくなり，動脈血の酸素分圧が低下することになる。腎臓はそれに応じてエリスロポエチンを放出し，骨髄における赤血球産生を促進する。つまり，入ってくる酸素が少ないため，それをむだなく取り込めるように運び屋の数を増やすのである。このため，標高の高い場所にしばらく滞在していると，赤血球の数が増し，Hb濃度が上昇していく。

　このような状態にしておいて，標高の低い場所で行われるマラソンレースに出場したらどうなるだろうか。空気中に酸素は十分にあるうえ，酸素運搬能力は高まっているため，酷使される筋にも十分な酸素を運ぶことができ，よい記録がねらえることになる。

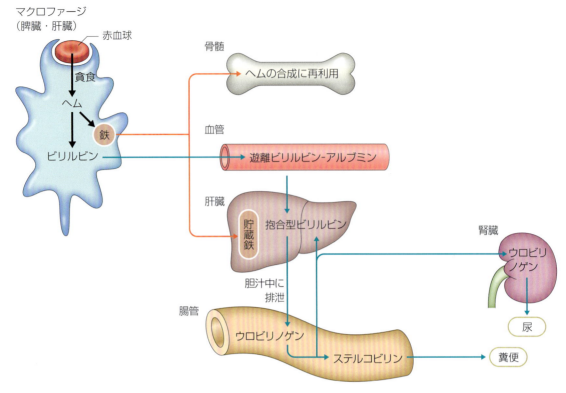

◎図3-36　ビリルビンの腸肝循環と排泄経路
マクロファージに貪食された赤血球のヘモグロビンは，鉄と遊離ビリルビン（間接ビリルビン）となる。骨髄に送られた鉄はヘムの合成に利用され，肝臓に送られたものは貯蔵鉄となる。アルブミンと結合した遊離ビリルビンは肝臓に送られ，抱合型ビリルビン（直接ビリルビン）となり，胆汁として腸管内に排泄される。腸管に入ったビリルビンは糞便または尿として排泄されるが，一部は再吸収され，肝臓から胆汁中に分泌される。

黄染しない。
　一方，胆汁の排泄路である胆道の通過障害がある場合（胆石症など）は，肝細胞によって抱合型となったビリルビンが血中に増加して黄疸となる。抱合型ビリルビンは尿中に排泄されるため，この場合は尿の黄染が著しい。
　肝細胞の障害による場合は，遊離・抱合型のどちらのビリルビン濃度も上昇する。

● **赤血球と溶液の濃度**　赤血球内には，Hbはもとより，各種の電解質が入っている。このため赤血球を低張液である蒸留水中に入れると，浸透圧の関係で赤血球内に水が吸い込まれ，赤血球は膨張して破裂，すなわち溶血がおこる。逆に高濃度の食塩水（高張液）中に入れると，赤血球から水が吸いだされて赤血球は金平糖状に変形する（◎図3-37-b）。
　このように赤血球が溶血したり変形したりするのを防ぐため，薬物を静脈内に注射する場合，通常は血漿の浸透圧と等しい浸透圧の溶液（等張液）に薬物を溶解して投与する。浸透圧が血漿のそれに等しい溶液の代表的なものとしては0.9％食塩水（これを生理的食塩水という）と5％ブドウ糖液❶があげられる。

NOTE
❶ 5％ブドウ糖液
　5％グルコース水溶液のことであるが，臨床の場では5％ブドウ糖液とよばれることが多い。

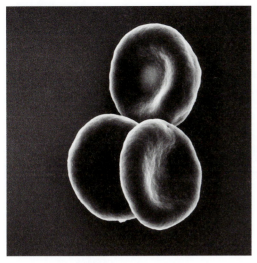
a. 等張液中の正常な赤血球

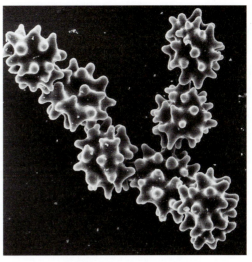
b. 高張液中の金平糖状の赤血球

◯図 3-37　正常な赤血球と金平糖状になった赤血球（走査型電子顕微鏡像）

5　貧血と赤血球増加症

　貧血とは，循環血液中のヘモグロビン量が減少した状態である❶。酸素を運ぶ赤血球が足りないために全身の組織が酸素不足となる。皮膚や粘膜は蒼白となり，頭重感，易疲労感などを生じる。また，酸素不足を補うために，呼吸・循環が促進され，呼吸数・心拍数の増加などもみられる。

　貧血の原因にはさまざまなものがあるが，ここでは代表的なものを概説する。

　1 **鉄欠乏性貧血**　貧血のなかで，最も多いのが鉄欠乏性貧血である。鉄の不足のために Hb 合成が障害され，赤血球の不足をきたした状態である。Hb 合成の障害が原因であるため，1 個の赤血球に含まれる Hb 量は少なく，赤血球は小型となるのが特徴である（小球性低色素性）。鉄の摂取不足，吸収障害などによってもおこるが，出血によることも多い。定期的に月経による出血がある若年女性に多くみられる。また，男性や閉経後の女性での鉄欠乏性貧血の場合，消化管からの慢性的出血が原因であることが多い。消化性潰瘍や消化管のがんがひそんでいることが多いため注意が必要である。

　2 **巨赤芽球性貧血**　ビタミン B_{12} や葉酸の不足のために DNA 合成が障害され，赤芽球の細胞分裂が遅れるために赤血球の不足をきたした状態である。分裂・増殖ができないため，骨髄内で死滅する赤芽球が多く，循環血流中に放出された赤血球は大型である（大球性）。ビタミン B_{12}・葉酸の摂取不足や吸収障害によるが，胃切除後の内因子欠如による悪性貧血が代表的である❷。

　3 **溶血性貧血**　赤血球の崩壊が亢進するためにおこる貧血である。① 先天的に赤血球になんらかの欠陥がある場合，② 自己免疫（自分自身の細胞であるにもかかわらず，白血球がそれを異物とみなして攻撃する現象）による場合，③ 薬物に起因する場合，などがある。また，新生児と母親との間の

NOTE

❶**貧血と脳貧血**

　いわゆる脳貧血を貧血とよぶことも多いが，脳貧血はヘモグロビン量とは関係がない（◯ 203 ページ）。

NOTE

❷**巨赤芽球性貧血の治療**

　かつては原因がわからず，治療法もみつからなかったため，このような恐ろしい名前がつけられたが，現在ではビタミン B_{12} の筋肉内注射により治療することができる。

血液型不適合により，溶血をきたすこともある（◯146ページ）。激しい場合は黄疸をおこすほか，流血中で溶血がおこる場合は尿中に Hb が排出され，尿が赤くなることもある（血色素尿症）。

④ **再生不良性貧血**　造血幹細胞自体の異常，あるいは自己免疫，放射線や薬物によって幹細胞が障害されておこる。赤血球のみならず白血球や血小板も減少する。若年者に多く，治療が困難なことも少なくない。

⑤ **真性赤血球増加症**　造血幹細胞の腫瘍化によるもので，白血病の赤血球版といえる。赤血球数が増加するために血液の粘稠度が上昇し，頭痛，赤ら顔，高血圧，血栓症（血管の中で血液が凝固する状態）などをきたす。比較的まれな疾患である。

3 白血球

白血球 white blood cell（WBC），leukocyte は，血液 1 mm³ 中に 4,300〜8,000 個存在する（◯図3-38）。白血球は，顆粒球，リンパ球，単球の3種類に大きく分けられ，顆粒球はさらに染色性（酸性，中性，塩基性のどの色素でよく染まるか）によって好酸球，好中球，好塩基球の3種に，リンパ球は B 細胞（B リンパ球）と T 細胞（T リンパ球）の2種に分けられる（◯表3-2，128ページ，図3-30）。

白血球のおもな役割は次の2つである。第1は，体内に侵入した細菌やウイルスなどの異物を殺滅し，身体をまもることである。これには，顆粒球や単球（血液中から組織に移行してマクロファージとなる）による食作用と，リンパ球による免疫機能がかかわっている。

第2の重要な役割は，老化した細胞や奇形の細胞を発見して破壊することである。老化した細胞の処理は，主としてマクロファージが担っているが，

臨床との関連　なぜ，女性は鉄欠乏性貧血になりやすいのだろうか

私たちの体内には，通常約3gの鉄があり，そのうちの2gはヘモグロビンの構成要素として赤血球内にあり，1gは骨髄や肝臓に貯蔵されている。尿中に排泄されてしまう鉄の量は1日約1mg，1か月で約30mgである。したがって，まったく鉄を摂取しなかったとしても，1,000日，つまり2年半ほどは鉄欠乏にならない。ただし，これは男性の場合のみである。

女性の場合，1回の月経による出血で，約30mgの鉄が失われる。つまり，尿中に排泄される量と合計すると，女性は男性の2倍も鉄を失いやすい体質であるといえる。また，妊娠すると，胎児の赤血球の産生のために母体の鉄が胎児に移行し，さらに出産時の出血もある。そのため，1回の妊娠・出産で，貯蔵鉄の半分に相当する約500mgの鉄が失われてしまう。これに加え，出産後に乳児を母乳で育てると，乳児への鉄の供給のために母乳中へ1日に約1mgの鉄が出ていく。

このように女性では，鉄が体外に出ていく機会が多いため，鉄欠乏性貧血になりやすいのである。

鉄を補給するためには，鉄を多く含む食品を食べることが最善の手段である。とくにレバー，つまりニワトリの肝臓には，人体と同様に鉄が貯蔵されており，レバーを食べることはその貯蔵鉄を摂取することになるため，鉄の補給には非常に有用である。

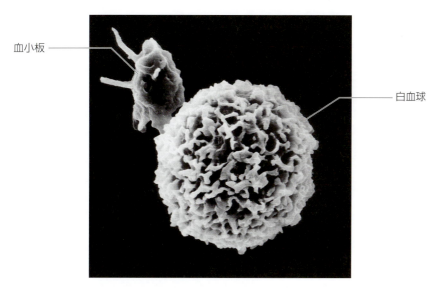

◯図 3-38　白血球と血小板（走査型電子顕微鏡像）

◯表 3-2　白血球の割合

白血球の種類			直径(μm)	日本人での割合(%)
顆粒球				
	好中球	分葉核	10〜16	38〜58
		杆状核		2〜13
	好酸球		12〜18	0〜7
	好塩基球		10〜16	0〜1
リンパ球			6〜10	26〜47
単球			15〜20	2〜8

　細胞分裂の過程のなんらかのエラーによって生まれた奇形細胞（がんなどの腫瘍細胞もその一種）は，主として T 細胞によって破壊される。体内では，毎日 3,000〜6,000 個ものがん細胞が誕生しているが，私たちがなかなかがんにならないですんでいるのは，白血球が誕生したばかりのがん細胞を発見し，すみやかに殺しているためである。

1　顆粒球

　顆粒球 granulocyte は，白血球の約 65% を占める。直径 10〜15 μm の細胞で，細胞質中に種々の殺菌作用のある物質を含んだ顆粒（リソソーム）を多数もっている。

◆ 好中球

　顆粒球のなかでは最も多く，その約 95% を占める。細菌の毒素や組織の破壊産物などがあると，その濃度の高い方向へアメーバのように偽足をのばして移動する（化学走性）。また，血管壁を通過して組織中へも移動する（◯図 3-39）。そして，細菌などの異物や組織破壊産物を細胞内に取り込み（**貪**

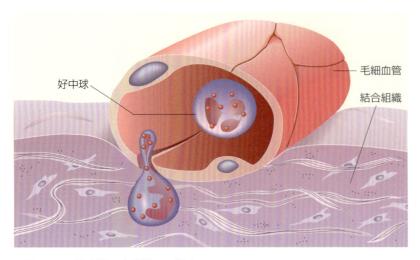

◉図 3-39　好中球の血管外への遊走

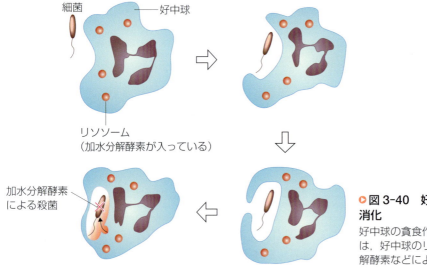

◉図 3-40　好中球による貪食と殺菌・消化
好中球の貪食作用により取り込まれた細菌は、好中球のリソソームに含まれる加水分解酵素などによって殺菌され、消化される。

食作用)、タンパク質分解酵素（プロテアーゼ）などの加水分解酵素や、活性酸素によりそれを消化する（◉図 3-40）。

　細菌感染や外傷などの組織障害がおこって炎症が生じると、好中球は化学走性によりその部位に集合する。同時に炎症部位から放出される物質によって骨髄が刺激され、好中球の産生と放出が増加する。したがって、体内に炎症があると好中球が増加し、結果として白血球数が増加する。さらに、好中球の放出が促進されるために、完全に成熟した分葉核好中球と比較して、より未熟な杆状核好中球の割合が増加してくる。◉図 3-30（◉128 ページ）のような図にあらわしたとき、左側に描かれる未熟な核を持った好中球の割合が増えるので、これを**核の左方移動**という。杆状核よりさらに未熟な核をもった好中球が末梢血中にあらわれる場合には、白血病が疑われる。

◆ 好酸球

顆粒球の約4%を占める。顆粒中の物質が寄生虫を傷害するほか、ヒスタミンを中和して抗ヒスタミン作用を示す。アレルギー・炎症反応に対しては、抑制的作用と促進的作用の両面を示す。このため、寄生虫症やアレルギー性疾患の際には、好酸球が増加する。

◆ 好塩基球

顆粒球の約1%であり、数はきわめて少ない。顆粒中にヒスタミンと抗凝固作用のあるヘパリンを含む。ヒスタミンは血管拡張作用があり、炎症反応を引きおこす。

2 リンパ球

リンパ球 lymphocyte は、白血球の約30%を占める。直径は6〜10 μm であり、顆粒は含まない。T細胞が70〜80%、B細胞が20〜30%である。リンパ球も骨髄で産生されるが、T細胞はその後、胸腺において成熟する。リンパ球は脾臓やリンパ節に常在するが、リンパ管を経て循環血液中に流入し、再び脾臓やリンパ節に戻る循環を繰り返している。リンパ球は、免疫を担当する細胞としてきわめて重要である（◯ 442ページ）。

3 単球

単球 monocyte は、白血球の約5%を占め、顆粒球と同程度、もしくはやや大きい細胞で、偽足を出して運動することができる。血管外へ遊走して組織内に定着し、**マクロファージ**（大食細胞）となる。マクロファージの食作用は好中球より強く、また食べた抗原に関する情報をリンパ球に伝えること（**抗原提示**）で免疫にも大きく関与している。肝臓のクッパー細胞、皮膚のランゲルハンス細胞、脳の小グリア細胞などもマクロファージであり、生体防衛の最前線ではたらいている。

4 血小板

血小板 platelet, thrombocyte は、造血幹細胞から分化した巨核球（◯ 128ページ、図3-30）が崩壊してできた細胞のかけらである（◯ 137ページ、図3-38）。直径2〜5 μm で、核は当然なく、血液 1 mm^3 中に 15万〜35万個存在する。

血小板の大きな役割は、血小板血栓（一次血栓）の形成である。血管が損傷されると、血管壁のコラーゲン線維（膠原線維）が露出される。血小板はコラーゲンに接触すると活性化され、損傷部に粘着するとともに、ほかの血小板をも活性化する物質（ADP、トロンボキサン A_2 など）を放出する。これによって損傷部につぎつぎと血小板が粘着し、血小板血栓が形成される。

血小板血栓による止血は応急的なものであり、完全な止血のためには次の項で述べる血液凝固が必要である。ただし、小出血であれば血小板血栓のみ

で止血可能である❶。粘着した血小板からは，血液凝固を促す物質（血小板第3因子とよばれるリン脂質）も放出される。

> **NOTE**
> ❶ **血小板の減少**
> 血小板数が減少すると，皮下の小出血をすみやかに止血できないため，全身のあちらこちらに青あざを生じるようになる（紫斑病）。

5 血漿タンパク質と赤血球沈降速度

1 血漿タンパク質

血漿の約7％はタンパク質であり，これは血漿タンパク質とよばれ，マイナス（負）の電荷をもっている。血漿タンパク質をゲル状の物質の片側にのせ，反対側を陽極として電圧をかけると，分子量や電荷の大きさに応じてタンパク質が移動し，成分ごとの部分（分画）があらわれる。このような現象を**電気泳動**とよぶ。

電気泳動によって，血漿タンパク質はアルブミン（約4.5 g/100 mL），グロブリン（約2.5 g/100 mL），フィブリノゲン（約0.3 g/100 mL）の3種類に分けられる（●図3-41）。フィブリノゲンを除いた血漿タンパク質の量は6.5～8.0 g/100 mLであり，アルブミンとグロブリンの比，すなわちA/G比は1.5～2.3である。アルブミンは栄養源としても重要であるが，血漿タンパク質にはそれ以外にも，以下のようなさまざまな重要な役割がある。

1 膠質浸透圧 血漿タンパク質は毛細血管壁を透過しないため，膠質浸透圧を発生し，毛細血管領域における水の濾過量の決定要因として重要である（●202ページ）。膠質浸透圧の発生には，量的に最も多く，かつ分子量が小さいアルブミンが最も重要である。

2 物質の運搬 タンパク質は分子量が大きいため，分子のサイズも大き

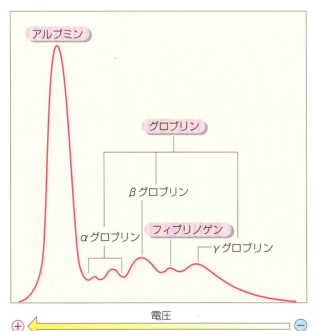

● 図3-41 血漿タンパク質の分類
マイナス（負）の電荷をもつ血漿タンパク質を電気泳動にかけると，アルブミン，グロブリン，フィブリノゲンの分画があらわれる。

○図3-42　血漿中の物質の大きさの比較

い(○図3-42)。この大きさのため，健常人ではタンパク質は腎臓において濾過されて尿中に排泄されてしまうことがない。血中のさまざまな物質が，アルブミンやグロブリンなどの血漿タンパク質に結合されることによって，腎臓における濾過を受けることなく，目的とする場所へ運ばれている。血漿タンパク質に結合して運ばれる物質としては，各種のホルモンやビタミン，ヘモグロビン・鉄・遊離ビリルビンなどの溶血産物，脂肪酸やアミノ酸などがあげられる。

③ **血液凝固への関与**　後述するように，フィブリノゲンは，血液凝固の最終段階で，トロンビンの作用により細長い線維状のフィブリンとなって血液を凝固させる。フィブリノゲンは，血液凝固のために不可欠な物質である。

④ **抗体としての役割**　グロブリンのうち，γ（ガンマ）グロブリンとよばれる分画は，**免疫グロブリン** immunoglobulin (**Ig**)❶ともよばれ，リンパ球によって産生される**抗体** antibody である。免疫グロブリンには，IgG，IgA，IgM，IgD，IgE の 5 種類がある(○443ページ)。

2 赤血球沈降速度

赤血球沈降速度は，略して赤沈あるいは血沈とよばれることも多い。赤血球沈降速度は次のように測定される。

内径 2.55 mm のガラス管に抗凝固剤であるクエン酸ナトリウムを加えた血液を 25 cm の高さまで入れ，垂直に立てて放置する。赤血球はしだいに沈降し，上部に透明な血漿の層ができてくる。1 時間後の透明層の高さが女性なら 3〜15 mm，男性なら 2〜10 mm が正常である。

これは血液を静止状態におくと，赤血球表面に血漿タンパク質が吸着して赤血球どうしが結合されて集合し，沈降するためである。分子量の大きな長いタンパク質ほど架橋❷をおこしやすいため，γグロブリンが多いときほど集合が形成されやすく，赤血球沈降速度は亢進して透明層の高さが大きくなる。すなわち，赤血球沈降速度が亢進していることは体内に炎症があり，抗体産生が増加していることを意味している。ただし，貧血などがある場合も，

□NOTE
❶イムノグロブリン
　免疫 immunity とグロブリン globulin の合成語である。

□NOTE
❷架橋
　鎖状の大きな分子間で化学結合が形成されること。

赤血球沈降速度が促進されるので注意を要する。

赤血球沈降速度と同様の意味合いをもつものとして，**C反応性タンパク質** C reactive protein(CRP)とよばれる血漿タンパク質がある。CRPは，正常ではほとんど検出できないほど(0.3 mg/100 mL以下)微量であるが，急性の炎症や組織の崩壊によって増加する。

6 血液の凝固と線維素溶解

血液は，互いに矛盾する3つの性質を兼ね備えていなくてはならない。その性質とは，まず①血管の中では凝固せずにスムーズに流れなくてはならない。ところが，②もし血管が破れたならば，すみやかに凝固して傷口をふさがなくてはならない。そして，③傷口の修復が終わったならば，凝固した血液はすみやかにとけて流れなくてはならない。血液はこの難題をみごとに解決している。

1 血液凝固の阻止

正常な状態，すなわち血管に損傷がない場合は，血液は凝固しない。これは血管の内層表面をおおう血管内皮細胞の表面が平滑であり，血小板や凝固因子が吸着しにくくなっているためである。

また，血漿中に存在するアンチトロンビンは，血管壁のヘパリン様物質と結合して強力な抗凝固作用を発揮している。さらに血管内皮細胞はトロンボモジュリンというタンパク質を分泌して血液の凝固を抑制するとともに，プロスタグランジン I_2 ❶(プロスタサイクリン)を放出して血小板の凝集を阻止している。このように，正常な状態で血液が凝固することを抑制している主役は，血管壁内面をおおう血管内皮細胞である。血管が損傷されると，この血管内皮細胞による抑制がなくなり，局所における血液の凝固が始まる。

2 血液凝固

血液の凝固は，カルシウムイオン(Ca^{2+})の存在下で血漿タンパク質の一種である**血液凝固因子**が，つぎつぎに次の凝固因子を活性化する(このような反応を**カスケード反応** cascade reaction❷とよぶ)ことによっておこる(◯図3-43)。

最終段階で活性化された第X因子の作用により，**プロトロンビン**が**トロンビン**となり，このトロンビンが**フィブリノゲン**に作用して互いを重合させ，線維状の**フィブリン**にかえる。さらに，第XIII因子の作用によって線維間に架橋を生じ網目状となる。この網目に血球成分が引っかかり，**血餅**ができ，血液凝固が完了する(◯図3-44)。

ここで重要なことは，血液凝固のほとんど全過程で Ca^{2+} が必要なことである。クエン酸ナトリウムなどを加えて Ca^{2+} を除去すると(Ca^{2+} はクエン酸に結合してクエン酸カルシウムとなる)，血液の凝固はおこらなくなる。採取した血液の凝固阻止のためには，このクエン酸ナトリウムのほかに，シュ

NOTE
❶プロスタグランジン I_2
　トロンボキサン A_2 と同様に，細胞膜を構成する脂質の一種であるアラキドン酸の代謝産物である。

NOTE
❷カスケード
　カスケードとは，階段状に連続した滝を意味する言葉である。

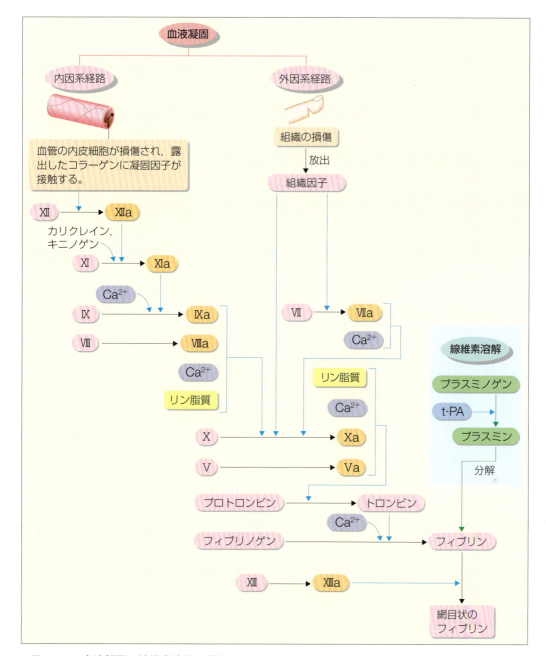

○図 3-43 血液凝固と線維素溶解の過程
血液凝固の反応には，内因系経路と外因系経路がある。どちらの経路も，ローマ数字で示した凝固因子が活性化し（活性化した凝固因子はaをつけてあらわされている），プロトロンビンをトロンビンに変換し，さらにXIIIaが作用することで網目状のフィブリンになる。これらの反応の多くでCa^{2+}が必要となる。フィブリンは，プラスミンによって分解（線維素溶解）される。

ウ酸ナトリウムなどが用いられるが，生体内に投与する抗凝固剤あるいは人工透析の際の体外循環維持のための抗凝固剤としてはヘパリンが多用される。ヘパリンはアンチトロンビンの作用を促進することで血液凝固を阻害する。

血友病では，先天的に凝固因子を欠損している。最も頻度が高いのは第VIII因子（血友病 A）または第IX因子（血友病 B）の欠損である。X 連鎖性潜性（劣

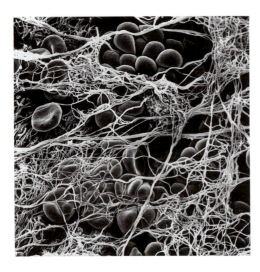

○図 3-44　血餅（走査型電子顕微鏡像）
赤血球がフィブリン網に引っかかっている様子がわかる。

性）遺伝❶をするため，ほとんどは男性に出現する。血漿からつくられた第Ⅷまたは第Ⅸ因子製剤で治療される。

3　出血時間・凝固時間

　正常ではまったく気づかないような軽い打撲でも出血したり（内出血が多い），いったん出血するとなかなか止血しない状態を**出血傾向**という。出血傾向があるときには，次のような検査が行われる。

　1　出血時間　耳朶や指先を傷つけ，自然に出血がとまるまでの時間を測定する。正常では 2～5 分で止血する。血小板数，血小板機能，血管の収縮機能などを総合的に評価する検査である。

　2　凝固時間　採血した血液 1 mL を試験管にとり，30 秒ごとに試験管を斜めにして血液が凝固するまでの時間を測定する。正常では 5～10 分で凝固する。○図 3-43 に示した凝固因子のどれか 1 つにでも異常があると延長する。

　より詳細にどの凝固因子に異常があるかを調べるためには，活性化部分トロンボプラスチン時間（APTT），プロトロンビン時間（PT）などの検査が行われる。

4　線維素溶解

　凝固した血液がいつまでも血管内に存在すると血流を阻害するため，生体にとっては不利である。したがって，凝固した血液は，血管が修復されたならばすみやかに除かれることが必要である。この役割を担っているのが**プラスミン** plasmin であり，プラスミンによってフィブリンが分解されることを**線維素溶解**（線溶，フィブリン溶解）という（○ 143 ページ，図 3-43）。

　血液中にはプラスミノゲンというタンパク質が存在し，これが**組織プラスミノゲン活性化因子** tissue plasminogen activator（t-PA）の作用によってプラスミンとなり，フィブリンを分解する。t-PA と同様の作用をもつ物質として

NOTE
❶以前は，性染色体に依存する遺伝形式を伴性遺伝とよんでいたが，X 染色体上の遺伝子の変異が原因と明らかである場合には，X 連鎖性遺伝とよぶようになった。
　また，優性遺伝，劣性遺伝という用語は見直され，それぞれ顕性遺伝，潜性遺伝という用語が使用されるようになっている。

ウロキナーゼもある。心臓の冠状動脈に血栓が詰まっておこる心筋梗塞の治療として血栓溶解療法が行われるが、その際に t-PA などが用いられる。

7 血液型

いわゆる血液型とは、通常は赤血球型のことをさしており、人によって赤血球膜の表面の抗原が異なることに由来する。血液型としては ABO 式と Rh 式が有名であるが、それ以外にも MN 式や P 式などの血液型があり、赤血球表面の抗原は 250 種類以上が知られている。輸血の際に問題となるのは、通常は ABO 式と Rh 式のみである。

1 ABO 式血液型

A 型、B 型、AB 型、O 型に分けられる。

A 型の人の赤血球表面には A 抗原があり、B 型の赤血球表面には B 抗原がある(◯図 3-45)。AB 型の赤血球表面には A 抗原と B 抗原の両方があり、O 型の赤血球表面にはどちらもない。

一方、A 型の人の血漿中には B 型の赤血球を凝集させる抗 B 抗体があり、B 型の人の血漿中には抗 A 抗体がある。AB 型の人は抗 A 抗体も抗 B 抗体ももたず、O 型の人には抗 A 抗体・抗 B 抗体がともにある。これらの抗体は生まれつきもっているわけではなく、生後 1 年くらいの間に形成されていく❶。

● **凝集反応** いま、たとえば A 型の人に B 型の血液を輸血すると、A 型の

> **NOTE**
> ❶ ABO 式血液型の抗原と抗体
> ABO 式血液型の A 抗原と B 抗原は自然界に極めてありふれて存在する抗原である。そのため、A 抗原も B 抗原も食物などから体内に入ることが多い。血液型が A 型のヒトは自分自身が A 抗原をもっているため、抗 A 抗体はつくらないが(免疫寛容、◯442 ページ)、食物などから体内に入った B 抗原に対しては抗体(抗 B 抗体)を産生する。同様にして血液型が B 型のヒトは抗 A 抗体を、O 型のヒトは両方の抗体をつくり、AB 型のヒトは A 抗原も B 抗原も自分がもっているためどちらもつくらない。

血液型	遺伝子型	凝集原	血清中の抗体	赤血球の凝集	
				A 型血清	B 型血清
A	AA, AO	A 抗原	抗 B 抗体		B 型血清で凝集
B	BB, BO	B 抗原	抗 A 抗体	A 型血清で凝集	
AB	AB	A 抗原と B 抗原	なし	A, B どちらの血清でも凝集	
O	OO	A 抗原も B 抗原もなし	抗 A 抗体と抗 B 抗体	A, B どちらの血清でも凝集しない	

◯ 図 3-45 **ABO 式血液型と血清との反応**
赤血球の凝集は、それぞれの血液型の赤血球に抗 B 抗体を含む血清(A 型血清)または抗 A 抗体を含む血清(B 型血清)を反応させた結果を示している。

人がもつ抗B抗体によって輸血されたB型の赤血球が凝集する。凝集した血球塊が微小血管を閉塞したり，溶血により赤血球から流出したヘモグロビンが腎臓で濾過され，尿細管に詰まって急性腎不全を引きおこしたりする危険性が高くなる。さらに，アナフィラキシーとよばれる激しいアレルギー反応をおこすこともある。したがって，後述する交差適合試験を行い，A型の人にはA型の血液を，O型の人にはO型の血液を輸血しなくてはならない。B型やAB型についても同様である。

ABO式の抗体はIgMとIgGであるが，胎盤を通過しないIgMが大部分である。したがって，たとえばA型の女性がB型の子どもを妊娠しても胎児の赤血球が凝集してしまうことはない。しかし，新生児の赤血球が母体由来の抗体によって溶血して出現する新生児黄疸は，やや強く出ることになる。

血液型をA型にする遺伝子であるA遺伝子と，B型にするB遺伝子は対等であり，かつOに対して顕性（優性）である。したがって，A型とB型の遺伝子型はそれぞれAA，AOとBB，BOの各2種類あるのに対し，AB型とO型の遺伝子型はABとOOの各1種類である。ABO式血液型の各型の頻度は，民族によって差がみられる❶。

2 Rh式血液型

A抗原やB抗原以外にも，赤血球表面にはRh因子とよばれる抗原があり，それをもつ人はRh(＋)，もたない人はRh(－)とよばれる。日本人ではRh(－)は1％以下であるが，白人ではRh(－)が15％程度存在する。

ABO式血液型とは異なり，Rh(－)の人はRh因子に対する抗体をもともとはもっていない。したがって，Rh(－)の人にRh(＋)の血液を輸血しても，抗体が産生されるには約1週間を要するため，初回はなんの問題もおこらない。しかし2回目にRh(＋)の血液を輸血すると，すでにつくられている抗体と反応し，赤血球の凝集を生じてしまう。

● **血液型不適合妊娠**　さらに重要なのはRh(－)の女性が妊娠した場合である。Rh(＋)はRh(－)に対して顕性（優性）であるため，通常胎児はRh(＋)である（わが国では，父親もRh(－)であることはきわめてまれである）。胎児血と母体血はまじり合うことはないが，妊娠末期や分娩時に胎盤が子宮壁からはがれる際に，微量の胎児血が母体に入ることがある。つまり，胎児のRh(＋)の血液がRh(－)の母体に入ることになり，これによって母体にRh(＋)に対する抗体が形成されることになる（◯図3-46）。

第1子は抗体が産生される前に娩出されてしまうため，まったくなんの問題もおこらないが，第2子以降が問題となる。Rh(＋)に対する抗体はIgG抗体であるため胎盤を通過でき，これが胎児に移行して胎児の赤血球を破壊する。これにより胎児は溶血性貧血を生じ，重度の障害をおこしたり子宮内死亡（胎児赤芽球症）をおこしたりする。

このような不適合妊娠を防ぐためには，第1子出産直後に母体に抗Rh抗体を注射する。注射された抗Rh抗体は，母体に混入した胎児赤血球が母体免疫系に異物として認識されるより前にそれを破壊してしまうので，母体に

> **NOTE**
> ❶血液型による違い
> たとえば日本人ではA型が最も多い。中国人ではB型の割合が他民族に比べて高く，一方でネイティブアメリカン（アメリカ-インディアン）ではB型はきわめて少ない。また血液型によってさまざまな疾患に対する抵抗力が異なるという報告もある。しかし，血液型による人の性格の分類に，科学的根拠はまったくない。

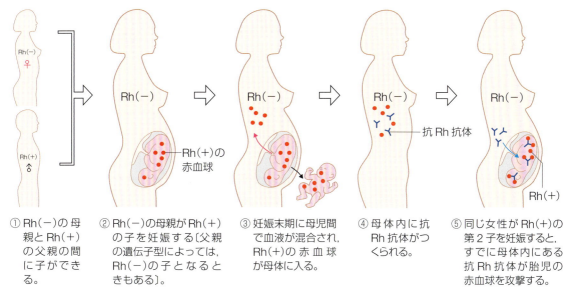

① Rh(−)の母親とRh(+)の父親の間に子ができる。
② Rh(−)の母親がRh(+)の子を妊娠する〔父親の遺伝子型によっては，Rh(−)の子となるときもある〕。
③ 妊娠末期に母児間で血液が混合され，Rh(+)の赤血球が母体に入る。
④ 母体内に抗Rh抗体がつくられる。
⑤ 同じ女性がRh(+)の第2子を妊娠すると，すでに母体内にある抗Rh抗体が胎児の赤血球を攻撃する。

○図 3-46　Rh式血液型の不適合妊娠

抗Rh抗体が産生されることなく，安全に第2子を妊娠することができる。

3 交差適合試験

　輸血に際してはABO式血液型やRh式血液型を判定し，輸血される人（受血者）に適合した血液を輸血する必要がある。血液型を確認するとともに，ほかの血液型（MN式など）の不一致による万一の不適合反応を避けるために，**交差適合試験**が行われる。

　交差適合試験では受血者と供血者の血液をそれぞれ血球成分と血漿とに遠心分離し，受血者の血球成分に供血者の血漿を，供血者の血球成分に受血者の血漿を混和する。どちらも凝集しない場合に限り輸血を可とする。

4 主要組織適合抗原

　ABO式血液型のA抗原やB抗原は，赤血球のみならず白血球や血小板の表面にも存在する。白血球にはさらに異なる抗原が存在することが判明しており，HLA抗原❶と名づけられた。HLA抗原はA座，B座，C座，D座，DR座の5つの抗原系に分類され，各座には数種〜数十種の抗原がある。

　その後，HLA抗原は白血球のみならず，全身のほとんどすべての細胞表面に存在し，各個人ごとに異なっていることが明らかとなった。このため**主要組織適合抗原** major histocompatibility antigen（**MHC抗原**）ともよばれる。

　MHC抗原が問題となるのは，主として臓器移植の場合である。MHC抗原の一致率が高いほど移植された臓器の生着率は高くなる。ただし，抗原の種類が多いため，MHC抗原を完全に一致させることは一卵性双生児の場合を除いてほとんど不可能である。

NOTE
❶ HLA
　HLAはhuman histocompatibility leukocyte antigen（ヒト組織適合性白血球抗原）の略である。

work 復習と課題

❶ 呼吸は生命の維持にどのような意義をもつか。
❷ 鼻腔にはどのような鼻道が形成されているか。また,どのような副鼻腔と交通しているか。
❸ 咽頭は,鼻腔・口腔・食道・喉頭とどのように連絡しているか,模式的に図示しなさい。
❹ 声門と発声にはどのような関係があるか。
❺ 肺門とは肺のどの部分をいい,なにが通るか。
❻ 胸膜にはどのような種類があるかを述べ,それぞれの各臓器との関係を説明しなさい。
❼ 縦隔とはどのようなもので,どのような器官で構成されているか。
❽ 吸息時および呼息時の肋骨と横隔膜の位置の変動を図示しなさい。
❾ 全肺気量はどのような要素で構成されているか。
❿ 吸気・呼気とでは,ガス組成はどのように変化するか。
⓫ 組織の細胞からの二酸化炭素は,どのように肺に運搬されているか。
⓬ 換気血流比の不均等が発生したとき,どのように是正されるか。
⓭ 呼吸中枢はどのようなしくみになっているか。
⓮ 異常呼吸の呼吸パターンにはどのようなものがあるか。
⓯ 血液の組成はどのように分類されるか。
⓰ 赤血球はどこで産生され,その際に必要となるのはどのような物質か。
⓱ 好中球の機能にはどのようなものがあるか。
⓲ Rh式血液型の不適合妊娠は,どのような機序によっておこるか。

― 解剖生理学 ―

第 4 章

血液の循環とその調節

本章の概要

　コップの水に青いインクを一滴たらしてみよう。最初のうちはインクが落ちたところが濃い青に染まっているが，時間がたつとかきまぜなくてもインクが広がっていき，コップ全体を薄青く染めるようになる。このように物質には濃度の高い所から低い所へと移動する性質があり，これを拡散とよぶ。

　肺胞と毛細血管の間，毛細血管と組織の細胞との間のように距離が短ければ（10 μm 程度），物質は十分に短い時間（約 0.02 秒）で拡散によって移動することができる。ところが拡散に要する時間は距離の 2 乗に比例して増加する。たとえば酸素は拡散で 1 mm を移動するのに 3 分かかるが，1 cm なら $3×10^2=300$ 分，つまり 5 時間もかかってしまう。そこで，長距離を短時間で結ぶことのできる輸送システムが必要となる。

　私たちの身体の中でこの仕事を担っているのが，血流による輸送システムである。ポンプである心臓が血液に流れを与え，血液はその通り道である血管を通って酸素や二酸化炭素，栄養素や老廃物を目的とする所まで短時間で送り届ける。つまり，私たちの体内における物質の輸送は，血流による輸送と拡散という 2 つの方法を用いて行われている。これはちょうど宅配便に似ている。宅配便の集荷所には，徒歩で荷物を運ぶ。しかし遠くの目的地まで徒歩で届けるには時間がかかりすぎるため，荷物はトラックに積み込まれ，あなたの自宅まで届けられる。しかし路上にとめたトラックからあなたの部屋のドアまでは，やはり徒歩で運ばれる。この場合においては，徒歩が拡散，トラック輸送が血流であると考えればよいだろう。循環器系はこのように細胞の生命を支える，いわば体内の物流システムとしてはたらいている。

A 循環器系の構成

● **体循環と肺循環**　血液を送るポンプは**心臓**，心臓から出る血液を運ぶのは**動脈**，心臓に戻る血液を運ぶのは**静脈**で，往路と復路が区別されている（●図4-1）。動脈と静脈の間をつなぎ，身体の各部の細胞との間で物質を交換する場となるのは，**毛細血管**である。

　この心臓→動脈→毛細血管→静脈→心臓という回路が，人体の中には 2 組用意されている。全身に血液を送る**体循環**（大循環）と，肺に血液を送る**肺循環**（小循環）である。そのために心臓も，肺に血液を送り出す右心と，全身に血液を送り出す左心で構成されている。右心は，静脈血を受けてこれを肺動脈を通して肺に向けて拍出する（肺循環）。肺において酸素が結合し二酸化炭素を排出した動脈血は肺静脈を通って左心に流入し，そして大動脈から全身

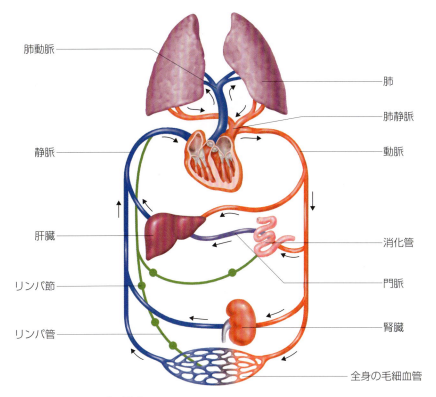

○図 4-1　循環器系の模式図
循環器系は，心臓から出て全身をめぐって戻る体循環と，肺をめぐって戻る肺循環の2経路がある。心臓から出た血液は，動脈を通って各器官に向かい，毛細血管を通り抜けたあと，静脈を通って心臓に戻る。毛細血管で組織にしみ出た液の一部は，リンパ管を通って静脈に戻る。

に向けて拍出される（体循環）。

　動脈とは心臓から拍出された血液が流れる血管で，血圧が高く，拍動する。静脈とは心臓に戻る血液が流れる血管であり，血圧が低く，拍動しない。これに対し，**動脈血**は肺において酸素が多量に結合した血液であり，**静脈血**は酸素を失った血液のことである。したがって体循環では動脈が動脈血を運び，静脈が静脈血を運ぶが，肺循環ではこの関係が逆転し，肺動脈が静脈血を，肺静脈が動脈血を運ぶ。

　体循環においては，各臓器の毛細血管は原則として並列[1]に配置されている。たとえば，心拍出量の28％は胃腸・肝臓を流れて静脈血となるが，そこには消化管で吸収された栄養素が多く含まれている。また23％は腎臓に向かい，そこからの静脈血は老廃物が除去されている。内分泌腺を通った静脈血には各種ホルモンが多く含まれる。脳や心臓，体壁（皮膚・筋・骨格）からの静脈血は，栄養素と酸素を組織に与えて失い，老廃物と二酸化炭素を組織から受け取って多く含む。これらの並列する臓器から集まった静脈血は，混合して右心に還流する。

●**門脈系**　循環器系の一部には，毛細血管が直列[2]に配置されている場所がいくつかある。たとえば，胃腸と肝臓は直列に配置されており，門脈によっ

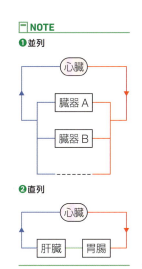

NOTE
[1] 並列
[2] 直列

てつながれている。視床下部の毛細血管と下垂体前葉の毛細血管も直列につながれており，下垂体門脈系（◯ 254 ページ）とよばれる❶。

● **リンパ系** 動脈を通って毛細血管に送り込まれた血液は，ほとんどすべて静脈に戻ってくるが，液のごく一部は毛細血管からもれ出して組織の間質にとどまる。リンパ系は，この間質中の液を回収するしくみである。リンパ管は，組織の間に開いた毛細リンパ管として始まり，しだいに集まって太くなり，いくつものリンパ節を通り抜けて，最終的に頸部の太い静脈（左と右静脈角，◯ 207 ページ，図 4-46）に注ぐ。

> **NOTE**
> ❶門脈の壁は，静脈の構造をもつ。これに対し，腎臓内の糸球体毛細血管と尿細管周囲毛細血管も直列であるが，間をつなぐ血管は動脈の構造をもつので，門脈とはよばれない。

B 心臓の構造

1 心臓の位置と外形

心臓は，胸壁の胸骨と肋軟骨の後ろに位置し，握り拳（こぶし）ほどの大きさがある（◯図 4-2）。胸腔の中で，左右の肺にはさまれた縦隔（◯ 107 ページ）に位置し，心膜に包まれている。

心臓の形は丸みを帯びた円錐形であるが，後方に倒れて，左方に傾いているために，円錐形の頂点にあたる**心尖**（しんせん）は左前下にあり，円錐の底にあたる心底（心基部❷）は右後上にある。心底からは太い血管が心臓に出入りする。体表からみると，心臓全体の約 2/3 が正中線の左側にあり，心尖は第 5 肋間隙で，左乳頭線のやや内側に位置する。心臓の重量は，成人で 200〜300 g である。

> **NOTE**
> ❷臨床では心基部とよばれる。

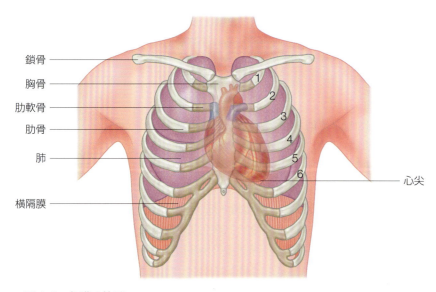

◯図 4-2 心臓の位置
心臓は胸骨と肋軟骨の後ろ側，左右の肺にはさまれた縦隔に位置する。

2 心臓の4つの部屋と4つの弁

1 ポンプとしての心臓

　心臓は、ポンプ機能のうえでは右心と左心の2つのポンプに分かれ、それぞれが**心房**と**心室**からできている（◯図4-3）。心房と心室の間（**房室弁**）および心室からの出口（**動脈弁**）には血液の逆流を防ぐ弁が備わっており、心臓は4つの部屋と4つの弁を備えてポンプ機能を果たしている。右心と左心のポンプの構成は、次のとおりである。

　　上・下大静脈→右心房→［右房室弁］→右心室→［肺動脈弁］→肺動脈
　　　　　　肺静脈→左心房→［左房室弁］→左心室→［大動脈弁］→大動脈

　右房室弁は**三尖弁**ともよばれ、左房室弁は**僧帽弁❶**ともよばれる。
● **心臓の弁装置**　房室弁と動脈弁では、弁のしくみが異なる。房室弁は帆状弁という形で、弁の自由縁が乳頭筋と複数の腱索で結ばれ、パラシュート式に心房側への反転を防いでいる。動脈弁はポケット状の半月弁が3枚組み合わさった形で、ポケットのふちが接することによって逆流を防いでいる。

2 構造面からみた心臓

　構造面からみると、心臓はまず心房と心室に分けることができる。心房は

NOTE

❶僧帽弁
　左の房室弁は、キリスト教カトリックの僧侶（神父）が儀式の際にかぶる特徴的な帽子を逆さまにした形に似ているため、僧帽弁とよばれる。

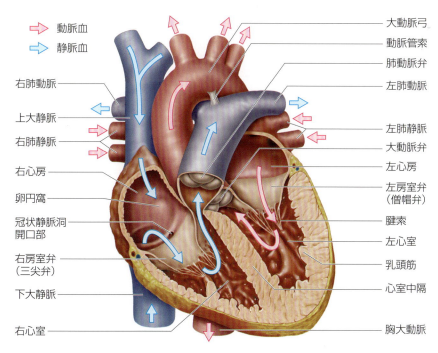

◯ 図4-3　心臓の構造
心臓を通る血液は、上・下大静脈から右心房、そこから右房室弁を通って右心室に、さらに肺動脈弁を通って肺動脈に流れる。また肺静脈から左心房、そこから左房室弁を通って左心室に、さらに大動脈弁を通って大動脈に流れる。

心房中隔によって左右に仕切られ，心室は**心室中隔**によって左右に仕切られている。心房と心室の間には筋線維のつながりがほとんどなく，結合組織によりほぼ完全に隔てられているので，ピンセットを使って心房と心室をきれいに分離することができる。心房および肺動脈・大動脈を切り取った心室の上面を見ると，心室に出入りする4つの弁口の位置がわかりやすい（◯図4-4）。

● **心房**　右心房は心臓の右側部を占め，上・下大静脈が流入する。左心房は後上部を占め，左右2本ずつの肺静脈を受ける。内面はおおむね平滑である❶。心房中隔の右側面には，浅いくぼみ（卵円窩）があるが，これは胎生期の血液の通路（卵円孔）の痕跡である（◯ 489ページ，図10-22）。

● **心室**　心室は心房よりもはるかに壁が厚く，また左心室の壁は右心室の

> **NOTE**
> ❶前方に突き出した心耳は肉柱のために凸凹している。

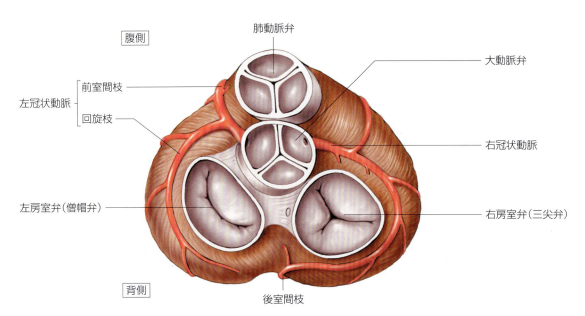

◯図4-4　**心房と大血管の基部を取り除いた心室の上面**
心臓から心房・肺動脈・大動脈を取り去って，心室を上方から見たところを示す。心室に出入りする弁と冠状動脈の様子がわかる。

臨床との関連　胸部の聴診ではなにをみているのか——心音

　健康な人の心臓の領域に聴診器をあてると，低く長い音と高く短い音が続いて聞こえる（いわゆる，「ドッ・クン，ドッ・クン」）。最初の低く長い音はⅠ音といい，高く短い音はⅡ音という。聴診器を心尖部に当ててみよう。「**ドッ**・クン」とⅠ音が大きく聞こえる。続いて，心基部に聴診器をあててみると「ドッ・**クン**」とⅡ音が大きく聞こえる。これは，Ⅰ音が心尖部の近くにある房室弁の閉まる音，Ⅱ音は心基部の近くにある動脈弁の閉まる音だからである。房室弁が閉まるのは，心室が収縮し，心室内圧が心房内圧より高くなる時点なので，Ⅰ音は収縮期のはじまりに聞こえる。一方，動脈弁が閉まるのは心室が弛緩して心室内圧が動脈圧より低くなる時点なので，Ⅱ音は収縮期の終わりに聞こえる（◯ 175ページ）。

　心臓の弁に異常があると，血流の乱れによって生じる心雑音が聞こえる。収縮期に聞こえるか拡張期に聞こえるか，どの部位に聞こえるかによって，弁の異常の種類や位置を判断できる。

壁の約3倍の厚さがある。これは，左心室が全身に向かって高い圧で血液を送り出すためである。心室の内面には，心筋が柱状に盛り上がった肉柱のほかに，タケノコ状の乳頭筋が突き出し，そこから出た腱索によって房室弁をつなぎとめている。

右心室は心臓の前面に位置し，左心室は左側部に位置する。右心室から出る肺動脈は，左心室から出る大動脈の前方にある。心室中隔は，大部分が肉厚の心筋からなる(筋性部)が，上端に心筋を欠く部分(膜性部)がある。

3 心臓壁

心臓の壁は，心内膜・心筋層・心外膜の3層からなる。

1 **心内膜** 心臓の内腔に面する薄い膜で，血管の内膜につながり，内皮細胞と若干の結合組織からなる。心臓の弁は，心内膜がヒダ状に突き出したものである❶。

2 **心筋層** 心臓壁の主体をなす厚い層で，心筋組織からなる。心房の心筋と心室の心筋は，それぞれ，4つの弁の周囲に発達した結合組織(線維輪)からおこる。心房と心室の心筋層の間は結合組織によって絶縁されており，刺激伝導系(ヒス束)だけが興奮の伝導路として両者をつないでいる(◯159ページ)。刺激伝導系は心臓内で刺激を発生し伝導する組織で，特殊化した心筋細胞からできている(◯348ページ)。

3 **心外膜** 心臓表面をおおう漿膜からなる。心臓に分布する血管や神経は，心外膜の下で脂肪に埋まって走る。この層は，心膜の臓側板にあたる。

● **心膜** 心臓は，心膜という二重層の袋で包まれる。袋の内側の層は**臓側板**とよばれ，心臓の表面をおおい，外側の層は**壁側板**とよばれる❷。心臓に出入りする動静脈の周囲で，両者はつながっている。袋の内面は漿膜におおわれ，内腔に少量の漿液をおさめており，心拍動の際に心臓と周囲との摩擦を減らして動きやすくしている。

壁側板とその外側のじょうぶな結合組織(線維性心膜)を合わせたものが，心囊である。

> **NOTE**
> ❶感染性心内膜炎
> 　ブドウ球菌やレンサ(連鎖)球菌などが血液中に入り，これらの細菌が心臓や大血管の内膜に付着して炎症を引きおこす疾患である。炎症が心臓の弁に波及すると弁機能不全をきたし，適切な診断・治療を行わないと命にかかわる。発熱で発症することが多いので，ほかの発熱性疾患と判別する(これを鑑別という)ことが大切である。
> ❷心臓表面の漿膜は心臓壁の3層構造の心外膜にあたり，また心膜の臓側板にあたる。

臨床との関連　　心房中隔と心室中隔の先天異常

　心房中隔欠損症は，右心房と左心房を隔てている心房中隔が欠損している疾患であり，心室中隔欠損症は，右心室と左心室を隔てている心室中隔が欠損している疾患である。どちらも，先天性の疾患である。また，胎児期の心房中隔にある卵円孔が出生後も開いている場合があり，これは卵円孔開存症とよばれる。

　心房中隔欠損症や卵円孔開存症の程度の軽いものでは，とくに症状もなく，生涯気づかないこともあるが，程度の重いものや心室中隔欠損症では，左心の血液が右心に流れ込み，そのため右心が拡大し，肺高血圧症をおこすため，乳幼児期に手術する必要がある。心室中隔欠損は，心室中隔の膜性部に多く生じる。

4 心臓の血管と神経

1 冠状血管系

　左心室から拍出される血液量(心拍出量)の約5%は，心臓に分布する血管に送られる。心臓に分布する血管を冠状動静脈といい，その血液循環を**冠状循環**という(○図4-5)。**冠状動脈**は，左と右の2本があり，大動脈弁のすぐ上の上行大動脈の壁から，大動脈の最初の枝として分かれ出る。

　左冠状動脈は，ただちに2本に分かれ，心室の前壁に向かう**前室間枝**(前下行枝)と，左心房と左心室の間をめぐる**回旋枝**とになる。**右冠状動脈**は，右心房と右心室の間をめぐり，心室の後部に血液を送る❶。

　動脈間の吻合は比較的少ないため，冠状動脈の枝の一部がふさがると，その分布域の心筋が壊死をおこす(心筋梗塞)。

　心臓壁の静脈の太いものは，冠状静脈洞(長さ約3cm)に集まって右心房に注ぐ。静脈血の30%ほどは，細い静脈から直接におもに右心房の内腔に開く。

> **NOTE**
> ❶「冠状」という名称は，回旋枝と右冠状動脈が心室の上方をぐるりと囲み，そこからの枝が何本も心室壁を下降する様子が 冠 のように見えることからつけられた。

2 冠状循環

　安静時には冠状循環に心拍出量の約5%が流れるが，この血流量は心臓の代謝量(酸素消費量)と比較してきわめて少ない。心臓以外の組織では動脈血中酸素の25%程度を利用しているにすぎないが，心臓では約75%を利用している。心臓が動脈血中酸素をこれ以上利用することはむずかしいため，冠血流量は心臓が血液を拍出する仕事量に比例して増加する。激しい運動時に

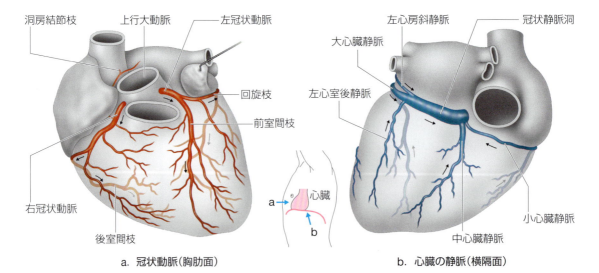

a. 冠状動脈(胸肋面)　　　b. 心臓の静脈(横隔面)

○図4-5　心臓の血管
心臓を養う動脈を冠状動脈とよび，大動脈壁から左右冠状動脈に分かれ，左冠状動脈はさらに回旋枝と前室間枝に分岐する。心臓の静脈のうち太いものは，冠状静脈洞に集まったのち，右心房に注ぐ。

心拍出量が5倍に増加すると，冠状動脈が十分に拡張して，冠状循環の血流量も約5倍に増加する。

● **狭心症と心筋梗塞**　狭心症とは動脈硬化などにより冠状動脈が十分に拡張できなくなった状態であり，心筋の酸素不足から胸痛発作をおこす。また，心筋梗塞とは血栓などにより冠状動脈が閉塞して，その流域の心筋組織に酸素が行きわたらなくなった状態であり，心筋が壊死をおこす。

冠状動脈を拡張させる最大の刺激は酸素分圧の低下であるが，一酸化窒素（NO）やプロスタグランジン I_2（PGI_2），アデノシンなどにもよく反応する。冠状動脈を拡張させる薬物としては細胞内で分解されNOを発生するニトログリセリンがよく用いられる。

3 心臓に分布する神経

心臓には，自律神経である交感神経と迷走神経（副交感性，●242ページ，図6-2）の枝が分布し，心拍数と心拍出量を調節している。交感神経は心拍数と心拍出量を増加させ，迷走神経は減少させる。また，心臓には多数の求心性神経も分布しており，その神経線維はおもに迷走神経を経由する。

C 心臓の拍出機能

血液を拍出するためには，心臓が全体として収縮・拡張を繰り返す必要がある。そしてそのためには，心房・心室を構成する心筋細胞がそれぞれ同期して，順序正しく収縮・弛緩を繰り返す必要がある。このような同期性と心拍動のリズムは，電気的に調節されている。

1 心臓の興奮とその伝播

1 心臓の自動性と歩調とり

心臓には，神経による刺激がなくても，みずから周期的に興奮して収縮・拡張を繰り返す性質がある。これを心臓の**自動性**という（●図4-6）。

自動性の 源 となっているのは，上大静脈が右心房に開口する部位に存在する，**洞房結節**とよばれる一群の細胞である（●図4-7）。これらの細胞には一定した静止電位がなく，たえず脱分極を続けている。これを前電位，あるいは歩調とり電位という。

膜電位が前電位によって脱分極して，それが閾値をこえると活動電位が発生し，そののちに再分極するが，その後また徐々に脱分極して再び活動電位が発生することになる（●図4-6）。このように，繰り返し自動的に活動電位が発生，つまり興奮し，この興奮が伝播して心臓全体の興奮と収縮を生じる。このようにして，洞房結節の細胞は，心臓の収縮・拡張のリズムを引きおこしており，**歩調とり（ペースメーカー）**とよばれる❶。

NOTE

❶心臓移植

このような自動性があるため，自律神経支配のない心臓でも拍動を続けることができる。心臓移植では神経まではつなげないが，移植を受けた患者の心臓が動くのはこのためである。

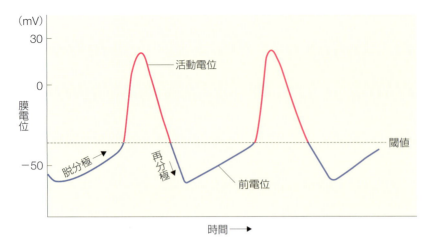

○図4-6 洞房結節細胞の活動電位の発生
洞房結節の細胞の膜電位は徐々に脱分極していき、閾値をこえると活動電位が発生する。これが繰り返され、心臓全体に興奮が伝わることにより、自動的に心臓全体の興奮と収縮を生じる。

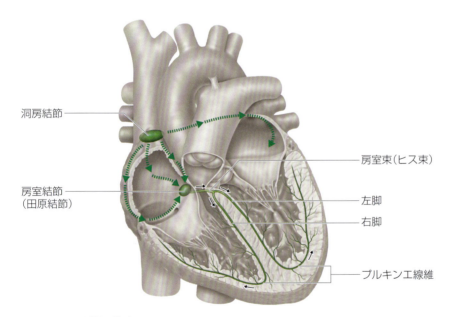

○図4-7 刺激伝導系
洞房結節でおこった興奮は心房壁に広がり、房室結節、ヒス束を経て心室筋に分布するプルキンエ線維へと伝わる。

2 興奮の伝播

　洞房結節に発した興奮は心房全体に広がり、心房筋の興奮と収縮を引きおこす。心房と心室の間は非興奮性の結合組織で区切られているため、心房の興奮は直接には心室に伝わらない。しかし、ただ1か所、右心房下部の中隔付近に**房室結節**とよばれる特殊な心筋細胞群があり、ここから**房室束（ヒス束）**を通って興奮が心房から心室へと伝えられる（○図4-7）。このように心房

の興奮・収縮に遅れて心室が興奮・収縮するため，効率のよいポンプ機能が発揮される。

● **刺激伝導系**　ヒス束は結合組織を貫通して心室へ入ると右脚と左脚に分かれ，さらに**プルキンエ線維**となって枝分かれし，心室内腔側から心室全体に分布する。洞房結節・房室結節・ヒス束・プルキンエ線維は，組織学的には特殊心筋線維，機能的には**刺激伝導系**（興奮伝導系）とよばれる。

● **固有心筋**　刺激伝導系以外の心筋は**固有心筋**とよばれ，心臓の大部分を占めており，収縮して血液を拍出するという心臓本来の仕事を果たしている。固有心筋細胞は相互に電気的に連絡しており（●348ページ，図7-62），1つの心筋細胞がプルキンエ線維からの刺激を受けて興奮すると，つぎつぎに興奮が伝えられて心室全体が興奮するにいたる。

　心筋細胞の活動電位は200m秒と長く，活動電位の途中でプラトー（台地という意味）とよばれる長く脱分極が続く時期がある（●図4-8）。脱分極している間は刺激に反応しない不応期であるため，ペースメーカーの興奮頻度が増える，つまり心拍数が増えても収縮しつづけることなく，収縮と弛緩を繰り返すことができる（●348ページ）。

3　リズムの変化と潜在的歩調とり

　洞房結節の興奮頻度は，自律神経や各種ホルモン・薬物の作用によって変化する。この変化は，これらの作用により前電位の勾配，または活動電位後の再分極の程度がかわるためである。

　交感神経が興奮すると，前電位の勾配が急 峻になり，これによって洞房

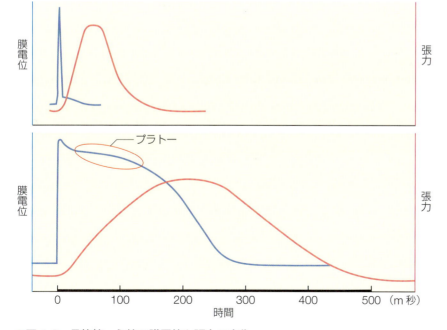

a. **骨格筋**
骨格筋の活動電位はスパイク状で，持続時間は2m秒程度である。

b. **心筋**
心筋の活動電位は200m秒と長く，活動電位の途中でプラトーとよばれる長く脱分極が続く時期がある。

●図4-8　骨格筋，心筋の膜電位と張力の変化

結節の興奮頻度,ひいては心臓の収縮頻度(心拍数)が増加する(◯図4-9-a)。心臓を支配する副交感神経である迷走神経からの刺激では,逆に前電位の勾配がゆるやかになり,興奮頻度が減少する(◯図4-9-b)。迷走神経の強い刺激では,再分極が大きくなる,つまり過分極することによって,興奮頻度はさらに減少する。

自動性は洞房結節の細胞のみにあるのではなく,刺激伝導系の心筋,すなわち房室結節やプルキンエ線維の細胞にも自動的・周期的に興奮する性質がある。しかし,これらの細胞が興奮する周期は,洞房結節の細胞の興奮周期と比べて遅いため,最も興奮頻度の高い洞房結節に支配され,歩調とりとしてははたらかない(◯図4-10)。

しかし,なんらかの原因で,洞房結節の興奮が心房に伝わらなくなる洞房ブロックとよばれる状態になると,房室結節の細胞がかわって歩調とりとなる。さらに,房室結節の興奮が心室に伝わらなくなる房室ブロックとなると,プルキンエ線維が歩調とりとなる。ただしこの場合,興奮頻度は洞房結節,房室結節,プルキンエ線維の順で遅いため,心臓の興奮・収縮するリズムもこの順で遅くなる。

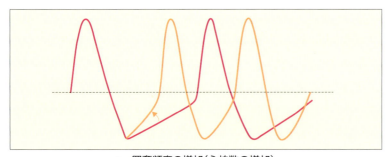

a. 興奮頻度の増加(心拍数の増加)

交感神経の興奮により前電位の勾配が急になり,洞房結節の興奮頻度が増加し,心拍数が増加する。

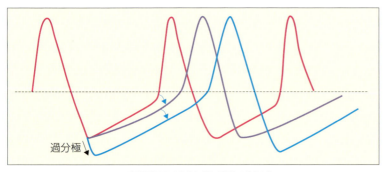

b. 興奮頻度の減少(心拍数の減少)

迷走神経の興奮により前電位の勾配がゆるやかになり,興奮頻度が減少し,心拍数も減少する。さらに強い刺激を受けると過分極し,興奮頻度はさらに減少する。

◯ **図4-9 洞房結節の興奮頻度の変化**

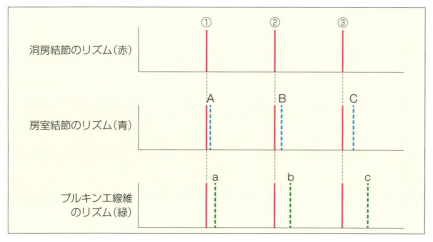

○ 図 4-10　部位による興奮リズムの違い
洞房結節では，①〜③で示したリズムで興奮がおこる。房室結節では A〜C，プルキンエ線維では a〜c のリズムで興奮がおこるが，どちらも洞房結節よりも遅く，不応期にあたるため無効となる。

2　心電図

　歩調とりに始まった電気的興奮が，心房から心室全体へと広がっていく様子を体表面に電極をあてて記録したものが**心電図** electrocardiogram（ECG）である。心臓が形態学的に複雑な構造をしていること，および心臓の部位によって興奮する時期が異なること，そして電極が心臓から遠く離れた部位にあることなどの理由により，心電図から得られる波形の解釈は簡単ではない。

　心電図は，不整脈の診断や心筋梗塞の部位診断などに威力を発揮するほか，手術中や重症患者における循環動態のモニターの目的で広く用いられている。なお，心電計の紙送り速度は 2.5 cm/秒に決まっており，使用時には 1 mV

臨床との関連　房室ブロック

　刺激伝導系のうち，房室結節から右脚・左脚の分岐までに伝導が遅くなる，あるいは途絶した状態となることを房室ブロックという。徐脈性不整脈の代表的なものである。ときどき抜ける程度であれば治療の必要はないが，重症化して心房からの興奮がまったく心室に伝わらなくなると，心室は独自のリズム（毎分 30〜40 回）で興奮するようになる。ただし，長らく眠っていた心室のリズムが回復するのに時間がかかり，その間は血液の拍出がとまって脳が酸素不足に陥り，失神発作（アダムス-ストークス Adams-Stokes 症候群）を引きおこすことがある。そのため，人工ペースメーカーの埋め込みなどが必要になる。

　図に示した心電図では，正常な波形が続いたあと，1 つ抜け，そして再び正常な波形が出現する。しかし抜けているところでも心房の興奮をあらわす波（P 波，○ 163 ページ）はみとめられるため，心房が興奮していても，その興奮が心室に伝わっていない状態であることがわかる。

1 心電図の導出（誘導）

　診断目的で心電図を記録する場合は，通常手足の電極から記録される双極肢導出（第Ⅰ導出：右手と左手の電位差，第Ⅱ導出：右手と左足の電位差，第Ⅲ導出：左手と左足の電位差），単極肢導出（aV_R：右手の電位，aV_L：左手の電位，aV_F：左足の電位）の6導出❶，そして胸につけた電極から記録される胸部導出（V_1〜V_6）の計12導出が用いられる（◯図4-11）。このような多くの導出を用いるのは，心臓をさまざまな方向からながめることにより，疾患を発見しやすくするためである。

　双極および単極の肢導出は，前頭面のいろいろな方向から心臓を観察する（◯図4-12）。それに対して，胸部導出は，水平面のいろいろな方向から心臓を観察する（◯図4-11-c）。心臓手術中や重症患者のモニターの際には，胸部に3つの電極をはりつける（左右の上胸部と心窩部）。

> NOTE
>
> ❶単極肢導出
> 　aV_Rのaはaugmented（増幅された）の，Vはvoltage（電位），Rは右手のright（右）の頭文字である。同様にaV_LのLは左手のleft（左），aV_FのFはfoot（足）を意味する。

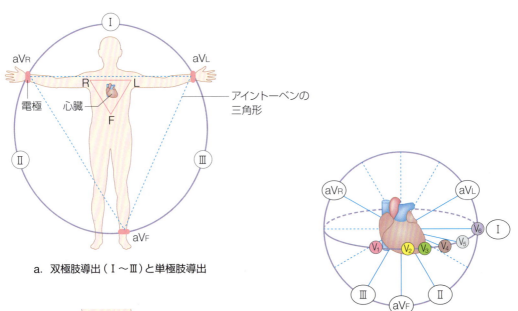

a. 双極肢導出（Ⅰ〜Ⅲ）と単極肢導出

b. 胸部導出

c. 各導出が心臓をどの方向からながめているか

◯図4-11　双極肢導出・単極肢導出・胸部導出の導出位置

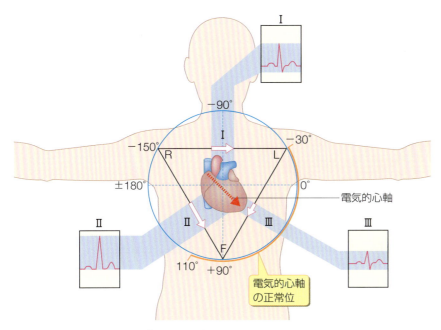

○図4-12 双極肢導出と導出される心電図
双極肢導出は，第Ⅰ導出（Ⅰ）：右手と左手の電位差，第Ⅱ導出（Ⅱ）：右手と左足の電位差，第Ⅲ導出（Ⅲ）：左手と左足の電位差として記録される。これにより，前頭面のいろいろな方向から心臓を調べることができる。

　単極導出は，体表面上の電位が時々刻々と変化しても，つねに一定の電位を示す点をつくる。その点を不関電極として，この不関電極と関電極（四肢や胸部につけた電極）との間の電位差を記録する。

2 心電図で記録される波形とその意味

　心電図で記録される代表的な波形を，○図4-13に示す。通常は，P波，QRS群（QRS波），T波が記録される。T波のあとになだらかな小さな波が記録されることがあり，これはU波とよばれるが，成因はよくわかっていない。各波および各棘波の間隔の意味を○表4-1にまとめているが，ここで簡単に説明する。

● P波　最初にあらわれる比較的小さくなだらかな波である。心房の興奮をあらわす波であり，心房に負担がかかると増高したり二相性になったりする。PQまたはPR部分を基線（電位の基準となる線）とする。この部分は，興奮が房室結節をゆっくりと伝導し，心室に興奮を伝える時期である。この時間的な遅れがあるおかげで，心房の収縮と心室の収縮が交互におこることになる。PR間隔は，房室間に興奮伝導障害があると（房室ブロック）延長し，異常な興奮伝導路があると（WPW症候群）短縮する。

● QRS群　上下に鋭く振れる波であり，棘波とよばれる。Q波は下向きの波，R波は上向きの波，S波はR波のあとに出現する下向きの波であるが，どの導出でも3つそろって出現するわけではない。

　QRS群は心室の興奮開始を意味し，プルキンエ線維を伝わって，興奮が

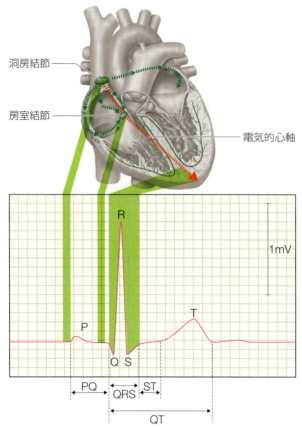

●図 4-13　心電図と刺激伝導系の関係

●表 4-1　心電図の成分

名称	電圧(mV)	持続時間(秒)	心臓の動きとの対応
P 波	0.2 以下	0.06〜0.10	心房の興奮に対応
QRS 群	0.5〜1.5(〜5)まちまち	0.08〜0.10	心室全体に興奮が広がる時間
T 波	0.2 以上まちまち	0.10〜0.25	心室の興奮からの回復に対応
PR(PQ)間隔	――	0.12〜0.20	房室間興奮伝導時間
ST 部分	基線上にあるのが原則	0.1〜0.15	心室全体が興奮している時期
QT	――	0.3〜0.45（心拍数が上昇すると減少）	心室興奮時間

心室全体に広がる時期である。したがって，右脚・左脚を含むプルキンエ線維に伝導障害があると，QRS 群の幅（持続時間）が広くなる。また，R-R 間隔から心拍数を計算して求めることができる。

　ST 部分は心室全体が興奮している時期であり，基線上にあるのが原則である。この部分が上昇していたり下降したりしている場合は，狭心症や心筋梗塞が疑われる。

●**T 波**　心室筋の再分極によって生じる波であり，心室の興奮終了を意味

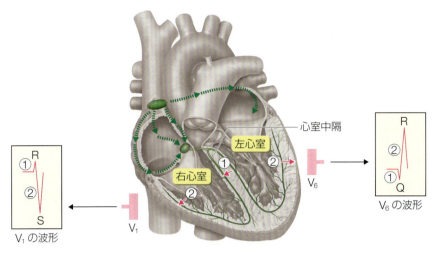

○図 4-14　心室の興奮と V_1，V_6 誘導による波形

する。なだらかな山を形成するが，高カリウム血症（○ 233 ページ）ではとがった山となる。

● **導出による波形の違い**　心電図の波形は，見る方向，つまり導出が異なれば違ったものになるが，同じ 1 つの心臓の活動を記録しているため，各間隔（PR 間隔や QRS の持続時間など）は導出によらず一定である。測定する際は通常，波形分離のよい第 II 導出を用いる。

実際の心室の興奮は，まず心室中隔の左心室側で始まって右心室側へ向かう（○図 4-14）。ついで興奮は，右心室・左心室の内膜側から外膜側へと向かう。しかし右心室の壁は薄いため，右心室の興奮は，左心室の影響により記録上はほとんど完全に打ち消されてしまう。単極導出では，興奮が近づいてくるとペンは上向きに振れ，興奮が遠ざかると下向きに振れる。そのため，V_1 などの右側の導出では RS 波が記録され，V_6 などの左側の導出では QR 波が記録される。

3　アイントーベンの三角形と電気的心軸

右手・左手・左足の電極を，逆さまの正三角形の頂点に近似することができる。これをアイントーベン Einthoven[1] の三角形という（○ 162 ページ，図 4-11-a）。

心室が興奮を開始して興奮が心室全体に広がるとき，その方向は正三角形の 3 辺に投影されると考えることができる。双極肢導出の I，II，III 導出は，この投影されたものを記録していることになる。

● **電気的心軸**　各導出の QRS 群の大きさ（R 波の高さから Q または S 波の深さを差し引いたもの）を測定して三角形の 3 辺にとり，これらから合成される興奮の方向（ベクトル）を電気的心軸とよぶ（○ 163 ページ，図 4-12）。ふつうは II ＞ I ＞ III であり，I ＋ III ＝ II が成立する。II ＞ III ＞ I では軸は垂直に近くなり，このようなものを立位心，I ＞ II ＞ III の場合は水平に近くなるため横位心とよぶ。

NOTE

[1] **アイントーベン** Einthoven
アイントーベンは心電計の発明者である。

電気的心軸は-30°～+110°が正常位である。-30°～-90°が左軸偏位であり，肥満体の人や左心室の肥大がある場合にみられる。右軸偏位は+110°～±180°で，やせ型の人や右心室の肥大，喘息などの際にみられる。また，軸が突然変化した場合は，刺激伝導系になんらかの異常が生じたことが示唆される。

4 不整脈

　心臓は，100～200億個の心筋細胞群によって構成されている。これらの細胞からなる心筋群が順序正しく，かつリズミカルに興奮・収縮を繰り返すことにより，十分な量の血液の拍出が可能となる。しかし，なんらかの原因によってこのリズムが乱れると，ポンプ機能にも異常をきたす。心拍動の乱れを**不整脈**といい，不整脈の発見には心電図が最大の武器となる。

　不整脈には，大きく分けて頻脈性不整脈(脈が速くなる)と徐脈性不整脈(脈が遅くなる)がある。不整脈には，期外収縮のように通常は治療の対象とはならないものもあるが，続いて述べる心室頻拍（ひんぱく）や心室細動のように，致命的となりうるものもあるので注意が必要である。事実，突然死の原因の多くは不整脈によるものと推測されている。

5 心停止とみなされる4つの状態

　心臓が停止した状態には，以下のような4つの状態がある。一般的には，心静止のみが心停止と考えられることが多いが，心室細動・無脈性心室頻拍・無脈性電気活動の3つの状態も心停止状態である。

　1 **心静止** asystole　心臓がまったく収縮しなくなった状態をさす。

　2 **心室細動** ventricular fibrillation(VF)　心室を構成する心筋細胞の同期性が失われ，各細胞がばらばらに興奮・収縮している状態である。そのため，心室全体としての収縮・拡張ができなくなり，心臓からの血液の拍出が0(ゼロ)となる。電気的除細動が必要となる。

臨床との関連　　心室性期外収縮

　それまで規則的に心拍が感じられていたのに，突然，1拍抜けたように感じられることがある。患者さんは「脈がとぶ」と表現することが多く，実際に橈骨動脈（◯180ページ）では脈を触れることができない。これを心室性期外収縮という。心室内のどこかで発生した興奮が心室全体に広がり，心房よりも先に心室が収縮する。つまり，興奮の伝搬順序(収縮の順序)が正常の場合とは異なるため血液はほとんど拍出されないので，橈骨動脈では脈を触れない。

　図に示した心電図をみると，正常な波形が3つで

たあと，大きな波が出ている。これは，心室で発生した興奮が刺激伝導系を通らないため時間がかかり，大きな波になるためである。この不整脈は通常は心配なく，治療の必要はない。

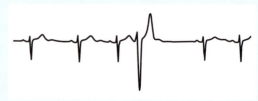

③ **無脈性心室頻拍** pulseless ventricular tachycardia（pulseless VT） 心拍数の極度の上昇により，拡張期に心室内に血液をためることができなくなり，血液の拍出がほぼ0となり，そのために脈を触知できなくなった状態である。心室細動と同様に，電気的除細動が必要となる。

④ **無脈性電気活動（電導収縮解離）** pulseless electrical activity（PEA） 心電図上，心室細動と無脈性心室頻拍を除くなんらかの波形がみとめられるが，脈をまったく触知できない状態をさす。電気的な興奮が機械的な収縮に変換できなくなった状態である。

3 心臓の収縮

　静脈から心房に流入した血液は，心室の拡張による吸引と心房の収縮によって心室内に流入する。ついで心室が収縮して，血液は動脈内へと勢いよく拍出される。

1 心拍出量と血圧

　心室が収縮して血流を生じるが，血流は2つの重要な条件を満足していなくてはならない。それは，①流量つまり血流量と，②圧力つまり血圧である。

◆ 血流量

　各局所の血流量は，そこへ行く動脈の収縮状態によって細かく調節されているが（ 195ページ），全体としての血流量は，心臓（心室）から拍出される血液量によって決まる。

① **1回心拍出量** stroke volume（SV） 左心室または右心室が1回収縮したときに，動脈内に拍出される血液量。安静時で40〜100 mL（約70 mL）。

② **心拍数** heart rate（HR） 1分間に心室が収縮する回数であり，洞房結節の興奮頻度にほかならない。安静時は60〜90回/分。不整脈がない限り，手

臨床との関連　　**心室細動**

　図に示した心電図をみると，正常な心電図が4つ出たあと，波形が大きく上下に揺れている。心室筋の興奮-収縮の同期性が失われた心室細動である。心停止とみなされる状態の1つであり，緊急の心臓マッサージとAEDによる除細動が必要である。

首の橈骨動脈で触れる脈拍数 pulse rate に一致する。

3 心拍出量（毎分心拍出量）cardiac output（CO） 1分間に1つの心室が拍出する血液量。1回心拍出量×心拍数で求められ，5～7 L/分である。

左心室から大動脈へ拍出された血液は，体循環を経て静脈血となって右心房に戻る。したがって，出血やその他の体内環境の突然の変化がない限り，左心拍出量＝静脈還流量である。さらに，右心房に流入した血液はそのまま右心室から肺動脈へ拍出されるため，静脈還流量＝右心拍出量，したがって左心拍出量＝右心拍出量である。

◆ 血圧 blood pressure（BP）

血管内の血液が示す圧力を血圧という。血圧は，動脈の血圧，静脈の血圧など場所によって異なるが，ふつうは単に血圧といった場合，**動脈血圧**のことをさす。血圧は高すぎても困るが，ある程度以上高くないとやはり困る。それは，以下の理由による。

(1) 流れに対する抵抗に打ち勝って，血液を右心房まで還流させなくてはならない。
(2) 重力に逆らって，心臓より上にある脳に血液を送る必要がある。
(3) 腎臓において，血液を濾過して尿をつくるためにも，ある程度の圧力が必要である。
(4) 毛細血管領域における物質交換のためにも，圧力が必要となる。

血圧は，心拍出量と血管の抵抗（収縮状態）との積によって決まり，以下の式であらわされる。

$$血圧＝心拍出量×総末梢抵抗$$

総末梢抵抗とは，肺を除く全身の血管抵抗の総和である。

血圧については，本章E「血液の循環の調節」（▶187ページ）で詳しく解説する。

> **column　血圧の単位 mmHg とはなにか**
>
> 血圧は，圧力の単位である mmHg で示される。mmHg の最初の mm はミリメートル，つまり長さの単位であり，後ろの Hg は水銀の元素記号を意味する。水銀は常温では液体の金属であり，水の 13.5 倍の重さ（比重）がある。
>
> 100 mmHg の血圧とは，水銀を 100 mm 持ち上げるだけの圧力という意味となる。では，水銀のかわりに水（H_2O）だったら，どのくらいまで持ち上がるだろうか。水の重さは水銀の 1/13.5 であり，高さは 13.5 倍になる。したがって，100 mmHg の圧力は 100×13.5＝1,350 mmH$_2$O，つまり 1 m 35 cm の高さに水を持ち上げる圧力ということになる。つまり，水が 1 m 35 cm の高さにまで上がっている噴水があったとすると，この噴水は 100 mmHg の圧力で水を出していることになる。
>
> また，血液の重さは水とほとんど同じ（比重 1.05～1.06）であるため，水を血液とおきかえることもできる。したがって，血圧 100 mmHg とは，1 m 35 cm の高さまで血液を持ち上げることのできる圧力ということになる。

2 心周期

　心房と心室とは交互に周期的な収縮・拡張を繰り返し，血液は心室の収縮によって動脈内へと拍出される。なお，心室と心房は，それぞれの左右が同時に収縮する。心臓が1回収縮と拡張を行うことを**心周期**といい，この間の心臓の動きを◯表4-2に，心内圧や容積などの変化を◯図4-15に示す。

● **等容性収縮期**　心室が収縮を開始すると圧が上昇し，心室内圧が心房内圧より高くなり，圧差によって房室弁が閉鎖する。しかしこの時点では，心室内圧は動脈圧よりは低いため，動脈弁は閉鎖したままである。つまり，入り口も出口も閉じた状態であり，心室内容積は一定のままに，心室筋の収縮によって内圧が上昇する。この時期が等容性収縮期である。

● **駆出期**　圧が上昇して動脈圧をこえると，圧差によって動脈弁が開き，血液は動脈内へ拍出される。これが駆出期（拍出期）である。

● **等容性弛緩期**　血液の拍出が終わると，心室は弛緩を開始する。圧が低下し，心室内圧が動脈圧よりも低くなると動脈弁が閉じる。しかし，この時期には心室内圧は心房内圧よりもまだ高いため房室弁も閉じたままであり，

◯表4-2　心周期と心臓の動き

心周期	等容性収縮期	駆出期	等容性弛緩期	充満期		
				急速充満期	緩徐充満期	心房収縮期
動脈弁	閉鎖	開放	閉鎖	閉鎖	閉鎖	閉鎖
心室	左右の心室が収縮を開始し，心室内圧が上昇する。	心室内圧が動脈圧よりも高くなった瞬間に動脈弁が開放し，血液は動脈へ拍出される。	心室内圧が動脈圧よりも低くなった直後に動脈弁が閉鎖し，心室筋の弛緩により内圧は急激に低下する。	心室は弛緩を続け，血液を心房から吸引する。	心室筋の弛緩は終わるが，心房からの血液流入が続く。	
房室弁	閉鎖	閉鎖	閉鎖	開放	開放	開放
心房	心室の収縮に押されて内圧がわずかに上昇する。	弛緩し，静脈から血液が心房内へ流入する。		心房は弛緩したままで，心室の拡張により血液は心房から心室へと流出する。		心房は収縮し，血液を心室へと拍出する。

臨床との関連　心房細動

　心房内で不規則な電気信号が出現し，心房全体が細かくふるえることを心房細動という。心房筋の興奮-収縮の同期性が失われてばらばらに興奮-収縮するため，心房全体としての収縮がおこらなくなる。心室への血液流入は，心室が勢いよく拡張することで血液を吸引するために保たれるため，あわてて治療する必要はない。しかし高齢者などでは心不全をひきおこす原因となることや，心房内にうっ滞した血液が凝固して血栓となり，それが流れ出して脳梗塞をひきおこすなどの危険がある。心電図でみると基線が揺れているように見える。

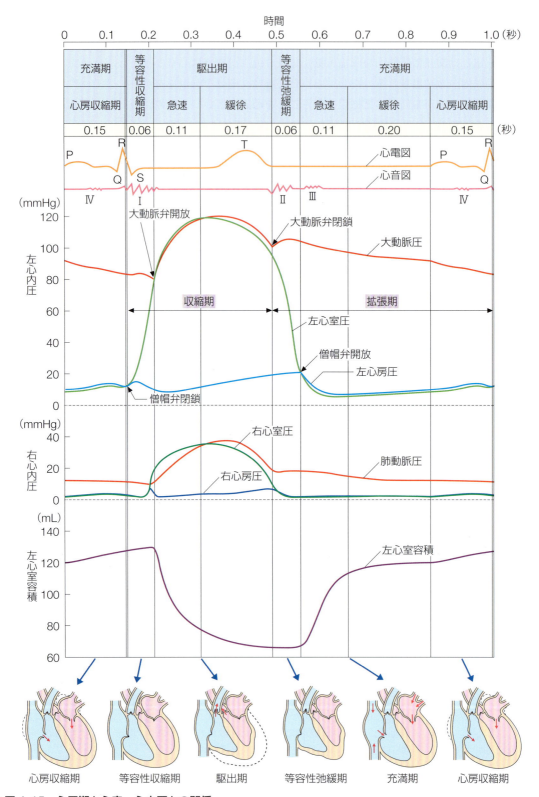

○図 4-15　心周期と心音・心内圧との関係

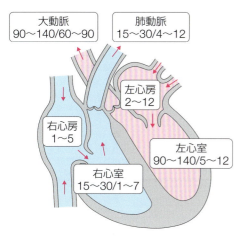

> 図 4-16 心臓内各部位と大血管の内圧
> 図中の数字は，収縮時内圧/拡張時内圧を示す（単位：mmHg）

容積一定のままに心室筋の弛緩によって心室内圧が低下する。これが等容性弛緩期である。

● **充満期** 圧が十分に低下すると房室弁が開き，心室の急激な拡張による吸引効果（急速充満期）と心房の収縮（心房収縮期）によって血液は心房から心室へ流入し，心室に血液が充満する。

若年成人では，心房の収縮による心室への血液流入は，拡張末期の心室内血液量の10～20%にすぎない。しかし，高齢者では心室の拡張速度が低下するため，急速充満期に心室内へ吸引される血液量が減少し，心房収縮による血液充填（じゅうてん）の比率が増加して50%近くを占めるようになる。また，運動時には心拍数の増加に伴って拡張期が短縮するため，心房収縮の重要度が高まる。

心臓内各部位，大血管における収縮時/拡張時の内圧は，◎図4-16のとおりである。① 左心室の拡張時の圧が5 mmHg程度ときわめて低いこと，② 右心室の発生する圧は左心室のそれの約1/5であること，③ 右心房の圧はほとんど0であることに注意してほしい。それは以下に述べるように，右心室の収縮力の低下を知るために重要となるためである。

● **中心静脈圧** 右心房に流入する上大静脈または下大静脈に，カテーテルとよばれる細いチューブを留置して測定される圧を，**中心静脈圧** central venous pressure（CVP）という❶。中心静脈圧は，正常では5～10 cmH₂O（4～7 mmHg）であり，右心房圧よりわずかに高い。右心室の収縮力が低下すると，拍出されずに心室拡張期に心室内に残る血液量が増加する。そうすると血液は右心房から右心室に流入しにくくなり，右心房圧が上昇，ひいては中心静脈圧が上昇する。つまり，中心静脈圧の上昇は，右心室収縮力の低下の指標となる。

> NOTE
> ❶中心静脈圧
> 肝小葉の中心を走る中心静脈（◎86ページ）とは関係ないことに注意。

3 心室の圧-容積関係

◆ 圧-容積関係

◎図4-15は，圧と容積の変化を，横軸を時間として記録したものである

が，時間のかわりに心室内容積を横軸に，圧の変化を縦軸にとると，心室の圧-容積関係を求めることができる（◉ 174ページ，図4-19）。

等容性収縮期には，容積一定のまま圧が a から b へ上昇する。ついで，駆出期には血液が拍出されるため，心室内容積は減少して c にいたる。b と c の容積の差が1回心拍出量である。等容性弛緩期には容積一定のまま心室内圧が c から d に下がり，充満期には血液が心室内に流入して容積が増えるとともに，拡張期圧がわずかに上昇して d から a にいたる。

このように，心室の圧-容積関係を描くことによって，心室の機能状態をひと目で理解することができる[1]。心室の機能状態に影響を与える要因には，次に述べる前負荷，後負荷，収縮性がある。

> **NOTE**
> **[1] 圧-容積関係の四角形の辺と角**
> 心室の圧-容積関係を四角形に近似すると，本文に記したようにその辺は心周期の各時期をあらわしている。一方，a～dの4つの角は弁の開閉をあらわしている。a で僧帽弁が閉じ，b で大動脈弁が開放，c で大動脈弁閉鎖，そして d で僧帽弁が開放する。

◆ 前負荷と後負荷

心室は拡張してその内腔に血液をため，ついで収縮してその血液を動脈内の圧（血圧）に逆らって拍出することを繰り返している。このような心室の仕事は，バケツに水をくんで，その水を塀の外側に捨てることを繰り返す仕事にたとえることができる（◉図4-17）。

この仕事をする人にとって，負担（負荷）となる要因が2つある。1つはバケツの大きさであり，大きなバケツは多くの水をくみ出すことができるが，重くなるのでこの人にとっての負担が増加する（◉図4-18-a）。もう1つは塀の高さであり，塀が高いほどバケツを高く上げなくてはならないので，やはり負担が増す（◉図4-18-b）。

● **前負荷** 心臓の場合，バケツの大きさは，拡張しおわったときに心室内に充満している血液の量に相当する。この血液量が多いほど，心室はたくさんの血液を拍出しなくてはならないため，負担が増す。この負担のことを，

臨床との関連　外頸静脈の視診による右心房圧の評価

手背（手の甲）の静脈に注目してみよう。手を頭の上に上げてみると，手背の静脈はつぶれてうっすらと青い線が見えるだけである。次に手を膝の上に置いてみると，静脈内に血液がたまって，しだいにふくらんでくるだろう。これは重力の影響で，心臓（右心房）よりも下にある静脈には血液が貯留し，上にある静脈は陰圧となってつぶれてしまうからである。

外頸静脈は，立位あるいは座位では右心房よりも上にあるため通常はつぶれている。そこからベッドの背を倒していき，どの程度で外頸静脈がふくらみはじめるかを観察すれば，その人の右心房圧を推定することができる。右心房は胸骨角の約5cm下にあるため，胸骨角から外頸静脈の観察部位までの垂直距離（たとえば2cm）を求めれば，$5+2=7\ cmH_2O (\fallingdotseq 5\ mmHg)$ が右心房圧ということになる。

右心不全などによって右心房圧が上昇している人は，座位でも外頸静脈がふくらんでいる（頸静脈怒張）。頸部は露出されていることが多いので，注意して観察することが大切である。

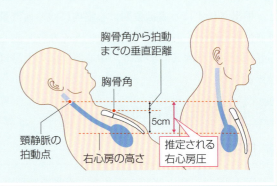

○図 4-17 前負荷と後負荷
心室のはたらきは，バケツに水をくみ，その水を塀の向こうに捨てることにたとえることができる。収縮の前に心室にかかる負荷を前負荷とよび，図ではバケツの大きさがそれにあたる（②）。収縮を開始したのちにかかる負荷は後負荷とよばれ，塀の高さがそれにあたる（③）。

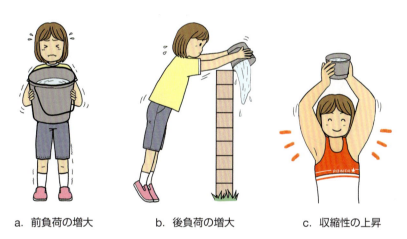

○図 4-18 心室のはたらきに影響する要因
心室への負荷が大きくなる要因として，バケツが大きくなる，つまり拡張したときに心室内に充満している血液量の増大がある（a）。塀が高くなる，つまり動脈の拡張期血圧が高くなることも，心室の負荷の増大となる（b）。また，バケツを持ち上げる人の腕力も心室のはたらきに影響を与え，力もちになる，つまり収縮性が上昇するほど，多くの血液を拍出できることになる。

心室が収縮を開始する前にかかっている負荷であるので，**前負荷** preload とよぶ。心室内に充満する血液量は充満圧，すなわち中心静脈圧によって決まる。したがって，中心静脈圧が前負荷にほかならない。

● **後負荷**　心室にとっての塀の高さに相当するのは，血液を拍出する際に，それに逆らう動脈内の圧，つまり拡張期の血圧（最低血圧）である。最低血圧が高いほど心室はより高い圧力を発生しなくてはならないため，負担が増す。この負担は，心室が収縮を開始したあとにかかる負荷という意味で，**後負荷**

afterload とよぶ。

前負荷，後負荷がそれぞれ増加した場合の心室の圧-容積関係の変化を◯図 4-20，21 に示す。なお前負荷は，拡張期の心室内圧で代用することもある。

● **フランク-スターリングの心臓の法則**　心室には，前負荷が大きくなるほど大きな力を発生しうる性質がある（◯図 4-20）。この性質を，**フランク-スターリング** Frank-Starling **の心臓の法則**という（単にスターリングの心臓の法則ともよばれる。◯349 ページ）。逆にいえば，心臓の収縮力が低下してくると，1 回心拍出量を維持するために心室は拡張する（前負荷が増大する）。つまり，心臓が大きくなっていることは，心臓が弱っていることを示唆している❶。

> **NOTE**
> ❶ スポーツ心臓
>   激しいスポーツを日常的に行うと，心臓は肥大する。ただ，この場合はスポーツ心臓とよばれ，治療の対象にはならず，逆に心臓は強くなっている。スポーツをやめるともとに戻る。

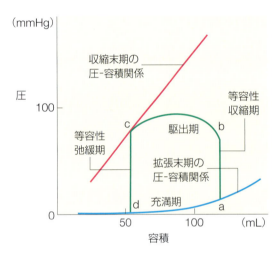

◯図 4-19　心室の圧-容積関係

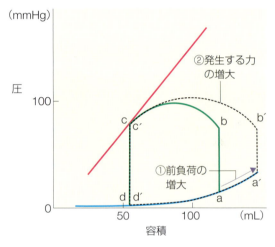

◯図 4-20　前負荷の増大による変化

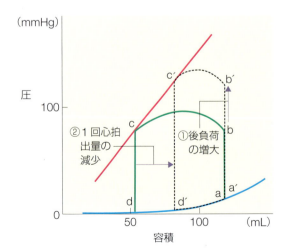

◯図 4-21　後負荷の増大による変化

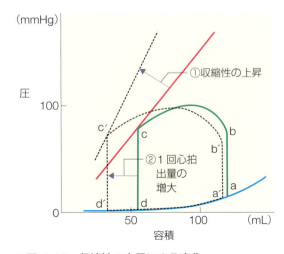

◯図 4-22　収縮性の上昇による変化

◆ 収縮性

　バケツで水を塀の外に捨てる仕事に影響するもう1つの要因は，その仕事をする人がどのくらい力もちかという点である（ 173ページ，図 4-18-c）。心室においてこれに相当するのが**収縮性** contractility である。

　交感神経緊張が上昇したり，アドレナリンなどのカテコールアミン，ジギタリスなどの強心配糖体，塩化カルシウムなどを投与したりすると，一定の心室内容積でもより大きな力が発生するようになる。したがって収縮性は，心筋の元気のよさであるといえる。

　収縮性が上昇すると，収縮末期の圧-容積関係の傾きが急峻になり，同じ前負荷であってもより大きな圧を発生し，より多くの血液を拍出できるようになる（ 図 4-22）。

4　心音と心雑音

　聴診器を胸壁上にあてると，通常Ⅰ音とⅡ音とよばれる2つの音が聞こえる（ 170ページ，図 4-15）。

　Ⅰ音は，心室収縮初期に房室弁閉鎖により生じ，**Ⅱ音**は心室収縮期の終わりに動脈弁閉鎖によって生じる❶。つまり，Ⅰ音とⅡ音の間が心室収縮期，Ⅱ音と次のⅠ音の間が心室拡張期である。若年者では心室内に勢いよく血液が流入することによるⅢ音が，心房に負荷がかかっているときにはⅣ音が聞こえることもある。

　心臓の収縮に伴って生じる心音以外の音を**心雑音**という。雑音の聞こえる時期，音色，よく聞こえる場所などによって，どのような心疾患であるのか見当をつけることができる。雑音は聞こえる時期によって，収縮期雑音，拡張期雑音，連続性雑音に大別される。

NOTE
❶心音とドアの開閉
　心音（Ⅰ音，Ⅱ音）は弁の閉鎖によって生じる音である。これはちょうど油のきいたスムーズに開閉できるドアにたとえることができる。開けるときは音もなくスッとひらく。一方，勢いよくドアを閉じるとバタンと大きな音がする。

D　末梢循環系の構造

1　血管の構造

1　動脈

　動脈 arteries の壁は，内腔に近い側から，内膜，中膜，外膜の3層からできている（ 図 4-23-a）。このなかで**中膜**が最も厚く，動脈壁の本体をなしている。中膜には平滑筋細胞があり，また弾性線維がシート状に集まって弾性板をつくっている。**内膜**は，内腔をおおう一層の内皮細胞と，その外側の若干の結合組織からなり，**外膜**は，動脈壁を取り巻く疎性結合組織からなる。大動脈のような太い動脈と，器官の中の細い動脈では，おもに中膜の構造が異なり，また血流を調節する機能も異なる。

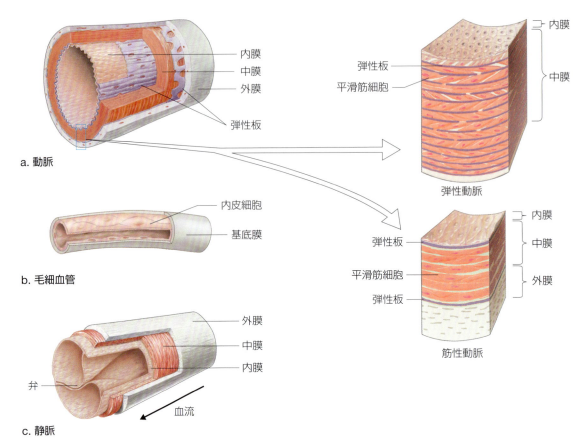

○図 4-23　血管の種類と構造
血管には動脈・静脈とそれらをつなぐ毛細血管がある。動脈には弾性動脈とよばれる太い動脈と筋性動脈とよばれる細い動脈があり，それぞれの壁の構造に違いがみられる。静脈には血流の逆流を防ぐ弁がある。

　大動脈のような太い動脈は**弾性動脈** elastic artery とよばれ，壁の中に，弾性線維というゴムのようにのび縮みする線維が何層ものシートとなって弾性板をつくり，その間に平滑筋細胞がはさまっている。弾性動脈は，心臓から押し出されてきた血液の拍動を受け取って，それをやわらげるはたらきをしている（● 193 ページ，図 4-35）。

　器官の中の細い動脈は**筋性動脈** muscular artery とよばれ，弾性線維が乏しく，平滑筋細胞が豊富なのが特徴である。平滑筋細胞は，動脈を取り巻くように円周方向またはラセン状に走り，その収縮・弛緩によって動脈の太さを調節する。平滑筋細胞の緊張の強さによって，血流に対する抵抗や血流の分配が調節される。毛細血管に近い動脈の末端部は**細動脈**とよばれ，血流を調節するはたらきがとくに大きい。

2　毛細血管

　器官の中に分布する動脈の細い枝は，**毛細血管** capillary というきわめて細い血管を通して，静脈の細い枝とつながっている。毛細血管の太さは 5～10 μm ほどで，赤血球（直径約 8 μm）が変形して通り抜けることができる。

毛細血管の壁は，扁平な内皮細胞とその基底膜でできており，平滑筋を欠く（◯図 4-23-b）。この薄い壁を通して，血液と組織との間で物質の交換が行われる（酸素・二酸化炭素・栄養素・老廃物など）。

電子顕微鏡で観察すると，毛細血管の内皮細胞にはしばしば孔が開いているのがわかる。その程度は，組織によりさまざまである。大きな分子が出入りする腎臓や腸・内分泌腺などの毛細血管では，内皮細胞に多数の窓がある。肝臓の毛細血管は，とくに洞様毛細血管（類洞）とよばれ（◯ 86 ページ，201 ページ），洞穴のように入り組んだ形で，大きな孔がある。

3 静脈

静脈 vein の壁は，動脈と同様に 3 層構造をもつが，壁が薄いので血液が透けて青く見える。内圧が高くなると，壁が引きのばされて容量が増える。静脈壁の引きのばされやすさは，とくに細静脈の領域で交感神経のはたらきにより調節されている。交感神経が刺激されると平滑筋が収縮して静脈壁はのびにくくなり，心臓への静脈還流が増す。

直径約 1 mm 以上の四肢の静脈には弁が備わっていて，血液を心臓に向かう方向にだけ流す（◯図 4-23-c）。四肢の筋が収縮すると静脈を圧迫し，弁と弁にはさまれた一区間の血液を心臓に向かって送り出す。また息を吸うときには，胸腔の内圧が下がり，腹腔の内圧が上がり，そのため下大静脈の血液は心臓に向かって押される。これら筋ポンプや呼吸ポンプの作用は，血液の静脈還流をたすけている（◯ 193 ページ，図 4-36）。

四肢の深部の静脈は動脈と伴行しているが，この配置により，温度の高い動脈血の熱は手足で冷やされた静脈血に渡され，むだな熱の損失が防がれている。

4 側副循環と吻合

動脈の細い枝は，互いに**吻合** anastomosis していることが多く，一部の枝

---

column　皮膚循環

皮膚の血管系には，血流量を調節する 2 つの装置がある。細動脈と動静脈吻合で，これらは交感神経の支配を密に受けて，皮膚の循環血流量を大幅に調節する。

皮膚の血流量は，体温調節に大きな役割を果たす。体熱を放散するときには，細動脈と動静脈吻合が拡張し，皮膚の組織が必要とするよりもはるかに多量の血液が皮膚を流れる。また寒冷時には，皮膚の血流量は極度に減少して，体表からの熱の放散を抑える。

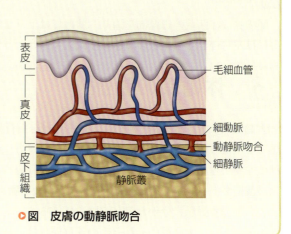

◯図　皮膚の動静脈吻合

がふさがっても、ほかの枝から血液がまわって、血行を保証している。動脈枝間の吻合は、腸間膜や関節の周辺など、動きの多い部分に多い。吻合を利用してできたわき道の循環を**側副循環**(そくふく)という。これに対し、一部の臓器(肺・心臓・腎臓・脳など)の動脈は、動脈枝間の吻合が乏しく、**終動脈**とよばれる。終動脈が閉塞すると、支配域の壊死(梗塞)をおこす。

動脈枝と静脈枝とが毛細血管を経ずにつながる場所もあり、これは**動静脈吻合**とよばれる(▶ 177ページ、column)。動静脈吻合は、指先や手掌などの皮膚、胃腸の粘膜下組織、腸間膜などにみられる。皮膚の動静脈吻合は、皮膚表面を流れる血液量を調節することにより、体温調節に役だっていると考えられる。

5 血管の神経

血管壁には、血管運動神経とよばれる自律神経が分布している。血管運動神経は交感神経性であり、刺激の増減や受容体の種類によって、血管の収縮・拡張が調節されている。一部の血管(陰茎(いんけい)・陰核の海綿体の動脈)は、副交感神経の刺激で拡張する。

2 肺循環の血管

心臓から肺に向かう循環経路を**肺循環**という。肺動脈は静脈血を右心室から肺に運び、肺静脈は酸素を豊富に取り込んだ動脈血を肺から左心房に運ぶ。右心室の拍出量は左心室と同じであるが、肺動脈圧は大動脈圧の約1/5である。

1 肺動脈

右心室から出た肺動脈幹は、心膜を出てただちに左右の肺動脈に分かれる。左右の肺動脈は、それぞれの肺門から肺に入る。肺動脈の枝は、肺の中でおもに気管支の枝とともに分岐し、肺葉・肺区域の中心部を通る。

2 肺静脈

肺静脈は肺区域の辺縁部を通り、肺門では上下2本の肺静脈となる。左心房には左右合わせて4本の肺静脈が流入する。

3 体循環の動脈

大動脈 aorta は、左心室から出て心膜腔内を上行し(**上行大動脈**)、心膜を出ると左後方にアーチをつくりながら向きを下方にかえ(**大動脈弓**)、第4胸椎の左側から脊柱の前を下行し(**胸大動脈**)、食道の背後で横隔膜を貫き、腹腔の後壁を下って第4腰椎の前面に達し(**腹大動脈**)、骨盤の入り口あたりで左右の総腸骨動脈に分かれる(▶図4-24、508ページ、図11-3)。これが大動脈の本幹である。大動脈のそれぞれの部位からは、いくつかの枝が出ている。

D. 末梢循環系の構造　179

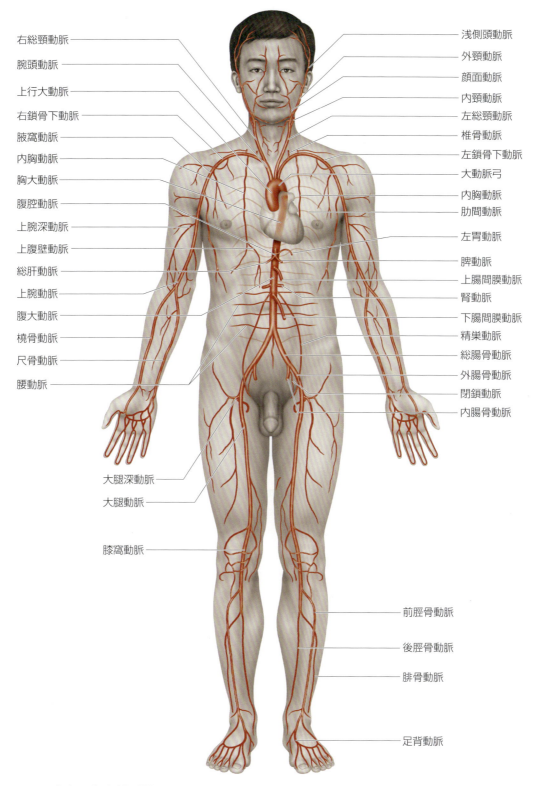

○ 図4-24　全身の動脈系（男性）

1 上行大動脈

大動脈弁のすぐ上の上行大動脈の基部には，3個のふくらみ(**大動脈洞**)があり，右と左の洞から右・左の**冠状動脈**が出る(◐ 156ページ，図4-5)。左心室では，心室収縮期に動脈が押しつぶされるため血流が減少するが，右心室と右心房の血流は，ほかの臓器と同様に心室収縮期に流れる。

2 大動脈弓

大動脈弓からは，3本の枝が出る。第1の枝は**腕頭動脈**で，ただちに分かれて右の**鎖骨下動脈**と**総頸動脈**になる。第2の枝は左の総頸動脈，第3の枝は左の鎖骨下動脈である。大動脈弓からは結局，頭部に血液を送る総頸動脈と，上肢に血液を送る鎖骨下動脈が分かれることになる。

● **総頸動脈**　総頸動脈は，気管および食道の外側を上行し，頸部の横あたり(下顎面のすぐ下)に触れるので，脈をとることができる。上行して舌骨の高さで，顔面に血液を送る外頸動脈と，脳に血液を送る内頸動脈に分かれる。分岐部に米粒大の頸動脈小体(血液の酸素分圧を感じる化学受容器〔◐ 122ページ，図3-25〕)がある。

　1 **外頸動脈**　顔面(口腔・鼻腔・咽頭)および頭皮と髄膜などに向かう枝を出す。

　2 **内頸動脈**　途中で枝を出さずに，頭蓋腔に入って脳の大部分に分布し，眼を養う枝(眼動脈)も出す。脳への血液は，左右の内頸動脈と椎骨動脈の，合計4本で供給される。この4本の動脈は，脳の下面で互いに吻合して，**大脳動脈輪**(**ウィリス** Willis **動脈輪**)をつくっている(◐図4-25)。

● **鎖骨下動脈**　鎖骨下動脈は，その基部で脳に血液を送る**椎骨動脈**，前胸壁に血液を送る**内胸動脈**などを出したのち，腋窩を通り(**腋窩動脈**)，上腕に入り(**上腕動脈**)，肘窩のあたりで触れることができる。上腕動脈は，肘窩で**橈骨動脈**と**尺骨動脈**に分かれる。両者は手に入って2つの動脈弓(**浅掌動脈弓**と**深掌動脈弓**)をつくり，これから指の両側を走る枝が出る。橈骨動脈は，手首の親指側を通るところで，脈を触れることができる。血圧を測定するためには，上腕動脈の中央部を圧迫し，肘窩の上腕骨遠位端部で血管音を聴診する。

3 胸大動脈

胸大動脈からは，比較的細い枝がいくつか分かれる。胸壁への枝として，第3以下の**肋間動脈**を出す。上位の第1・第2肋間動脈は鎖骨下動脈の枝である。肋間動脈は肋骨の下縁に沿って走り，前胸壁の内胸動脈からの枝と吻合する。胸部内臓への臓側枝として，気管支および肺に**気管支動脈**，食道に複数の枝を送る。気管支動脈は，気管支周辺の肺組織を栄養する。

4 腹大動脈

横隔膜の孔を出て第4腰椎の前面まで下る間にたくさんの枝が出るが，こ

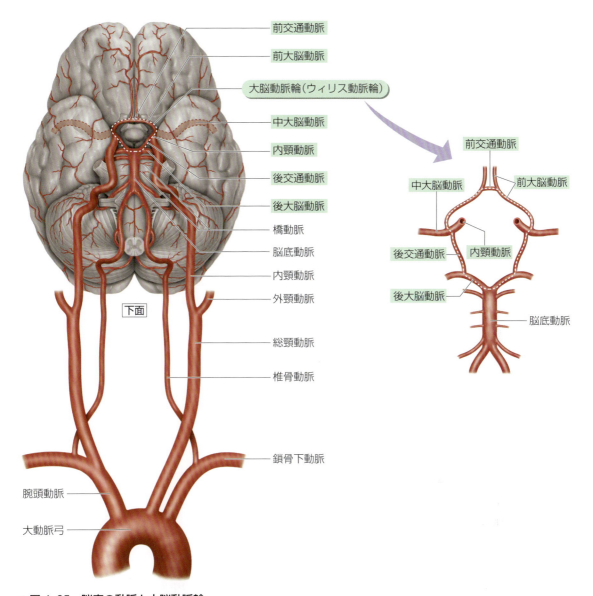

○図 4-25　脳底の動脈と大脳動脈輪
脳に血液を送るのは，左右の内頸動脈と椎骨動脈である。
椎骨動脈は脳幹の前面で脳底動脈となり，これと左右の内頸動脈の間の交通路により，脳底部に大脳動脈輪ができる（　　で囲んだ動脈からなる）。

れらの枝は3つの群に分けることができる。①消化器への枝，②泌尿生殖器への枝，③腹部体壁への枝，である。

　消化器への枝は3本あり，いずれも大動脈の前面から出ており，左右で対になるものではない（無対性）。1本目の**腹腔動脈**は，最も太く，胃と十二指腸の上半分，さらに肝臓と脾臓，および膵臓の一部に血液を送る（○図 4-26）。2本目の**上腸間膜動脈**は，十二指腸の下半分より下の小腸と，横行結腸左1/3あたりまでの大腸，さらに膵臓の一部に血液を送る。3本目の**下腸間膜**

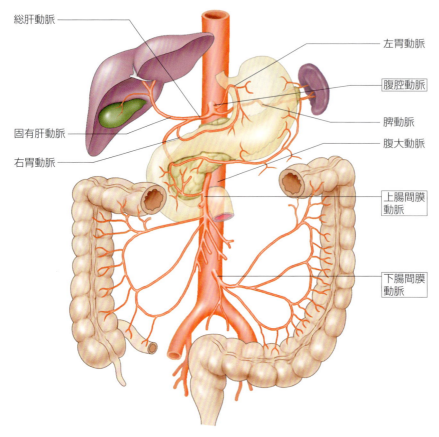

○図4-26　腹部消化器への動脈
腹部消化器は，腹大動脈から前面に出る腹腔動脈・上腸間膜動脈・下腸間膜動脈の3本の動脈から血液が送られる。

動脈は，横行結腸左1/3より下の大腸に血液を送る。
　腎動脈は，上腸間膜動脈のすぐ下から左右に出る太い枝で，大動脈の血流の約1/5が腎臓に行く。**卵巣動脈**（女性）・**精巣動脈**（男性）は腹大動脈の中央部から尿管に沿って斜めに下行し，骨盤内の卵巣ないし陰囊内の精巣に達する。泌尿生殖器への枝である，腎動脈と，卵巣動脈・精巣動脈は，左右で対になる（有対性）。
　腹部体壁への枝には，4対の**腰動脈**がある。

5 総腸骨動脈とその枝

　腹大動脈は第4腰椎の前で分かれて，左右の**総腸骨動脈**となる。総腸骨動脈は下外側に進み，骨盤壁と骨盤内臓に血液を送る内腸骨動脈と，下肢に血液を送る外腸骨動脈に分かれる。
● **内腸骨動脈**　内腸骨動脈からは，膀胱や直腸などの骨盤内臓に行く数本の枝（子宮動脈，精管動脈など）と，骨盤壁や殿部に向かう数本の枝（上・下殿動脈，閉鎖動脈，内陰部動脈など）が出る。
● **外腸骨動脈**　外腸骨動脈は，鼠径靱帯の下を通過して**大腿動脈**となり，

大腿前面に出る。いくつかの枝を出しながら大腿の内側を通って膝の後面にまわって**膝窩動脈**となる。ここで太い3本の枝に分かれる。

● **前・後脛骨動脈，腓骨動脈** 前脛骨動脈は，下腿の骨間膜を貫いて下腿の前面を下行し，足背動脈となり，指に行く枝を出す。

後脛骨動脈は，下腿の屈筋の間を下行し，内果の後下を通過して足底に達し，内側・外側足底動脈になる。

腓骨動脈は，下腿の外側部に分布する。

4 体循環の静脈

静脈は動脈に並行して走ることが多く，動脈と同じ名前がつけられている（●図4-27，508ページ，図11-3）。太いところでは，動脈と静脈が1本ずつ対応するが，中程度より細いところでは，1本の動脈に，複数の静脈が伴行する。四肢では，動脈に伴行する深部の静脈以外に，動脈とは関係なく体表近くを走る皮静脈がある。脳の静脈は，動脈とは関係なく頭蓋内面の硬膜静脈洞に集まる。

1 上・下大静脈

上半身と下半身の血液は，それぞれ上・下の大静脈に集まり，別々に右心房に注ぐ。**上大静脈**は左右の腕頭静脈の合流によってできるが，腕頭静脈は頭部からの内頸静脈と上肢からの鎖骨下静脈が合流してできる。上大静脈にはこのほかに，**肋間静脈**や食道の静脈を集めて胸椎の右側に沿って上行する**奇静脈**も注ぐ。奇静脈には，左側からの**半奇静脈**が注ぐ。

下大静脈は，第5腰椎の前で左右の総腸骨静脈が合流してでき，腹大動脈の右側を上行する。途中で，腹壁からの**腰静脈**や左右の腎静脈などが注ぐ。肝臓の後部を通るところで，3本あまりの肝静脈を受け，横隔膜を貫いてすぐに右心房に流入する。

2 頭頸部の静脈

脳からの血液は，脳の表面に向かう静脈を経て，**硬膜静脈洞**に注ぐ（●図4-28）。硬膜静脈洞は，脳硬膜にはさまれた広い静脈で，頭蓋腔の内面を走っている。血液は頭蓋内腔の底面にあるS状静脈洞に集まり，そこから頸静脈孔を通って太い**内頸静脈**となり，頭蓋腔を出る。内頸静脈は，顔面の静脈などをも集め，総頸動脈に沿って頸部の両側で深層を下り，上肢からの鎖骨下静脈と合流して**腕頭静脈**になる。この合流点をとくに**静脈角**とよび，リンパ本幹が流入する部位である（● 207ページ，図4-46）。

外頸静脈は，頸部の浅層を下行する細い静脈で，頭部表層からの静脈を受け，鎖骨下静脈に注ぐ。

3 上肢の静脈

動脈に伴行する**深静脈**と，皮下の**皮静脈**の2系統がある。深静脈は，伴行

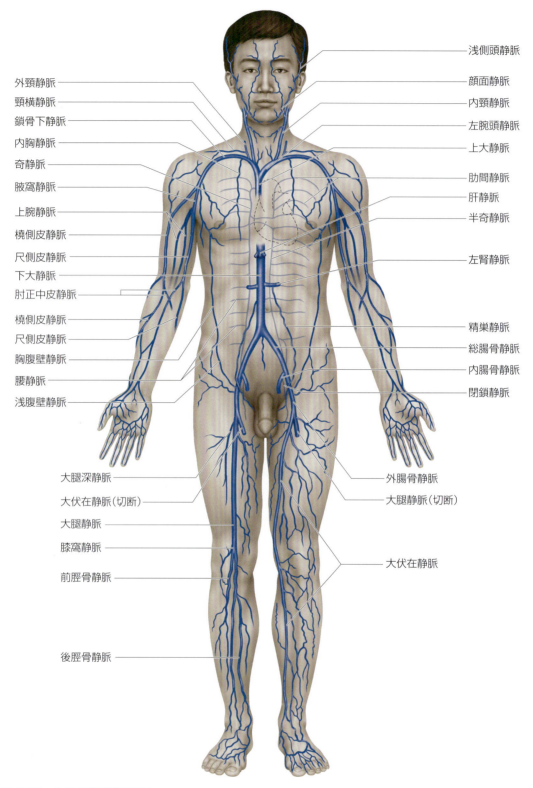

● 図 4-27　全身の静脈系（男性）

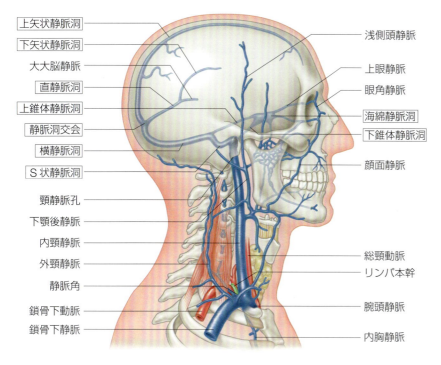

◯図 4-28　頭頸部の静脈
　[　　]を総称して硬膜静脈洞とよぶ。脳からの血液は硬膜静脈洞を経て内頸静脈にいたる。

する動脈と同名で，**橈骨静脈**と**尺骨静脈**が合流して**上腕静脈**となり，**腋窩静脈**を経て**鎖骨下静脈**となる（◯図 4-29）。

　皮静脈の大きなものには，**橈側皮静脈**と**尺側皮静脈**がある。橈側皮静脈は手背の静脈網から始まり，前腕および上腕で屈側・橈側の皮下を走り，三角筋・大胸筋間から深部にもぐって，鎖骨の下で腋窩静脈に注ぐ。尺側皮静脈は，前腕で屈側・尺側の皮下を走り，上腕下部の内側で深部にもぐって上腕静脈に注ぐ。両者は互いに吻合し，とくに肘窩で**肘正中皮静脈**をつくる❶。

> **NOTE**
> ❶肘正中皮静脈は静脈血採血の穿刺部位としてよく用いられる。

4　下肢の静脈

　上肢と同様に，動脈に伴行する深静脈と，皮下の皮静脈の 2 系統があり，深静脈は，伴行する動脈と同名で，集まって**大腿静脈**になる。大腿静脈は大腿動脈の内側に並んで大腿の前面を上行し，鼠径靱帯の深層（**血管裂孔**）を通過して腹腔に入り，外腸骨静脈になる。血管裂孔の内側部は，大腿ヘルニアの通路となる。

　皮静脈の大きなものには，大伏在静脈と小伏在静脈がある。**大伏在静脈**は足背の静脈網から始まり，内果の前方を通って下腿と大腿の内側面を上行し，鼠径靱帯のすぐ下方（伏在裂孔）で深部にもぐり，筋膜下の大腿静脈に注ぐ。**小伏在静脈**は足背から外果の後方を通って下腿の後面を上行し，膝窩の筋膜を貫いて膝窩静脈に注ぐ。下肢の皮静脈は，重力による血液の荷重が加わるために，管壁は厚く，また静脈弁が発達している。弁の作用により深静脈から皮静脈への逆流を防いでいるが，弁の作用不全のために皮静脈側が怒張

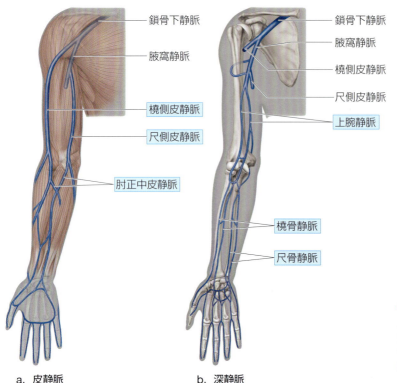

○図 4-29　上肢の静脈

上肢の静脈には，動脈に伴行し深部を走る深静脈（橈骨静脈・尺骨静脈など）と，皮下を走る皮静脈（橈側皮静脈・尺側皮静脈など）がある。

することがある。

5 骨盤と腹部の静脈

総腸骨静脈は内・外腸骨静脈が合流してできる。同名の動脈の後ろを通り，左右が合流して下大静脈になる。**内腸骨静脈**は，骨盤内臓・殿部・陰部の血液を集める。**外腸骨静脈**は大腿静脈の続きであるが，腹壁からの血液も受ける。

下大静脈に注ぐ静脈の大きなものには，左右の腎臓からの**腎静脈**と，肝臓からの血液を集める数本の**肝静脈**がある。肝臓には，門脈系を経由して，腹部消化器からの血液がすべて集まる。

6 門脈系

門脈は，腹部の消化管と付属器官，および脾臓からの血液をすべて集めて肝臓に運ぶ静脈である（○図 4-30）。脾静脈および上・下腸間膜静脈が合流して膵臓の後方で門脈となり，肝動脈とともに肝門から肝臓に入る。肝臓内で枝分かれして，肝小葉内の洞様毛細血管に注ぐ。肝小葉の血液は中心静脈に注ぎ，そこから肝静脈に集まり，下大静脈に注ぐ。肝臓には，腸管で吸収された栄養素が，門脈を通して集まる。

門脈の末梢枝は，何か所かで大静脈の枝と吻合している（① 食道の下部で奇静脈と，② 直腸下部で内腸骨静脈と，③ 臍傍静脈を介して腹壁皮下の静

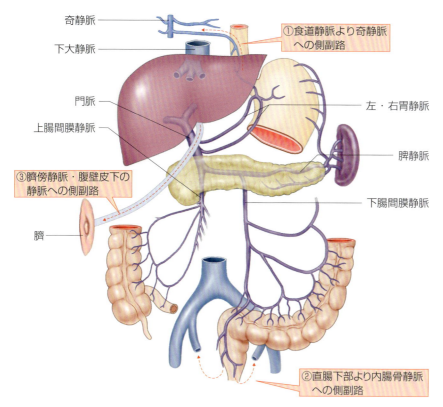

○図 4-30　門脈系
肝臓には，門脈を経由して，腹部消化管と付属器官，脾臓からのすべての血液が集まる。門脈の末梢枝は，①～③のように，数か所で大静脈の末梢枝とつながっている。

脈と）。肝硬変や腫瘍のために肝臓内で血液の通過障害がおこると門脈圧が上昇し，これらの吻合が側副循環の経路となって血液を通す。また，食道に静脈瘤（りゅう）ができたり，腹壁の皮静脈や肛門の静脈が怒張したりする。

E 血液の循環の調節

1 血圧（動脈圧）

血圧（動脈圧）は，心臓の拍動によって血液が動脈内に拍出されることで維持されており，全身の臓器・組織に血液を送る原動力となるものである。したがって，血圧は生命の活力を示す指標（バイタルサイン）の 1 つとして非常に重要なものである。

1 最高血圧と最低血圧

動脈の血圧は，心室の収縮・拡張に伴って周期的に変動する（○170 ページ，図 4-15）。

心室収縮期に血液が動脈内に拍出されると，血圧は上昇する。血圧が最も高くなったときの値を，**最高血圧**(**収縮期血圧**，最大血圧)という。血圧は，心室拡張期に血液の拍出がとまるとしだいに低下し，次の収縮開始直前(拡張末期)に最低値となる。これが**最低血圧**(**拡張期血圧**，最小血圧)である(◯図 4-31)。

最高血圧と最低血圧との差，つまり血圧変動の振幅は**脈圧**とよばれる。安静時の健常人の最高血圧と最低血圧の正常値は，それぞれ 120 mmHg 未満，80 mmHg 未満❶である(◯206 ページ，表 4-3)。

2 血圧の測定

血圧の測定法には，大きく分けて直接法と間接法の 2 種類がある。

● **直接法** 直接法とは，動脈を切開して，生理食塩水を満たしたカテーテルとよばれる細いチューブを挿入し，直接血圧を測定するものである。最も正確な測定法で，◯図 4-31 のように 1 拍動ごとの血圧波形を記録することができる。しかし身体を傷つけなければならないため(これを観血的という)，手術の際や重篤な心臓病の場合に限られ，日常の測定には用いられない。

● **間接法** 間接法では，まず上腕にマンシェット❷(圧迫帯)を巻き，ゴム球から空気を送り込んで圧迫して上腕動脈を閉塞させる。ここから徐々に空気を抜いていき，血管音(コロトコフ音)が聞こえはじめた時点でのマンシェット内圧を最高血圧，血管音が消失した時点を最低血圧とする(聴診法)。また，橈骨動脈の脈拍を触知しながら測定する触診法では最高血圧だけを知ることができるが，聴診間隙(後述)による誤りを避けることができるため，これと併用することが推奨される。間接法による測定は，きわめて簡便に実施することができる。

● **血圧が変動する要因** 血圧はさまざまな要因によって容易に変動するため，血圧測定に際しては被験者の状態に細心の注意を払う必要がある。血圧が変動する要因としては，次のような要因があげられる。

(1) 精神的緊張により血圧は上昇する。高めの測定結果が得られたときは，2～3 分の間隔をあけて複数回測定する。
(2) 運動によって，最低血圧はあまり変化しないが，最高血圧は大きく上昇

> **NOTE**
> ❶ 血圧の正常値
> 　血圧の正常値は，世界保健機関(WHO)/国際高血圧学会(ISH)の分類では安静時血圧が 130/85 mmHg 未満，日本高血圧学会の分類(2019 年)では，120/80 mmHg 未満としている。数値は，左が最高血圧を右が最低血圧を示している。

> **NOTE**
> ❷ マンシェット
> 　ゴムの袋が入った圧迫帯であり，空気を入れることにより内圧がかえられるようになっている。

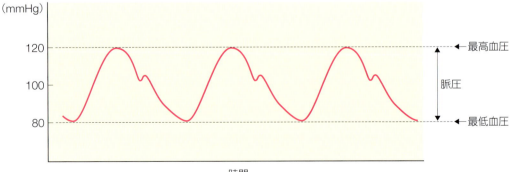

◯図 4-31　正常な血圧波形

する。したがって，運動直後の測定は避ける。
(3) 寒冷刺激によって皮膚血管が収縮するため，血圧は上昇する。したがって，寒い部屋での測定は避ける。
(4) 疼痛がある場合や，尿意をがまんしていると血圧が上昇する。できるだけ安静な状態で測定する。
(5) 左右差に注意する。正常であっても，利き腕のほうが高めに測定される。これは利き腕のほうが筋肉が発達しており，上腕動脈を圧迫閉塞させるためにはより高い圧力が必要となるからで，間接法では避けられない誤差である。ただし，左右差があったとしても 5〜6 mmHg 程度であり，20 mmHg 以上の場合は，大動脈になんらかの通過障害があることが示唆される。

● **静水圧**　前述したように，血圧は心拍出量と血管の抵抗によって決定されるが，測定に際しては重力の影響にも注意する必要がある。

立位では，たとえば足背動脈（足の甲の部分の動脈）には血圧のみならず心臓から足までの間の血液の重さ（これを**静水圧**という）がかかるため，測定される血圧は実際よりも約 90〜100 mmHg 高い値となる（●図 4-32）。逆に心臓より上にある脳では重力によって血液が下に引かれるため，実際よりも約 30 mmHg 低く測定されてしまう。

このような静水圧の影響を除くため，血圧は測定部位を必ず心臓と同じ高さにして測定しなくてはならない。上腕動脈で測定する場合は座位でも測定部位は心臓とほぼ同じ高さになるが，大腿動脈で測定する場合は臥位になる必要がある。

● **聴診間隙**　血圧測定に際し，マンシェットに内圧をかけた状態から圧を抜いていくと，最高血圧の時点で血管音が聞こえはじめる（第1点，●図 4-33-A 点）。さらに圧を抜いていくと，音はしだいに大きくなり，その後いったん小さくなってから再び増大し，最終的には最低血圧の時点で聞こえ

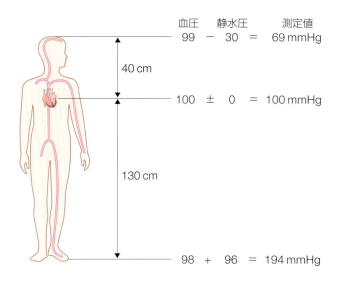

●図 4-32　静水圧による血圧の変化
血圧は，静水圧により，高さ 1.35 cm あたり 1 mmHg の圧力差が生じる。図のように身長が 170 cm で，130 cm の高さに心臓があるとき，立位では，脳では約 30 mmHg（40÷1.35）低くなり，足背動脈では約 96 mmHg（130÷1.35）高くなる。

なくなる（第5点，○図4-33-D点）。

ところが，人によっては，血管音がいったん小さくなり，その谷が深くなって血管音がまったく聞こえなくなり，さらに圧を抜いていくと再び音が

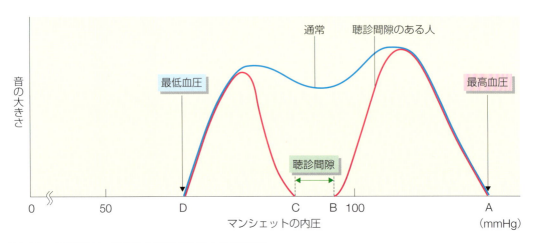

○図4-33　血圧測定における血管音の変化と聴診間隙
通常は，最高血圧で音が聞こえはじめ，徐々に大きくなり，いったん小さくなったのちに大きくなり，最低血圧で聞こえなくなる（青）。高血圧の人の約10%で，聴診間隙がみとめられる（赤）。

臨床との関連　音で血圧が測定できるのはなぜか

血圧は，音の聞こえはじめが最高血圧，音の聞こえなくなったところが最低血圧として測定される。それは次のような理由による。

水道の蛇口を軽くひねると，水は透明な状態でスーッと音もなく流れる。このような流れを層流という。ところが蛇口を大きくひねると，ジャーという音とともに水は白く泡だった状態で流れ落ちる。これが乱流である。

流れが層流となるか乱流となるかは，局所の流速によって決まる。生体内での血流は大部分の場所で層流となっているため雑音（血管音）は聞こえないが，動脈に狭窄があるとその部分の流速が大きくなり，乱流となって雑音を発生する。

上腕にマンシェットを巻き，圧を最高血圧以上にかけると，上腕動脈は上腕骨に押しつけられて閉塞する。この状態から圧を下げていくと，最高血圧よりもマンシェットの圧が低くなった時点で一瞬閉塞が解除される。この瞬間に血液が流れるが，閉塞していた動脈を押し広げながら血流を生じるため，流れは乱流となり雑音（血管音）が発生する。つまり血管音が聞こえはじめた時点が最高血圧である。

その後さらに圧を下げていくと，動脈内圧がマンシェット圧よりも高くなったときにのみ血流を生じるため，血管音は聞こえつづける。しかし，全周期を通じて動脈内圧がマンシェット圧よりも高くなると，閉塞・狭窄はまったくなくなるため，血流は層流となり血管音は聞こえなくなる。つまり，血管音が聞こえなくなった時点が最低血圧である。

貧血や甲状腺機能亢進症などのときや激しい運動の直後などには，心臓が促進されて血流速度が大きくなり乱流を生じるため，まったく圧をかけなくても血管音が聞こえる場合がある。

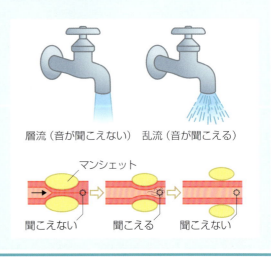

聞こえはじめることがある。これを**聴診間隙**といい，高血圧の人の 10% 近くにみとめる。マンシェットに圧を加える際に聴診だけで血圧を測定していると，◯図 4-33 の C 点を最高血圧と誤ってしまう危険がある。この誤りを防ぐために，橈骨動脈を触診しながら，脈を触れなくなるまで圧をかけるのである。

脈拍には聴診間隙のようなものはなく，必ずマンシェット内圧が最高血圧以上になった時点で消失する。

2 血液の循環

1 システムとしての循環器系

心臓から拍出された血液は，圧の高い動脈から圧の低い方向，すなわち動脈→細動脈→毛細血管→細静脈→静脈→右心房へと流れていく。終着駅である右心房では，圧がほぼ 0 となる。

● **血圧の変化** 血圧は，大動脈から動脈にかけては，ほんのわずかしか低下しない（◯図 4-34-a）。したがって，上腕動脈で測定される血圧は大動脈における圧とほとんど同じである。血圧が大きく低下するのは，直径が 200 μm 以下の細動脈においてである。この部位の収縮・拡張は，血圧の調節に最も大きな役割を果たしている。つまり動脈部は，循環器系における抵抗血管であり，圧力調節部であるといえる。

● **血液容量の変化** 一方，静脈系には血液をためておく貯血槽としてはたらいている部分が多く，血液容量が非常に大きい（◯図 4-34-b）。また，毛細血管内の血液量は膠質浸透圧（◯202 ページ）によって大きく変化しうる。このため静脈系の収縮は貯留している血液を循環系に追い出す効果を発揮する。そのため，静脈系は循環血液量を調節する**容量血管**ともよばれる。

● **総断面積の変化** 動脈の分枝とともに 1 本 1 本の血管は細くなるが数は増えるため，血管の総断面積はしだいに増加し，毛細血管領域で最大となる（◯図 4-34-c）。ついで細静脈→静脈→大静脈と進むにつれて合流し，総断面積は再び減少する。毛細血管領域の総断面積が大きいことは，組織との間における物質交換を効率よく行うために有利である。

● **血流速度の変化** 血流速度 v は，$Q = A \times v$（A：断面積，Q：流量）で決まるため，総断面積の変化とちょうど対称の関係にある（◯図 4-34-d）。毛細血管領域で血流速度が最小となるのは，組織との間での物質交換のための時間が十分にとれることになり有利である。

2 補助ポンプ

循環器系には，心臓のみならず，心臓をたすける第 2・第 3 の補助ポンプが存在する。

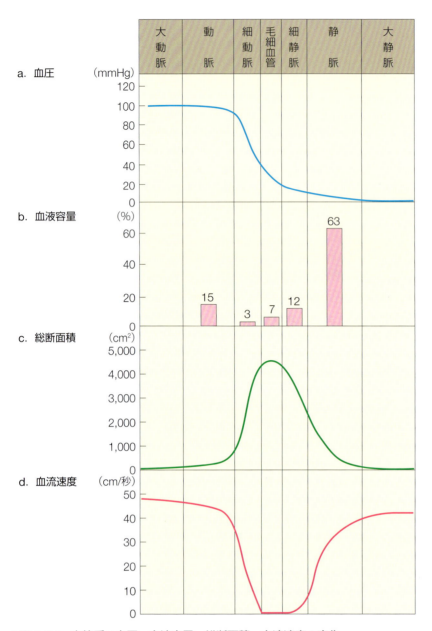

○図4-34　血管系の血圧・血液容量・総断面積・血流速度の変化

◆ 弾性動脈のポンプ作用

　生体内の大きな弾性動脈（大動脈やその分枝など）は，内容がない場合と比べて，1.4倍ほど伸展された状態にある。したがって，弾性動脈はつねに中の血液を圧迫し，その弾性によって心室弛緩期にも血液を末梢へ送る補助ポンプとしてはたらいている（○図4-35）。このため，心室拡張期には左心室内圧はほぼ0にまで低下するにもかかわらず，拡張期の血圧は70〜80 mmHgに保たれている。

◆ 静脈弁と筋ポンプ

四肢，とくに下肢の静脈にところどころ存在する弁と周囲の筋の収縮により，静脈内血液が圧迫されて上方へ送られ，心臓への還流をたすける。この筋ポンプは最大で 70〜90 mmHg の圧を発生するほど強力なので，しばしば「第 2 の心臓」ともよばれる。

歩いたり走ったりすると，下肢の筋が律動的に収縮する。筋が収縮すると長さが短くなるが，容積は一定のため筋は太くなる（力こぶができるのと同じ）。そのため，筋にはさまれた静脈は圧迫されて閉塞する。このとき，中に入っていた血液は静脈弁のために下方に向かっては移動できず，必然的に上方へ押し出される（◯図 4-36）。

筋が弛緩すると静脈の閉塞は解除されるが，収縮時と同様に，上方の血液は弁のために逆流できず，下方にあった血液が閉塞していた部位に吸い上げられることになる。このようにして，下方にあった血液がどんどん心臓に向けて送られることになる。

運動時には呼吸も促進されるが，呼吸のための胸郭の動きも，同様に血液を胸郭内に吸い上げる効果を発揮するため，呼吸ポンプとよばれる。

3 平均血圧と最高血圧・最低血圧の決定要因

前述したように，血圧には最高血圧と最低血圧の 2 つがあるが，便宜上これらの平均値をとって平均血圧を求めることが多い。◯図 4-34-a（◯192 ページ）も動脈部分は平均血圧をとっている。大動脈では最高血圧と最低血圧のちょうど半分くらいが平均値となるが，末梢の動脈では 1/2 ではなく，

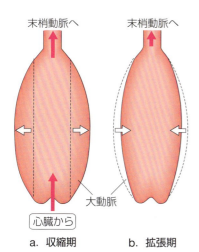

◯図 4-35 弾性動脈のポンプ作用による血液の流れ

矢印の長さは出入りする血液量を示す。収縮期（a）では，入る血液量は出る血液量より多く，拡張期（b）では血管壁はもとに戻り，血液を末梢に押し出す。

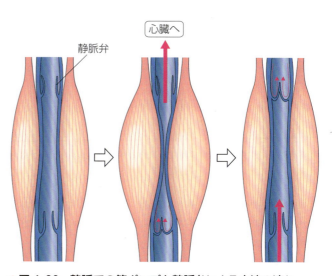

◯図 4-36 静脈での筋ポンプと静脈弁による血液の流れ

静脈を流れる血液は，周囲の筋が収縮し圧迫することで心臓へと送られる。筋が弛緩すると，中枢側の血液は静脈弁により逆流ができないため，末梢からの血液が入り込む。

下 1/3 程度が平均値となる（●図 4-37）。そこで平均血圧は次のように定義されている。

$$大動脈：平均血圧＝最低血圧＋\frac{脈圧}{2}$$

$$それ以外の動脈：平均血圧＝最低血圧＋\frac{脈圧}{3}$$

最低血圧は，心室拡張期に動脈内にどの程度血液が充満しているかによって決まる。細動脈が収縮していると末梢へ血液が流出しにくくなるため，拡張期に動脈内に残る血液量が増加し，最低血圧が上昇する（●図 4-38-b）。心拍数が増加した場合も，血液が流出しきらないうちに次の収縮によって血液が動脈内に拍出されるため，動脈内血液量が増加して最低血圧が上昇する。

一方，動脈硬化などにより動脈壁の弾性が低下すると，動脈が広がらないために動脈内に残る血液量が減り，最低血圧は低下する。

最高血圧は最低血圧の上に脈圧がのっかったものと考えるとわかりやすい。脈圧は 1 回心拍出量に比例し，動脈壁の弾性に反比例する。

4 脈波と脈拍

心室駆出期に血液が拍出されることにより，動脈は押し広げられて内圧が上昇し，拡張期にはみずからの弾性で復元するとともに内圧は低下する。この動脈壁の伸展と復元は波動として末梢へ伝播する。これを**脈波**といい，浅在性の動脈に触れて感ずる波動を**脈拍**とよぶ。

脈波の伝播速度は 5～9 m/秒であり，血流の速度（大動脈で 50 cm/秒）よりはるかに速く，心臓の拍動とほとんど同時に脈を触れることになる❶。つまり脈を触れた時点が心周期における駆出期の開始であり，脈を触れるとほぼ同時に聞こえるのが心音の I 音である。脈波の立ち上がりは，末梢に行く

> NOTE
> ❶脈波の伝播速度と血流の速度
> 10 両編成の列車に 5 両を増結する場合を考えてみよう。あなたは 10 両編成の列車の先頭車両にいる。後ろから 5 両の車両がゆっくりと（たとえば時速 2 km で）走ってきて連結すると，連結で生じた軽い衝撃がまたたく間に前方に伝わり，あなたもその衝撃を感じとるだろう。この衝撃が伝わる速度が脈波の伝播速度，5 両の列車の走る速度が血流の速度に相当する。

---

column　エコノミークラス症候群

飛行機のエコノミークラスの座席に長時間座っていたのちに，飛行機を降りる時点で発症することが多かったことから，このようによばれているが，急性肺血栓塞栓症というのが正式な名称である。また発症は，エコノミークラスに搭乗した人に限るわけではなく，ファーストクラスに座っていてもおこりうる。また，2004 年の新潟県中越地震の際には，車中に寝とまりしていた被災者に頻発した。

長時間にわたって座席に座っていると，膝を曲げた状態が続くため，静脈が圧迫されて血流がとどこおる。すると，血管の中で血液がかたまりはじめ，血栓が形成される。また，トイレに行くのがめんどうで水分の摂取を控えていると，血液が濃縮されて血栓ができやすくなる。アルコールには利尿作用があるため，飲酒によっても血液の濃縮が引きおこされ，血栓の形成が促進される。

飛行機が目的地に到着し，さて飛行機を降りるということになると，歩きはじめるわけであり，静脈の血流がよくなる。すると，すでに形成されていた血栓が流れ，下大静脈から右心房，右心室を経て肺動脈に入り，動脈が枝分かれして細くなった部分に詰まることになる。これが塞栓である。このような状態になると，突然の胸痛がおこり，右心室に対して大きな負荷となるため，ひどい場合には急性の右心不全をきたして死亡することもある。

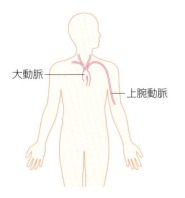
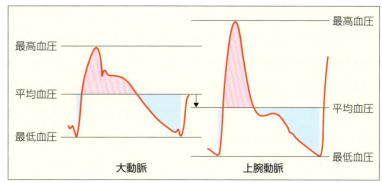

▶ 図 4-37　部位による血圧波形の違い
大動脈では，平均血圧は最高血圧と最低血圧の中間になるが，上腕動脈では下から 1/3 が平均血圧となる。平均血圧は，波形の平均より上部（ピンク）と下部（青）の面積が等しくなる値となる。

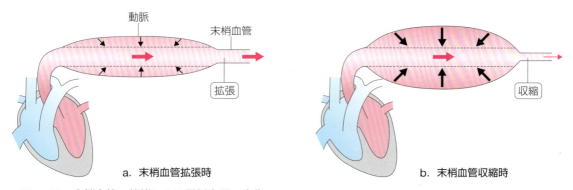

▶ 図 4-38　末梢血管の状態による最低血圧の変化
寒冷時の皮膚の血管のように，末梢血管が収縮していると，血液が末梢へと流れにくくなり，動脈内に残る血液量が増加するため，最低血圧は上昇する。

につれて急峻（きゅうしゅん）になり，振幅も大きくなる。これは脈波を構成する振動成分によって伝播速度が異なることによる。

3　血圧・血流量の調節

　呼吸・循環・代謝・排泄・消化などの自律機能は脳幹で調節されているが，これらはそれぞれ独立に調節されるわけではなく，相互に関連・影響し合っている。また，中枢を介さない相互影響も多い。とくに循環器系は，血流を介して各臓器・組織と直接結びついているため，つねに一定の圧力，一定の量の血液を流していればよいというものではなく，体内・体外の環境変化に応じて時々刻々とその機能状態がダイナミックに調節されている。

● **血流の再配分**　たとえば，運動をすると骨格筋における酸素の消費量が増すため，血流需要が増加する。このように，ある臓器の血流需要が増加したとき，この要求を満たす，すなわち血流量を増加させるには 2 つの方法が

ある。

まず第1は、その臓器に行く動脈を拡張させることである。つまり血管平滑筋を弛緩させて血管径を大きくし、これによって多量の血液を供給する方法である（◯図 4-39）。

第2は、血圧を上昇させることである。血圧は、次の式であらわされる。

血圧＝心拍出量×総末梢抵抗

したがって、心拍出量を増加させれば血流を駆動する原動力である血圧は上昇する。しかし、それでもたりない場合は、総末梢抵抗を上昇させる必要がある。総末梢抵抗は、動脈を収縮させると上昇する。第1の方法で動脈を拡張させたことと矛盾するようにみえるが、血流需要の増加した臓器へ行く動脈は拡張させたまま、ほかの臓器に行く動脈を収縮させるのである。つまり、ほかの臓器の血流を減少させて、血流需要の増した臓器にふり分けるのである。ここに血流の再配分を生じることになる❶。

> **NOTE**
> ❶実際、激しい運動を行うと消化器系の血流量は著しく減少する。とくに肝臓の血流量は約半分にまで減少する。また、胃や腸の血流も減少するため、消化機能が低下する。食事の直後に激しい運動をすると気持ちがわるくなったり、吐きけがしたりするのはこのためである。

1 血圧の調節

血圧の調節は、大きく分けて次の4つによって行われる。
(1) 心収縮機能の調節
(2) 腎臓における体液量の調節
(3) 自律神経による血管収縮状態の調節
(4) ホルモンなどの液性因子による血管収縮状態の調節

(1)と(2)は心拍出量を変化させることによって、(3)と(4)は総末梢抵抗を変化させることによって血圧を調節しているといえる。

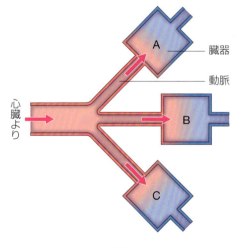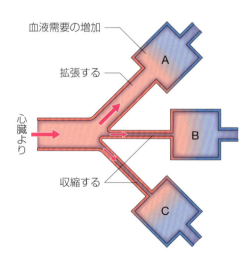

a. 通常時　　　　　　　　b. 臓器(A)の血流需要の増加時

◯**図 4-39　血流の再配分**
血流需要の増加した臓器(A)へ行く動脈を拡張させ、ほかの臓器(B, C)に行く動脈を収縮させることにより、血流が再配分される。また、総末梢抵抗が上昇することにより、血圧が上昇する。

2 血管と心臓の自律神経支配

●**血管** 血管は，例外的な部分(唾液腺，陰茎・陰核)を除いて，交感神経(交感神経性血管収縮神経，●243ページ)の単独支配である。**血管運動中枢**は延髄にあり，ここからのインパルスが増えれば血管は収縮し，減れば拡張する。神経の分布密度は動脈＞静脈であり，臓器別では皮膚＞骨格筋＞内臓の順に低くなり，脳が最も低く，心臓がそれに次ぐ。

●**心臓** 心臓は，交感神経・副交感神経(迷走神経)の二重支配を受ける。ただし，交感神経は心房・心室の全体にわたって作用するのに対し，迷走神経は洞房結節と房室結節が主で，心室への作用は少ない。

心臓抑制中枢(迷走神経背側核)と**心臓促進中枢**は延髄にある。心臓に対する自律神経の作用は，心拍数に対する作用(変時作用)，心筋の収縮力に対する作用(変力作用)，房室間興奮伝導時間に対する作用(変伝導作用)に分けられる。交感神経は陽性変時作用(心拍数増加)，陽性変力作用(心筋収縮力増強)，陽性変伝導作用(房室間興奮伝導時間短縮)を示し，迷走神経は陰性変時作用と陰性変伝導作用を示す。

3 神経系による血圧調節

血圧を感知する圧受容器は，頸動脈洞(外頸動脈と内頸動脈が分岐する部分)と大動脈に存在する。血圧が上昇すると，これらの圧受容器が興奮し，その情報は舌咽神経と迷走神経(求心線維)を通るインパルスとして中枢に伝えられる(●図4-40)。これによって交感神経の緊張が低下して血管が拡張すると同時に，迷走神経(遠心線維)の緊張が亢進して心拍数が減少して心拍出量が減少する。これらによって血圧が低下する。このような反射を**減圧反射**とよぶ。血圧が低下した場合はまったく逆に，**昇圧反射**を生じる。

反射による調節は血圧変動後，数秒以内に出現するが，長時間にわたって高血圧または低血圧が持続すると，この反射回路は新しい血圧レベルにリセットされてしまい，その効果を失う。

---

column　脳循環の特徴

脳循環は，血流が多いのが最大の特徴である。成人の脳重量は体重の約2％にすぎない。ところが，血流量は心拍出量の15％であり，酸素消費量は全身のそれ(安静時約250 mL/分)の約20％を占めている。そして脳の血流量は，全身の血圧が大きく変動しても(もちろん限度はあるが)，自動調節機構によってつねに一定に保たれている。

もう1つの特徴は，脳の周囲はほとんど完全に頭蓋骨で囲まれているため容積変化がおこらないことである。つまり頭蓋内の血液量は一定であり，動脈からの流入量と等しい量の静脈血が頭蓋の外へ排除される。このため脳内では静脈も拍動している。

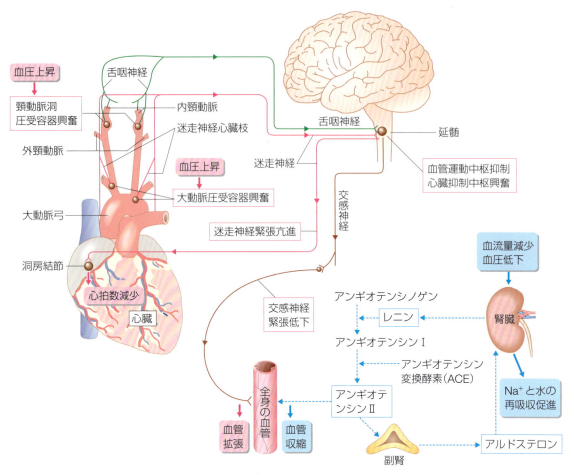

○ 図 4-40　血圧の調節機構
①神経による調節（実線）
　血圧が上昇すると，頸動脈洞と大動脈にある圧受容器が興奮し，迷走神経と舌咽神経を介して血管運動中枢と心臓抑制中枢に伝えられる。すると，交感神経の緊張が低下して血管が拡張すると同時に，迷走神経の緊張が亢進して心拍数が減少し，血圧が低下する（減圧反射）。血圧の低下時には，逆の反応がおこる。
②液性因子による調節（破線）
　さまざまな物質が血圧の調節に関与する。腎臓の血流量が減少または血圧が低下すると，レニンが分泌される。レニンの分泌により最終的にアンギオテンシンⅡが活性化され，血管収縮を引きおこして血圧を上昇させる（昇圧反射）。アンギオテンシンⅡは，副腎皮質にも作用してアルドステロンを分泌させ，Na^+と水の再吸収を促進し，血圧が上昇する。

4　液性因子による血管収縮状態の調節

　血管の収縮状態には，ホルモンやその他のさまざまな物質が影響を与える。とくに，血管の内層をおおっている内皮細胞から傍分泌（○ 249 ページ）で放出される各種の物質が，血管平滑筋の収縮・拡張を調節していることが明らかになっている。

◆ 血管収縮物質

1 カテコールアミン（α作用，▶247ページ） 交感神経終末や副腎髄質から放出されるアドレナリンやノルアドレナリンなどのカテコールアミンは，α受容体に結合することによって血管を収縮させる。

2 レニン-アンギオテンシン-アルドステロン系 腎臓の血流量減少，あるいは腎臓の血圧低下によって傍糸球体装置（▶222ページ）からレニンが分泌される。レニンは最終的にアンギオテンシンⅡの生成を促し，アンギオテンシンⅡは直接血管に作用して血管収縮を引きおこし，血圧を上昇させる（▶図4-40）。アンギオテンシンⅡは，同時に副腎皮質にも作用して，ホルモンの一種であるアルドステロンの分泌を刺激して Na^+ と水の再吸収を促進する。これにより循環血液量が増加して血圧上昇がさらに増強される。

3 トロンボキサンA_2（TXA_2） 血小板から放出されて血管収縮を引きおこす。出血に際して出血部位の血管を収縮させ，止血を促進する。

4 エンドセリン 血管内皮細胞から放出される，強力かつ持続性の血管収縮物質である。

◆ 血管拡張物質

1 カテコールアミン（β作用） アドレナリンが血管平滑筋のβ受容体に結合すると，平滑筋が弛緩して血管が拡張する。骨格筋につながる動脈の平滑筋にはβ受容体が多いため，アドレナリンによって血管拡張を生じ，筋血流が増加する。

2 一酸化窒素（NO） アセチルコリンやATPによる刺激に応じて血管内皮細胞から放出され，血管平滑筋を弛緩させる。内皮細胞からはつねにある程度の量のNOが放出されており，血管の収縮状態の調節にきわめて重要な役割を担っている。

3 ヒスタミン 組織の損傷により放出され，炎症反応に関与する。炎症がおこるとその部分が発赤するのは，ヒスタミンによる血管拡張のためである。また，血管の透過性を亢進させ，局所的な浮腫を生じさせる。炎症部位が腫脹するのは，このためである。

4 プロスタグランジンI_2（PGI_2，プロスタサイクリン） 血管内皮細胞より放出され，血管拡張と血小板凝集抑制作用を示す。

5 腎臓による血圧の調節

腎臓は，尿を生成することにより体液量を調節している（▶212ページ）。体液量の増減は循環血液量，すなわち心拍出量の増減につながり，血圧に大きな影響を与える。腎臓による血圧調節は作用が強力で，しかもその影響が長時間持続するため，血圧調節機序として最も重要である（▶図4-41）❶。したがって，腎機能障害があると体液量が増加するため，血圧が上昇して高血圧となる。

NOTE

❶毛細血管-間質液移動

大出血などで血圧が低下すると，毛細血管圧も低下するため，水を血管から組織へと押し出す力が減少する。そうすると毛細血管内に流入する間質液が増加する。これによって血液は希釈されるが，血液容積としては増加して血圧が回復する。

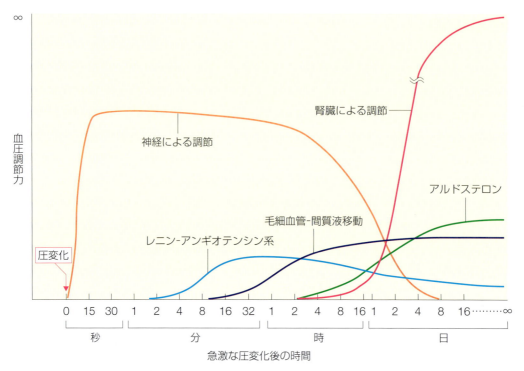

○図 4-41　血圧調節における機構ごとの影響の持続時間

4　微小循環

　動脈は，末梢へ進むにつれて枝分かれするとともに細くなり，直径 30〜300 μm の細動脈となる。細動脈から先は管壁に平滑筋も結合組織もなく，1 層の血管内皮細胞のみからなる壁が薄く，口径の小さな（直径 5〜10 μm）血管になる。これが毛細血管である。ここでは，血液と血管周囲の組織とが薄い内皮細胞のみを介して接触し，血管内外での物質交換が行われる。細動脈から毛細血管を経て細静脈にいたる領域を**微小循環**という。

1　微小循環の構築と血流

　細動脈には血管運動神経が豊富に分布し，神経性調節を受けている。交感神経の緊張が亢進すると，細動脈が収縮して毛細血管の血流が減少する[1]。一方，細動脈の終末部（終末細動脈）には血管運動神経の分布は少なく，代謝産物による液性調節を受けている。つまり，CO_2 や乳酸，その他の酸性の代謝産物によって弛緩し，毛細血管への血流を増加させる役割を担っている。

　毛細血管の壁には平滑筋がなく，組織の代謝需要が増大したとき（組織の活動が亢進したとき）に細動脈の拡張により血流を生じ，組織の血流量を増

1）本書第 8 版第 6 刷までは，そしてほかの多くの教科書ではいまでも，細動脈から毛細血管が分岐する部分には前毛細血管括約筋があり，その収縮・弛緩により毛細血管血流が調節されると記載している。しかし，血管系にはこの括約筋が通常は見られないため，第 8 版第 7 刷（2012 年 2 月発行）より変更した。

加させる。

毛細血管の壁は1層の内皮細胞に取り囲まれている。組織によって壁の構造が異なり、3つの類型に分けられる（○図4-42）。

1 **連続型毛細血管** 内容液の漏出を防ぐように、内皮細胞に窓つまり小孔がないもの。物質交換は、濾過か細胞を介した輸送によって行われる。筋組織や神経組織、肺などの多くの組織にみられる。

2 **有窓型毛細血管** 内皮細胞にある窓を通じて、大量に物質がやりとりされる。小腸や腎臓、内分泌腺にみられる。

3 **洞様毛細血管（類洞）** 内皮に大きな間隙がある不連続型のもの。細胞や高分子物質が移動することができる。肝臓や骨髄にみられる。

2 物質交換の機序

毛細血管壁を通しての物質移動は主として濾過と拡散（○514ページ）により行われる。水溶性物質は濾過によって血管外に出て、拡散によって移動す

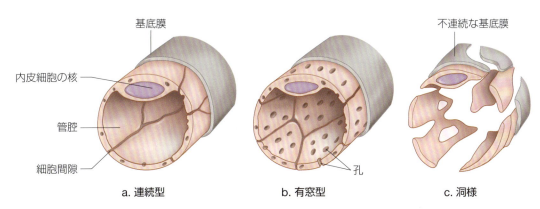

○図4-42 毛細血管の類型

> **column** 臓器の機能の違いによる毛細血管の形態の違い
>
> 　毛細血管の形態は、その毛細血管が存在する臓器・組織が担っている仕事によって決まる。
>
> 　筋組織や神経組織は収縮したり、電気的情報をやりとりしたりといった仕事をする。これらの組織が行う毛細血管との間の物質の交換は、エネルギー産生のために必要な栄養素を受け取ったり、代謝の結果生じた老廃物を除去してもらったり、といった自身にとって必要なことだけであり、毛細血管を出入りする物質は少ない。そのため、毛細血管の壁は透過性の低い連続型である。
>
> 　一方、小腸の細胞は自身が必要とする物質を受け取るだけでなく、全身に向かって供給する栄養素を吸収して毛細血管へと送り出す。また、腎臓では、尿中に除去されるべき老廃物が毛細血管から濾過されてくる。内分泌腺でも、合成されたホルモンが毛細血管へと出ていく。このように物質の出入りが多い器官では毛細血管壁は透過性の高い有窓型となっている。
>
> 　さらに、肝臓では、肝細胞で合成されたタンパク質（大きな分子である）が毛細血管の中に供給される。肝臓・脾臓では、さらに大きな血球が毛細血管へと出入りする。そのため毛細血管壁はさらにすきまの多い洞様となっている。
>
> 　なお、肺では酸素や二酸化炭素といった呼吸ガスが毛細血管に出入りするが、これらのガスは脂溶性のため、細胞膜を貫通することができ、毛細血管壁に孔（窓）が開いている必要がないため、壁は連続性である。

る。呼吸ガスのような脂溶性物質は，内皮細胞を貫通して拡散によりきわめてすみやかに交換される。

◆ 拡散

拡散とは，ある物質が濃度勾配に従って移動する現象である。グルコースなどの栄養素は，濃度の高い血管内から濃度の低い組織へ移動し，老廃物は逆に濃度の高い組織から血管内へ移動する。

◆ 濾過と再吸収

毛細血管の血圧（**毛細血管圧**）は，水を血管外に押し出す圧力を生じる。一方，血漿タンパク質は毛細血管壁を透過しないため，このタンパク質によって生じる浸透圧（**膠質浸透圧**）は水を血管内に吸い込む力を発生させる。

毛細血管の動脈寄りでは血圧が高いため，水が血管内から外（間質液）へと濾過される（●図4-43）。しかし，静脈寄りでは血圧が低くなるため，水は膠質浸透圧により血管内に再吸収される。つまり，水の局所循環が行われていることになる。

血管外に出た水の一部はリンパ管に流入し，リンパとなる。なお，毛細血管圧は動脈圧よりも静脈圧の影響を強く受ける。つまり，静脈にうっ血を生じると静脈圧が上昇し，毛細血管圧も上昇するため，血管外への水の濾過が増加して浮腫をおこす。

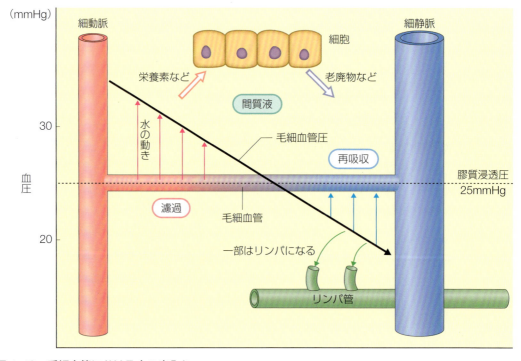

●図4-43 **毛細血管における水の出入り**
毛細血管の動脈側は，毛細血管圧が高いため，水は血管内から外へと濾過される。静脈側では，毛細血管圧が低く，水は血管内に再吸収される。血管外に出た水の一部はリンパ液となる。

3 浮腫

浮腫とは組織間隙に正常以上に水が貯留した状態であり，血管からの濾出の増加（毛細血管圧上昇または膠質浸透圧低下），またはリンパ管への流出減少によって生じる❶。

1 心不全による浮腫 心拍出量の減少により，血液が静脈系にうっ滞し，毛細血管圧が上昇して生じる。踝（くるぶし）などの身体の下のほうに最初に出現する。

2 腎性浮腫 腎臓の機能障害により尿量が減少するため，体内に水とNa^+が貯留しておこる。またネフローゼ症候群では，尿中にタンパク質が失われるため，膠質浸透圧が低下して浮腫がおこる。

3 飢餓による浮腫 栄養状態が極度に悪化すると，血漿タンパク質濃度が低下する。これにより膠質浸透圧が低下するため，水を血管内に吸い込む力が減って浮腫となる。飢餓（きが）による浮腫は，腹水（腹腔に水がたまる）としてあらわれる❷。

4 肝硬変 肝機能障害のために血漿タンパク質が合成できず，膠質浸透圧低下により腹水が貯留する。

5 リンパ管閉塞 血管外に濾過された血漿成分の一部は，リンパ管に流入してリンパとなる。したがって，リンパ管が閉塞した場合も浮腫をきたす❸。

5 循環器系の病態生理

1 チアノーゼ

チアノーゼは，皮膚が暗紫色に見える状態であり，口唇・口腔粘膜・耳朶（じだ）・爪床（そうしょう）などで観察される。脱酸素化（デオキシ）ヘモグロビンの絶対量が$5\,g/100\,mL$以上になると出現する。貧血があるとチアノーゼが出現しにくくなるため，注意が必要である。つねに露出されている顔面で観察できるため，医療関係者は絶対に見落としてはならない徴候である。

1 中枢性チアノーゼ 動脈血のO_2含量の低下による。肺血流量の減少，肺胞ガス交換低下，動脈への静脈血の混入などが原因となる。

2 末梢性チアノーゼ 静脈血のO_2含量の低下による。静脈系のうっ血に起因する。

2 起立性低血圧

立位では，人体の血液の70%は心臓より下にある（◯図4-44）。交感神経による起立時の血管収縮の失調のため，起立により血液が下半身にうっ滞し，脳血流が減少する（いわゆる脳貧血❹）。女性，とくに思春期や更年期に多いが，成人でも少なくない。

臥位（がい）やしゃがんだ状態から突然起立すると，血液は重力によって心臓よりも下にある体組織に集まり，逆に心臓より上にある部分では血液量が減少す

NOTE

❶ 局所性浮腫

けがをしたところが化膿してしまったり，齲歯（むし歯）が進行したりするとその近傍がはれてくる。これは外傷性の局所性浮腫である。炎症局所の肥満細胞からヒスタミンが遊離され，血管の透過性が亢進して水が組織にたまることが原因である。

❷ アフリカなどの飢餓地域の子どもには，手足はやせ細っているのに対し，腹部だけぽこっとふくれている様子がみられるが，これは腹水のためである。

❸ 腋窩リンパ節郭清

乳がんの手術などに際し，腋窩リンパ節を郭清（かくせい）（外科的に除去すること）すると，リンパ管の閉塞のため患側の上肢に激しい浮腫を生じることがある。

NOTE

❹ 脳貧血

起立性低血圧は，一般には脳貧血とよばれる。ところが脳を省略して「私今朝，貧血おこしちゃったの」というようなことも少なくない。しかし，貧血とはヘモグロビン濃度の低下（赤血球数も通常は減少する）であり（◯135ページ），起立性低血圧（つまり脳貧血）とはまったく異なる病態であることを，医療従事者としては知っている必要がある。

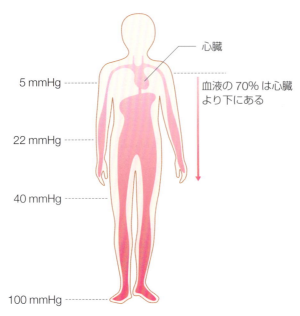

○図 4-44　立位での血液分布の模式図

る。安静にしているときには，全血液量の約 50％が体静脈系，約 30％が肺循環，約 15％が体動脈系にある。そのため，起立によっておこる血液の移動は，ほとんどすべて低圧系（毛細血管〜静脈）に限られる。

もし人体が起立に対してなんの反応もおこさなければ，①下半身の血管の拡張と血液の貯留→②心臓に還流する静脈血液量の減少→③心拍出量の減少→④動脈血圧の低下→⑤脳血流の減少がおこり，最終的には失神をおこす。

これに対応するために交感神経が興奮し，脳血管以外の広範な血管収縮が生じる。とくに下半身の静脈が収縮し，静脈圧を静水圧よりも高めることによって，血液を重力に打ち勝って下肢から心臓へと送り込む。脳血管抵抗は起立時には減少し，血流量が維持される。

長時間の起立によっても起立性低血圧をおこすことがある。しかし，走ったりしているときは，筋ポンプ（○193 ページ）がはたらくため，起立性低血圧は生じない。起立性低血圧による失神をおこしたときは仰臥位にし，枕などで下肢を挙上させると，静脈還流が促進されて回復が早まる。

3 慢性心不全

慢性の心不全では，心室より上流（心房，静脈）への血液のうっ滞（うっ血）が主症状となり，後方障害とよばれる（○図 4-45）。

1 左心不全　左心室から十分に血液が拍出できないため，左心室拡張期圧上昇→左心房への血液貯留→左心房圧上昇→肺うっ血となり，呼吸困難・血痰・起坐呼吸❶が引きおこされる。

2 右心不全　右心室から十分に血液が拍出できないため，右心室拡張期圧上昇→右心房への血液貯留→右心房圧上昇→体静脈のうっ血となり，頸静

NOTE
❶起坐呼吸
　左心不全のある人は臥位になると呼吸が苦しくなりとても寝ていられない。これは，臥位により静脈還流がよくなり，肺のうっ血が増強するためである。そこで背中にいくつも枕をあてがい，座ったような状態で眠るようになる。このように頭部，体幹を起こすか座位にすると軽快する呼吸困難を起坐呼吸という。

脈怒張，肝腫大，踝などの浮腫が引きおこされる。

4 急性心不全

急性心筋梗塞などに起因する急性心不全では，心室より下流（動脈）への拍出量低減が主症状となり（前方障害），心原性ショックとよばれる状態になる。脳血流量の減少による意識混濁がおこり，筋では脱力がおこる。また，腎血流量の減少により，腎臓における濾過量が低下し，水・電解質の貯留をきたす。緊急の治療が必要となる状態である。

5 高血圧

血圧値の分類を○表4-3に示す。高血圧は，わが国の国民病ともいえる病気であり，患者数は約4300万人とも推定されている。高血圧は，脳卒中や虚血性心疾患（狭心症，心筋梗塞），腎疾患の増悪因子・危険因子であり，生活習慣病の重要な因子である。

1 本態性高血圧 高血圧の大部分は本態性高血圧とよばれるものであり，原因は不明である。ただし，遺伝因子や生活習慣（喫煙，肥満，脂肪・塩分の過剰摂取，運動不足）などが血圧上昇を促進することがわかっている。

2 二次性高血圧 原因が判明している高血圧を二次性高血圧といい，全高血圧の10〜15%である。原因としては，腎炎や糖尿病性腎症などの腎実質性高血圧，腎動脈の狭窄によってレニンが放出されておこる腎血管性高血圧，ホルモンの異常によっておこる内分泌性高血圧などがある。

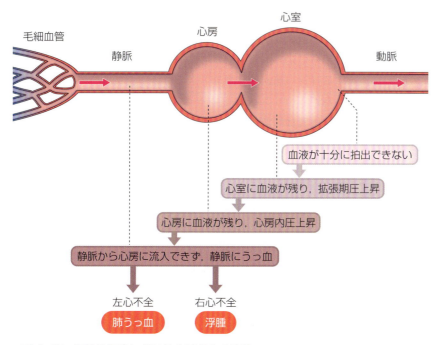

○図4-45 慢性心不全における血液分布の変化

表 4-3 成人における血圧値の分類（日本高血圧学会, 2019 年）

分類	収縮期血圧(mmHg)		拡張期血圧(mmHg)
正常血圧	<120	かつ	<80
正常高値血圧	120〜129	かつ	<80
高値血圧	130〜139	かつ/または	80〜89
Ⅰ度高血圧	140〜159	かつ/または	90〜99
Ⅱ度高血圧	160〜179	かつ/または	100〜109
Ⅲ度高血圧	≧180	かつ/または	≧110
（孤立性）収縮期高血圧	≧140	かつ	<90

（注）収縮期血圧と拡張期血圧が異なる分類に入る場合は高いほうの分類に組み入れる。

F リンパとリンパ管

1 リンパ管の構造

　毛細血管を通る血液から血漿の一部がもれ出て，間質液になる。リンパ管は，間質液を集めて再び血液に戻す脈管で，そこを流れる液は**リンパ** lymph（リンパ液）とよばれ，液体成分と細胞成分（おもに白血球の一種であるリンパ球）からなる。

　リンパ管は，器官内の**毛細リンパ管**から始まる。これは毛細血管と似た単層の内皮細胞と不完全な基底膜をもち，組織間隙に開いている。リンパ管は合流してしだいに太くなり，弁をもつようになる。リンパ管は，いたるところで網目をつくるが，動脈あるいは静脈に沿って走り，身体の中心に向かう。リンパ管のところどころにリンパを濾過するリンパ節がはさまり，さらに合流して太くなり，最終的に下半身と左上半身からのリンパ管は胸管，右上半身からのリンパ管は右リンパ本幹に集まり，両者は頸部でそれぞれ左および右の**静脈角**（鎖骨下静脈と内頸静脈の合流部）に注ぐ（図 4-46）。

　胸管は最大のリンパ管で，第 1 腰椎の前，腹大動脈の後ろで始まる。下肢と骨盤からの左・右の腰リンパ本幹と，腹部内臓からの腸リンパ本幹とが合流して，胸管ができる。合流部は**乳び槽**とよばれ，細長い袋形で，小腸壁で吸収された脂肪滴によって白濁したリンパ（乳び）を含んでいる。

　胸管は，乳び槽から大動脈に沿って上行し，横隔膜を通り抜け，脊柱の前を通って左側の静脈角に達する。静脈角に注ぐ直前あたりで，左の頸リンパ本幹・鎖骨下リンパ本幹・気管支縦隔リンパ本幹が合流する。胸管の全長は 35〜40 cm である。

　リンパ節 lymph node は，リンパ球を多数含むリンパ組織からなり，抗原（免疫系を刺激して免疫反応を引きおこす物質）を認識して免疫反応をおこす

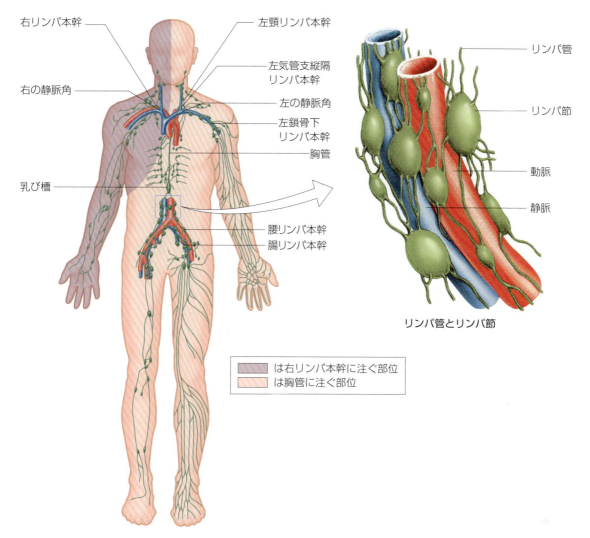

○ 図 4-46　リンパ系の概観
リンパを運ぶリンパ管は，動脈や静脈に沿って分布する。右上半身のリンパ管は右リンパ本幹に，左上半身と下半身のリンパ管は胸管に集まり，静脈角に注ぐ。

場になっている（○ 447 ページ）。リンパ節は，身体の突出部の根もと，すなわち頸部（頭の根もと），腋窩（上肢の根もと），鼠径部（下肢の根もと），および胸腹部の血管に沿って多く分布する。

2　リンパの循環

　リンパ流量は 3～4 L/日であり，リンパの還流は，周囲からの圧迫と弁膜の作用，およびリンパ管の周期的自動収縮によっている。このため筋運動を行うとリンパ流量は著しく増える。また，マッサージもリンパの流れを促進する効果が大きい。
　リンパ循環の主目的として，以下のものがあげられる。

(1) 濾出した血漿を再び血液循環系に戻す。
(2) 組織中の異物および代謝産物を除去する。とくにタンパク質は毛細血管に直接入ることができないため、リンパ循環が唯一の除去経路となる。
(3) 腸管において吸収された脂肪はリンパ管に入り、最終的に静脈に合流する。腸リンパは吸収された脂肪を含み白濁した乳びとなっている。
(4) 集合・主幹リンパ管のあちらこちらに、リンパ節が存在する。このリンパ節は、生体内に侵入した細菌や毒素、がん細胞などの有害なものを血液循環に入れないためのフィルターの役割を果たしている。すなわち、リンパ節の細胞(◯447ページ)は侵入物質のほとんどを貪食(食作用によって細胞内に取り込み消化すること)し、それに対する免疫反応を作動させる。皮質の内側に小節が配列し、ここはB細胞(Bリンパ球)の増殖の場であり、傍皮質には主としてT細胞(Tリンパ球)が集合している。

● **がんのリンパ行性転移** がん細胞はリンパの流れにのって転移することが多い(リンパ行性転移)。このためがん化した組織の近傍のリンパ節(所属リンパ節とよばれる)は、最初の転移場所になりやすい(◯449ページ)。がんの外科的切除に際しては、所属リンパ節の除去(郭清)をあわせて行う。

work 復習と課題

❶ 心臓の弁膜の開閉は、どのように行われているか。
❷ 冠状動脈とはなにか。
❸ 動脈・毛細血管・静脈の構造の違いを述べなさい。
❹ 門脈とはなにか。またこの循環系はどのような意義をもつか。
❺ 心臓の自動性は、どのような機序によるものだろうか。
❻ 心電図を描き、それぞれの波が刺激伝導系のどの部分に対応しているかを述べなさい。
❼ 心周期と心臓の動きについてまとめなさい。
❽ 血圧と心周期の関係について述べなさい。
❾ 血圧の測定時に注意しなければならないことはなにか。
❿ 容量血管とよばれる血管を2つあげ、なぜそのようによばれるのかを述べなさい。
⓫ 血圧を調節するしくみを大きく4つに分け、それぞれについて述べなさい。
⓬ リンパの走行についてまとめなさい。

— 解剖生理学 —

第 5 章

体液の調節と尿の生成

本章の概要

　内科の富野先生はゴルフが趣味である。9月中旬のよく晴れた日曜日，友人に誘われてゴルフ場に出かけた。ラウンドを終え，クラブハウスに戻ったところで，「今日はずいぶん汗をかいたのに，水分をまったく補給していなかったな」と思い，あまりのどは渇いていなかったが，冷水をコップで2杯ゴクゴクと飲み干した。しばらくすると尿意をもよおし，トイレに入ったところ，大量の尿が出た。「ずいぶんと出るな」と思っているうちに，失神して倒れてしまった。富野先生になにがおこったのだろうか。

　人体に含まれる水を体液といい，成人の体重の55％（女性）ないし60％（男性）を占める。つまり，水は身体の構成成分として最も重要なものである。そして，体液の2/3は細胞内液，1/3は細胞外液（間質液や血漿など）である。富野先生は，汗をかいたのに水分を補給しなかったため，体内の水分が不足し，脱水状態になりかけていたのである。

　また体液には，水の量以外にもう1つ重要な要素がある。それは細胞外液にとけている電解質（主としてナトリウム）の濃度である。おそらく富野先生の体内では，副腎皮質からアルドステロンというホルモンが分泌され，これが腎臓にはたらきかけ，ナトリウムと水が排泄されてしまわないように，再吸収を促進していたことであろう。

　水が失われて細胞外液の電解質濃度が高まると，浸透圧が上昇する。放置すれば細胞内液が吸い出されて，細胞の代謝が円滑に進まなくなる。そこでこの浸透圧の上昇を視床下部が感知し，下垂体から腎臓における水の再吸収を促進するバソプレシン（抗利尿ホルモン；ADH）というホルモンを分泌させるとともに，のどの渇きの感覚（口渇）を生じさせ，水を飲む行動にかりたてる。

　富野先生の場合は，あまりのどが渇いていなかった。つまり汗をかくことによって水が失われていたが，汗が塩辛いことからわかるように，同時に塩分も出て行ってしまっていたため，浸透圧が上昇していなかったのである。ここで水だけを補給するとどうなるだろうか。浸透圧が低下してバソプレシンの分泌が抑制され，そして尿量が増える。つまり脱水状態が悪化して，血液量が減ったために血圧が低下し，富野先生は失神してしまったのである。

　このような体内に含まれる水と電解質の量とそのバランスを調節し，ホメオスタシスを可能にしているのが腎臓である。そして腎臓のはたらきは，前述したように，アルドステロンによる循環血液量の調節と，バソプレシンによる血漿浸透圧の調節という二重の機序によって調節されている。腎臓はさらに，不要・有害な代謝産物を尿中に捨てることによってホメオスタシスに貢献している。

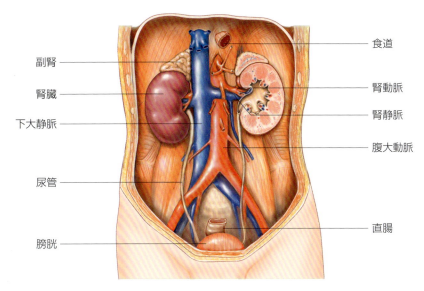

○図 5-1　泌尿器系の概観
泌尿器系は，体液の成分と量を一定に保持するために，尿の排泄を調節している。

　腎臓から出た尿は，排尿路を通って体外に捨てられる。排尿路は尿管・膀胱・尿道からなり，尿を一時的にたくわえておき，適切な機会に排出する。腎臓と排尿路をあわせて**泌尿器**とよばれる（○図 5-1）。

　ちなみに，富野先生は救急車で病院に運ばれ，適切な処置を受け，元気になった。ただ，倒れた拍子に首を打ち，今でもむち打ち症の症状で苦しんでおられる。

A　腎臓

1　腎臓の構造と機能

1　腎臓の構造

● **肉眼的構造**　腎臓 kidney は，脊柱の左右で肋骨になかばかくれる位置にあり，重さ 130 g ほどの器官である。形はソラマメ形で，脊柱に向いたややくぼんだ側を**腎門**とよぶ（○図 5-2）。血管や尿管は，ここを通って腎臓に出入りする。腎門を除いて，腎臓はじょうぶな被膜に包まれている。腎門の奥は，**腎洞**とよばれる空洞になっており，腎動脈と腎静脈の枝や，**腎盂**（腎盤）とその枝にあたる**腎杯**がおさまっている。

● **皮質と髄質**　腎臓の実質は，被膜に近い側を占める**皮質**と，腎洞に突出する**髄質**とに区別される。尿を濃縮するのは，おもに髄質のはたらきである。髄質は全体として円錐状で，その先端は**腎乳頭**とよばれ，人では左右それぞ

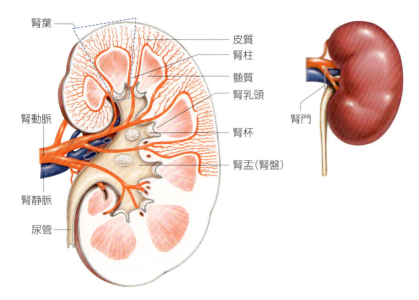

○図 5-2　腎臓の前頭断面（背面より見る）
腎臓はソラマメ形で，内部の腎洞という腔所を通って，動脈・静脈および尿管が出入りする。腎臓の実質は，外側の皮質と，内側の腎洞に向かう髄質とに分かれる。

れ十数個の乳頭がある。腎乳頭にはそれぞれ腎杯がかぶさる。髄質とその周囲の皮質を合わせて**腎葉**といい，腎臓の肉眼的な構成単位である。腎葉の境界部の皮質を**腎柱**という。腎臓の皮質と髄質でつくられた尿は，乳頭の先端から腎杯に流れ出し，腎盂に集められたあと，尿管を通して排出される。

● **腎小体と尿細管**　腎臓の皮質と髄質の組織には，血液から液を濾過する**腎小体**（マルピーギ小体）と，液を流す細長い尿細管[1]とがおさまっている（○図5-3）。尿細管は，構造と機能の異なるいくつもの分節に分かれている。尿は，糸球体と尿細管の協力によりつくられる。

皮質は，腎小体と尿細管のなかでも迂曲する部分が集まる領域で，髄質は直走する尿細管が集まる領域である。皮質と髄質の境界部から皮質側に，直走する尿細管の集団がところどころ放射状にのび出している（髄放線）。また，皮質と髄質の境界にある太い弓状動静脈から，皮質側に動静脈の枝が放射状にのび出ている。

2　腎臓の機能

● **尿生成のメカニズム**　腎臓では，糸球体と尿細管の2段階で尿がつくられ，不要なものが取り除かれる。糸球体では，血漿成分が1日に約160L濾過される。この濾液（糸球体濾液，原尿ともいう）が尿細管を流れ下る間に，大部分の水と必要な成分が再吸収され，また不要な成分が尿細管から分泌され，最終的な尿となる（○図5-4）。成人の尿量は，1日あたり1〜1.5Lである。

● **腎臓の血管**　腎臓の血管系の特徴は，毛細血管を2回通過することである。第1の毛細血管は糸球体であり，ここでは血圧を利用して濾過が行われ

NOTE
[1] 生物学では細尿管とよぶ。

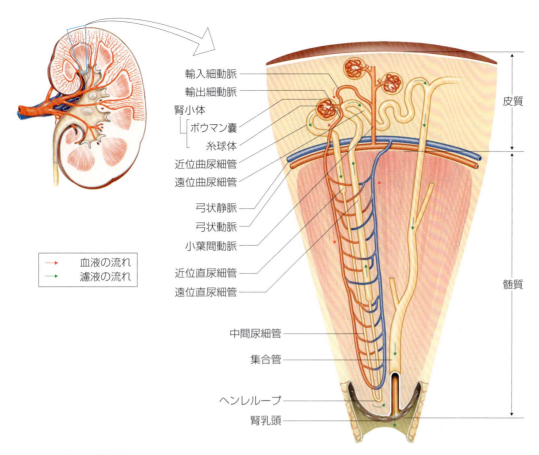

◐ 図 5-3　腎臓の組織構造
腎臓の皮質と髄質には腎小体と尿細管があり，これらのはたらきによって尿がつくられる。

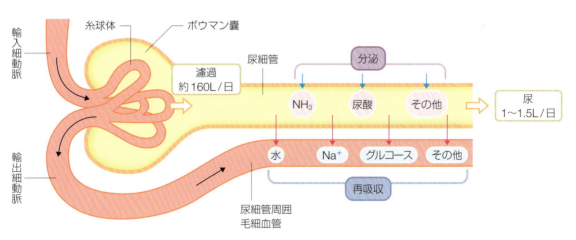

◐ 図 5-4　尿生成の過程
尿の生成は，糸球体からの血漿成分の濾過，尿細管での再吸収と分泌という2つの過程を経て行われる。

る。第2の毛細血管は尿細管周囲にあり，尿から再吸収された成分を運び去る役目をする。

　腎門から入った腎動脈は，腎洞で分枝して，葉間動脈となり腎柱を進む。

その後，皮質と髄質の境を横に走る弓状動脈となり，そこから髄放線の間に小葉間動脈を送り出す。これの分枝が輸入細動脈となり，糸球体に入る。糸球体から出た輸出細動脈は髄質の中を進み，尿細管周囲の毛細血管に血液を送り出す。腎臓内の静脈は，ほぼ動脈と伴行している。

2 糸球体の構造と機能

1 糸球体の組織構造

　腎小体は，**糸球体**という毛細血管の糸玉を，**ボウマン嚢**という袋が包んだものである（○図5-5）。ボウマン嚢は直径約0.2 mmで，両側の腎臓に合わせて約200万個ある。腎小体の一極には輸入・輸出細動脈が出入りし（血管極），もう一方の極は尿細管に移行する（尿細管極）。

　糸球体の本体は毛細血管と特殊な結合組織（メサンギウム）とからできており，両者を合わせた表面を糸球体基底膜と足細胞とがおおっている。毛細血管は外周のごく一部でメサンギウムに接し，残りの大部分は糸球体基底膜と足細胞を隔てて，ボウマン嚢に面している。この毛細血管内皮・糸球体基底膜・足細胞からなる薄いシートが，糸球体の濾過障壁の本体である。

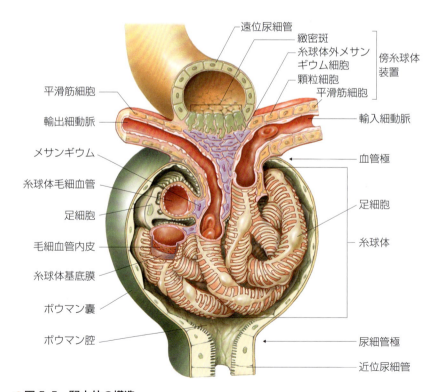

○図5-5　腎小体の構造
腎小体は糸球体をボウマン嚢で包んだもので，血液から尿を濾過し，尿細管へと運ぶ。

2 糸球体濾過

糸球体毛細血管圧とボウマン嚢内圧との圧差により，血漿成分がボウマン嚢へと濾過される（◯図5-6）。ボウマン嚢内圧は 15 mmHg であり，水を毛細血管内に吸い込む力を発生する血漿の膠質浸透圧は 25 mmHg である。さらに，動脈圧（血圧）は腎動脈から糸球体にいたるまでに 15 mmHg 以上低下する。したがって，動脈圧が 15＋25＋15＝55 mmHg 以上ないと濾過ができない。これを下まわる場合には，尿がつくれなくなり，老廃物が体内に蓄積して尿毒症とよばれる重篤な病態となる。したがって，平均血圧は，どのような場合でも安全域を見込んで 60 mmHg 以上に維持される必要がある。

糸球体から濾過される濾液は，大部分が水であるが，そのほかに各種電解質や，血漿中に溶解している小さな分子もともに濾過される。尿素などの不要な物質も濾過されるが，グルコースやアミノ酸などの利用可能な物質も同時に濾過され，濾液中に出て行く。

糸球体において濾過を受けるかどうかは，分子の直径によって大部分が決まる（◯表5-1）。アルブミン（分子量 66,000）やγグロブリン（分子量 156,000）などの大きな血漿タンパク質は，ほとんど濾過されない。また，分子量が小さくても鉄のように血漿タンパク質と結合している物質も，糸球体では濾過

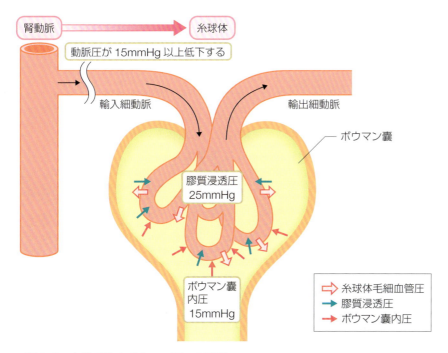

◯図 5-6　血漿成分のボウマン嚢への濾過
血漿成分は，糸球体毛細血管圧とボウマン嚢内圧との圧差により，ボウマン嚢へと濾過される。ボウマン嚢内圧は 15 mmHg であり，水をボウマン嚢から毛細血管内に吸い込もうとする膠質浸透圧は 25 mmHg である。糸球体毛細血管圧が，この 2 つの圧力の合計以上ないと濾過ができない。さらに，血液が腎動脈から糸球体にいたるまでに動脈圧は 15 mmHg 以上低下するため，動脈圧が 15＋25＋15＝55 mmHg 以上ないと濾過できないことになる。

表 5-1　物質の大きさと糸球体での透過性

物質	分子量	分子の大きさ (nm)	透過性 (濾液/血漿濃度比)
水	18	0.10	1.0
尿素	60	0.16	1.0
グルコース	180	0.36	1.0
スクロース	342	0.44	1.0
イヌリン	5,500	1.48	0.98
ヘモグロビン	64,500	3.25	0.03
アルブミン	66,000	3.55	<0.01

を受けない。

　また，分子量が64,500のヘモグロビンは，濾過を受けるか否かの境界に位置している。このため，血液型不適合輸血などにより，体内で多量の溶血があると，一部のヘモグロビンが濾過されて尿細管中に入る。160 L/日の糸球体濾過量が1.5 L/日の尿量になることからわかるように，尿細管を流れ下る間に濾液は濃縮されるため，ヘモグロビンが尿細管に詰まって腎機能障害を引きおこすことがある。

3　尿細管の構造と機能

1　尿細管の組織構造

　尿細管は腎組織の中に折りたたまれた長い管で，糸球体で濾過された尿を流すとともに，その成分を再吸収して血液に回収する。尿細管は，糸球体から始まって腎乳頭の先端に開くまで，皮質と髄質の中を1往復半する（213ページ，図5-3）。

> **column　糸球体はきわめてこわれやすい**
>
> 　糸球体では，高い血圧の血液を含む毛細血管が，きわめて薄い壁によって封じ込められている。毛細血管の高い血圧は，壁を外向きに膨張させる力を生じる。この大きな力を，壁の薄い非常に繊細な構造で支えているため，糸球体はきわめてこわれやすい。
>
> 　また，糸球体はいったんこわれると再生しない。そのため健康な人であっても，加齢とともに糸球体の数は減少する傾向がある。そして腎臓の疾患では，その減少がさらに加速する。
>
> 　糸球体数が極端に減ると，腎臓での尿生成機能は失われ，腎不全となる。腎不全の患者は，人工透析や腎臓移植の治療を受けないと死にいたる。現在のわが国における腎不全のおもな原因は，糖尿病腎症と慢性糸球体腎炎であり，ともに糸球体の破壊が原因である。

● 表 5-2 糸球体と尿細管の分節

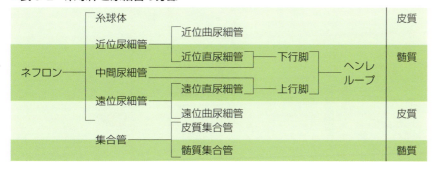

　尿細管は，細胞の種類によって 4 つの分節に分かれる。**近位尿細管，中間尿細管，遠位尿細管，集合管**である（●表 5-2）。このうち近位尿細管の終わり近くから遠位尿細管の始まりまでの部分は，髄質内を直走して U ターンしており，**ヘンレループ**とよばれる。

　糸球体から遠位尿細管までを合わせて**ネフロン** nephron とよび，枝分かれがなく一本道である。これに対して集合管には多くの尿細管が合流する。

　1 近位尿細管　糸球体に続く最初の分節で，はじめは皮質内を迂曲し（近位曲尿細管），髄質内に一部進入して，ヘンレループの始まりの部分をつくる（近位直尿細管）。

　2 ヘンレループ Henle loop　髄質内を下行・U ターン・上行する部分である。下行脚の上部は近位直尿細管，ループの下部は細い中間尿細管，上行脚の上部は遠位直尿細管でできている。

　3 遠位尿細管　ヘンレループ上行脚の上部で始まり（遠位直尿細管），皮質内で再び迂曲する（遠位曲尿細管）。遠位直尿細管の最上部は，もとの糸球体の血管極に接触し，周辺の細胞とともに傍糸球体装置（● 222 ページ）をつくっている。

　4 集合管　複数の尿細管が合流し，皮質と髄質を貫いて，乳頭の先端に開口する。

2 尿細管の機能

　尿細管の機能は，近位尿細管とヘンレループ以後の部分に分けて考えると理解しやすい。

　おおまかにみると，近位尿細管では，糸球体から濾過された水・グルコース・アミノ酸・ビタミンなどの重要な物質の大部分が再吸収されている（●図 5-7）。近位尿細管における再吸収は，身体の生理的状態に左右されることなく，つねにほぼ一定で，調節することはできない。

　ヘンレループ以後の部分では，尿の濃縮が行われる。ヘンレループの上行脚で再吸収されるナトリウムイオン（Na^+）および，集合管で再吸収される尿素が髄質に蓄積して，髄質に高い浸透圧が生じている。ここを集合管が通り抜ける際に，髄質の高い浸透圧を利用して尿の濃縮が行われる。

　尿の成分の調節は，おもに集合管（一部は遠位尿細管）で行われる。集合管

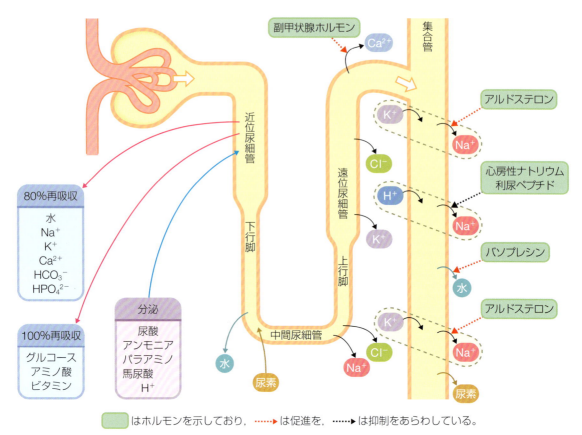

○図 5-7　尿細管における再吸収と分泌
水と必要な成分の多くは，近位尿細管で再吸収される。遠位尿細管と集合管では，ホルモンにより尿の組成が調整される。

での再吸収は，電解質（鉱質）コルチコイド（アルドステロン）やバソプレシン（抗利尿ホルモン）などのホルモンの影響を受け，生理的状態の変化に応じて尿の組成を変化させ，ホメオスタシスを維持するようになっている。

◆ 近位尿細管の機能

　水，Na^+，K^+，Ca^{2+}，HCO_3^-，リン酸水素イオン（HPO_4^{2-}）などの約80％がここで再吸収される。またグルコース，アミノ酸，ビタミン，そして濾過された微量の血漿タンパク質などは，ほぼ100％ここで再吸収される。ただしこれらの再吸収には閾値があり，閾値以上の濃度になると再吸収しきれずに尿中に排泄される。
　たとえば，グルコースは担体（輸送体）に結合して再吸収されるため，通常は尿中に排泄されない。しかし，グルコースの血中濃度が 180 mg/100 mL をこえると担体の量が不足するため，尿中にグルコースが排泄されはじめ，300 mg/100 mL（**尿細管最大輸送量** tubular transport maximum〔Tm〕）をこえると排泄量は直線的に増加する（○図 5-8）。健康な人でも，甘い物を食べた直後には血糖値が上昇するため，尿中にグルコースが検出される。担体のグルコース結合能が低いと，正常な血糖値でも尿中にグルコースが排泄されるこ

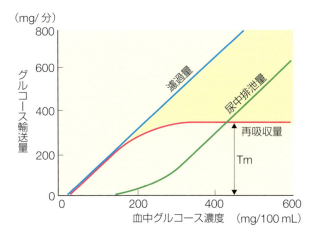

図 5-8 グルコースの再吸収
グルコースの血中濃度が上昇すると，濾過量も直線的に増加する。しかし，濾液中のグルコースが増加すると尿中に排泄されはじめ，尿細管最大輸送量(Tm)をこえると，直線的に排泄量が増加する。

とがある。これを腎性糖尿という。

一方，パラアミノ馬尿酸(PAH，● 224 ページ)，尿酸，アンモニア(NH_3) などは，周囲の毛細血管から尿細管中へと分泌される。尿酸は，その後再吸収され，最終的な排泄量は濾過量の 10％程度となる。

近位尿細管では溶質とともに水も再吸収されるため，濾液の浸透圧は変化せず，血漿の浸透圧に等しい 290 mOsm/L❶ のままであり，近位尿細管では尿の濃縮は行われない。

> **NOTE**
> ❶ Osm（オスモル）
> Osm は浸透圧をあらわす単位である。詳細は，● 515 ページ参照。

◆ 尿の濃縮（ヘンレループ〜集合管）

髄質の間質液中には再吸収された Na^+ と尿素が蓄積しており，腎乳頭の先端に向かうほど浸透圧が高くなる浸透圧勾配が形成されている（●図 5-9）。集合管が髄質を貫いて乳頭の先端に向かう途中で，この浸透圧勾配によって水が再吸収されて，尿が濃縮される。

ヘンレループの下部は細い中間尿細管からなり，その下行脚と上行脚では壁の透過性が違う。下行脚では水と尿素の透過性が高く，間質との濃度差と浸透圧差により水が間質に出て，尿素が下行脚に入る。

● **対向流増幅系** 上行脚では Na^+ の透過性が高いため，間質との濃度差により受動的に Na^+ が再吸収される。上行脚上部の遠位尿細管では，エネルギーを消費して能動的に Na^+ が再吸収される。その結果，髄質の尿細管液と間質には Na^+ と尿素が蓄積し，腎乳頭の先端に向かうほど高い浸透圧勾配が形成される。皮質で 300 mOsm/L ほどの浸透圧は，腎乳頭の先端では 1,200 mOsm/L にまで達する。ヘンレループのこのような作用を **対向流増幅系** とよぶ。

中間尿細管を通り抜けて遠位尿細管に入った液は，Na^+ が再吸収されて浸透圧がいったん 300 mOsm/L よりも低くなる。集合管に入って皮質と髄質を通過すると，水は髄質の中の浸透圧勾配に従い，間質に吸い出される。間質に出た水は，毛細血管に入って運び去られる。このようにして，尿は濃縮されて排泄される。集合管の壁の水透過性はホルモンによる調節を受けており，最終的な尿の濃度（つまり水の再吸収量）が調節される。

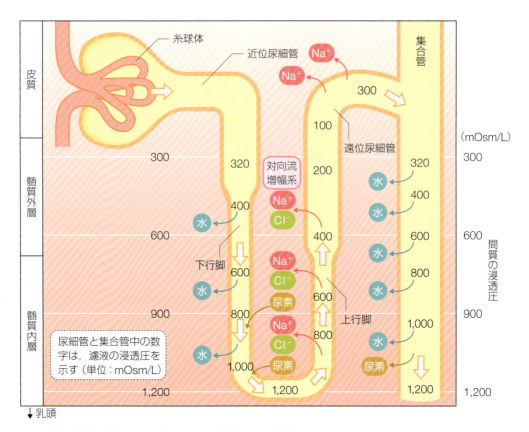

○図5-9 対向流増幅系による浸透圧勾配の形成と尿の濃縮
間質液の浸透圧は，皮質から髄質外層，髄質内層へと行くにつれ，300 mOsm/L → 1,200 mOsm/L へと上昇する。尿の浸透圧は間質と平衡するため，ヘンレループや集合管で濃縮されることになる。

髄質の集合管では，尿素も浸透圧勾配に従って再吸収されており，その一部がヘンレループ下行脚の下部で再び尿の中に入る。尿素は髄質の間質に蓄積するとともに，ヘンレループ以後の尿細管と間質の間で再循環して，浸透圧勾配の形成に寄与している。

◆ 尿の成分の調節（遠位尿細管〜集合管）

糸球体から濾過された水や Na^+ などは，その大部分が近位尿細管で再吸収される。そのため，遠位尿細管〜集合管における再吸収量は，全体の割合からみると小さい。

しかし，集合管（一部は遠位尿細管）における再吸収は各種ホルモンの影響を受け，再吸収量を増減することによってホメオスタシスの維持に貢献している。つまり，ある物質が体内に不足した場合は，再吸収量を増大させて体外に排泄されてしまうのを防ぎ，逆に，ある物質が体内に過剰にある場合は再吸収を抑えて排泄量を増加させる。

● **バソプレシン**　集合管における水の再吸収は，下垂体後葉（○ 254 ページ）から分泌されるホルモンである**バソプレシン** vasopressin（抗利尿ホルモン antidiuretic hormone〔ADH〕）の調節を受ける。体内に水が不足して血漿の浸透

圧が上昇すると，バソプレシンが分泌され，集合管細胞表面にある水チャネルを増やす。

　水は，対向流増幅系によってつくり出された髄質に向かって高張となる浸透圧勾配に従い，間質に吸い出される。管外に出た水は，毛細血管に入って運び去られる。このようにして，尿は濃縮されて排泄される。ヘンレループの底の部分の浸透圧は 1,200 mOsm/L であるため，最大限に水が再吸収されれば，尿は血漿の 4 倍(1,200÷300＝4)の浸透圧にまで濃縮される。

● **アルドステロン**　集合管における Na^+ の再吸収は，血圧の低下が刺激となり，副腎皮質(◯ 266 ページ)から分泌されるホルモンである電解質(鉱質)コルチコイド(アルドステロン)によって促進される(◯図 5-10)。このとき，Na^+ との交換で K^+ の尿中への分泌・排泄が増加する。

● **心房性ナトリウム利尿ペプチド**　一方，心房壁の伸展によって分泌される**心房性ナトリウム利尿ペプチド** atrial natriuretic peptide(ANP)は，集合管における Na^+ の再吸収を抑制し，Na^+ の排泄を増加させる(◯ 272 ページ)。そのため尿の浸透圧が上昇し，水が尿細管管腔内に引き込まれて尿量が増加する。ただし，ANP の作用は集合管に対するものだけではなく，腎血流量を増やして糸球体濾過量を増加させる効果もある。

● **副甲状腺ホルモン**　副甲状腺ホルモン(パラソルモン，◯ 263 ページ)は，

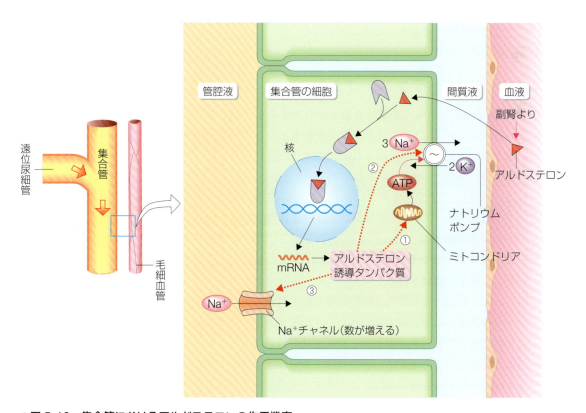

◯図 5-10　集合管におけるアルドステロンの作用機序
副腎で分泌されたアルドステロンは，集合管の細胞に作用し，①ミトコンドリアでの ATP 産生促進，②ナトリウムポンプの活性促進，③ Na^+ チャネルの増加を引きおこし，Na^+ の再吸収と K^+ の排泄を促進する。

遠位尿細管における Ca^{2+} の再吸収を促進する。

4 傍糸球体装置

1 傍糸球体装置の構造と機能

●**構造** 糸球体の血管極付近にあるいくつかの細胞は、協力して全身の血圧を調節したり、糸球体の濾過量を調節したりしており、**傍糸球体装置** juxtaglomerular apparatus（JGA）とよばれる。糸球体の血管極には、その糸球体から出た遠位尿細管が接触しており、接触部の尿細管細胞は小型になっており、核が密集しているので**緻密斑** macula densa とよばれる（●214ページ，図5-5）。輸入細動脈が糸球体に入る直前では、壁の平滑筋細胞が特殊に分化してレニン顆粒を含んでおり、**顆粒細胞**とよばれる。これ以外にも、輸入細動脈の平滑筋細胞と輸出細動脈の平滑筋細胞、両者にはさまれた位置にある糸球体外メサンギウムという特殊な結合組織が合わさって、傍糸球体装置が構成されている。

●**機能** 傍糸球体装置は、2つの機能を営んでいる。第1は、尿細管糸球体フィードバックといい、遠位尿細管の尿流量が増すと、糸球体濾過量が減少するというしくみで、過剰な尿生成が行われるのを防いでいる。

第2の機能は、レニンという物質を分泌し、それにより血圧を上昇させるホルモンを生成することである。このシステムをレニン-アンギオテンシン-アルドステロン系という。

2 レニン-アンギオテンシン-アルドステロン系

●**レニン** 糸球体付近の輸入細動脈の血圧が低下すると、交感神経の興奮や遠位尿細管濾液中の NaCl 濃度の低下などが刺激となって、傍糸球体装置の顆粒細胞から**レニン** renin が放出される（●図5-11）。レニンはタンパク質分解酵素であり、血漿タンパク質であるアンギオテンシノゲン（$α_2$ グロブリンの一種）を分解し、**アンギオテンシンⅠ** angiotensin Ⅰ をつくる。

●**アンギオテンシン** アンギオテンシンⅠは、血管内皮細胞表面にある**アンギオテンシン変換酵素** angiotensin converting enzyme（ACE）の作用により、活性型の**アンギオテンシンⅡ**にかわる。ACE は全身の血管内皮細胞表面に存在するが、血液中に放出されたレニンによって産生されたアンギオテンシンⅠが最初に広く接触する血管内皮細胞は肺毛細血管系であり、アンギオテンシンⅡへの変換は大部分が肺で行われる。アンギオテンシンⅡは最も強力な血圧上昇物質の1つで、全身の血管を収縮させて抵抗を増し、血圧を急速に上昇させる。さらにアンギオテンシンⅡは、副腎皮質に作用して、アルドステロンをはじめとする電解質（鉱質）コルチコイドの分泌を促進する。

●**アルドステロン** アルドステロンは、集合管に作用して Na^+ の再吸収を促進する。そのため間質の浸透圧が上昇し、結果として水の再吸収量も増加し、これにより循環血液量が増加する。この循環血液量の増加と血管収縮に

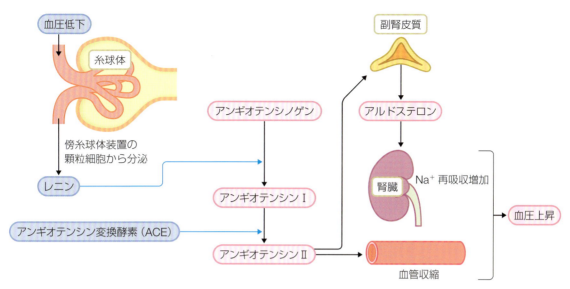

○図 5-11　レニン-アンギオテンシン-アルドステロン系による血圧の調整

より，血圧が上昇する。

　このようにレニン-アンギオテンシン-アルドステロン系は，腎臓の血圧低下による尿生成の障害を予防するためにはたらいているが，しばしば過剰になり高血圧の原因ともなる。このため高血圧の治療には，ACE 阻害薬やアンギオテンシンⅡ受容体拮抗薬がよく用いられる。

　全身的に作用するという意味で，腎臓のレニン-アンギオテンシン-アルドステロン系は非常に重要であるが，レニンは腎臓以外の部位からも分泌され，産生されたアンギオテンシンⅡによる局所的な作用も注目されている。たとえば，心臓で産生されたアンギオテンシンが心臓の肥大の原因となることが明らかとなっている。

5　クリアランスと糸球体濾過量

● **クリアランス**　ある物質が腎臓を通過したときに，1 分間でどれだけ尿中に排泄されるか，つまり血漿中のある物質を毎分何 mL 清掃することができるかを，その物質のクリアランス（清掃率）という。クリアランスは，以下の式で計算される。

$$クリアランス = \frac{尿中の濃度 \times 1\,分間の尿量}{血漿中の濃度}$$

　物質によって糸球体での濾過および尿細管における再吸収や分泌などが異なるため，クリアランスも物質によって異なる（○図 5-12）。たとえばグルコースの場合，通常は濾過されたグルコースは 100% 再吸収されて尿中には排泄されない。つまり尿中の濃度は 0 であり，したがってクリアランスも 0 となる。

● **糸球体濾過量**　一方，イヌリン[1]やクレアチニンは，糸球体から濾過さ

> **NOTE**
> [1] イヌリン
> 　キク科植物の球根などに含まれる多糖類であり，人体内には存在しない。しかし本文で述べているような特徴があるため，クリアランス測定の指標としてよく用いられる。

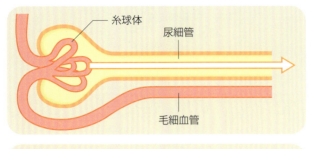

a. イヌリン，クレアチニン
糸球体で濾過され，そのまま尿として排泄される。

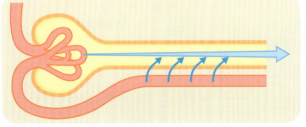

b. PAH（パラアミノ馬尿酸）
おもに近位尿細管から分泌される。

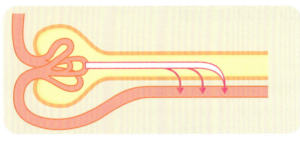

c. グルコース
糸球体で濾過され，尿細管最大輸送量以下であれば，すべて尿細管で再吸収される。

○図 5-12　物質によるクリアランスの違い

れたあと，尿細管における再吸収も分泌も受けることなくそのまま排泄される（ただし，クレアチニンは尿細管においてわずかに分泌される）。ここで，たとえばこの物質の 1 分間に尿中に排泄される量が 1 mg であり，血漿中の濃度が 1 mg/100 mL であったとすると，1 分間に 100 mL の血漿が糸球体からボウマン嚢へと濾過されたことになる。なぜなら，濾液の段階ではまだ水は再吸収されていないため，クレアチニンの濾液中の濃度は血漿中の濃度に等しいからである。

このように，イヌリンやクレアチニンのクリアランスは，1 分間に糸球体から濾過される量をあらわしており，これを**糸球体濾過量** glomerular filtration rate（**GFR**）という。通常は成人女子で 100 mL/分以上，成人男子で 110 mL/分以上である。

イヌリンは生理的に生体内には存在しないが，クレアチニンは骨格筋の終末代謝産物として生体内に存在するため，クレアチニンのクリアランスが腎機能の指標の 1 つとして利用されることが多い。また，腎機能が障害されるとクレアチニンの排泄が低下するため，クレアチニンの血中濃度が上昇する。すなわちクレアチニンの血中濃度自体も腎機能の指標として用いられる。

●**腎血漿流量**　パラアミノ馬尿酸（PAH）は，腎を通過するとほぼ完全に尿中に排泄される。したがって PAH のクリアランス値（約 550 mL/分）は，腎

において尿生成に関与した**腎血漿流量** renal plasma flow（RPF）をあらわしていることになる。さらに，RPF/（1-Ht）によって腎血流量が求められる。

6 腎臓から分泌される生理活性物質

1 エリスロポエチン

酸素の供給が不足すると，皮質の尿細管周囲の線維芽細胞から**エリスロポエチン**というホルモンが放出される。エリスロポエチンは糖タンパク質であり，骨髄に作用して造血幹細胞から前赤芽球への分化，さらに赤芽球への分化を促進し，赤血球の産生を増加させる（● 132 ページ）。

2 ビタミン D の活性化

小腸で吸収されたり，皮膚で紫外線照射[1]によりコレステロールから生成されるビタミン D_3 は，肝臓における水酸化を受けたあと，腎臓の近位尿細管において**活性型ビタミン D**（$1,25-(OH)_2D_3$ など）にかわる。活性型ビタミン D は，腸におけるカルシウムの吸収を促進するとともに，腎臓におけるカルシウムの再吸収を促進する（● 277 ページ，図 6-27）。

> **NOTE**
> [1] 太陽光によるビタミン D_3 の生成
> 太陽光に含まれる紫外線によってビタミン D_3 が生成される。寝たきりなど太陽光を浴びる時間が減るとビタミン D 欠乏になる。

B 排尿路

1 排尿路の構造

1 尿管

尿管 ureter は，長さ 25〜30 cm，直径 4〜7 mm の平滑筋性の管である。腎洞内の腎盂が漏斗状に細くなって腎門のところで尿管になり，腹膜におおわれて後腹壁を下行し，総腸骨動・静脈をのりこえて骨盤内に入る。左右の尿管は膀胱の後外側部に達し，左右が別々に膀胱の壁を斜めに貫いて開口する。男性では尿管が膀胱に達する直前に精管と交差する（● 461 ページ，図 10-1）。女性の尿管は子宮頸および腟円蓋の側方を通る。尿管は，腎盂から尿管への移行部，総腸骨動・静脈をのりこえる場所，および膀胱壁を貫く部位の 3 か所で内腔が狭くなっており，生理的狭窄部とよばれる。

尿管壁は，粘膜・筋層および線維性の外膜からなる。粘膜は移行上皮からなる（● 46 ページ，図 1-29）。筋層は内縦・外輪の平滑筋からなるが，尿管の下部 1/3 ではさらに外側に縦走筋がある。尿は平滑筋が 1 分間に 4〜5 回の蠕動を行うことにより運ばれる。

2 膀胱

膀胱 urinary bladder は平滑筋性の袋で，骨盤内で恥骨結合のすぐ後ろにあり，腹膜がその上面と後面をおおう（◯図 5-13）。粘膜は移行上皮からなる（◯ 46 ページ，図 1-29）。伸縮性に富むために，尿が充満すると腹膜を押し上げる。膀胱の後方に，男性では直腸，女性では子宮がある。脈管と神経は，側方と前方の疎性結合組織から膀胱に進入する。

膀胱の内腔には，後外方に左右の尿管の開口部（**尿管口**）があり，下部中央には尿道への出口（**内尿道口**）がある。この 3 点にはさまれた領域を**膀胱三角**といい，ほかの部位と異なり粘膜のヒダがなく，膀胱が充満しても伸展しない。尿管が膀胱壁を斜めに貫くために，尿が充満しても，それにより膀胱壁内の尿管が圧迫されることになり，尿の逆流がおこりにくい。

3 尿道

尿道 urethra は，膀胱から体外への尿路で，男女で構造が大きく異なる。

男性の尿道は長さ約 16〜18 cm で，前立腺部・隔膜部・海綿体部に区分され，全体として S 状に屈曲している（◯ 462 ページ，図 10-2）。**前立腺部**は，膀胱の内尿道口を出てから前立腺を貫く部分で，内腔の後壁（**精丘**）に射精管が開口する。**隔膜部**はごく短い部分で，骨盤底をなす尿生殖隔膜を貫き，骨格筋性の外尿道括約筋に囲まれる。**海綿体部**は，陰茎の中を通る長い部分で，恥骨結合の下で前方に曲がり，尿道海綿体を貫いて外尿道口に開く。

女性の尿道の長さは，3〜4 cm ほどであり，男性よりも短い❶。内尿道口に始まり，尿生殖隔膜を貫いて腟の前方を下行し，腟前庭で陰核の後方にある外尿道口に開く。

> **NOTE**
> ❶女性の尿道は短いため，膀胱炎などの尿路感染症をおこしやすい。

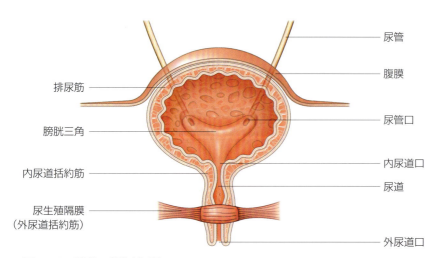

◯図 5-13　膀胱の構造（女性）
膀胱内部には多数のヒダがあり，伸縮性に富んでいて，尿量により容積が変化する。

2 尿の貯蔵と排尿

1 尿の輸送と貯蔵

● **尿の輸送** 集合管は，多数のネフロンを集めて腎乳頭の先端に達し，そこで腎杯に注ぐ。尿はこの中を圧差に従って流れ，腎盂に流入する。腎盂は尿管へとつながるが，この部位における尿の移動は，腎杯から尿管へと周期的に伝導する蠕動運動によっている（●図 5-14）。この蠕動運動は神経の刺激によるものではなく，腎杯の部分の平滑筋が，心臓の歩調とり（● 157 ページ）とよく似た歩調とりとなって発生する活動電位に由来する。尿管の蠕動頻度は 4〜5 回/分である。

● **尿の貯蔵** 尿は，たえず連続的に産生されている。膀胱はこの尿を一時的に貯留し，排尿のための条件が整ったときに，一気に排泄するための器官である。膀胱内容量が 150〜300 mL をこえると尿意を感じ，600〜800 mL になると膀胱壁の過度の伸展のために痛みを感じるようになる。膀胱の出口の部分には，平滑筋性の**内尿道括約筋**があり，通常は尿の排出を阻止している。さらに尿道の周囲には，骨格筋性の**外尿道括約筋**があり，尿もれを防いでいる。

2 排尿の機序

● **蓄尿反射** 膀胱内に尿がたまってくると膀胱壁が伸展され，その情報は骨盤内臓神経を通って腰・仙髄の排尿中枢に伝えられる（●図 5-15）。交感神経性の下腹神経が興奮し，膀胱壁の**排尿筋**の弛緩と内尿道括約筋の収縮を引きおこし，さらなる尿の貯留を促す（**蓄尿反射**）。同時に大脳皮質からの排尿中枢抑制によって，陰部神経の体性運動ニューロンも興奮し，外尿道括約筋も収縮する。尿量が 150〜300 mL くらいで尿意を感じるが，がまんして排尿を抑えることができる。

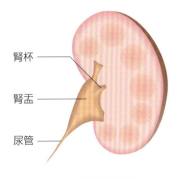
a. 弛緩期初期

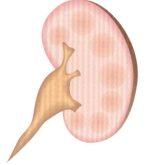
b. 弛緩期後期

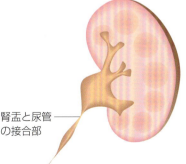
c. 収縮期

●図 5-14 腎杯から尿管へと伝導する蠕動運動
腎盂からの尿の移動は，腎杯の平滑筋からの活動電位に始まる蠕動運動による。
図から，腎盂と尿管の接合部が収縮し，尿が下降していくことがわかる。

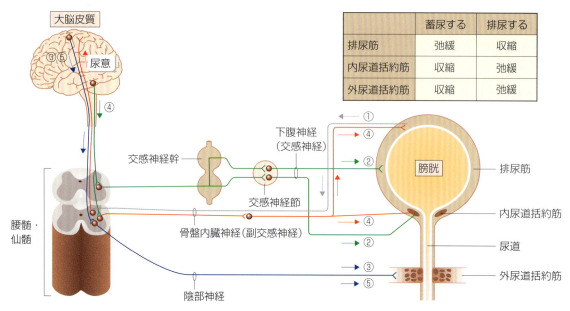

◎図5-15 排尿の機序
① 膀胱内の尿により膀胱壁が伸展されると,その刺激が腰・仙髄に伝えられる。
② 腰・仙髄の排尿中枢からの反射性の指令が,下腹神経(交感神経)を介して,排尿筋を弛緩させ,内尿道括約筋を収縮させる(蓄尿反射)。
③ 同時に大脳皮質からの指令で,陰部神経により,外尿道括約筋も収縮する。
④ 尿量が限度を超えると,脳幹の排尿調節中枢が興奮し,骨盤内臓神経(副交感神経)を介して,排尿筋を収縮させ,内尿道括約筋を弛緩させる。
⑤ 同時に大脳皮質からの指令により,外尿道括約筋も弛緩する。

● **排尿反射** 膀胱内の尿量が限度をこえると内圧が急に上昇し,**排尿反射**が引きおこされる。すなわち,脳幹の排尿調節中枢の興奮が副交感神経性の骨盤内臓神経に伝えられ,膀胱壁の排尿筋を収縮させるとともに内尿道括約筋を弛緩させる。排尿の準備が整うと(つまりトイレに入っていつでも排尿できる状態になると),大脳皮質からの抑制がとれ,外尿道括約筋も弛緩し,実際の排尿がおこる。

　若年健常者は,1回の排尿により,膀胱の内容物を完全に排出することができる。つまり残尿(膀胱内に排出しきれなかった尿が残ること)はない。

　前述したように,尿道は性差が大きい。それは,男性では尿道下半部は尿の通り道であると同時に精液の通り道も兼ねており,尿道が陰茎下面を走るためである。尿道は,男性では前立腺のすぐ下で,女性では外尿道口の近くで尿生殖隔膜を貫く(◎464,471ページ)。尿生殖隔膜の骨格筋は尿道を取り巻いて外尿道括約筋としてはたらいている❶。

NOTE
❶尿生殖隔膜と尿失禁
　女性の尿生殖隔膜は構造的に弱くできており,排尿をとめる力も弱いため,尿失禁は女性に多い。

3 尿の成分と性状

● **成分** 尿は,無色透明〜むぎわら色の液体であり,その95%は水で,固形成分は5%程度である。固形成分としては,尿素,尿酸,クレアチニン,そして尿の色のもとになっているウロクロムという色素などがあり,無機成分としてはNa^+やCl^-が多く含まれるが,K^+やリン酸塩なども含まれる。

- **比重** 尿が濃縮されると，固形成分の割合が増えて比重が増す。通常の尿は比重 1.015〜1.025 であるが，多量の水を飲むと 1.002 程度まで低下し，飲水をしないでいると 1.060 程度まで上昇する。血液から濾過された直後の糸球体濾液の比重は約 1.010 であり，このまま排泄された尿を等張尿，これより高いものを高張尿，低いものを低張尿とよぶ。ウロクロムの排泄量はほぼ一定であるため，尿の色により比重の見当をつけることができる。
- **pH** 尿の pH は，通常 6.0 程度の弱酸性であるが，血液の pH の変化に応じて変化する。ただし，尿を長時間放置すると化学変化をおこしてアルカリ性にかわるため，測定は新鮮な尿で行う必要がある。

4 尿・排尿の異常

◆ 尿量の異常

排泄される尿の量（尿量）は飲水量によって大きくかわるが，通常は 1〜1.5 L/日である。まったく尿がつくれなくなった状態を**無尿**❶，1 日の尿量が 400 mL 以下となった状態を**乏尿**，2〜3 L 以上に増加した場合を**多尿**という。糖尿病にみられる多飲多尿が代表的である。

◆ 尿の色の異常と混濁

前述したように，尿の色は無色透明〜むぎわら色であるが，尿路の出血（血尿）や溶血によってヘモグロビンが排泄される場合（ヘモグロビン尿）などには赤色尿となる。また，肝胆道の疾患により血中に抱合型ビリルビンが増加すると，黄褐色〜褐色になる。ただし，尿の色はさまざまな薬剤の影響を受けて変化するため，服用している薬剤がないか，ある場合はその種類はなにかを調べることが必要である。

尿が混濁している場合は，その原因によって膿尿，細菌尿，乳び尿，精液尿，糞尿などとよばれる。ただし，排泄されてから時間がたった尿は，正常であっても尿素が分解されて炭酸塩の沈殿を生じて混濁することがある。

◆ 排尿の異常

- **頻尿** 排尿回数が増加することを頻尿という。排尿回数は個人差が大きいが，昼間は 4〜8 回，夜間は 0〜1 回程度がふつうである。頻尿は尿量の増加もしくは 1 回の排尿量の減少によって生じ，多尿，膀胱容量の減少，膀胱〜尿道（下部尿路）の異物や結石・炎症などによる刺激，残尿などが原因となる。精神的な原因によっておこる神経性頻尿も少なくない。
- **排尿痛** 排尿時に下腹部から尿道に痛みを感じるものであり，下部尿路の炎症によることが多い。下部尿路の炎症は，大便由来の大腸菌によることが多い（外尿道口の位置の関係で女性に多い）が，性感染症 sexually transmitted disease（STD）によることも少なくない。
- **尿閉** 排尿するために努力を要する場合を排尿困難といい，まったく排尿できない場合を尿閉という。排尿困難と尿閉では，腎臓における尿生成は

> **NOTE**
> ❶ 無尿
> 臨床的には 1 日の尿量が 50〜100 mL 以下の場合を，尿生成が実質的にはないものとみなし，無尿とよばれる。

行われており,尿がまったく産生されない無尿とは別の病態である。これらの病態は,中年以降の男性にみられる前立腺肥大に起因することが多いが,膀胱結石の内尿道口への嵌頓(詰まってしまうこと)により,突然おこることもある。この場合は,膀胱への尿の充満により,患者の苦痛は著しい。

● **尿失禁**　意志に反して尿がもれ出てしまうことを,尿失禁という。多産あるいは高齢の女性が,咳やくしゃみをしたときなど,腹圧が加わったときにおこる腹圧性失禁が最も多い。膀胱の神経支配の異常により,排尿をコントロールできなくなっておこる場合もある。

C 体液の調節

1 水の出納

● **代謝水**　体内の水分量を一定に保つためには,体内に入る水分量と体外に失われる水分量とが等しくなくてはならない。暑くもなく,寒くもない環境,つまり発汗がない状態でふつうの生活を送ったとすると,摂取される水の量は平均して1日あたり飲料水1,200 mL,食物中に含まれる水分が1,000 mLである(表5-3)。さらに,栄養素が体内で代謝されるときに水が発生する。これを**代謝水**といい,1日に約300 mLが体内で生じている。脂肪の酸化によって最も多量の代謝水が発生し,脂肪100 gの酸化で109 mLの水を生じる❶。また,糖100 gでは60 mL,タンパク質100 gでは45 mLの代謝水を生じる。

● **体外に出ていく水**　一方,体外に失われる水としては,まず1日あたり100 mLの水が糞便とともに体外に出ていく。さらに呼吸の際に,吸い込まれた空気は気道で加湿され,ガス交換ののちに呼出されるため,1日あたり約300 mLの水が失われる。また発汗していなくても,体内の水が皮膚表面にしみ出して蒸発する。これが1日約600 mLである。呼吸と皮膚表面からの水分の蒸発は意識されることがないので,両者を合わせて**不感蒸散**とよばれる。残りが尿として排泄され,1日平均1,500 mLである。

● **発汗**　発汗は暑熱下では1,500 mL程度,激しい運動を長時間行うと

NOTE
❶脂肪の酸化による代謝水の発生
　ラクダは背中のコブに脂肪をたくわえており,この脂肪を酸化することで代謝水を得ることにより,長期間水を飲まないでも生きていくことができる。

○表5-3　1日の水分の出納(おおよその値)

摂取水分量(mL)		排泄水分量(mL)	
飲料水	1,200	尿	1,500
食物中の水	1,000	皮膚	600
代謝水	300	呼気	300
		糞便	100
合計	2,500	合計	2,500

5,000 mL にも達する。それに応じて尿量は減少するが、老廃物の排泄と体液のホメオスタシスのためには 1 日 500 mL 程度の排尿が必要であり、多量の発汗がおこっているときには、水バランスを保つために飲水が必須となる。

2 脱水

　成人では体重の約 60％が水であり、その 2/3 は細胞内に、1/3 が細胞外に分布する（○38 ページ）。体内に含まれる水の量が不足した状態を**脱水**とよび、血液が濃縮されるため血液中のさまざまな物質の濃度が上昇する。そのため、血液の粘稠度が上昇して流れにくくなる。また、細胞内液も減少するため代謝が円滑に進まなくなる。脱水状態では、このようなさまざまな障害があらわれ、生命にかかわることもけっしてめずらしいことではない。

　生後 6 か月ぐらいまでの乳児では、体内水分量が体重の 70〜75％と成人よりも多い。これは細胞外液量が多いためであり、逆に細胞内液量は体重の 35〜40％（成人では 40％）と相対的に少なくなっている。そのため嘔吐や下痢により、容易に脱水症に陥るので注意が必要である。

● **脱水の指標**　脱水により上昇する血液中の物質のなかで、最もよい指標となるのがヘマトクリット値（Ht）である。Ht 値は血液中の血球が占める体積の割合であるため、脱水により血漿成分が減少すると相対的に Ht 値が上昇する。Ht 値の低下は貧血の指標となり、上昇は脱水の指標となる。同様の理由から、Hb 濃度も脱水の指標となる。そのほかにも、血漿タンパク質や血中尿素窒素 blood urea nitrogen（BUN）なども上昇するが、電解質（とくに Na^+）は水とともに失われていることがあるため、その解釈には注意を要する。水のみが失われた状態（一次脱水）から、水も失われているがそれ以上に Na^+ が失われている状態（塩分脱失）までさまざまな病態があり、それに応じて対処の仕方も異なってくる。

● **一次脱水**　一次脱水は、主として水が失われた状態である（○図 5-16-a）。砂漠で飲み水がなくなってしまった場合が典型的であるが、私たちが遭遇する可能性の高いものとしては、認知症の高齢者や意識障害患者、乳児などへの水分補給が不足した場合などである。大量の水が失われるため、高ナトリ

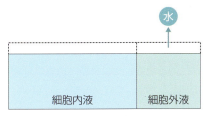

a. 一次脱水
水分のみが喪失する。

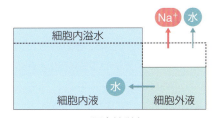

b. 混合性脱水
塩分の喪失が多い場合、細胞外液の浸透圧が低下し、水は細胞内に移行する。細胞外液減少による症状が強い。

○図 5-16　一次脱水と混合性脱水

ウム血症となり血漿の浸透圧が上昇する。浸透圧の上昇により口渇感(のどのかわき)を生じるとともに、バソプレシン(抗利尿ホルモン；ADH)が分泌されて尿量が減少し、水のさらなる喪失を防止する。

症状としては前述の高ナトリウム血症、乏尿、口渇のほか、水分喪失量に比例した体重減少、頻脈、血圧低下などがみられる。治療は意識が清明であれば飲水、それが不可能であれば5%ブドウ糖液を投与する。

● **混合性脱水** 塩分の喪失を伴う脱水は、混合性脱水とよばれる(◐図5-16-b)。混合性脱水は細胞外液量の減少と考えることができ、失われるナトリウムの量と、同時に失われる水の量の割合や、すでに施した処置の内容により、体液の浸透圧が高張・等張・低張のいずれの場合もおこりうる。嘔吐や下痢による脱水は、大部分が混合性脱水である。細胞外液量の減少により、副腎からのアルドステロン分泌量が増加し、ナトリウムの再吸収量が増加する。体液浸透圧が等張〜低張のときは口渇感はなく、バソプレシンの分泌は少ない。このような病態に対して水のみを補給すると、体液はさらに低張になるため尿量が増加し、同時に電解質も排泄されてしまうため、かえって状態を悪化させることになる(◐210ページ「本章の概要」)。

混合性脱水の症状としては、皮膚緊張度の低下、血圧低下、頻脈などがあげられる。治療には各種細胞外液型輸液製剤が用いられる。

3 電解質の異常

血漿中のNa^+やK^+などの主要な電解質濃度は、ホルモンの影響を受けた腎臓がその排泄量を調節することによって一定に保っている。しかし病態によってはこれらの電解質濃度が変化し、それが致命的となる場合もある。

● **高ナトリウム血症** 血漿の浸透圧は$284 \pm 10 \text{ mOsm/L}$に保たれているが、この浸透圧を発生する溶質の95%以上がNa^+とそれに伴う陰イオン(Cl^-、HCO_3^-など)に由来している。このようにNa^+は浸透圧調節の面で非常に重要な電解質であり、その血漿中濃度は135〜145 mEq/L[1]の狭い範囲で一定に保たれている。血漿ナトリウム濃度が持続的に145 mEq/Lをこえる高ナトリウム血症は、前出の一次脱水の場合が典型的である。

通常は浸透圧の上昇により口渇感が生じ、水を飲むことで高ナトリウム血症は是正されるが、意識障害のある患者や水を要求できない乳幼児、認知症の高齢者などでは注意が必要である。また幼児では頻回の下痢や多量の発汗によって、脱水と高ナトリウム血症をきたすことがある。

副腎の腫瘍などにより過剰のアルドステロンが分泌される原発性アルドステロン症では、ナトリウムの再吸収の促進と、それに伴う水の貯留により高血圧をきたす。この場合は口渇を感じる閾値が上昇するため、軽度の高ナトリウム血症となる。

バソプレシンの分泌障害により多尿をきたす尿崩症では、口渇は正常であるため通常は脱水とはならないが、水をしばらく飲めない状態に陥ると、急激に高ナトリウム血症をきたす。

> **NOTE**
> [1] **Eq(イクイバレント)**
> 単位Eqについては、◐514ページ参照。

その他，脳腫瘍などにより視床下部の浸透圧受容器が障害された場合も，口渇の欠如により高ナトリウム血症となる。

● **低ナトリウム血症** 血漿ナトリウム濃度が135 mEq/L以下の場合を，低ナトリウム血症という。

慢性腎不全の末期やうっ血性心不全では水の排泄が減少するため，希釈されてナトリウム濃度が低下し，低ナトリウム血症となる。一方，ある種の利尿薬（ループ利尿薬など）は，尿の排泄を促進して体液量を減少させるが，ナトリウムの再吸収も阻害するため，低ナトリウム血症をきたしやすい。

甲状腺機能低下症やADH（バソプレシン）過剰症候群の際にも低ナトリウム血症がみとめられる。高度の脂質異常症（高脂血症）・高タンパク血症・高血糖では，見かけ上の低ナトリウム血症となる。急性・重症の低ナトリウム血症では，脳浮腫・脳圧亢進により吐きけ・嘔吐・痙攣・昏睡などがみられる。

● **高カリウム血症** Na^+とは異なり，K^+は細胞外液（血漿も含む）には3.5〜4.5 mEq/Lと少なく，細胞内液には150 mEq/L以上含まれている。すなわち，体内のK^+の99％は細胞内にあり，細胞外液に含まれるのは1％程度にすぎない。したがって，血漿のK^+濃度がわずか1 mEq/L変化したとしても，全身的にみると非常に大きな変化であるといえる。

通常の成人は，1日に50〜75 mEqのK^+を摂取し，その90％は尿中へ，10％が腸管から便中へ排泄される。この2つの排泄経路は両者ともアルドステロンによって調節されており，過剰の輸液を行った場合以外は，摂取量が増加しても高カリウム血症をきたすことはない。

臨床との関連　高カリウム血症はこわい

1995年の阪神・淡路大震災では，6,400人以上の方々が亡くなられた。そのなかには，倒壊した家屋の下敷きになったのち，救出されたにもかかわらず高カリウム血症のために亡くなられた方も少なくない。これは圧挫症候群 crush syndrome のためである。倒壊した家屋の下敷きになると，四肢が圧迫され，血流が減少する。その後救出され，血流が再開すると，急激に組織の融解が進み，細胞内に多量に含まれていたK^+が流出して全身をめぐり，高カリウム血症を引きおこす。

圧挫症候群に限らず，高カリウム血症は生命にかかわることもまれではない。それは心臓に心室細動とよばれる重症の不整脈を生じ，血液の拍出が0（ゼロ），つまり心停止となってしまうためである。

心筋細胞（もちろんニューロンや骨格筋細胞など，ほかの興奮する細胞も同様だが）は，通常，細胞膜内は外に対して約−80 mVの静止電位をもっている。

この静止電位は，細胞膜内外のK^+濃度の比によって決まる。そのため細胞外のK^+濃度が上昇すると，静止電位はしだいに脱分極していく。したがって，活動電位を発生する閾値に近づくことになり，心筋細胞は興奮しやすくなる。興奮性が高まると，心室を構成する心筋細胞が同期して興奮せず，ばらばらに興奮・収縮を始めてしまうため，心室全体としての収縮・拡張ができなくなってしまう。

高カリウム血症は，テント状Tとよばれる特徴的な心電図変化（T波の増高・尖鋭化，正常の心電図は●164ページ，図4-13）を引きおこすため，心電図検査が発見のきっかけになることもある。

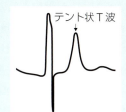
テント状T波

血漿 K^+ 濃度が 5 mEq/L 以上の場合を，高カリウム血症という。高カリウム血症では，心筋細胞の脱分極を生じるため，膜電位が閾値に近づき興奮性が上昇する。これによって致死性の不整脈がおこりやすくなり，生命の危険を伴うので緊急の対応が必要である。また，心電図にテント状 T とよばれる T 波の増高と先鋭化という特徴的な変化があらわれる。

高カリウム血症の原因となるのは，第 1 に腎不全である。腎不全では，尿生成の障害により体内に K^+ が蓄積する。第 2 はアルドステロンの分泌不足（アジソン病など）である。アルドステロンは集合管に作用して Na^+ の再吸収を促進するが，その際に Na^+ との交換で K^+ が排泄される（ 221 ページ）。アルドステロンが不足すると，この K^+ 排泄が減少する。Na^+ の再吸収を抑制して尿量を増加させる利尿薬（カリウム保持性利尿薬など）を投与した場合も同様である。

ほかの機序による高カリウム血症として，アシドーシスがあげられる。アシドーシスでは血漿中の H^+ 濃度が上昇するため，H^+ は細胞内に移行する。そして，かわりに K^+ が血漿中に出てくるため高カリウム血症となる。インスリン（ 264 ページ）には，細胞にグルコースのみならず K^+ を取り込ませる作用がある。このためインスリンの不足による高血糖状態では，高カリウム血症を伴うことが多い。

また，広範な組織の崩壊があると，破壊された細胞から多量の K^+ が流出し，高カリウム血症をきたすことがある。

● **低カリウム血症**　血漿 K^+ 濃度が 3.0 mEq/L 以下の場合を低カリウム血症という。原因は高カリウム血症の逆で，ある種の利尿薬（チアジド系利尿薬など），代謝性アルカローシス，アルドステロンの過剰分泌，激しい下痢や嘔吐などによる多量の消化液の喪失などである。多い病気ではないが，近位尿細管の機能（K^+ は近位尿細管で再吸収される）が全般に障害されるファンコニ Fanconi 症候群でも低カリウム血症をきたす。

4　酸塩基平衡

酸性・アルカリ性（塩基性）は水素イオン（H^+）の濃度で決まり，H^+ 濃度が高い状態を酸性，低い状態をアルカリ性という。水素イオン指数（pH）は酸性・アルカリ性の程度を示す指標で，H^+ 濃度によって求められる。

血液の pH は 7.4 前後（7.40±0.05）の弱アルカリ性であり，きわめて狭い範囲で一定に保たれている。つまり酸とアルカリ（塩基）が平衡状態にあり，このように pH が調節されることを**酸塩基平衡**とよぶ。体液の pH が一定に保たれているのは，生命機能を維持するための酵素のほとんどが血漿 pH7.4 で活性が最大となり，pH がこの値から酸性に傾いてもアルカリ性に傾いても酵素活性が低下し，代謝が円滑に行われなくなるためである。

なお，pH と同様に，温度も酵素活性に大きく影響する。このため，ヒトの体温は 37℃ 前後で一定になるように調節されている（ 451 ページ）。体温が 1℃ 上昇して 38℃ になっただけで，どれほど体調がわるくなるかを考えれ

ば，pHを一定に保つことの重要性が理解できるだろう。

血液のpHは，炭酸水素イオン濃度（[HCO_3^-]）❶と，動脈血の二酸化炭素分圧（Pa_{CO_2}）によって決まる。

$$CO_2 + H_2O \rightleftarrows H_2CO_3 \rightleftarrows HCO_3^- + H^+$$

この反応が左向きに進めばH^+が消費されて血漿はアルカリ性となり，反応が右向きに進めばH^+が増加して酸性となる。[HCO_3^-]は腎臓によって，Pa_{CO_2}は呼吸によって調節されている。正常な状態では，[HCO_3^-] = 24 mM❷，Pa_{CO_2} = 40 mmHgであり，HCO_3^-とCO_2の濃度のバランスによってpHが調節されている（●図5-17-a）。

> NOTE
> ❶左右に[ ]を付したものは，その物質の濃度を意味する。

> NOTE
> ❷Mはmol/Lを意味する。

◆ アシドーシスとアルカローシス

● **酸塩基平衡の異常** 血液のpHが7.35未満になった場合を**アシドーシス**（酸血症），7.45より高くなった状態を**アルカローシス**（アルカリ血症）という。またその原因が呼吸の異常による場合を呼吸性，それ以外の原因による場合を代謝性という。したがって，酸塩基平衡の異常は，呼吸性アシドーシス，呼吸性アルカローシス，代謝性アシドーシス，代謝性アルカローシスの4つに大きく分類される。

呼吸性の酸塩基平衡異常の場合は，腎臓が尿の組成を変化させることによってpHの変化を最小にするようにはたらく。これを**腎性代償**という（●図5-17-b, c）。

代謝性の酸塩基平衡異常の場合は，**呼吸性代償**が引きおこされる（●図5-17-d, e）。これらの代償機序が完璧にはたらくと，体内に酸塩基平衡の乱れがあったとしてもpHの変化としてあらわれない場合があるので注意を要する。

● **呼吸性アシドーシス** 肺炎やその他のさまざまな呼吸器疾患および，中枢神経系あるいは筋疾患に伴う呼吸筋の麻痺などにより呼吸が障害されると，CO_2の呼出が障害されてPa_{CO_2}が上昇する。すると，反応は右向きに進みH^+が産生され，pHは酸性となる（●図5-17-b）。これに対し，腎臓は

臨床との関連　過換気症候群

運動後や山登りをしているときなどに，精神的な原因により，呼吸困難感や空気飢餓感を生じ，過剰換気状態となることを過換気症候群とよぶ。これは，とくに若い女性に多くみられるが，男性にもおこりうる。

過剰換気状態となると，必要以上に激しい呼吸をしてしまうために，CO_2が過剰に呼出され，H^+が消費されて血漿がアルカリ性になり（本文の式が左方向に進む），呼吸性アルカローシスとなる。血漿がアルカリ性になるとCa^{2+}が血漿タンパク質に結合しやすくなり，血漿中のイオン化しているCa^{2+}濃度が低下して，手指などが細かく痙攣するようになる。さらに，脳血管の収縮状態は動脈血のCO_2分圧で調節されているため，CO_2分圧が低下すると脳血管が収縮し，脳血流が減少して失神を引きおこすこともある。

対処としては，症状がなぜおきるのかを理解させ，心配する必要がないことを説明し，腹式呼吸をさせる。

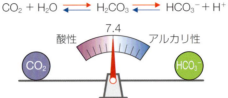
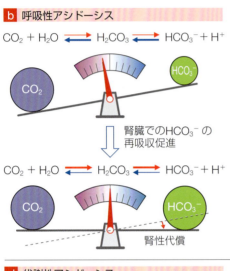
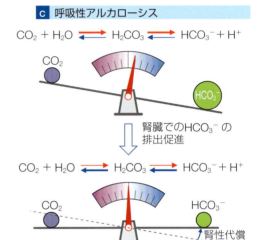

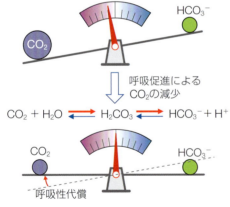
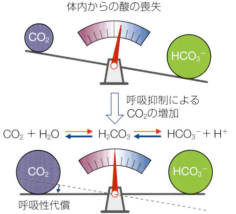
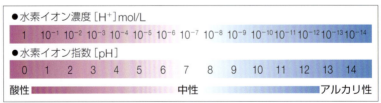

○図 5-17 酸塩基平衡

HCO_3^- の再吸収を促進して，pH の変動をできるだけ小さくする（腎性代償）。
- **呼吸性アルカローシス** 呼吸性アシドーシスよりも少ないが，過換気症

候群や，激しい痛みで呼吸が促進された場合，呼吸中枢を刺激する薬物（アスピリンなど）の急性中毒，脳内出血などによる呼吸中枢の異常などでみられる。過剰な換気により CO_2 が正常以上に呼出されると，反応は左に進み H^+ が消費されてアルカリ性となる（○図5-17-c）。これに対する腎性代償は，HCO_3^- 排出の促進である。

● **代謝性アシドーシス** 腎不全による H^+ の排泄障害や，下痢などによる HCO_3^- の喪失（膵液には多量の HCO_3^- が含まれている），糖尿病によるケトン体や循環不全による乳酸などの酸の産生が，体内で異常に増加したときなどに生じる（○図5-17-d）。これに対し，過剰な H^+ を処理するために呼吸が促進される（呼吸性代償）ため，$Paco_2$ は低下する。

● **代謝性アルカローシス** 頻回の嘔吐による胃液（H^+ を多量に含んでいる；○69ページ）の喪失や，低カリウム血症などの際にみられる（○図5-17-e）。低カリウム血症では，細胞内に多量に含まれる K^+ が低カリウム血症を補正するために細胞外に出て，かわりに H^+ が細胞内に入るため血漿のpHが上昇する。これに対する呼吸性代償として，減少した H^+ を補充するために呼吸が抑制されて $Paco_2$ は上昇する。

> **work** 復習と課題
>
> ❶ 腎臓の正常な位置と大きさを，人体の背面に投射した図で描いてみよう。
> ❷ 腎臓の血管系の特徴を図示しなさい。
> ❸ 尿細管の各部位において，水と Na^+ はどのように移動するか。
> ❹ 腎臓におけるバソプレシン・アルドステロン・ANP・パラソルモンの機能を，作用する部位とともに述べなさい。
> ❺ クリアランスはどのようにして求めることができるか。
> ❻ 傍糸球体装置の2つの機能についてまとめなさい。
> ❼ 尿がつくられるところから，排出されるところまでの経路を図示しなさい。
> ❽ 不感蒸散とはどのようなもので，どの部分でおこる蒸散か。
> ❾ 酸塩基平衡がくずれたとき，どのような反応が生じるか。
> ❿ 血漿中の Na^+ 濃度が上昇したときと下降したときには，それぞれどのような症状がおこるか。

― 解剖生理学 ―

第 6 章

内臓機能の調節

本章の概要

　ゆいは夢を見ていた。7歳のゆいは，きれいなドレスを着てバレエを踊っている。いくら激しく踊っても，夢の中なので息が切れたり，心臓がドキドキしたりすることもなく，汗もかかない。思いっきりジャンプするとゆいは宙に舞い上がり，月や星の間で踊っている。不思議なことに，踊っているゆいはもうりっぱなお姉さんになっている。そんなお姉さんのゆいを7歳のゆいがながめている。「私って，あんなにきれいなお姉さんになれるんだ」。ゆいはうれしくなってお姉さんのゆいに向かって思わず叫んだ。「がんばってー」。自分の寝言にびっくりして，ゆいは目をさましてしまった。

　日曜日の朝だった。とてもよい気分で目をさましたゆいはパジャマのままベッドを抜け出し，今見た夢の話を聞いてもらいにキッチンにいるお母さんのところへかけていった。ひとしきりゆいの話を聞いたお母さんは言った。「よかったわね。じゃあ，着がえて，顔を洗って，そして朝ご飯を食べなさい」。「はーい」。用意をしたゆいは，ハムエッグとトーストにかじりついた。

　生体内の諸臓器・組織は，つねに一定の活動をしていればよいというものではない。生体内外の環境は変化するため，活動状態もそれに応じてダイナミックに調節されている。

　たとえば，踊っているときには（もちろん夢の中を除いて），骨格筋でのエネルギー消費が増大するのに応じて心臓の拍動は速く，そして力強くなり，眠っているときには逆に遅くなる。外部環境の変化に対しても，生体はさまざまな臓器のはたらきぐあいを調節して対応する。たとえば寒くなると，代謝を活発にしたりふるえをおこしたりして熱産生を増加させるとともに，皮膚血管を収縮させて熱の放散を減少させる。

　このように，生体内外の環境の変化に応じてさまざまな臓器の機能状態を変化させているのが，**自律神経** autonomic nerve と，内分泌腺から分泌される**ホルモン** hormone である。つまり，この両者はホメオスタシスの主役といえる。

　自律神経とホルモンは，まったく同じことを行っているわけではなく，調節のしかたやその効果には，以下に述べるように異なる点がいくつもあり，両者は相補的関係にあるといえる。

(1) 神経による調節はその効果の発現が速い（反射）のに対し，ホルモンによる効果の発現は一般に遅い。

(2) 神経による調節はその効果の持続が短いのに対し，ホルモンの効果は長時間持続する。

(3) 神経が生体内部環境の微調整をたえず行っているのに対し，ホルモンには内部環境を一定に保つのではなく，成長や妊娠などに伴って内部環境

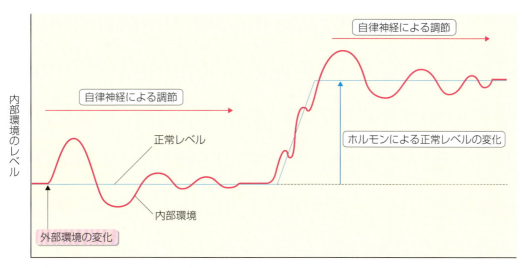

図 6-1　自律神経とホルモンによる調節の違い
外部環境(たとえば気温)の変化による内部環境(たとえば体温)の変化は,自律神経とホルモンにより調節される。自律神経による調節は,効果の発現は速いが,持続時間が短い。ホルモンは効果の発現は遅いが,長時間持続する。自律神経は内部環境の微調整をたえず行っているが,ホルモンは内部環境のレベルを変化させるものが多い。

のレベル(ベースライン)を変化させるものも多い(◎図 6-1)。

(4) 神経は臓器や組織には分布するが,流れている血液には影響を与えることができない。したがって,血漿中の電解質やグルコースの濃度は,もっぱらホルモンによって調節される。

具体的な例をあげてみよう。食事をすると腸管の運動が活発になって消化が行われる。この腸管の運動を活発にさせるのは自律神経である。消化液の分泌も盛んになるが,これは自律神経とホルモンの共同作業である。吸収されたグルコースは血漿にとけ込むため,血糖値が上昇する。すると,膵臓からインスリンというホルモンが分泌され,肝臓や筋,脂肪細胞などにグルコースを取り込ませて血糖値を下げる。

このように自律神経とホルモンは,役割分担と共同作業により生体内の環境の維持のためにはたらいている。

A　自律神経による調節

　自律神経の機能

　自律神経の特徴

自律神経が,目的とする臓器(**効果器**)の機能を調節(支配)する仕方には,いくつかの特徴がある。その第一は**自律性**であり,意志とは無関係に反射によって内臓機能が調節されている。第二は大部分の臓器が交感神経と副交感

神経の両方に支配されている点であり、これを**二重支配**という（◯図6-2）。ただし、汗腺やほとんどの血管は交感神経の単独支配であり、また心臓は二重支配を受けるが、心室には副交感神経の作用があまり及ばず、おもに交感神経の影響を受ける。

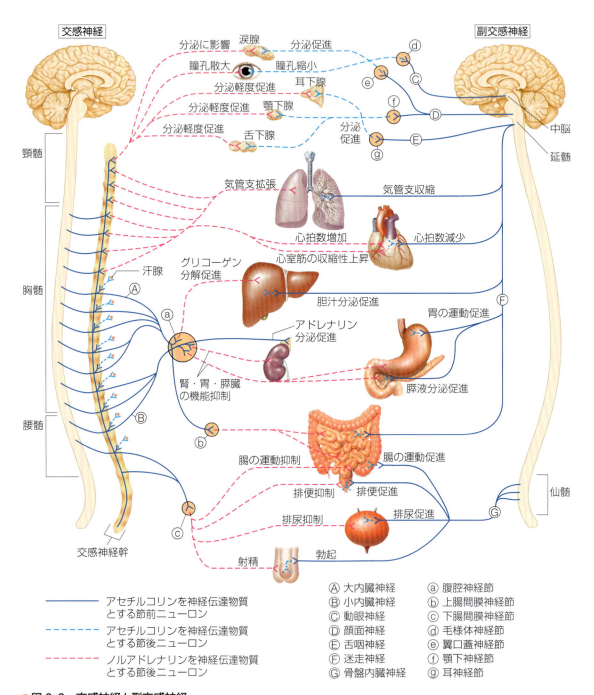

◯ 図6-2　交感神経と副交感神経
多くの臓器は交感神経と副交感神経の両方に支配されている。中枢神経から発する自律神経系のニューロンを節前ニューロンとよび、そこからシナプスを介してつながるニューロンを節後ニューロンとよぶ。それぞれのニューロンからは決まった神経伝達物質が出され、各臓器のはたらきを調節している。また、脊髄からの交感神経の走行は、個体差が大きい。

二重支配をしている交感神経と副交感神経は，効果器に対して，通常は互いに逆の効果を発揮する。これを**拮抗支配**という。たとえば心臓に対して，交感神経は心拍を速くする効果を発揮するが，副交感神経は心拍を遅くする効果を発揮する。

　また自律神経は，体性神経の運動ニューロンや感覚ニューロン（● 368 ページ）のように，必要なときにだけインパルスを送るのではなく，常時ある程度の頻度で臓器にインパルスを送りつづけている。これを**持続支配**という。

　ある臓器の活動性は，交感・副交感の両神経系の持続支配がちょうどつり合ったところに保持されることになる。交感神経のインパルス頻度が増加すれば交感神経の作用が強くあらわれ，逆に副交感神経のインパルス頻度が増加すれば副交感神経の作用が優位となる。また，血管のように交感神経の単独支配の組織では，交感神経のインパルス頻度が増加すれば血管は収縮し，減少すれば拡張する。

2 交感神経と副交感神経

●**交感神経系**　**交感神経系** sympathetic nervous system は，身体活動が盛んになったときに，諸臓器・組織をその状態に適応させるようにはたらく。身体運動をしたり精神的に興奮したり不安があったりすると，とくにはたらきが活発になる。交感神経系が興奮すると心臓と呼吸が促進され，気管支は拡張し，瞳孔は散大，消化は抑制される。また，血管が収縮するため血圧が上昇し，汗腺が刺激されて汗の分泌が増加する。

●**副交感神経系**　一方，**副交感神経系** parasympathetic nervous system は，身体がリラックスしているときにはたらく神経である。副交感神経系がはたらくと，心臓と呼吸は抑制されて心拍と呼吸はゆっくりとなり，気管支は収縮し，瞳孔は縮小する。消化管の運動と消化液の分泌は促進され，消化・吸収が盛んになる。

　交感神経の分布は広く，内臓のみならず皮膚や骨格筋などの血管にも分布するのに対し，副交感神経は内臓への分布が主であり，皮膚や骨格筋には分布しない。

●**節前・節後ニューロン**　交感神経と副交感神経のニューロンの神経線維は，中枢神経から出てそのまま効果器にまで達することはなく，途中の**神経節**において別のニューロンに接続して，その神経線維が効果器に達するのが原則である。中枢神経から神経節までは**節前線維**，神経節から効果器までは**節後線維**とよばれる（●図6-3）。節前線維をつくる**節前ニューロン**の細胞体は中枢神経の中にあり，節後線維をつくる**節後ニューロン**の細胞体は神経節の中にある。

3 自律神経の中枢と反射弓

　自律神経系の中枢は脳幹に集まっており，心臓中枢，呼吸中枢，血管運動中枢，消化に関する中枢，発汗中枢など，いずれも生命維持に直結する中枢である。さらに自律神経の高次の中枢として視床下部（● 372 ページ，図

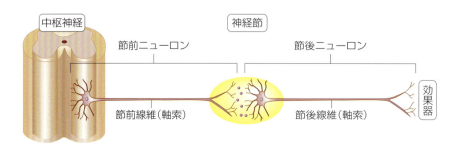

○図6-3 節前・節後ニューロン

8-13)がはたらいている。視床下部には生殖や情動に関する中枢が多くあるため，自律神経系のはたらきは情動の影響を強く受ける。脳幹の中枢から出た遠心線維は，交感神経と副交感神経の節前ニューロンに接続して指令を送る。

● **反射弓❶** 脳幹にある自律神経の中枢には，諸臓器・組織からの求心線維によって情報が入力され，そしてそこから遠心性の自律神経が発している。求心線維からの入力と遠心線維への出力は**反射弓**を形成し，反射によって諸臓器の機能状態を調節している。

たとえば血圧が上昇すると，頸動脈洞や大動脈弓の**圧受容器**が興奮し，その興奮は求心線維を通って**心臓抑制中枢**と**血管運動中枢**に伝えられる（○198ページ，図4-40）。これによって心臓抑制中枢が興奮し，その興奮は副交感神経の遠心線維を通って心臓に伝えられ，心拍数を減少させる。同時に血管運動中枢が抑制されるため，血管に行く交感神経が抑制されて血管は拡張し，これらによって血圧は低下してもとに戻る。

> **NOTE**
> ❶反射弓
> たとえば，圧受容器から血圧の上昇を伝える求心線維と，脳から心臓抑制の指令を出す遠心線維は脳の中で弓のようにつながる。
>
>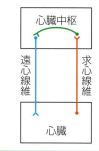

2 自律神経の構造

1 交感神経の構造

交感神経の主要部は，脊柱の両側に沿う左右1対の**交感神経幹**である（○図6-4-a, c）。交感神経幹の途中には**幹神経節**という紡錘状のふくらみが多数あり，その間を**節間枝**がつないでいる。胸部と上位腰部の幹神経節のそれぞれは，脊髄神経との間を2本の**交通枝**（白交通枝，灰白交通枝）によってつながれている。

交感神経の節前ニューロンは，第1胸髄〜第2腰髄の高さの脊髄の側角（側柱）にあり，節前ニューロンから出る節前線維は，第1胸髄〜第2腰髄の高さで前根を経て脊髄から出て，脊髄神経から**白交通枝**を通って交感神経幹に入る（○図6-4-b）。節前線維の行き先となる神経節には，次の2つがある。

● **幹神経節** 節前線維は，交感神経幹に入って同位，より上位，より下位の幹神経節に向かい，そこで節後ニューロンに接続する。幹神経節から出た節後線維の行き先は，大きく4つにわけられる。

（1）体壁（上肢，下肢を含む）に向かうもの。幹神経節から灰白交通枝を通っ

A. 自律神経による調節　245

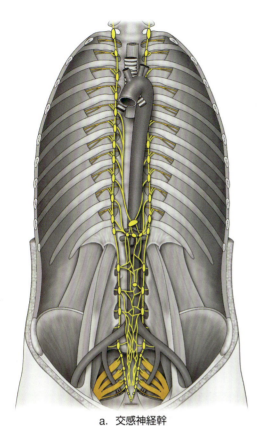

a. 交感神経幹

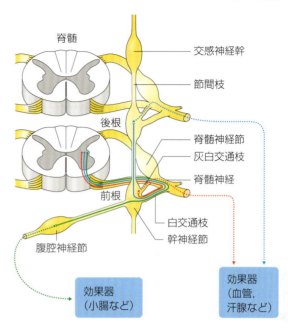

b. 交感神経の伝導路

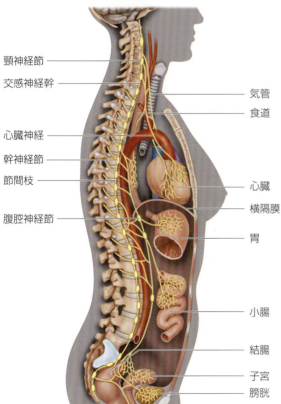

c. 交感神経の枝

○図 6-4　交感神経の構造と伝導路
交感神経幹は脊柱の両側に沿って左右一対あり，多数の幹神経節を連ねている。交感神経は，中枢から出発した節前ニューロンの節前線維が，前根・脊髄神経・白交通枝を経て神経節で節後ニューロンとシナプスをつくり，効果器にまでいたる経路をたどる。

て脊髄神経に入り，汗腺や皮膚・骨格筋の血管に分布する。
(2) 頭頸部に向かうもの。頸部の幹神経節(上・中・下**頸神経節**)から出て，太い動脈(内・外頸動脈)に沿って，頭頸部の内臓(眼球・涙腺・唾液腺・鼻腺・甲状腺・咽頭・喉頭など)に広がる。
(3) 心臓に向かうもの。頸部の神経節から上・中・下心臓神経が出る。
(4) 骨盤内臓に向かうもの。仙骨部と尾骨部の幹神経節から出て，直腸下部・膀胱・子宮などの付近に神経叢をつくる。

● **腹部の大動脈周囲にある神経節**　節前線維は，胸部の幹神経節から出る**大内臓神経**($T_5 \sim T_9$から)と**小内臓神経**($T_{10} \sim T_{11}$から)に入り，横隔膜を貫いて腹腔動脈の基部にある**腹腔神経節**に達し，ここで節後ニューロンに接続する。節後線維は迷走神経の枝とともに腹腔神経叢をつくり，腹部内臓に広く分布する。

2 副交感神経の構造

副交感神経の節前線維は，一部の脳神経(動眼神経・顔面神経・舌咽神経・迷走神経，◯388ページ)および脊髄の下部から出る仙骨神経($S_2 \sim S_4$，骨盤内臓神経)に含まれる(◯242ページ，図6-2)。脳神経に含まれる節前ニューロンの細胞体は脳幹(中脳・延髄)にあり，仙骨神経に含まれるものは仙髄の側角にある。ここから発した節前線維は，器官の近くにある副交感性の神経節に達し，ここで節後ニューロンにシナプスをつくる。副交感神経は交感神経に比べて節前線維が長く，効果器のごく近傍ではじめて線維をかえ，節後線維となる。

● **動眼神経に含まれるもの**　眼窩の中で眼球の後方にある**毛様体神経節**でシナプスをつくる。ここから出た節後線維は，眼球に入って毛様体筋と瞳孔括約筋に分布し，瞳孔を縮小(縮瞳)させる。

● **顔面神経に含まれるもの**　節前線維は，中間神経とよばれる神経束に含まれ，顔面神経から途中で分かれ，2つの神経節に向かう(◯図6-5)。①**翼口蓋神経節**(翼口蓋窩に位置する)に達すると，そこからの節後線維は涙腺・鼻腺・口蓋腺などの上顎から眼周辺の外分泌腺に分布する。②鼓索神経(中耳を通過する)を通って舌神経に合流して**顎下神経節**に達すると，そこからの節後線維は顎下腺・舌下腺などの下顎の唾液腺に分布し，唾液の分泌を促進する。

● **舌咽神経に含まれるもの**　節前線維は，**耳神経節**(下顎神経の内側に接する)に達してシナプスをつくる。ここからの節後神経は，耳下腺に分布し，耳下腺からの唾液分泌を促進する。

● **迷走神経**　頸胸腹部の内臓(骨盤内を除く)の近く，または内部にある多数の神経節に分布して，腺の分泌や平滑筋の運動を支配する。消化管では，横行結腸の左1/3までの範囲を支配する。

● **仙骨神経に含まれるもの**　仙骨神経から分かれた骨盤内臓神経が，骨盤神経叢内の神経節に達する。節後線維は，下行結腸・S状結腸・直腸・膀胱・生殖器などに分布し，平滑筋の運動や腺の分泌を支配する。

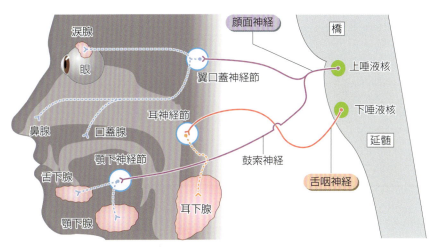

○ 図 6-5 顔面神経と舌咽神経に含まれる副交感神経
上唾液核から出た顔面神経は分岐して翼口蓋神経節と顎下神経節に向かい、それぞれからの節後ニューロンは涙腺・鼻腺・口蓋腺と顎下腺・舌下腺に向かう。下唾液核から出た舌咽神経は耳神経節で節後ニューロンとシナプスをつくり、節後線維は耳下腺に分布する。

3 内臓感覚の神経

　胸腹部の内臓には触覚や温覚がないが、痛覚はある。その感覚神経線維には、交感神経の節前線維とともに、胸神経から脊髄に入るものと、副交感神経の節前線維とともに、迷走神経から脳に、あるいは仙骨神経から脊髄に入るものとがある。血管系の化学受容器（○ 121ページ）や、肺の伸展受容器（○ 121ページ）からの情報を運ぶ感覚神経線維も、同様の経路を通る。

3 自律神経の神経伝達物質と受容体

　交感神経節後線維の末端からは**ノルアドレナリン** noradrenaline（ノルエピネフリン norepinephrine）が放出され、効果器を刺激する（○ 図6-6）。このため交感神経節後線維はアドレナリン作動性線維ともよばれる。副交感神経節後線維の末端からは**アセチルコリン** acetylcholine が放出されるため、コリン作動性線維とよばれる。一方、節前線維は交感神経も副交感神経もコリン作動性であり、アセチルコリンが放出される。なお、汗腺を支配するのは交感神経であるが、この節後線維はアセチルコリンを放出するコリン作動性である。

● **カテコールアミン受容体**　ノルアドレナリン、アドレナリン、ドーパミンなどを総称して**カテコールアミン** catecholamine とよぶ❶。カテコールアミン受容体は、大きく α 受容体と β 受容体に分けられ、さらに細かく α_1、α_2、β_1、β_2、β_3 に分けられる。これらの受容体の分布する部位は、それぞれ異なっている（○ 表6-1）。

　アドレナリンは、α 受容体にも β 受容体にも親和性が高いが、ノルアドレナリンは α 受容体と β_1 受容体に対する親和性が高い。血管平滑筋には α_1 受容体と β_2 受容体があるが、カテコールアミンが α_1 受容体に結合すると

> NOTE
> ❶ カテコールアミン
> 　カテコール環とアミンをもった化合物をカテコールアミンとよぶ。生体ではドーパミン・ノルアドレナリン・アドレナリンの3種があり、神経伝達物質などとして機能しているが、類似の構造をもつ薬物も多数ある。

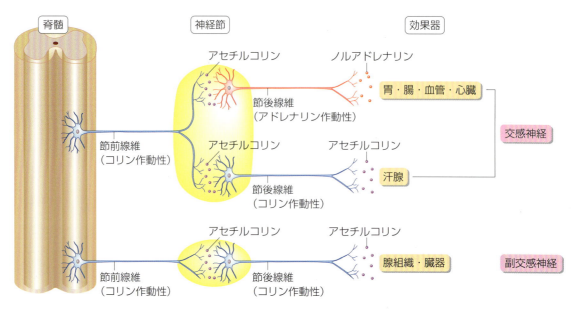

◯図 6-6　自律神経系の伝達物質
神経節における節前ニューロン→節後ニューロンの神経伝達物質は，交感・副交感神経ともにアセチルコリンである。

◯表 6-1　カテコールアミン受容体

受容体	存在部位	作用
αアドレナリン受容体	$α_1$：血管平滑筋	収縮
	$α_2$：交感神経節後線維*	伝達物質分泌抑制
βアドレナリン受容体	$β_1$：心臓	心機能亢進
	$β_2$：血管平滑筋，気管支平滑筋，肝臓	弛緩，グリコーゲン分解
	$β_3$：脂肪細胞	脂肪分解促進

＊：$α_2$受容体は，シナプス前膜（◯364ページ）にあり，自己受容体となっている。

血管収縮がおこり，$β_2$受容体に結合すると血管拡張を生じる。
　また，気管支平滑筋には$β_2$受容体があり，カテコールアミンの結合により弛緩する。したがって，気管支平滑筋の収縮によって気道が狭窄する気管支喘息の患者には$β_2$刺激薬が有効であり，逆に$β$遮断薬の投与は絶対的な禁忌（やってはいけないこと）である。

● **アセチルコリン受容体**　アセチルコリンの受容体には，ムスカリン性受容体とニコチン性受容体の2種類があり，存在している部位に違いがある（◯表6-2）。

　ムスカリン性受容体 muscarinic receptor は，副交感神経の節後線維から放出されるアセチルコリンに対する受容体であり，この受容体にアセチルコリンが結合することによって副交感神経の効果が発揮される。ムスカリンとはある種の毒キノコ（テングダケなど）に含まれる物質であるが，アセチルコリンと同様に，アセチルコリン受容体に特異的に結合し，副交感神経が興奮したときと同じ効果を発揮することからこの名前がつけられた。

表 6-2 アセチルコリンの作用

受容体	存在部位
ムスカリン性受容体	副交感神経支配の効果器 中枢神経系
ニコチン性受容体	自律神経節 神経筋接合部 中枢神経系

ニコチン性受容体 nicotinic receptor は，自律神経の節前線維と節後線維との接合部，および運動ニューロンが骨格筋に接合する神経筋接合部に存在するアセチルコリン受容体であり，ニコチンが特異的に結合する。

B 内分泌系による調節

1 内分泌とホルモン

1 分泌物の伝わりかたとホルモンの特徴

●**内分泌と外分泌** 物質を合成して放出することを**分泌**といい，分泌を行う器官を**腺**という。分泌物を血液に向かって分泌する腺を**内分泌腺**といい，これに対して唾液腺や膵臓などの**外分泌腺**は，分泌物を体表や外界につながる臓器の内腔に分泌する。

主要な内分泌腺には下垂体や甲状腺などがあり，ホルモンを産生・分泌している（◯図6-7）。また，胃腸や腎臓などの器官に含まれる細胞にも，ホルモンを合成・分泌するものがある。ホルモンを産生・分泌する現象を**内分泌**といい，それを行う細胞を**内分泌細胞**とよぶ。内分泌細胞は原料を血液から取り込み，細胞内でホルモンを合成して，これを直接に血管内に放出する。放出されたホルモンは，血流に乗って体内の遠隔地まで運ばれ，そこで効果を発揮する（◯図6-8-a）。

●**傍分泌** 傍分泌は，分泌細胞で合成された分泌物が，直接間質液中に放出され，ごく近傍の細胞に作用を及ぼすものである（◯図6-8-b）。傍分泌される物質としては，プロスタグランジンや一酸化窒素（NO），ヒスタミンが代表的である。

●**ホルモンの特徴** ホルモンは，前述のように内分泌腺から直接血管の中に分泌され，そのホルモンに対する受容体をもつ細胞（**標的細胞**）にのみ作用する。標的細胞が多く含まれる器官は，**標的器官**とよばれる。また，ホルモンは非常に微量で有効であり，たとえば甲状腺ホルモンは1 ng（ナノグラム）/L の濃度でその効果を発揮する❶。

ホルモンのもう1つの特徴は，化学構造が非常によく似ていても，その効

NOTE
❶ 1 ng/L は，甲状腺ホルモン1 gを，100万t（トン）の水（100万 m³，すなわち縦・横・高さが100 mのプールいっぱいの水）にとかしたときの濃度に等しい。

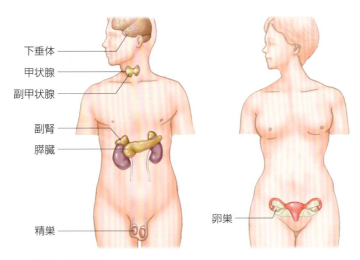

○図 6-7　おもな内分泌腺
人体のおもな内分泌腺には，男女で共通の下垂体・甲状腺・副甲状腺・副腎・膵臓（膵島）がある。男性の精巣と女性の卵巣も内分泌機能をもつ。

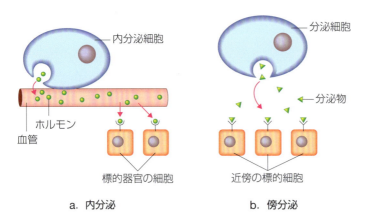

a. 内分泌　　　　　　b. 傍分泌

○図 6-8　内分泌と傍分泌

果がまったく異なる場合があることである。たとえば，代表的な男性ホルモンであるテストステロンと，代表的な女性ホルモンであるエストラジオールの化学構造は酷似しているが，その作用はしばしばまったく逆である（○図6-9）。

2 ホルモンの生理作用

　ホルモンは，自律神経系とともに諸臓器・組織の機能を調節しているが，その作用はおおむね次の４つに分類することができる❶。

　1 成長および代謝の促進　発育・成長の調整，性器や乳房・骨格・筋などの発達，変態（オタマジャクシがカエルになるなど）などに関与する。下垂体から分泌される成長ホルモン，甲状腺ホルモン，性腺や副腎皮質から分泌される性ホルモンなどがこれにあたる。

　2 適応力の増進・ホメオスタシスの維持　電解質や栄養素などの処理や

NOTE
❶各ホルモンについては本章C「全身の内分泌腺と内分泌細胞」を参照（○254ページ）。

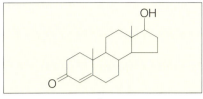
a. テストステロン

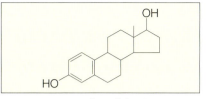
b. エストラジオール

○図 6-9　テストステロンとエストラジオールの化学構造
代表的な男性ホルモンのテストステロンと，代表的な女性ホルモンのエストラジオールの化学構造はきわめて似ているが，しばしばまったく反対の作用を示す。

蓄積によって，内部環境を維持・調整する。下垂体後葉から分泌されて水の排泄量を調節するバソプレシン（抗利尿ホルモン〔ADH〕）や，副甲状腺から分泌されて血漿中のカルシウムイオン（Ca^{2+}）濃度を調節する副甲状腺ホルモン（パラソルモン），膵臓から分泌されて血糖値を調節するインスリンとグルカゴン，副腎皮質から分泌されてナトリウムイオン（Na^+）の再吸収を促進する電解質（鉱質）コルチコイド（アルドステロンなど）などがこれにあたる。

③ **本能行動の発現**　性行動・母性行動などの，自律機能や本能行動の発現の仕方の調整に関与する。下垂体前葉から分泌されるプロラクチンや下垂体後葉から分泌されるオキシトシン，性腺から分泌される性ホルモン，副腎髄質から分泌されるアドレナリンなどがこれにあたる。

④ **ほかの内分泌腺の機能状態の調整**　視床下部から分泌されるホルモンのすべてと，下垂体前葉から分泌されるいくつかのホルモンは，ほかの内分泌腺に作用し，そこからのホルモン分泌を促進したり抑制したりする。調節される内分泌腺のホルモンも，下垂体や視床下部に影響を与える❶。

📝 NOTE
❶本章 D「ホルモン分泌の調節」を参照（○ 273 ページ）。

2 ホルモンの化学構造と作用機序

1 ホルモンの化学構造

ホルモンの化学構造は，大きく次の 3 つの種類に分けられる（○図 6-10）。

① **ペプチドホルモン**　アミノ酸がいくつもつながったペプチドからなるホルモンである。視床下部ホルモンと下垂体ホルモンのすべて，インスリン，消化管ホルモンのすべてが含まれる。

② **ステロイドホルモン**　ステロイド核をもつ脂肪の一種である。副腎皮質ホルモンのすべてと性ホルモンのすべてがこれにあたる。

③ **アミノ酸誘導体ホルモン**　アミノ基（$-NH_2$）をもつホルモンであり，甲状腺ホルモン，ノルアドレナリン，アドレナリン，メラトニンなどである。

2 ホルモンの作用機序

● **水溶性ホルモン**　ホルモンの多く，つまり甲状腺ホルモン以外のアミノ酸誘導体ホルモンとペプチドホルモンは水溶性であるため，細胞内に入るこ

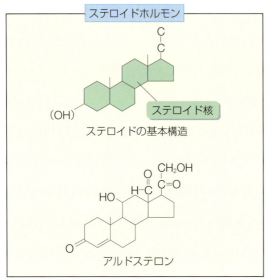

○図6-10　ホルモンの化学構造による分類

とはなく，細胞膜上の受容体に結合する（○図6-11）。受容体にホルモンが結合すると，イオンチャネルの開閉に影響を与えたり，直接あるいは細胞内の情報伝達機構を介して特定の酵素を活性化したりして，細胞機能を変化させる。水溶性ホルモンは細胞の運動・分泌・代謝などを変化させるが，遺伝子の発現を伴わないため，効果の発現は比較的速い。

● **脂溶性ホルモン**　ステロイドホルモンと甲状腺ホルモンは，小型で脂溶性が高いため，容易に細胞膜を通過することができる。これらのホルモンは細胞内に入り，核質あるいは細胞質にある受容体と結合し，ホルモン-受容体複合体を形成する（○図6-12）。ホルモン-受容体複合体は，遺伝子（DNA）に作用し，タンパク質の合成を調節することにより，細胞の機能を変化させる。

　細胞内の受容体を介して作用するこれらのホルモンは，DNAへの作用からタンパク質合成の過程を経て生理機能が発揮されるため，その作用の発現に時間がかかる。しかし，その一方で効果は長く持続する。

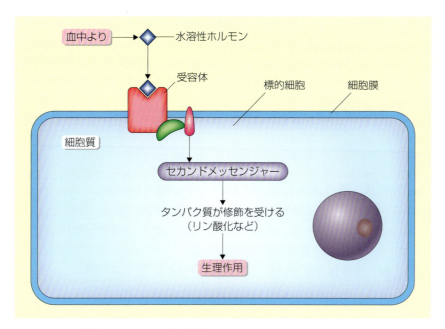

◐ 図 6-11 水溶性ホルモンの作用機序
水溶性ホルモンは，細胞膜上の受容体に結合し，セカンドメッセンジャーを介して，細胞機能を変化させる。これらのホルモンは，遺伝子の発現を伴わないため，効果の発現は速い。

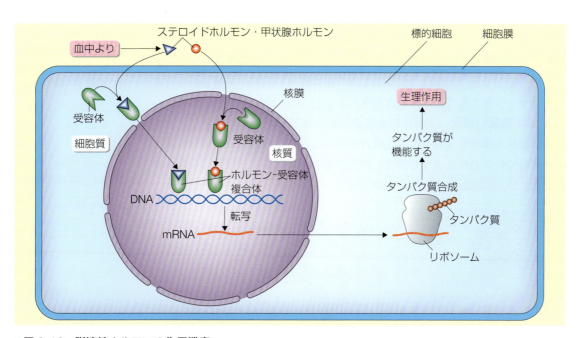

◐ 図 6-12 脂溶性ホルモンの作用機序
核質あるいは細胞質にある受容体と結合したステロイドホルモンおよび甲状腺ホルモンは，DNAに作用し，タンパク質の合成を調節することにより，生理作用を引きおこす。これらのホルモンは，作用の発現に時間がかかるが，効果は長く持続する。

C 全身の内分泌腺と内分泌細胞

1 視床下部-下垂体系

1 下垂体の構造

　下垂体 pituitary gland(hypophysis)は，脳の下面についた前後8mm，幅10mmほどの小さな器官である(◯図6-13)。前葉と後葉に分かれ，内頭蓋底の**トルコ鞍**(◯335ページ，図7-48-a)の上にのる。間脳の視床下部から細い茎によってぶら下がっていて，視床下部との間に密接な関係がある。

● **下垂体前葉**　下垂体前葉は，腺性下垂体ともよばれ，咽頭から発したラトケ Rathke 嚢に由来し，大きな前部，その後ろに位置する中間部，上にのびている隆起部の3部に分かれる。前部は数種類の下垂体前葉ホルモンを分泌する。視床下部の毛細血管を通った血液が，再び下垂体前葉の毛細血管を流れる配置になっており，**下垂体門脈系**とよばれる。これにより，視床下部ニューロンから出るホルモンが，下垂体前葉ホルモンの合成や分泌を調節する。

● **下垂体後葉**　下垂体後葉は，神経下垂体ともよばれ，第三脳室底が突き出して生じた神経組織からなる。視床下部にある神経内分泌細胞の軸索が後葉に達しており，この細胞のつくるホルモンは軸索の先端に蓄積され，下垂体後葉ホルモンとして血液中に放出される。

● **下垂体前葉の細胞**　下垂体前葉は多種類の腺細胞が集まっており，細胞の間に洞様毛細血管(類洞)と疎性結合組織が広がる。前葉の分泌細胞は，光学顕微鏡での染色性により好酸性・好塩基性・色素嫌性の3種類に分類され

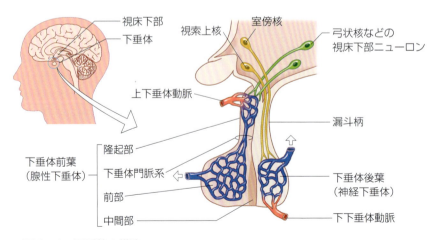

◯図6-13　**下垂体の構造**
下垂体は視床下部からぶら下がり，その構造は前部・中間部・隆起部からなる前葉(腺性下垂体)と，後葉(神経下垂体)に大きく分けられる。

るが，抗体を用いて物質の局在を調べる顕微鏡技術（免疫組織化学とよばれる）によって，どの細胞からどのホルモンが分泌されるかが詳しく同定され，成長ホルモン細胞，プロラクチン細胞，性腺刺激ホルモン（ゴナドトロピン）細胞，甲状腺刺激ホルモン細胞，副腎皮質刺激ホルモン細胞が区別されている。どの腺細胞も，粗面小胞体・ゴルジ装置（ゴルジ体）でホルモンを合成し，分泌顆粒にたくわえて，開口分泌（● 47 ページ）によって放出する。

● **下垂体後葉の構造**　後葉は，漏斗柄によって視床下部と結ばれていて，神経組織でできている。後葉ホルモン（オキシトシンおよびバソプレシン）を分泌する神経内分泌細胞は，視床下部にある神経核，とくに視索上核と室傍核に細胞体がある。下垂体後葉ホルモンは，神経内分泌細胞の軸索の中を下行し，後葉で一時的にたくわえられ，必要に応じて血液中に放出される。

2 神経内分泌

すでに述べたように，神経系と内分泌系とは協調して，あるいは分担してホメオスタシスの維持と成長・発達・成熟の調節を行っている。しかし，神経系と内分泌系は完全に独立した別のシステムなのではなく，両者の中間型ともいえるものが存在する。

ニューロンは刺激を受けると興奮し，活動電位が軸索（神経線維）の末梢に伝わり，その神経終末から神経伝達物質が放出される（●図 6-14-a）。その神経伝達物質は，通常はほかのニューロンや筋を刺激する。ところが，神経終末から放出される物質が血液中に入って，ホルモンとしてほかの臓器・組織に影響を与えることがある。これを**神経内分泌**という（●図 6-14-b）。

視床下部から分泌されて下垂体前葉に作用するホルモンは，すべて視床下部の神経終末から毛細血管内に放出されたものである。視床下部の毛細血管

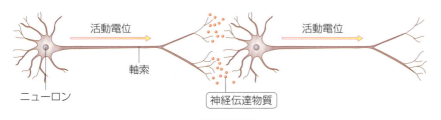

a. 興奮の伝達

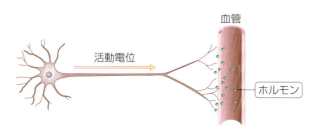

b. 神経内分泌

● 図 6-14　興奮の伝達と神経内分泌

は合流して下垂体門脈系となって下垂体前葉にいたり，ここで再び毛細血管となる。視床下部から放出されたホルモンは，ここで下垂体前葉の細胞に影響を与えて下垂体前葉ホルモンの分泌を調節する。

また下垂体後葉から分泌されるホルモンも，視床下部のニューロンの軸索が下垂体後葉までのびて，ここで神経内分泌を行う。後述する副腎髄質によるアドレナリン分泌も，交感神経節の細胞が内分泌腺に分化したという意味で，神経内分泌の一種であるといえる。

3 視床下部ホルモン

現在わかっているところでは，視床下部からは少なくとも以下の6種類のホルモンが分泌されており，そのすべてが下垂体前葉に作用してその機能を調節するホルモン❶である（◯図6-15）。

(1) 副腎皮質刺激ホルモン放出ホルモン（ACTH放出ホルモン；CRH）
(2) 甲状腺刺激ホルモン放出ホルモン（TSH放出ホルモン❷；TRH）
(3) 成長ホルモン放出ホルモン（GH放出ホルモン；GRH，GHRH）
(4) 成長ホルモン抑制ホルモン（GH抑制ホルモン；GIH，ソマトスタチン❸）
(5) プロラクチン抑制ホルモン（ドーパミン）
(6) 性腺刺激ホルモン放出ホルモン（ゴナドトロピン gonadotropin 放出ホルモン；GnRH❹）

4 下垂体前葉ホルモン

下垂体前葉からは，次の6種類のホルモンが分泌される。

(1) 副腎皮質刺激ホルモン adrenocorticotropic hormone（ACTH）
(2) 甲状腺刺激ホルモン thyroid-stimulating hormone（TSH）
(3) 成長ホルモン growth hormone（GH）
(4) プロラクチン prolactin（PRL）

NOTE

❶ ホルモンの略称

放出ホルモンは英語で releasing hormone なので RH と略される。

❷ TSH放出ホルモン

それぞれのホルモンの作用はその名前のとおりであるが，TSH放出ホルモン（TRH）は下垂体のプロラクチン分泌細胞をも刺激し，それぞれのホルモン分泌を亢進させる。

❸ ソマトスタチン

ソマトスタチンは，成長ホルモン抑制ホルモンとして視床下部において最初に発見された。しかしその後，ほかの細胞からも分泌され，さまざまな作用を示すことが明らかとなった。膵臓の内分泌部から放出されるソマトスタチンは，同じ膵臓が産生するホルモンであるインスリンとグルカゴンの分泌を抑制し，胃液の分泌や消化管の運動も抑制する。また，胃や小腸の粘膜にもソマトスタチン産生細胞（D細胞）は広く分布している。

❹ GnRH

黄体形成ホルモン放出ホルモン（LH放出ホルモン：LHRH）ともよばれる。GnRHはLHだけでなくFSHの放出も促進するが，LHとFSHの挙動が一致しないこともあるため，LHRHとは別にFSHRHが存在する可能性も想定されている。

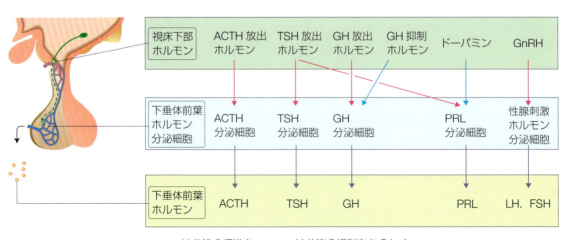

◯ 図6-15 視床下部ホルモンによる調節

(5) 黄体形成ホルモン luteinizing hormone（LH）
(6) 卵胞刺激ホルモン follicle-stimulating hormone（FSH）

　このうち(5)黄体形成ホルモンと(6)卵胞刺激ホルモンは、まとめて**性腺刺激ホルモン** gonadotropin（**ゴナドトロピン**）ともよばれる。性腺とは女性の卵巣、男性の精巣である。

　血液中に分泌されたこれらのホルモンは、甲状腺や副腎皮質などのそれぞれの標的となる器官や組織に作用する（◯図 6-16）。

　またこれらのホルモンのほかに、下垂体前葉の中間部からはメラニン細胞刺激ホルモン melanocyte-stimulating hormone（MSH）❶が分泌されるが、ヒトの下垂体前葉の中間部は痕跡的であり、MSHの分泌量はきわめて少ない。MSHは、皮膚などにあるメラニン細胞でつくられるメラニンとよばれる黒色色素の合成を促進する。

◆ 成長ホルモン（GH）

　子どもの身体の成長を促進する。骨端軟骨の形成が促進されて骨が成長するとともに、タンパク質の同化が促進されて筋・心臓・肝臓などの増殖・肥大がおこる。また、肝臓のグリコーゲンの分解と血中へのグルコースの放出が増加するため、血糖値が上昇する。

> **NOTE**
>
> ❶ MSH
> 　MSHには、α-MSHとβ-MSHの2種類があるが、人体にはα-MSHのみが存在する。

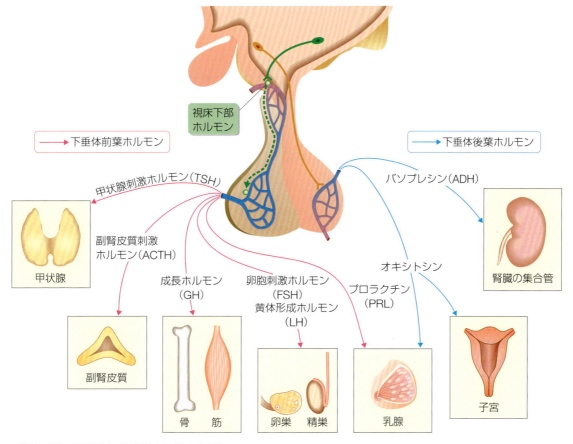

◯図 6-16　下垂体から分泌されるホルモン

成長期に成長ホルモンの分泌が過剰であると巨人症 gigantism となり，不足すると下垂体性低身長症となる。下垂体性低身長症では身長が低いだけであり，身体各部のバランスはとれ，知能も正常である。また，成長が終わってから成長ホルモンの分泌が過剰になると先端巨大症 acromegaly となり，身長はそれ以上のびないが，手足の肥大化や顔面（とくに下顎や前額）が成長して突出する。

◆ プロラクチン（PRL）

　妊娠中にしだいに分泌量が増加し，エストロゲンやプロゲステロンとともに乳腺を発達させる。妊娠中はエストロゲンにより乳汁産生は抑制されているが，分娩によってエストロゲン分泌が減少すると，プロラクチンの刺激によって乳汁産生が開始される❶。また，母性行動の発現も促進する。ただし，非妊娠・非授乳女性や男性におけるプロラクチンの作用はいまだよくわかっていない。

◆ 甲状腺刺激ホルモン（TSH）と副腎皮質刺激ホルモン（ACTH）

　それぞれ甲状腺，副腎皮質を刺激してホルモン分泌を亢進させる。

◆ 卵胞刺激ホルモン（FSH）

　女性では卵胞の発育を促し，男性では精子形成を促進する。

◆ 黄体形成（黄体化）ホルモン（LH）

　女性では排卵を誘発し，排卵後の卵胞に作用して黄体を形成させる。男性では精巣に作用して，テストステロン（精巣由来の男性ホルモン）の分泌を促進する。

5 下垂体後葉ホルモン

　下垂体後葉からは，神経内分泌によりバソプレシンとオキシトシンの2種類のホルモンが分泌される（ 257ページ，図6-16）。

◆ バソプレシン vasopressin　（抗利尿ホルモン anti-diuretic hormone〔ADH〕）

　血漿の浸透圧が上昇（つまり水分が不足して溶質が濃縮された状態）したり，循環血液量が減少したりして血圧が低下すると，それが刺激となってバソプレシンが分泌される。バソプレシンは，腎臓の集合管に作用して水の再吸収を促進し，水の排泄量，すなわち尿量を減少させる。また，バソプレシンには，血管平滑筋に作用して血管を収縮させる作用もある。
　バソプレシンの分泌が不足すると，尿崩症となる。尿崩症の患者は，1日の尿量が10Lをこえる多尿となり，口渇感が著しく多飲となるが，勤務中などは自由に飲水ができないことが多いため，脱水傾向となる。また，夜

NOTE

❶プロゲステロンのはたらき
　卵巣に形成された黄体から分泌されるプロゲステロンも乳汁産生の抑制に関与しているといわれているが，エストロゲンと同様のはたらきをしているかは不明である。

間にも頻回に排尿のために起きなくてはならないため，睡眠不足となる。

◆ オキシトシン oxytocin

オキシトシンのおもな作用は2つある。その1つは子宮筋収縮作用であり，分娩時に胎児の下降によって子宮頸部が伸展されると，それが刺激となって分泌が増加して分娩を促進するとともに，胎児娩出後の子宮収縮（拡大していた子宮がもとに戻る）を促進する。

オキシトシンのもう1つの作用は，射乳作用である。乳児の乳首吸引が刺激となってオキシトシンが分泌される。オキシトシンは乳腺の平滑筋を収縮させ，腺房にたくわえられていた乳汁を乳管内に放出させる。

また母性行動やパートナーシップ[1]感情の発現や，幸福感・抗不安作用などに大きくかかわっていると報告されている。

> **NOTE**
> [1]パートナーシップの発現
> 魚類もヒトと同様のオキシトシンをもつ。群れで泳ぐ習性のあるイワシなどを飼育している水槽にオキシトシンを垂らすと，個体間の距離が縮まり，より密集して泳ぐようになる。これは仲間意識，つまりパートナーシップが強まっていると推測される。

2 甲状腺と副甲状腺

1 甲状腺と副甲状腺の構造

● **甲状腺の構造**　甲状腺 thyroid gland は，気管上部の前面にあって，高さは3〜4cm，重さは約20gで，蝶のような形をしており，左右2葉とその間をつなぐ峡部とからなる。甲状腺の後面の両側には，副甲状腺という2対の小さな内分泌腺がついている（●図6-17）。発生学的には舌背面の後部の上皮が下方にのび出したもので，舌のつけ根とつながる上皮索は発生の途中で消える。

● **甲状腺の組織**　甲状腺の組織は，濾胞という小さな袋が集まってできている。濾胞は1層の濾胞細胞（上皮細胞）で囲まれ，甲状腺ホルモンのもとになるタンパク質の**サイログロブリン** thyroglobulin を中に含んでいる。濾胞を取り巻くように毛細血管網が発達している。濾胞細胞の高さは機能の状態によって変化し，甲状腺刺激ホルモンの刺激を受けると，細胞が大きさを増して甲状腺ホルモンの合成が増加し，濾胞は小さくなる。濾胞の周囲には，**傍濾胞細胞**という細胞群があり，カルシトニンというホルモンを分泌する。

● **副甲状腺**　副甲状腺 parathyroid gland（上皮小体）は，甲状腺の裏側にある米粒大の淡黄色の小体で，両側上下に2個ずつあることが多い。副甲状腺は2種類の実質細胞を含み，色素に染まりにくい主細胞が副甲状腺ホルモン（パラソルモン；PTH）を分泌する。好酸性細胞の機能は明らかにされていない。間質には洞様毛細血管網がある。

2 甲状腺ホルモンの産生

甲状腺ホルモンは，細胞外から取り込んだヨウ素（I）を結合して濾胞細胞内でつくられる。甲状腺ホルモンには，ヨウ素が4つ結合した**サイロキシン** thyroxine（T_4，チロキシンともいう，● 252ページ，図6-10）と，ヨウ素が3つ結合した**トリヨードサイロニン** triiodothyronine（T_3）がある。両者の作用は

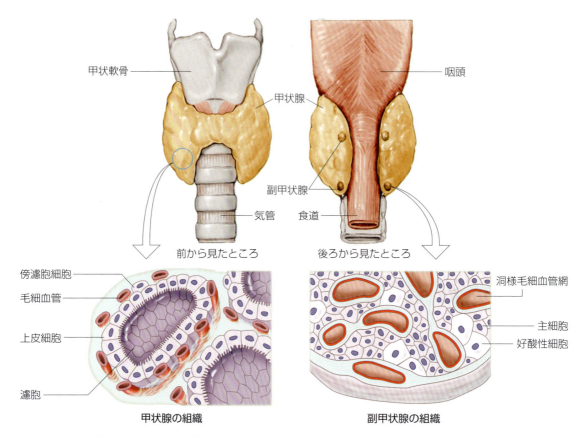

○図6-17　甲状腺・副甲状腺の組織
甲状腺は気管の前面に，副甲状腺は甲状腺の後面にある。甲状腺はおもに濾胞と傍濾胞細胞からなり，副甲状腺はおもに主細胞と好酸性細胞からなる。

同じであるが，活性はトリヨードサイロニンのほうが強く，産生量はサイロキシンのほうが約20倍多い。

　血液中に放出された甲状腺ホルモンは，血漿タンパク質(サイロキシン結合グロブリンなど)に結合して運ばれる。甲状腺ホルモンの合成・分泌は，下垂体から分泌される甲状腺刺激ホルモン(TSH)によって促進される。

3 甲状腺ホルモンの作用

　甲状腺ホルモンの標的組織は広範であり，ほとんど全身の臓器・組織に作用する。

● **熱産生作用**　脳や性腺(卵巣・精巣)，リンパ節などを除くほとんど全身の組織の代謝を亢進させ，熱産生量を増加させる。したがって，タンパク質・脂質の異化が促進され，酸素消費が増加するため，基礎代謝(早朝，快適な環境温度下で測定される代謝量)が亢進する。

● **成長・発育に対する作用**　心身の正常な発育と成長のためには不可欠である。両生類などにおいては変態(例：オタマジャクシ→カエル)に関与する。

● **糖・コレステロール代謝に対する作用**　腸管における糖の吸収を促進する。このため甲状腺機能亢進症の患者では，食後血糖値が急激に上昇し，そ

の後すみやかに低下する。組織へのコレステロール供給が促進されるため，血中コレステロール濃度は低下する。

● **神経系・筋・心臓に対する作用** 思考の回転を上げ，精神的被刺激性を上昇させる。また末梢神経にも作用して，膝蓋腱反射やアキレス腱反射の反応時間を短縮させる。骨格筋に対しては，筋タンパク質の分解を促進するため，甲状腺ホルモンが過剰となると筋の衰弱をきたす（甲状腺中毒性ミオパチー）。心臓に対しては，心筋のβ受容体の数と親和性を上昇させるため，カテコールアミンに対する感受性が高まる。また甲状腺ホルモンの直接作用ではないが，代謝の亢進によってほとんど全身の酸素需要が増大するため，心拍数の増加，心収縮力の促進を生じ，心拍出量が増加する。

4 甲状腺ホルモンの分泌調節

甲状腺ホルモンの分泌は，下垂体から分泌される甲状腺刺激ホルモン（TSH）によって促進される（●図6-18）。逆に，甲状腺ホルモンは，下垂体に作用して甲状腺刺激ホルモンの分泌を抑制する。甲状腺刺激ホルモンの分泌に対する刺激は，血中の甲状腺ホルモン濃度の低下のほか，視床下部から分

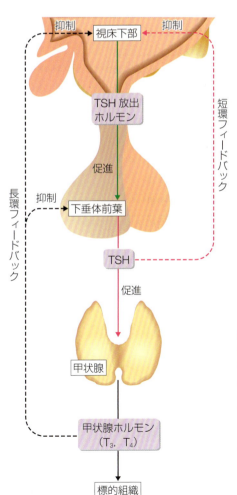

●**図6-18 甲状腺ホルモンの分泌調節**

甲状腺刺激ホルモン（TSH）は，視床下部から放出されるTSH放出ホルモンにより分泌が促進される。TSHは甲状腺に作用して甲状腺ホルモンの分泌を促進するとともに，視床下部にも作用してTSH放出ホルモンの分泌を抑制する。甲状腺ホルモンは，標的組織に作用するとともに，視床下部・下垂体前葉からのTSH放出ホルモンとTSHの分泌を抑制する。

泌される甲状腺刺激ホルモン放出ホルモン（TSH 放出ホルモン）によっても促進される。甲状腺ホルモンと甲状腺刺激ホルモンは視床下部に対して抑制作用を示し，TSH 放出ホルモンの分泌を低下させる（◯ 274 ページ，「負のフィードバック」）。

また，ストレスも甲状腺刺激ホルモンの分泌を促進し，小児や実験動物などでは寒冷刺激も甲状腺刺激ホルモン分泌刺激となることがわかっている。ただし成人では，寒冷刺激では血中の甲状腺ホルモン濃度はほとんど変化しない。

◆ 甲状腺機能の異常

甲状腺機能に異常があると，しばしば甲状腺が腫脹し，前頸部に大きな蝶型の甲状腺腫をみとめるようになる。ただし甲状腺腫があったとしても，機能には異常がない場合もある。

[1] **甲状腺機能亢進症**　甲状腺ホルモンが過剰に分泌される状態で，大部分は自己免疫によるものであり，バセドウ病 Basedow disease（グレーブス病 Graves disease）とよばれる。しかし，甲状腺の腫瘍，あるいは下垂体の TSH 産生腫瘍（TSH 産生細胞が腫瘍化し，TSH を無制限に産生・放出する）に起因することもある。活動性が亢進し，精神的にはイライラした状態となり，強い疲労感や不眠を訴えることが多い。代謝の亢進のため，基礎代謝の亢進や微熱，発汗（汗かきになる），体重減少を生じる。ただし若い女性などでは，過食のために逆に体重が増加することもある。また，頻脈（心拍数の増加），脈圧の増大，高血圧などの循環器系の症状もみとめられる。バセドウ病に特徴的な症状として，眼窩内の浮腫による眼球突出があげられる。

[2] **甲状腺機能低下症**　成人で甲状腺機能低下をきたした成人型甲状腺機能低下症は，粘液水腫ともよばれる。皮膚の肥厚と腫脹（タンパク質の皮下への沈着による），精神活動性の低下，頭髪の脱毛，寒冷耐性の低下，便秘，徐脈（心拍数の減少）などを生じる。また，胎児期〜幼児期に甲状腺機能が低下したものを新生児甲状腺機能低下症（クレチン症 cretinism）といい，身長ののびがわるく，ずんぐりした体格の低身長症となる。知能の発育もわるく，精神遅滞となる点で下垂体性低身長症とは異なっている（下垂体性では知能の発達が正常）。先天性の甲状腺機能低下であっても，出生後すみやかに（2 か月以内）甲状腺ホルモンを補充すれば，甲状腺性の低身長症を防ぐことができるため，わが国では新生児に対するスクリーニング検査の 1 つとして，血中 TSH 濃度の測定が行われている。

5　カルシトニンの作用

甲状腺の傍濾胞細胞は，**カルシトニン** calcitonin というホルモンを分泌する。カルシトニンは破骨細胞の活性を低下させ，骨吸収（骨から Ca^{2+} が血液中にとけ出すこと）を抑制するとともに，腎臓に作用して Ca^{2+} 排泄を促進することにより，血漿 Ca^{2+} 濃度の上昇を抑える（◯ 277 ページ，図 6-27）。ただし，ヒトではカルシトニンの活性が低く，Ca^{2+} 代謝への影響は少ない。

6 副甲状腺の機能

副甲状腺からは，**副甲状腺ホルモン**（パラソルモン，上皮小体ホルモン）parathormone（PTH）が分泌され，破骨細胞の活性を上昇させ，骨から血中への Ca^{2+} の遊離を促進する。それとともに，腎臓における Ca^{2+} 再吸収を増加させることにより，血漿 Ca^{2+} 濃度を上昇させる。

副甲状腺ホルモンの分泌は，血漿 Ca^{2+} 濃度によって調節される。すなわち，血漿 Ca^{2+} 濃度が低下すると，それが刺激となって副甲状腺ホルモンの分泌が増加し，血漿 Ca^{2+} 濃度が正常レベル以上になると分泌はとまる。

◆ 副甲状腺機能の異常

間違って副甲状腺を切除することなどにより副甲状腺の機能が低下すると，血漿 Ca^{2+} 濃度が低下し，神経や筋の興奮性が異常に亢進する。その結果，全身の筋に痙攣を生じる（テタニーとよばれる）。

副甲状腺の機能亢進は，副甲状腺の腫瘍に起因することが多い。骨吸収が亢進した結果，骨がもろくなり（骨粗鬆様変化），骨折をおこしやすくなる。また，血漿 Ca^{2+} 濃度が上昇し，腎臓において濾過される量が増えるため，尿中 Ca^{2+} 濃度が上昇し，リン酸カルシウムやシュウ酸カルシウムなどからなる尿路結石ができることがしばしばある。

3 膵臓

膵臓 pancreas は，アミラーゼ・リパーゼ・トリプシンなどのさまざまな消化酵素を含む膵液を分泌する外分泌腺として重要であるが，同時に内分泌腺としてもきわめて重要なはたらきをしている。

1 膵島の構造

膵臓は膵液を十二指腸に出す外分泌部と，ホルモンを血液中に出す内分泌部に分かれている（◉図6-19，85ページ，図2-25）。内分泌部は島状に点在するので，**膵島**（ランゲルハンス島 islets of Langerhans）とよばれる。膵島は尾部に比較的多く，膵臓全体で100万個ほどある。

膵島は直径50〜200 μm の丸みを帯びた形で，ヘマトキシリン-エオシン染色で薄く染色され，濃く染色される外分泌部とは容易に区別できる。膵島の血管は洞様毛細血管である。膵臓の中で，血管は一度膵島を通ってから，ホルモンを含む血液を外分泌部に運ぶように配置されている（**膵門脈系**）。

2 膵島の機能

膵島は3種類の細胞によって構成され，それぞれ A 細胞（α 細胞ともいう），B 細胞（β 細胞），D 細胞（δ〔デルタ〕細胞）とよばれる。**A 細胞**はグルカゴンを，**B 細胞**はインスリンを，そして **D 細胞**はソマトスタチンを分泌する。B 細胞は好塩基性で膵島の中心部分に多く，膵島細胞の70％ほどを

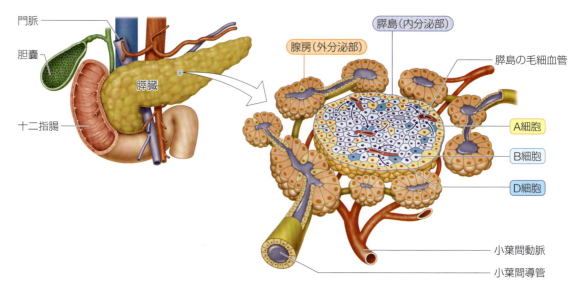

○図 6-19　膵臓の構造
膵臓の組織は，外分泌部と内分泌部に分けられる。内分泌部は膵島とよばれ，A 細胞はグルカゴンを，B 細胞はインスリンを，D 細胞はソマトスタチンを分泌する。

占める。ソマトスタチンは A 細胞と B 細胞の内分泌機能を調節する役割を担うが，グルカゴンとインスリンのほうが糖代謝の調節という面ではるかに重要である。

◆ インスリン

　血漿のグルコース濃度，つまり血糖値が上昇すると，膵島の B 細胞より**インスリン** insulin が分泌される。インスリンは，肝細胞や筋細胞にグルコースを取り込ませ，グルコースがいくつもつながった**グリコーゲン**を合成させて糖を貯蔵させる（○276 ページ，図 6-26）。またインスリンは，脂肪細胞に

臨床との関連　糖尿病

　糖尿病は，血糖値が腎臓のグルコース再吸収能を上まわると，尿中に糖が検出されるようになるため，この名前がつけられた。ただし，尿中に糖が出ることが問題なのではなく，血糖値の上昇と糖代謝の障害のために，全身にさまざまな病変があらわれることが問題である。

　わが国では，代表的な生活習慣病である 2 型糖尿病が圧倒的に多い。2 型糖尿病は，膵島の B 細胞の機能異常やインスリン抵抗性といった遺伝的素因に，肥満・過食・運動不足・ストレス・加齢などの環境要因が加わって発症する。軽症では無症状であるが，放置すると多食，口渇，多飲，多尿などの症状があらわれ，感染症に罹患しやすくなる。また血管障害のために，3 大合併症ともよばれる網膜症，腎症，末梢神経障害などが出現する。

　さらに糖尿病では，糖が利用できないため，脂肪がエネルギー源として利用される。その結果，多量のケト酸を生じてアシドーシスとなる糖尿病性ケトアシドーシスにより，高血糖性昏睡となることもある。ただし，血糖降下薬を服用している場合には，過剰服用のために低血糖となり，脳のニューロンがグルコースを利用できず機能不全となって昏睡状態となることも少なくないので注意を要する。

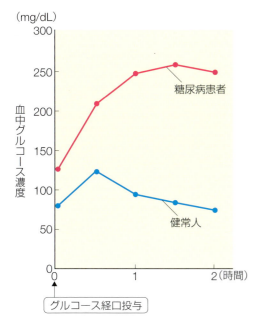

図 6-20 糖尿病患者の血中グルコース濃度の変化
空腹時でも，糖尿病患者の血中グルコース濃度は，健常人より高い。また，グルコースを経口で投与したあとの血中グルコースの濃度は，健常人ではすみやかに低下するが，糖尿病患者では高い状態が持続する。

もグルコースを取り込ませて脂肪を合成させ，肝臓や筋におけるタンパク質の合成も促進する。このようにして各種の細胞にグルコースを取り込ませることによって血糖値が低下すると，インスリンの分泌は低下する。

なお，脳はインスリンの影響を受けず，ニューロンが必要とするだけのグルコースを随時摂取する。

膵臓からのインスリン分泌の低下や，全身の細胞のインスリン感受性低下により，細胞のグルコース取り込みが十分にできなくなると，血糖値が上昇し，**糖尿病** diabetes mellitus（DM）となる（◯図 6-20）。

◆ グルカゴン

グルカゴン glucagon は膵島の A 細胞から分泌され，肝臓に作用してグリコーゲンを分解し，グルコースとして血液中に放出させて血糖値を上昇させる（◯276 ページ，図 6-26）。また，脂肪細胞に作用して脂肪からケトン体を生成させる。ケトン体は筋組織などでエネルギー源として利用される。血糖値が上昇すると，グルカゴンの分泌は低下する。

4 副腎

1 副腎の構造

副腎 adrenal gland は，左右の腎臓の上に帽子のようにかぶさっている（◯図 6-21）。重さは約 10〜15 g で，腎臓とともに脂肪被膜に包まれているが，腎臓とは機能的に直接のつながりはない。副腎の中には，2 種類の組織が含まれている。外側の皮質はステロイドホルモンを分泌し，中心部の髄質はチロシン（アミノ酸の一種）の代謝産物であるカテコールアミンを分泌する（◯図

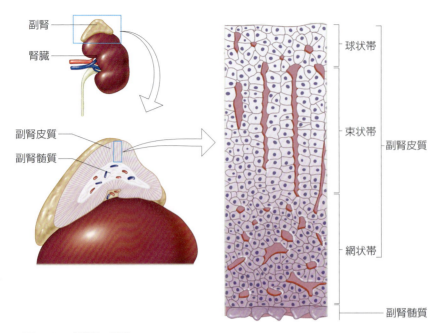

○図 6-21　副腎の組織
副腎は腎臓の上にかぶさる左右一対の臓器で，外側の皮質と中心側の髄質からなる。

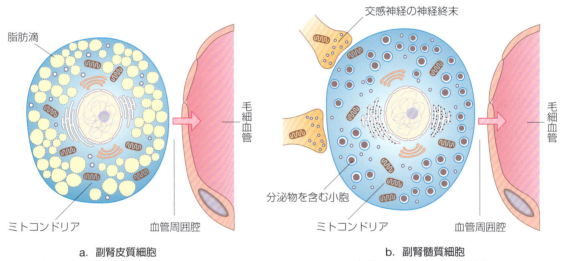

a. 副腎皮質細胞
ステロイドホルモンを分泌する。

b. 副腎髄質細胞
カテコールアミンを分泌する。

○図 6-22　副腎の分泌細胞

6-22)。副腎皮質と副腎髄質は，発生の起源が異なる。

● **副腎皮質**　副腎皮質は，脂肪に似て黄色みを帯びている。表面から深部へと球状帯・束状帯・網状帯の3層からなり，層により分泌されるホルモンの種類が異なる。

● **副腎髄質**　副腎髄質の細胞は，皮質の細胞より大きく，クロム塩によって黄褐色に染まるので**クロム親和細胞**とよばれる。副腎髄質は交感神経の節

後ニューロンが変化したもので，副腎髄質ホルモン（アドレナリン，ノルアドレナリン）は，交感神経の節後ニューロンの伝達物質と同じ構造をもつカテコールアミンの一種である。

2 副腎皮質の機能

　副腎皮質は，生命維持のために不可欠の内分泌腺であり，最も外側の球状帯から電解質コルチコイド（鉱質コルチコイド）が分泌され，その内側の束状帯から糖質コルチコイドが，最内側（その内側に髄質がある）の網状帯から男性ホルモンであるアンドロゲンと糖質コルチコイドが分泌される。これらのホルモンは，いずれもコレステロールから合成されるコレステロール誘導体❶であり，**ステロイド**と総称される。ただし一般にステロイドというと，糖質コルチコイドをさすことが多い。

　糖質コルチコイドと男性ホルモンの分泌は，下垂体から分泌される副腎皮質刺激ホルモン（ACTH）によって促進される。甲状腺の場合と同様に，ACTH の分泌はコルチコイドで抑制される負のフィードバック（▶274 ページ）によって過剰分泌が防がれている。電解質コルチコイドは ACTH の影響も受けるが，それは弱く，分泌刺激として最も強力なのはアンギオテンシンⅡである（▶222 ページ）。

◆ 糖質コルチコイド

　糖質コルチコイド glucocorticoid には多くの種類があるが，生体内において生理的に意味のある量が分泌されているのは**コルチゾル** cortisol（コルチゾール）である。糖質コルチコイドは，細胞内に入って核に作用し，タンパク質合成を修飾する。糖質コルチコイドに対する受容体は，ほとんどすべての細胞がもっているため，その効果はきわめて多彩である。

● **糖代謝に対する作用**　糖質コルチコイドは，**糖新生**❷を促進して血糖値を上昇させる。糖新生は，筋におけるタンパク質分解の促進によって生じたアミノ酸と，脂肪組織における脂肪分解の促進によって生じた脂肪酸とグリセロールを材料として，肝臓において行われる。

● **抗炎症作用**　糖質コルチコイドを薬物として用いる場合の主目的は，このホルモンがもつ抗炎症作用である。糖質コルチコイドは，細胞小器官であるリソソームの膜を安定化して，その中に含まれるタンパク質分解酵素の遊出を防ぐことにより，炎症の拡大を防いでいる。また，肥満細胞からのヒスタミンの放出を抑制することにより，毛細血管の透過性の上昇を抑えて局所の浮腫を軽減し，さらにプロスタグランジンの合成を抑制し，抗発熱作用・鎮痛作用を発揮する（▶図6-23）。したがって，関節リウマチのような自己免疫疾患や，非感染性の炎症抑制には糖質コルチコイドは効果を発揮する。

● **免疫抑制作用**　一方，糖質コルチコイドは好中球の遊走を抑え，リンパ球を減少させるため，免疫機能が抑制される。そのためカビなどの真菌および細菌などの感染が疑われる炎症の場合は，感染を増悪させるため使用してはならない。ただし，臓器移植の際の拒絶反応の抑制の目的で薬剤として使

NOTE

❶ **誘導体**
　誘導体とは，おもに有機化合物に対して用いられる語で，ある化合物 A の分子の一部を変化させることで生じる別の化合物 B を，化合物 A の誘導体という。

NOTE

❷ **糖新生**
　アミノ酸や乳酸などの非炭水化物を原料として，グルコースを合成する経路のこと。

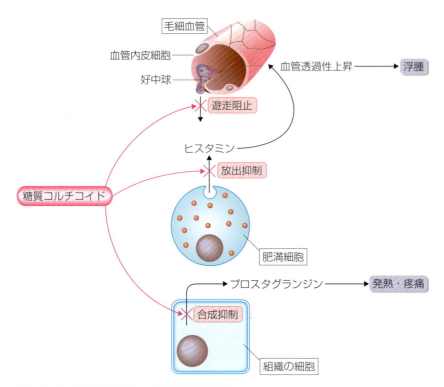

○図6-23 糖質コルチコイドの抗炎症作用

用される。
● **許容作用** 糖質コルチコイドは，カテコールアミン・インスリン・グルカゴンなどの作用を増強する。これを**許容作用**という。逆にいうと，糖質コルチコイドが不足すると，これらのホルモンの効果が十分に発揮できない。たとえば，糖質コルチコイドの不足により血管平滑筋のカテコールアミン感受性が低下すると，血管平滑筋が弛緩し，血管拡張・血圧低下をきたす。
● **中枢神経系に対する作用** 糖質コルチコイドは，情動や認知機能にも影響を与える。糖質コルチコイドが不足すると抑うつ・不安・食欲減退などを生じ，過剰では多幸感や活動性の亢進などを生じる。また感覚にも影響を与え，不足すると嗅覚・味覚などが過敏になる。
● **抗ストレス作用** さらに，糖質コルチコイドは，あらゆる種類のストレスに対する耐性を上昇させる。ストレスが加わると，ただちに下垂体からの副腎皮質刺激ホルモン（ACTH）の分泌が増加し，糖質コルチコイドの分泌が増す（◎278ページ）。副腎皮質機能不全で糖質コルチコイドの分泌が低下すると，ささいな有害刺激でも過大なストレスとなり，死にいたることもある。
● **その他の作用** 腸管からのCa^{2+}吸収を抑制する，骨の融解を促進する，成長ホルモンや甲状腺ホルモンに対する許容作用を通して成長・発達に影響する，弱いながらも電解質コルチコイド様作用をもつなど，全身にさまざまな影響を与える。

◆ 電解質コルチコイド

電解質コルチコイド mineralocorticoid（鉱質コルチコイド）にもさまざまな種類があるが，生体内における最も重要なものは，**アルドステロン** aldosterone である。アルドステロンは腎臓の集合管に作用して，Na^+ の再吸収と K^+ の排泄を促進する。Na^+ の再吸収により間質液の浸透圧が上昇して，受動的な水の再吸収も増加するため，体液量の調節という意味で非常に重要な役割を果たしている（● 222 ページ）。

◆ 男性ホルモン

副腎皮質から分泌される男性ホルモンである**デヒドロエピアンドロステロン** dehydroepiandrosterone（DHEA）は，精巣から分泌される男性ホルモンであるテストステロンの約 20% の活性をもつ。女性では，腋毛・陰毛の発生や，性欲の発現に関係する。成人男性では，より強力な男性ホルモンであるテストステロンが精巣から分泌されるためあまり意味がない。

◆ 副腎皮質機能の異常

副腎皮質の機能障害による疾患には，副腎皮質由来のホルモンが全般的に不足しておこるアジソン病，糖質コルチコイドの過剰によっておこるクッシング症候群，電解質コルチコイドの過剰による原発性アルドステロン症，そして副腎皮質由来の男性ホルモン過剰によっておこる副腎性器症候群などがある。

1 アジソン病 Addison disease　自己免疫や転移性腫瘍などにより，副腎皮質の細胞が障害されておこる副腎皮質機能不全症である。

電解質コルチコイドの不足によりナトリウムと水の喪失がおこり，循環血液量の減少から血圧が低下する。ナトリウムを多く含む塩辛い物を好むようになり，これによってナトリウムの喪失分を補充しているが，塩分の摂取が十分にできない環境におかれると，急激に血圧が低下して循環不全に陥ることがある。

糖質コルチコイドの不足により，糖質・タンパク質・脂質の代謝が異常となり，低血糖をきたす。またストレスに対する耐性が低下し，ささいな有害刺激でもショック❶状態に陥りやすくなる。女性では，男性ホルモンの不足により陰毛が消失する。さらに，副腎皮質ホルモンの分泌が低下するため，下垂体からの副腎皮質刺激ホルモン（ACTH）分泌が増加する。ACTH は，前述したメラニン細胞刺激ホルモン（MSH，● 257 ページ）と構造が似ているため MSH 様作用があり，口唇などに色素沈着がおこり，皮膚が浅黒くなる（●図 6-24）。

2 クッシング症候群 Cushing syndrome　糖質コルチコイドの過剰症であり，副腎皮質の腫瘍，ACTH 分泌の過剰などが原因となるが，薬剤としての糖質コルチコイド大量投与により医原性❷におこる場合もある。タンパク質分解の促進により手足は細くなり，脂肪の沈着により体幹の肥満（中心性

> NOTE
> ❶ショック
> 組織や臓器の血流量が不足し，エネルギー不足となって機能障害が生じることである。

> NOTE
> ❷医原性
> 医療行為が原因となって身体や精神に異常をきたすことをさす。

```
Ser—Tyr—Ser—Met—Glu—His—Phe—Arg—Try—Gly—Lys—Pro—Val
 1              5                       10              13
```
a. ヒトのα-MSH のアミノ酸配列

```
Ser—Tyr—Ser—Met—Glu—His—Phe—Arg—Try—Gly—Lys—Pro—Val—Gly—Lys—Lys—Arg—Arg—Pro—Val
 1              5                       10              13              15                           20
Lys—Val—Tyr—Pro—Asp—Ala—Gly—Glu—Asp—Gln—Ser—Ala—Glu—Ala—Phe—Pro—Leu—Glu—Phe
                    25                       30                       35
```
b. ヒトの ACTH のアミノ酸配列

○図 6-24　α-MSH と ACTH のアミノ酸配列
図中の 3 字のアルファベットはアミノ酸の略称である（○517 ページ）。ACTH の 13 番目までのアミノ酸配列は，α-MSH のアミノ酸配列とまったく同じであることがわかる。

肥満）を生じ，下腹部などに皮膚線条が出現する。また，顔面や肩にも脂肪が沈着し，それぞれ満月様顔貌とバッファローハンプ buffalo hump（野牛肩）とよばれる症状があらわれる。さらに，高血糖・糖尿を生じ，糖質コルチコイドの電解質コルチコイド様作用により，ナトリウムと水が体内に貯留して高血圧となる。

③ **原発性アルドステロン症（コン Conn 症候群）**　副腎皮質の腺腫によることが多い。慢性的な電解質コルチコイド過剰により，ナトリウムと水の蓄積による高血圧，低カリウム血症，代謝性アルカローシスをきたす。

④ **副腎性器症候群**　男性では気づかないことが多いが，女性におこると特徴的な症状が出現する。胎生期に発症すると，女性では外性器の形態が男性化する。思春期以前の女児では性器や発毛などの男性化，成人では多毛・無月経などを生じる。

3　副腎髄質の機能

　副腎髄質は，カテコールアミンを含む細胞で構成され，刺激に応じてこれを血中に放出する。放出されるカテコールアミンの 85% はアドレナリンであり，15% がノルアドレナリンである。

　強い緊張状態におかれると，全身的な交感神経の緊張の亢進とともに，交感神経に刺激された副腎髄質からもカテコールアミンが放出され，心機能の促進および消化管平滑筋の弛緩を増強する。つまり，副腎髄質から分泌されるアドレナリンは交感神経系のバックアップをしているといえる❶。またアドレナリンは，肝臓に作用してグリコーゲン分解を促進し，グルコースの血中放出を増やして血糖値を上昇させる（○276 ページ，図 6-26）。

5　性腺

1　性腺の構造

　精巣と卵巣は，生殖細胞（精子または卵子）をつくる器官，つまり **性腺**

> **NOTE**
> ❶このバックアップは強力であり，心臓移植によって心臓への交感神経の支配が断たれた場合でも，副腎髄質からのアドレナリンによって心機能が促進されるため，かなりの身体運動が可能である。

gonad であるが，男性ホルモンと女性ホルモンを産生する細胞も含んでいる。

精巣の曲精細管（◯463ページ，図10-3）の間の疎性結合組織の中にある**ライディッヒ細胞** Leydig cell（**間質細胞**）は，男性ホルモン（アンドロゲン）をつくっている。

卵巣では，成熟中の卵胞がエストロゲン（卵胞ホルモン）を，排卵後の黄体がプロゲステロン（黄体ホルモン）を分泌する（◯473ページ，図10-10）。妊娠中には，胎盤の絨毛膜がさまざまなホルモン（ヒト絨毛性ゴナドトロピン〔hCG〕とよばれる性腺刺激ホルモン，エストロゲンなど）を分泌する。

性腺からのホルモン分泌は，下垂体からの性腺刺激ホルモンによって促進される。

2 性腺の機能

◆ 女性ホルモン

卵巣から分泌される，エストロゲン（卵胞ホルモン）とプロゲステロン（黄体ホルモン）の両者は，共同して子宮に月経周期をもたらすとともに，思春期には二次性徴の発現に関与する（◯492ページ）。また妊娠中では，胎盤から分泌されるホルモンとともに，妊娠の継続と陣痛の発現に重要な役割を果たす。

1 エストロゲン estrogen　ステロイドホルモンであり，**エストラジオール** estradiol，**エストロン** estrone，**エストリオール** estriol の3種類があるが，最も活性が高いのはエストラジオールである（◯251ページ，図6-9-b）。

エストロゲンは，卵胞期の子宮内膜を増殖させるとともに，卵胞の成長を促進する。また妊娠中では，子宮筋を肥大させるとともに，子宮筋の興奮性を高める。思春期には，女性生殖器の発育（一次性徴）とともに，女性の二次性徴❶を発現させて女性らしい体型にする。さらに，骨端の閉鎖をおこさせ，思春期以後の身長ののびを抑制する。また，女性の性欲を亢進させ，動物では発情行動を引きおこすはたらきももつ。

2 プロゲステロン progesterone　卵巣において，排卵がおこったあとに形成される黄体から分泌される。妊娠中は胎盤からも分泌される。プロゲステロンの効果は，エストロゲンがあらかじめ作用している状態で発揮されるものが多い。子宮では，子宮内膜を分泌期にして受精卵が着床しやすい状態にする。妊娠中は子宮筋の興奮性を抑え，妊娠を継続させるように作用する。乳房に対しては，乳腺の腺房の発達を刺激する。また体温上昇作用があり，排卵後の基礎体温を上昇させる。

◆ 男性ホルモン

精巣のライディッヒ細胞から分泌される男性ホルモン（アンドロゲン）である**テストステロン** testosterone は，副腎皮質由来の男性ホルモン（デヒドロエピアンドロステロン）と比べて，活性が約5倍高い（◯251ページ，図6-9-a）。

男性ホルモンは，男性型の外陰部を発育させ（一次性徴），タンパク質同化

NOTE

❶二次性徴
　生殖器（一次性徴）以外の男女の特徴のことをいう。女性における乳房の発達や皮下脂肪の沈着，男性における骨格筋や体毛の発達，声の低音化などである。

作用により骨格筋を発達させて体型を男性らしくする。さらに，男性の二次性徴を発現させるなどのはたらきをもつ。また，精子形成を促進する作用もある。

男性の性行動もテストステロンにより促進される。また胎児期にも分泌され，母体からのエストロゲンに拮抗して，生殖器や中枢神経系を男性型に分化させるはたらきももつ。

6 その他の内分泌腺

いわゆる内分泌腺とよばれる器官以外にも，さまざまな部位からホルモンが分泌されている。すでに述べたものもあるが，主要なものをここでまとめて述べる。

●**消化管** 胃の幽門腺からはガストリンが分泌され，血流に乗って胃底腺に作用して胃酸の分泌を促進する（●70ページ）。また十二指腸から分泌されるセクレチンとコレシストキニンは，それぞれ電解質に富んだ膵液の分泌，酵素に富んだ膵液の分泌と胆嚢の収縮を促進する。それ以外にも腸からは，ソマトスタチン・モチリン・胃抑制ペプチド・腸管グルカゴンなどのさまざまなホルモンが分泌されており，消化液の分泌と胃腸の収縮を調節している。

●**腎臓** 腎動脈血の酸素含量が低下すると，腎臓からエリスロポエチンが分泌され，赤血球の新生を促進する（●132ページ）。また，血圧低下に応じて腎臓の傍糸球体装置から放出されるレニンによってつくられるアンギオテンシンも，ホルモンの一種であるといえる（●222ページ）。

●**松果体** 松果体は，第三脳室の後上壁正中部から後方に突き出す4×8mmほどの器官である（●372ページ，図8-13）。松果体の表面は脳軟膜に包まれ，組織は疎性結合組織により小葉に分けられ，松果体細胞とグリア細胞を含む。松果体細胞からは**メラトニン** melatonin が分泌される（●図6-25）。

メラトニンの分泌は，昼間には抑制され，夜間には促進される（●424ページ，図8-60）。またメラトニンは，下垂体に作用して性腺刺激ホルモンの分泌を抑制し，性機能を抑制する作用もある。

●**心臓** 心房および心室からは，**心房性ナトリウム利尿ペプチド** atrial natriuretic peptide（ANP）とよばれるホルモンが分泌される。心房性ナトリウム利尿ペプチドは，心房壁が伸展される，つまり循環血液量が増加して心房の充満度が上昇すると分泌され，腎臓に作用してNa^+の排泄増加を伴う利尿（尿の生成・排泄の増加）を引きおこす。また，**脳性ナトリウム利尿ペプチ**

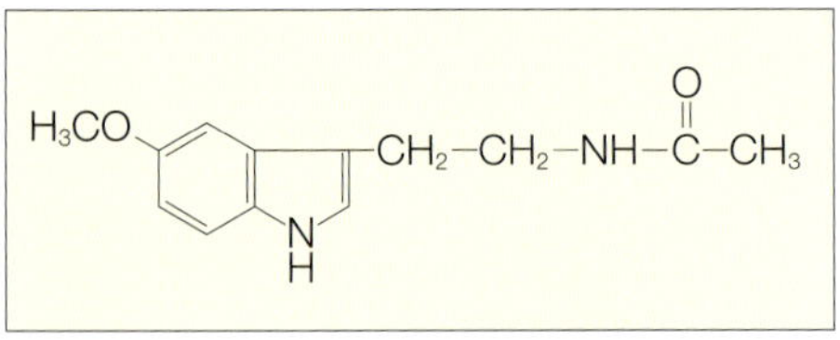

●図6-25 メラトニンの化学構造

ド brain natriuretic peptide（BNP）とよばれるホルモンも心臓から分泌される。BNP は ANP と同様に利尿効果をもち，おもに心室で合成・分泌されるが，最初にブタの脳より発見されたために，このような名称となっている。

● **胎盤**　妊娠すると子宮内に胎盤が形成される。胎盤は胎児側の栄養膜と母体側の子宮内膜とによって構成され，胎児と母体との間の物質交換の場となるものである。胎盤からは，性腺刺激ホルモンの一種である**ヒト絨毛性ゴナドトロピン** human chorionic gonadotropin（hCG）が分泌され，黄体に作用して黄体の退化を防ぎ，妊娠を維持し，黄体を肥大させる。hCG は妊娠の初期（妊娠 14 日程度）から尿中に排泄されるようになるため，妊娠の判定に利用される。

　胎盤からはエストロゲンとプロゲステロンも大量に分泌され，妊娠を継続させる。胎盤から分泌されるもう 1 つのホルモンは絨毛性ソマトマンモトロピン（絨毛由来の乳腺刺激ホルモン）であり，母体の乳腺を発達させるとともに，母体の脂肪分解の促進とグルコース利用の抑制により，胎児へのグルコース供給量を増加させる。

D　ホルモン分泌の調節

　これまで述べてきたように，ホルモンの分泌はそれが過剰であっても，過少であっても，身体にさまざまな異常をきたすため，ちょうどよいレベルに分泌を調節することが重要である。しかし，ホルモンは単に一定の速度で分泌され，一定の血中濃度に保たれていればよいというものではなく，ある特定の時期に分泌量を増したり，外部環境の変化に応じて分泌量を変化させたりするといった調節も必要である。ホルモン分泌の調節には，さまざまな方法がある。

---

column　レプチン

　脂肪組織からも，レプチンというペプチドホルモンが分泌される。レプチンは視床下部の摂食中枢を抑制し，満腹中枢を興奮させて摂食を抑制する（◯ 426 ページ）。レプチンの血漿中の濃度は脂肪組織の重量に比例するため，肥満を防止する作用があると考えられている。この事実から，レプチンは究極の「やせ薬」となるのではないかと世の女性たちを期待させたが，肥満者はレプチン受容体の数が少ないか，感受性が低いために肥満しているのであって，「やせ薬」としては効果がないことが判明した。

　また，レプチンは女性の思春期発来にも関与しているらしいことが明らかとなってきた。血漿レプチン濃度が上昇すると，視床下部にはたらいて性腺刺激ホルモン放出ホルモン（◯ 256 ページ）の分泌を開始させる。つまり身体に十分に脂肪がついて，身体が妊娠という負担に耐えられると判断された段階で，思春期が始まるものと考えられる。

　成熟女性であっても，摂食障害や激しい身体トレーニングによって体脂肪が極度に低下すると，レプチン濃度の低下→性腺刺激ホルモン放出ホルモン分泌低下→性腺刺激ホルモン分泌低下→女性ホルモン分泌低下となり，月経が停止する。

1 神経性調節

(1) 神経そのものがホルモンを分泌する(神経内分泌)ものとしては，視床下部ホルモンや下垂体後葉ホルモンなどがある。
(2) 自律神経によってホルモン分泌が調節されるものとしては，副腎髄質からのアドレナリン分泌や松果体からのメラトニン分泌があげられる。
(3) 神経内分泌反射としては，乳児による乳首吸引の刺激が感覚ニューロンを通って中枢に伝えられ，反射性に下垂体前葉からのプロラクチンや後葉からのオキシトシンの分泌が増すことがあげられる。

2 物質の血中濃度による自己調節

インスリンの分泌は血糖値の上昇によって促進され，グルカゴンの分泌は逆に血糖値の低下によって促進される。また，Ca^{2+}による副甲状腺ホルモンの調節や，血漿浸透圧によるバソプレシンの分泌などもその例である。

3 促進・抑制ホルモンによる調節

甲状腺・副腎皮質・性腺などからのホルモン分泌は，下垂体からの刺激ホルモンによって促進され，さらに下垂体前葉からのホルモン分泌は，視床下部からの放出ホルモンによって調節される。

4 負のフィードバック

たとえば，甲状腺ホルモンの分泌は，下垂体からの甲状腺刺激ホルモン(TSH)によって促進される。そして下垂体前葉からのTSHの分泌は，視床下部からの甲状腺刺激ホルモン放出ホルモン(TSH放出ホルモン)によって促進される(261ページ，図6-18)。このようにして分泌が促進された甲状腺ホルモンは，視床下部と下垂体前葉に対して抑制的にはたらき，TSH放出ホルモンとTSHの分泌を抑制する。これによって過剰な甲状腺ホルモンの分泌が防がれ，ホメオスタシスが維持される。このように，最終的な分泌物やその効果(この場合は甲状腺ホルモン)が調節中枢(この場合は視床下部と下垂体前葉)に作用を及ぼすことを**フィードバック**とよび，その作用が抑

---

column　フィードフォワード調節

内臓機能をはじめとするさまざまな機能の調節は，大部分がおこった変化をキャンセルするフィードバック調節で行われる。たとえば胃から酸性のかゆ状液が十二指腸に入ってきてpHが低下すると，その変化を消失させるために膵臓からアルカリ性の膵液が分泌される。血圧が上昇したときも，その変化を消失させるために心臓が抑制されたり，血管が拡張して血圧を低下させる。これに対し，変化がおこる前に，変化を予想して事前に調節がはたらく場合があり，これを**フィードフォワード調節**という。運動時の呼吸促進もそれであり，動脈血酸素分圧が低下する前に呼吸が促進され，動脈血酸素分圧の低下を事前に防止する。

制的な場合を**負のフィードバック** negative feedback とよぶ。

　副腎皮質や性腺から分泌されるホルモンも同様に，視床下部と下垂体に対して負のフィードバックを示す。

　またフィードバックのうち，たとえば甲状腺ホルモンにより抑制される経路を，**長環フィードバック**という。これに対して，TSH が視床下部に対して抑制的にはたらき，TSH 放出ホルモンの過剰分泌を抑える経路を**短環フィードバック**という。

5 正のフィードバック

　女性の性周期に伴う性ホルモンの分泌は，**正のフィードバック**を示す。

　エストロゲンは，低濃度では性腺刺激ホルモンに対して負のフィードバックを示す。しかし，卵胞期（月経から排卵まで）の末期に血中エストロゲン濃度が高いレベルに達すると，性腺刺激ホルモン（ゴナドトロピン）に対して正のフィードバック作用をおこし，性腺刺激ホルモンの分泌を刺激する。これにより，さらにエストロゲンの分泌が増加し，排卵がおこる[1]。

　オキシトシンの分泌も，正のフィードバックにより調節される。分娩時に児頭の下降により子宮頸管が伸展されると，それが刺激となってオキシトシンが分泌され，子宮筋を収縮させる。子宮筋の収縮によってさらに児頭が下がると，頸管がさらに伸展されてオキシトシン分泌がさらに増加する。

　このような正のフィードバックは，ホメオスタシスの維持ではなく，排卵や分娩などのように一気になにかをなしとげる必要がある場合に機能する。

> **NOTE**
> [1] 排卵は FSH, LH の濃度が急激に増加することでおこる（474 ページ）。

E ホルモンによる調節の実際

　これまでに各ホルモンの機能を学んだが，ここではある作用に対して複数のホルモンがどのように協力してはたらいているかを解説する。

1 ホルモンによる糖代謝の調節

　血糖値を低下させるホルモンはインスリンであり，上昇させるホルモンはグルカゴン，成長ホルモン，甲状腺ホルモン，糖質コルチコイド，アドレナリンである（図 6-26）。

　インスリンとグルカゴンは同じ膵臓から分泌され，拮抗した作用を示すようにみえるが，実際には両者は共同して血糖値を適正なレベルに保つようにはたらいている。食直後には，腸管からの糖の吸収が増加するため，血糖値は上昇する。これによってインスリンの分泌が増し，肝臓や筋にグルコースを取り込ませて血糖値を低下させるとともに，グリコーゲンを合成させる。食後時間がたつと，糖の供給がなくなるため，しだいに血糖値は低下していく。すると，膵臓からグルカゴンが分泌されて肝臓に作用し，グリコーゲンの分解をおこさせ，グルコースを血中に放出させて血糖値を上昇させる。

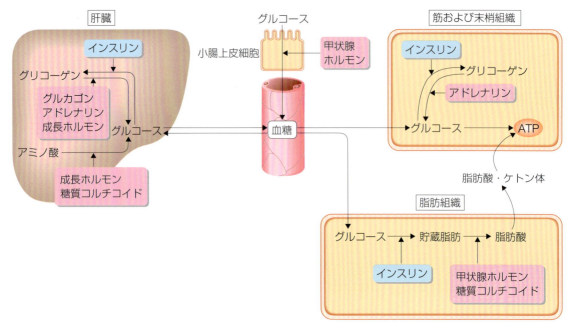

○図 6-26 血糖値の調節機構
インスリンは，グリコーゲンを合成させることにより，血糖値を低下させる。グルカゴン，アドレナリン，成長ホルモン，糖質コルチコイド，甲状腺ホルモンは，肝臓・筋・末梢組織に取り込まれたグリコーゲンや，脂肪組織中の貯蔵脂肪を分解させることにより，血糖値を上昇させる。これらのホルモンが協調して，血糖値は調節されている。

　成長ホルモンと甲状腺ホルモンは，成長・発達をおこすホルモンである。成長・発達のためには，代謝の基質として糖が十分に供給される必要がある。このために，成長ホルモンはグリコーゲンの分解とアミノ酸からの糖新生を促進し，甲状腺ホルモンは腸管からの糖吸収を促進して血糖値を上昇させる。

　後述するように，アドレナリンと糖質コルチコイドも，血糖を上昇させる作用をもつ。

2 ホルモンによるカルシウム代謝の調節

　体内には約 1 kg のカルシウムがあり，その 99％ は骨に含まれている。カルシウムは骨形成の素材として重要であり，骨はその他の部位へのカルシウム供給源としても大きな役割を担っている。Ca^{2+} は量的には少ないが，細胞内情報伝達因子としてはたらき，かつ多くの酵素反応は Ca^{2+} が存在しないと進行しない。さらに，細胞外液の Ca^{2+} には膜安定化作用があり，神経や筋に異常な興奮を生じることを防いでいる。

●ビタミンD　このように重要なはたらきをもつカルシウムの血漿濃度は，副甲状腺由来の副甲状腺ホルモン（パラソルモン），甲状腺からのカルシトニン，そしてビタミンDが体内で活性化された**活性型ビタミンD**によって調節されている（○図6-27）。

　ビタミンDはキノコ類や魚類などに多く含まれ，小腸で吸収される。また生体内においても，コレステロール前駆体（7-デヒドロコレステロール）が

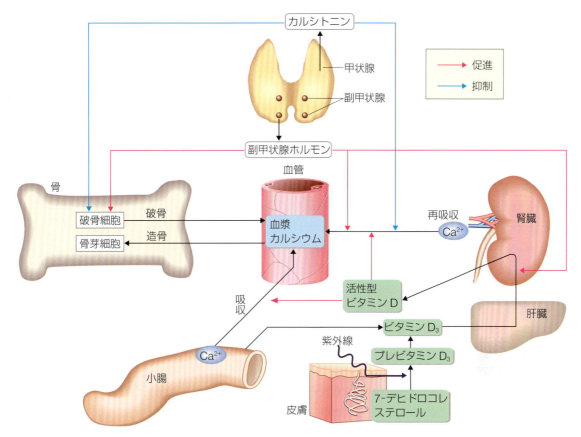

○図6-27　カルシウム代謝の調節機構

皮膚において日光に含まれる紫外線の作用などによりビタミンD_3に変化する。これらは不活性型であり，肝臓における水酸化を経たのち，これがさらに腎臓の近位尿細管細胞によって活性型ビタミンDにかわる。活性型ビタミンDは腸におけるカルシウムの吸収を促進するとともに，腎臓でのカルシウムの再吸収を促進する。

● **血中カルシウム濃度の調節**　骨は生きた組織であり，たえず**造骨**と**破骨**が繰り返されている（● 287ページ）。造骨を担当するのは**骨芽細胞**であり，血漿中のカルシウムを骨に沈着させて骨を形成する。一方，**破骨細胞**は骨を吸収してカルシウムを血液中に放出する。血中カルシウム濃度が低下すると副甲状腺から副甲状腺ホルモンが分泌され，破骨細胞を刺激して骨の吸収を促進し，カルシウムを放出させる。

　副甲状腺ホルモンは，腎臓にも作用してカルシウムの再吸収を増加させるとともに，リン酸の再吸収を抑制する。さらに腎臓におけるビタミンDの活性化をも促進する。これにより血中カルシウム濃度は上昇し，リン酸濃度は低下する。逆にカルシトニンは，破骨細胞を抑制して間接的に骨形成を促進して血中カルシウム濃度を低下させる。また，腎臓におけるカルシウムの再吸収を抑制し，カルシウムの排泄を増加させる。

3 ストレスとホルモン

● **汎適応症候群** 私たちは日常，大小さまざまな**ストレス** stress にさらされながら生きている。外傷・労働・暑熱・感染・騒音・不安など，ストレスの種類にはさまざまなものがあるが，私たちの身体はストレスの種類とは無関係にストレスに対して一定の防衛反応を示す。カナダの生理学者セリエは，この防衛反応とそれに伴う変化を**汎適応症候群** general adaptation syndrome と名づけた（●図6-28）。汎適応症候群で主役を演じるのは，次に述べる一連のホルモンである。

● **警告反応期** 汎適応症候群は3つの時期に分けられる。第1が警告反応期 alarm reaction phase で，ストレスが加わった直後にあらわれる反応である。交感神経の緊張亢進により，副腎髄質からのアドレナリン分泌が増加し，アドレナリンは交感神経とともに心拍動の促進，気管支拡張，瞳孔散大など，**闘争と逃走** fight and flight のための準備状態をつくりあげる。また，膵臓からのグルカゴン分泌も増加し，アドレナリンとともにグリコーゲン分解と糖新生を促進して血糖値を上昇させる。これはエネルギー源としてのグルコースが十分に利用できる環境を整えるためであると考えられる。つづいて視床下部からの副腎皮質刺激ホルモン（ACTH）放出ホルモンの分泌が増加し，下垂体からのACTH分泌の増加，そして副腎皮質からの糖質コルチコイドの分泌が増加する。

● **抵抗期** 第2が抵抗期 resistance phase である。糖質コルチコイドの作用により，ストレス状態への適応が生じ，ストレスへの抵抗性が上昇する。糖質コルチコイドにも血糖値の上昇作用があり，グルコースを潤沢に利用できる環境を提供する。

● **疲弊期** 強力なストレスがさらに持続すると，やがて疲弊期 exhaustion phase（疲憊期）となる。下垂体-副腎皮質系の破綻，循環障害などを生じ，つ

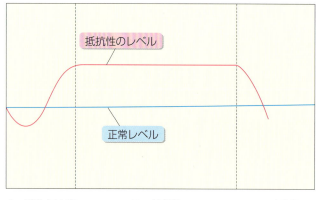

●図6-28 汎適応症候群の模式図

いには死にいたる。過重な仕事によって慢性疲労を生じ，ついには過労死にいたる経過がこれである。

4 乳房の発達と乳汁分泌

● **乳房の発達** 女性の乳房は思春期ごろからふくらみはじめるが，これは主として卵巣からのエストロゲンの作用による。エストロゲンにより乳管が発達し，末端に乳腺を形成する（▶472ページ）。成人の非妊娠女性の乳房の大部分は脂肪であるが，この脂肪沈着もエストロゲンの作用による。月経周期が確立すると，エストロゲンとプロゲステロンが交互にはたらくことになり，これによって乳腺組織が成熟する。

● **乳汁分泌** 妊娠すると血中エストロゲン濃度とプロゲステロン濃度が上昇し，これに下垂体前葉からのプロラクチンの作用が加わって乳腺が肥大し，妊娠4か月末には乳汁分泌の態勢が整う。しかし，エストロゲンとプロゲステロンは，乳汁産生には抑制的にはたらくため，分娩によってこの両者の濃度が低下するまでは乳汁産生は開始されない。

分娩によってエストロゲンとプロゲステロンによる抑制がとれると，プロラクチンの刺激によって乳汁が産生されはじめる。授乳の際の乳児による乳首の吸引がプロラクチンに対する分泌刺激となるため，授乳をやめるとプロラクチン分泌が減少し，3～4週で乳汁産生はとまる。

乳児による乳首の吸引は，下垂体後葉からのオキシトシン分泌も刺激する。オキシトシンは，乳腺周囲の平滑筋を収縮させ，乳汁を乳腺から乳管へと押し出す。これが**射乳**である。オキシトシン分泌は乳首の吸引刺激のみならず，乳児の泣き声を聞いただけでも条件反射で分泌が増加し，また腟や子宮頸部への性的刺激でも増加する。逆にストレスや精神的緊張が高まると減少する。

5 高血圧をきたすホルモン

高血圧の大部分（85～90％）は本態性高血圧とよばれ，いまだ原因が十分に解明されていないものである。原因がわかっている高血圧は二次性高血圧とよばれ，腎臓や血管に問題があって高血圧をきたす場合と，ホルモンの過剰分泌によって高血圧となる場合がある。高血圧をきたす内分泌疾患としては，次のようなものがあげられる。

1 原発性アルドステロン症 アルドステロンは，遠位尿細管～集合管におけるNa^+の再吸収を促進するため，間質の浸透圧が上昇して水が受動的に体内に蓄積する。水の体内貯留は循環血液量を増加させるため，高血圧となる。

2 クッシング症候群 糖質コルチコイドの許容作用によってカテコールアミンに対する感受性が上昇することと，糖質コルチコイドの電解質コルチコイド様作用により血圧が上昇する。

3 甲状腺機能亢進症 心臓の収縮促進によって心拍出量が増加し，血圧

が上昇する。この場合，末梢組織は酸素需要が増加しているため血管は拡張しており，最低血圧はむしろ低下していることが多い。つまり最高血圧の上昇と脈圧の増大が特徴である。

4 褐色細胞腫 pheochromocytoma　副腎髄質または，ほかのクロム親和細胞の腫瘍からのカテコールアミン過剰分泌による。血圧の動揺が激しく，発作的に血圧が急上昇することが特徴である。交感神経の緊張が亢進した場合と同様の症状，すなわち頻脈・顔面蒼白・冷汗などがみとめられる。アドレナリンの作用により高血糖と糖尿も出現する。

work 復習と課題

1. 自律神経とホルモンの作用には，どのような違いがあるだろうか。
2. 自律神経の節前線維と節後線維とはなにか。
3. 交感神経の節前線維から放出される神経伝達物質はなにか。また節後線維から放出される伝達物質を2つ述べ，それぞれが作用する部位を述べなさい。
4. 人体内の内分泌腺を図示しなさい。
5. ステロイドホルモンの作用機序をまとめなさい。
6. 神経内分泌とはなにか。
7. 下垂体前葉ホルモンを6種類，下垂体後葉ホルモンを2種類あげなさい。
8. 副腎の皮質と髄質には，内分泌の機能にどのような違いがあるか。
9. フィードバックとはなにか。負のフィードバックの例を1つあげてその機構を説明しなさい。
10. 血糖値の調節にかかわるホルモンにはどのようなものがあるか。
11. カルシウム代謝の調節において，ビタミンDはどのようなはたらきをしているか。
12. 汎適応症候群と副腎との間にはどのような関係があるか。

― 解剖生理学 ―

第 7 章

身体の支持と運動

本章の概要

　体操選手の豪快・華麗な演技に拍手喝采したことのある人も多いだろう。体操選手ほどの運動はできないにしても，私たちも毎日歩いたり，文字を書いたり，咀嚼のために顎を動かしたり，といった運動を行うことで人間らしい日常生活を送っている。このような運動を可能にしているのが骨格と，その骨格を構成する骨に付着している骨格筋の収縮である。

　骨格は身体を支えて身体の形をつくりあげるとともに，脳や内臓などの重要な臓器を保持し，保護している。骨格は多くの骨で構成され，骨と骨との結合の多くは，関節とよばれる構造のおかげで動かすことができる。骨格筋は，その一端が1本の骨に付着しており，他端はその骨と関節によって結合するもう1つの骨に付着している。このため，この骨格筋が収縮して短縮すると関節が折れ曲がり，運動が可能となる。この骨格筋に対して収縮の指令を発するのが脳（大脳皮質）であり，指令は運動神経を通して筋に伝えられる。

　体操の鞍馬の演技に限らず，上肢は物をつかんで操作するはたらきにすぐれている。物をつかむという動作は，手の親指がほかの4本の指に向かい合って行われており，ヒトの手のすぐれた特徴である。指を動かす筋の半分は手掌にあり，半分は前腕にあって長い腱を指にまで送る。手の骨格と体幹の骨格との間には，6個もの関節がはさまっていて，手の位置と向きを自由にかえることができる。

　一方，下肢は，全身の体重を支えて歩行するはたらきをする。下肢の関節は運動の自由度を確保し，かつ全身の体重を支えるために頑丈にできている。直立二足歩行のために，ヒトの股関節の周囲の骨格と筋にはサルとは異なる特徴があり，とくに大殿筋と中殿筋が大きく発達している。膝関節は複雑な構造をもつ関節であり，そのため激しい運動による障害もよく発生する。

　筋の収縮のためには，多量のエネルギーを必要とする。このため運動は，ホメオスタシスをくずす方向に作用する。とくに呼吸器系と循環器系には多大な負担がかかる。マラソンのように非常に激しい運動の場合，心臓がその負担に耐えられなくなり心臓発作をおこしたり，脱水状態に陥ってふらふらになることすらある。つまりホメオスタシスの破綻の危険である。

　しかし，適度な運動によって呼吸・循環器系にある程度の負荷をかけることでその予備力を増大させておくことは，ホメオスタシスを達成できる安全域を広げることにつながり，健康の維持のためによい方向で作用する。

A 骨格とはどのようなものか

1 人体の骨格

　人体の骨格は，身体の中軸部をなす**体幹** trunk と，そこから両側に突き出た2対の**体肢** extremities に分けられる（●表7-1）。

● **体幹の骨格**　体幹は，人体の中軸部分であり，その骨格の中心は脊柱である（●図7-1，2）。胸部では，肋骨・胸骨とともに，胸郭を形づくる。脊柱の上端には，頭の骨格の頭蓋がのる。脊柱の下端は，下肢帯の寛骨と一緒に骨盤をつくる。

● **上肢の骨格**　上肢の骨格は，上肢帯，上腕，前腕，手の4つの部分に分けられる。上肢帯は，鎖骨と肩甲骨の2つの骨を含み，上腕は上腕骨，前腕は橈骨と尺骨を含む。手の骨は小型で多数あり，手根骨，中手骨，指骨の3群に分かれる。

● **下肢の骨格**　下肢の骨格は，上肢と同じように，下肢帯，大腿，下腿，

● 表7-1　人体の骨格

部位			骨の名称（下線の骨は無対のもの）
体幹	頭蓋	神経頭蓋	前頭骨・頭頂骨・後頭骨・側頭骨・蝶形骨・篩骨
		内臓頭蓋	鼻骨・鋤骨・涙骨・下鼻甲介・上顎骨・頬骨・口蓋骨・下顎骨・舌骨
	脊柱		頸椎（第1〜7頸椎〔C_1-C_7〕） 胸椎（第1〜12胸椎〔T_1-T_{12}〕） 腰椎（第1〜5腰椎〔L_1-L_5〕） 仙骨（第1〜5仙椎〔S_1-S_5〕） 尾骨（尾椎〔Co〕）
	胸郭		（胸椎　第1〜12胸椎） 胸骨 肋骨（第1〜12肋骨）
体肢	上肢	上肢帯 上腕 前腕 手	鎖骨・肩甲骨 上腕骨 橈骨・尺骨 手根骨（舟状骨・月状骨・三角骨・豆状骨・大菱形骨・小菱形骨・有頭骨・有鉤骨） 中手骨　第1〜5中手骨 指骨（母指の基節骨・末節骨，第2〜5指の基節骨・中節骨・末節骨）
	下肢	下肢帯 大腿 下腿 足	寛骨（腸骨・坐骨・恥骨） 大腿骨 脛骨・腓骨，〔膝蓋骨〕* 足根骨（距骨，踵骨，舟状骨，内側・中間・外側楔状骨，立方骨） 中足骨　第1〜5中足骨 趾骨（母趾の基節骨・末節骨，第2〜5趾の基節骨・中節骨・末節骨）

＊膝蓋骨はほかの骨と直接には連結しておらず，下肢の骨に含めないことも多い。

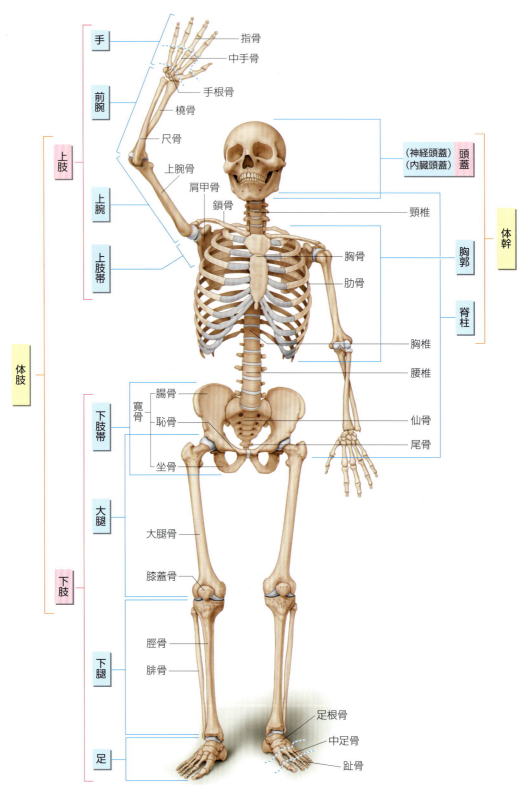

● 図 7-1　全身の骨格（前面）

A. 骨格とはどのようなものか　285

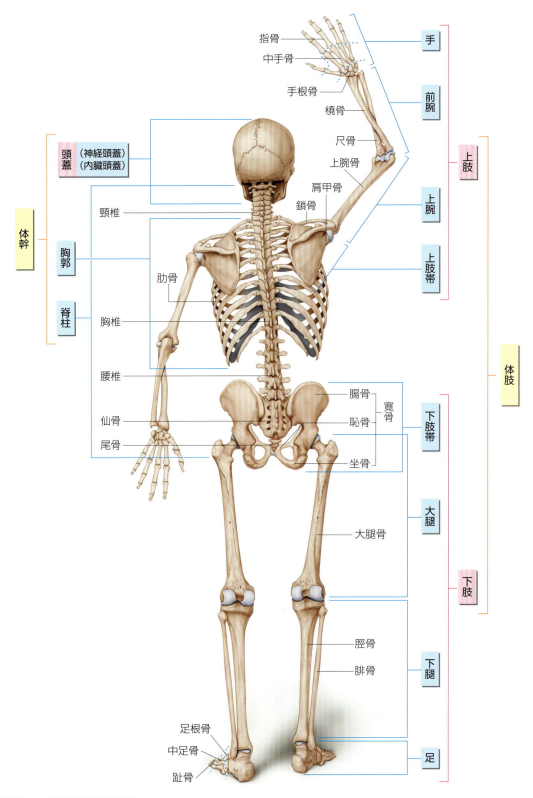

○図7-2　全身の骨格（後面）

足の4つの部分に分けられる。下肢帯の腸骨と坐骨と恥骨の3つの骨は、成人では融合して寛骨になっている。下肢帯は寛骨を含み、大腿には大腿骨、下腿には脛骨と腓骨が含まれる。足の骨は、足根骨、中足骨、指（趾）骨の3群に分かれる。寛骨は、脊柱の下部と合わさって**骨盤** pelvis をつくる。

2 骨の形態と構造

　骨格は、おもに骨からできている。骨は関節によってつながれており、互いに自由に動くことができる。軟骨や線維性の結合組織も骨格の一部であり、関節に加わったり、骨どうしをつないだりしている。

● **形態による骨の名称**　骨の形はさまざまであり、形によって長骨、短骨、扁平骨、不規則形骨などとよばれる。形によって骨の内部構造にも多少の違いがある。四肢の大きな骨（上腕・前腕・大腿・下腿の骨）は長骨である。

● **骨の構造**　骨は、表面にきわめて緻密な骨質（**緻密質**）があり、内部はスポンジ状（**海綿質**）になっている（○図7-3）。海綿質をつくる細かな**骨梁**には、規則的な方向性がみられるが、その配置は外力に抗して骨を支えるのに適したものになっている。この緻密質と海綿質の配置により、少ない材料で大きな力を支えることができる。長骨の骨幹では、海綿質の骨梁が乏しくなり、**髄腔**という大きな空間になる。

● **骨膜**　骨の表面には、骨膜とよばれるじょうぶな膜状の結合組織がある。骨膜は血管・神経に富み、骨の栄養・成長・再生のはたらきをする。骨折の

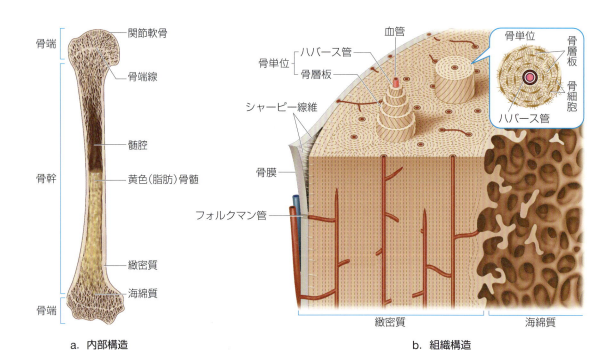

○ **図7-3　骨の構造**
骨組織には、ハバース管を中心に同心円状に層板が配列してつくる骨単位がみられる。ハバース管および斜めに走るフォルクマン管を通って、血管が内部に進入する。

際の痛みは，骨膜の刺激による。骨膜の深層は骨形成の機能をもち，骨の太さの成長や，骨折後の修復を営む。関節内の骨部には骨膜がない。

● **骨髄** 髄腔や海綿質のすきまを，骨髄が満たす。骨髄には，**赤色骨髄**と**黄色骨髄**とがある。赤色骨髄は造血組織（血球をつくる組織）を含み，多くの血管が分布している。黄色骨髄では造血機能が失われ，脂肪がおもな成分である。小児では全身の骨髄で造血を営むが，成長とともに黄色骨髄が増え，成人では体温の高い部位の骨（胸骨・肋骨・椎骨・骨盤など）にだけ赤色骨髄が残る（▶ 132 ページ，図 3-35）。造血機能は，骨髄穿刺針を使って胸骨・腸骨などから骨髄液をとることで調べることができ，白血病などの血液疾患に必要な検査法である。

● **長骨の構造** 上腕・前腕・大腿・下腿の長骨は，大型で特有の構造をもつ。両端の関節部は**骨端**，中間の管状部は**骨幹**とよばれる。骨幹では分厚い緻密質が骨壁をつくり，内部に大きな髄腔がある。骨端部では薄い緻密質が海綿質をおおう。骨端部の海綿質の中には，骨梁がやや詰まった部位（骨端線）がみえる。これは，以下の骨の成長で述べる骨端軟骨の名残である。

3 骨の組織と組成

● **骨組織** 骨組織は特殊な結合組織であり，歯のエナメル質についでかたい。顕微鏡でみると，骨をつくる円柱状の単位（骨単位）があり，その中心には血管を通す管腔（**ハバース管** haversian canal）があり，その周囲に厚さ 3 μm ほどの薄い骨層板が年輪状に重なっている。骨層板はコラーゲン線維と無機質からなる細胞外基質によりつくられ，骨層板の間には骨細胞をおさめる小さなすきま（**骨小腔**）がある。骨細胞は細い突起を骨層板の中に送り出している。骨ではたえず吸収と再生がおき，骨組織が更新される。

● **骨の組成** 骨の固形成分の 2/3 はリン酸カルシウムを中心とする無機質であるが，1/3 ほどはコラーゲンを中心とする有機物である。水分は 20〜24％ほど含まれる。骨を酸にさらすと，無機質がとけ出して有機物だけが残るが，それでも骨の形は保たれる。

骨は一見したところでは死んだ組織のように見えるが，実際にはたえず骨の形成（**造骨**）と吸収（**破骨**）が行われ，再構築が繰り返されている。造骨の役割を担うのは，骨膜直下にある**骨芽細胞**である（▶図 7-4）。骨芽細胞は主としてコラーゲン（膠原線維）からなる網目状の枠組み（**オステオイド**）をつくり，そこにリン酸カルシウムの結晶（**骨基質**）を沈着させて骨を形成する。すでに形成された骨の中に埋め込まれた骨芽細胞は**骨細胞**とよばれ，長い突起をのばして相互に連絡するとともに，骨表面で造骨を行っている骨芽細胞にカルシウムやリン酸などの無機質を供給していると考えられている。一方，骨をとかす骨吸収を行うのは，同じく骨膜直下にある**破骨細胞**である。破骨細胞は巨大なカルシウム貯蔵庫である骨をとかして，血漿 Ca^{2+} 濃度を上昇させる。

造骨と破骨のバランスは，副甲状腺からの副甲状腺ホルモンと甲状腺から

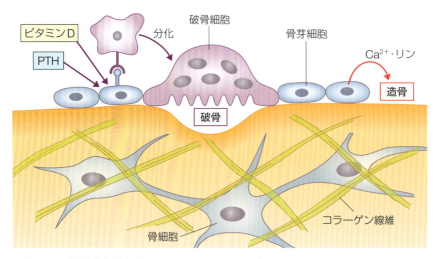

◯図7-4　骨形成と骨吸収

のカルシトニン，そしてビタミンDによって調節されている（◯276ページ）。

● **骨の成長と修復**　骨の長軸方向への成長は思春期に骨端が閉鎖することによって永久に停止するが，短軸方向への増加（太さの増加）は思春期を過ぎてからもおこる。運動することによって骨が筋肉に引っぱられると，そのストレスが刺激となって骨芽細胞の活性が上昇し，造骨が亢進して骨が太くなる。骨折したあとの骨の修復も，骨芽細胞の活性上昇によるものである。

4　骨の発生と成長

● **骨の発生**　骨には2つの発生の仕方がある。身体の大部分の骨では，まず軟骨性のひな形ができ，それが骨に置きかわる（**置換骨**）。頭蓋の表面に近い骨や鎖骨の場合は，結合組織中に骨化点を生じて骨ができる（**付加骨**）。

● **骨の成長**　四肢の長骨の場合，ひな形の軟骨は，骨幹部と上下の骨端部の3か所から骨化していく。軟骨が成長し，つぎつぎと骨化することにより，

 臨床との関連　　骨粗鬆症と骨軟化症

　骨粗鬆症とは，コラーゲンの枠組みであるオステオイドと骨基質（リン酸カルシウムの結晶）の両者が減少した状態である。性ホルモン（女性ホルモンであるエストロゲンと男性ホルモンであるテストステロン）には，破骨細胞を抑制する作用がある。ところが女性が更年期を過ぎると卵巣からのエストロゲン分泌が激減するため，破骨細胞の活性が上昇し，骨吸収が亢進して脆弱化し，椎骨の圧迫骨折や大腿骨の骨折をおこしやすくなる。男性では，高齢となってもテストステロンの分泌が続くことや，もともと骨が太いことなどのため骨粗鬆症にはなりにくく，骨粗鬆症患者の約80％は女性である。

　一方，骨軟化症はカルシウムの吸収不足のために骨基質が不足し，骨がオステオイドばかりで軟骨のようにやわらかくなってしまう状態である。加齢に伴う吸収機能の低下による場合が多いが，幼児期のビタミンD不足のためにカルシウム吸収能が低下し，脊柱が前方に曲がってしまう場合があり，くる病とよばれる。

骨が形成される。小児の骨では，骨幹と両骨端の間に骨端軟骨が残っている。長さの成長は，骨端軟骨が成長し，それが骨に置きかわることによって行われ，太さの成長は骨膜によって行われる。思春期になって下垂体前葉からの成長ホルモンの分泌が低下すると，骨端軟骨が消失してその部位が**骨端線**となり，成長がとまる。

5 骨の生理的な機能

骨の重要なはたらきは，骨組みとして身体を支持し，筋によって動かされて運動を行い，重要な臓器を保護することである（頭蓋・胸郭・骨盤など）。このほかにも，カルシウムの貯蔵庫としてのはたらき（体内のカルシウムの99％を貯蔵），骨髄で赤血球・白血球・血小板をつくるはたらきもある。

● **機械的支持・力学的役割** 骨格のはたらきは，身体の構造を機械的に支持することであるが，それに加えていくつかの力学的なはたらきがある。上肢と下肢では，骨が関節によってつながり自由度の高い運動を行う。体幹では，重要臓器をおさめる保護骨格をつくり，頭蓋は脳をおさめ，胸郭は肺を広げ，骨盤は腹部内臓を下から支える。

● **カルシウムの貯蔵** 成人の体内には 1,000～1,200 g のカルシウムが含まれるが，その 99％ は，骨に貯蔵されている。血液中のカルシウム濃度はほぼ 10 mg/100 mL に保たれており，おもに骨でのカルシウムの溶出と沈着のバランスにより調節されている。骨から血液中へのカルシウムの溶出は，副甲状腺ホルモンにより促進され，カルシトニンにより抑制されている（◉ 277 ページ）。

● **造血の場** 前述したように，骨髄に含まれる造血組織では，血球の産生が行われる。

B 骨の連結

1 関節

1 関節の一般構造

関節 joint には，骨どうしの動きをなめらかにする構造が備わっている（◉ 図 7-5）。骨端どうしの間には**関節腔**というすきまがあり，関節腔は**関節包**という袋に包まれている。骨端の関節面は，関節軟骨によりなめらかにおおわれている。関節包の内壁にある**滑膜**は滑液を分泌し，関節の動きを潤滑にするほか，軟骨の栄養にもかかわっている。関節炎の際には，滲出液が関節包にたまって，関節がはれることがある。

関節包の特定の部位には，**靱帯**とよばれるじょうぶな線維が発達してこれ

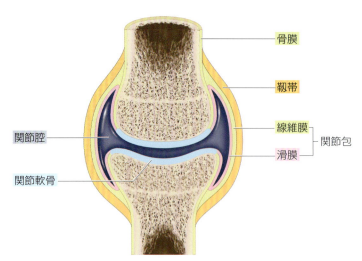

○ 図7-5 関節の一般構造(滑膜性連結)
2つの骨は滑液で満たされた関節腔で隔てられる。それぞれの骨の関節面は関節軟骨によっておおわれる。

を補強し、また関節運動の方向や範囲を規制している❶。

　関節の補助構造として、関節唇・関節円板・関節半月・関節内靱帯などがある。線維軟骨性の**関節唇**は、関節窩の周囲をふちどって関節面を広げるが、柔軟であるため運動を制限しない(例:肩関節・股関節)。線維軟骨性の**関節半月**は、関節包と密につながり、関節腔を不完全に分け、関節面の接触をよくする(例:膝関節)。**関節円板**は、同様の軟骨が関節腔を完全に分けたものである(例:顎関節・胸鎖関節)。

2 関節の形状と可動性

　関節面の形状は、関節の部位によってさまざまであり、その形状によって関節の可動性が決まる(○図7-6)。可能な運動の方向により、多軸性、二軸性、一軸性に区別される。

　多軸性は、たとえば肩関節のように、あらゆる方向に運動できる。二軸性は、手首の関節のように、屈曲・伸展と左右に振るといった二方向の運動ができる。一軸性は、肘関節のように、屈曲・伸展といった一方向に運動できる❷。

　双方の関節面の凹凸が明瞭な場合、凸のほうを**関節頭**、凹のほうを**関節窩**とよぶ。

　1 球関節　半球状の関節頭と、浅くくぼんだ関節窩の組み合わせで、三次元のあらゆる方向に自由に動く多軸性である(例:肩関節・股関節)。

　2 楕円関節　楕円球状の関節頭と、対応する関節窩からなり、関節頭の長径と短径を回転の軸にして2方向に運動する二軸性である(例:橈骨手根関節)。

　3 鞍関節　双方の関節面が鞍状で、直角に交わる2つの回転軸をもち、2方向に運動する二軸性である(例:母指の手根中手関節)。

　4 蝶番関節　円筒状の関節頭と、それがはまり込む関節窩からなり、屈曲・伸展の1方向の回転運動を行う一軸性である(例:肘関節の腕尺関節・指節間関節)。

NOTE

❶捻挫
　靱帯が過度に伸展を受けて損傷された状況を捻挫という。

NOTE

❷それぞれの関節については、本章D「体幹の骨格と筋」以降を参照。

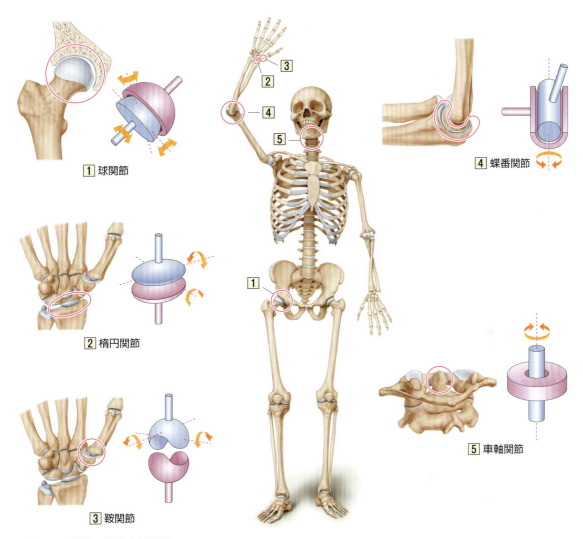

○図7-6 関節の形状と可動性

⑤ **車軸関節** 円筒状の関節頭と,車の軸受けのような関節窩からなり,骨の長軸のまわりに1方向の回転運動を行う一軸性である(例:上・下橈尺関節)。

このほか,両関節が平面の**平面関節**(例:椎間関節),関節面の形では球状に近いが靱帯により運動の制限される**顆状関節**(例:中手指節関節)などがある。また関節面の不規則な形と強力な靱帯のために,著しく可動性の乏しいものは,半関節とよばれる(例:仙腸関節・手根間関節)。

3 関節運動の障害

関節はその構造によって運動に一定の制約を受けるが,むりな外力が加わると関節が損傷する。**捻挫**ねんざ sprain は外力によって関節包や靱帯が損傷したもので,関節部の痛みやはれを生じる。**脱臼**だっきゅう dislocation は,さらに強い外力により骨の相互の位置が乱れて,関節面が食い違ったり,離れたりしたもので

ある。

関節炎は,原因により細菌性のものやリウマチ性のものなどがあり,関節の痛み・はれ・発赤・運動障害がおこる。重症の関節炎では,関節の構造が破壊され,関節運動が停止することがある(関節強直(きょうちょく))。

2 不動性の連結

不動性の連結も,広い意味で関節とよばれることがある。不動性の連結にもさまざまの種類がある。

1 **線維性結合** 骨どうしがコラーゲン線維によりつながれるもの。頭蓋骨の縫合(ほうごう),前腕および下腿の骨間膜などがあげられる。

2 **軟骨性結合** 骨どうしの間を軟骨がつなぎ,わずかに動く。椎間板,骨盤の恥骨結合があり,若年者の骨端軟骨もこれにあたる。

3 **骨性結合** 骨どうしが癒合(ゆごう)したものであり,仙骨(仙椎5個),寛骨(腸骨・恥骨・坐骨)などがある。

C 骨格筋

人体には229種類,大小600余りの筋があり,人体の各部位で協調しながら運動を行っている(◯図7-7, 8)。**骨格筋** skeletal muscle は,骨格を動かして身体の運動を行う。人体では体重の40%を筋が,20%を骨が占める。

1 骨格筋の構造

骨格筋は,関節をはさんだ骨と骨との間をつなぐ。筋の両端は,**腱**(けん) tendon という結合組織性のひもとなって骨膜に付着する。

1 筋の形状と名称

● **起始・停止・筋腹** 筋の両端のうち,身体の中心に近いほう(移動性の少ないほう)の端を**起始**,遠いほう(移動性の多いほう)の端を**停止**とよぶ(◯296ページ,図7-9)。起始に近い部分を**筋頭**,停止に近い部分を**筋尾**,中間部を**筋腹**とよぶ。筋の起始と停止の位置を知れば,筋の作用がわかる。

● **筋どうしの関係** 同じ関節に対して複数の筋がはたらく場合,同じ方向にはたらくものを**協力筋**,反対の方向に作用し合うものを**拮抗筋**(きっこう)という。筋は,収縮するときには力を出すが,のびるときには積極的にはたらくのではなく,拮抗筋の作用により引きのばされる。協力筋は関節の同側にあることが多く,拮抗筋(例:屈筋と伸筋,内転筋と外転筋)は反対側に位置することが多い。

● **筋の名称** それぞれの筋の名称は,その形状・作用・所在・走行などを反映しており,覚えやすい。

1️⃣ **筋頭・筋腹の数による名称**　上腕二頭筋・上腕三頭筋・大腿四頭筋・顎二腹筋など
2️⃣ **形状による名称**　大腿方形筋・菱形筋・三角筋・前鋸筋など
3️⃣ **作用による名称**　浅指屈筋・総指伸筋・大内転筋・回外筋など
4️⃣ **所在による名称**　前頭筋・上腕筋・外肋間筋など
5️⃣ **走行による名称**　大腿直筋・外腹斜筋など

2 筋と腱の補助装置

1️⃣ **筋膜 fascia**　膜状の結合組織で、筋または筋群の表面を包み、筋の形を保持する（● 340 ページ、図 7-53）。

2️⃣ **滑液包 bursa**　腱と骨格の間の摩擦がおきやすい場所にある膜性の小囊で、滑液が入っている。関節付近に多く、筋や腱の動きをなめらかにする。突出した骨部と皮膚との間にも存在する。

3️⃣ **腱鞘（滑液鞘）**　手や足の中に送られる長い腱が、手根や足根部を通過するところを包む鞘状の袋で、腱の動きを円滑にする。

4️⃣ **種子骨**　腱の中で、腱が関節をこえるところにある小さな骨。力の作用方向をかえるはたらきがある。膝蓋骨は人体最大の種子骨で、大腿四頭筋の腱の中にある。

5️⃣ **滑車**　腱を引っかける骨ないし靱帯で、力の作用方向をかえる。

2 骨格筋の作用

　筋の収縮により、骨格が関節の部位で動かされる。関節運動の軸と範囲は、関節の形状によりほぼ決まっている。身体の運動は、拮抗筋のはたらきによる逆方向の運動と、組にして行われる。

1️⃣ **屈曲／伸展**　骨どうしの角度を小さく（屈曲 flexion）、または大きく（伸展 extension）する（例：膝関節を曲げる〔屈曲〕、のばす〔伸展〕）。

2️⃣ **外転／内転**　骨を中心軸から遠ざける（外転 abduction）、近づける（内転 adduction）（例：上腕を横に上げる〔外転〕、脇腹に近づける〔内転〕）。

3️⃣ **外旋／内旋**　骨の長軸に対し外向き（外旋 outer rotation）、内向き（内旋 inner rotation）にまわす（例：つま先を外に向ける〔外旋〕、内に向ける〔内旋〕）。

4️⃣ **回外／回内**　外旋と内旋に相当する前腕のねじりの運動（例：手首をまわして親指を身体から遠ざける〔回外 supination〕、近づける〔回内 pronation〕）。

3 骨格筋の神経支配

　骨格筋は、中枢神経からの指令に従って収縮を行う。骨格筋を構成する筋線維（筋細胞）は、多数の核をもつ大きな細胞であり（● 340 ページ、図 7-53）、筋線維のそれぞれに運動ニューロンの終末が結合している。骨格筋を支配する神経には、運動神経線維のほかに感覚神経線維も含まれている。

● **運動ニューロン支配**　骨格筋を支配する運動ニューロンの軸索は、筋の

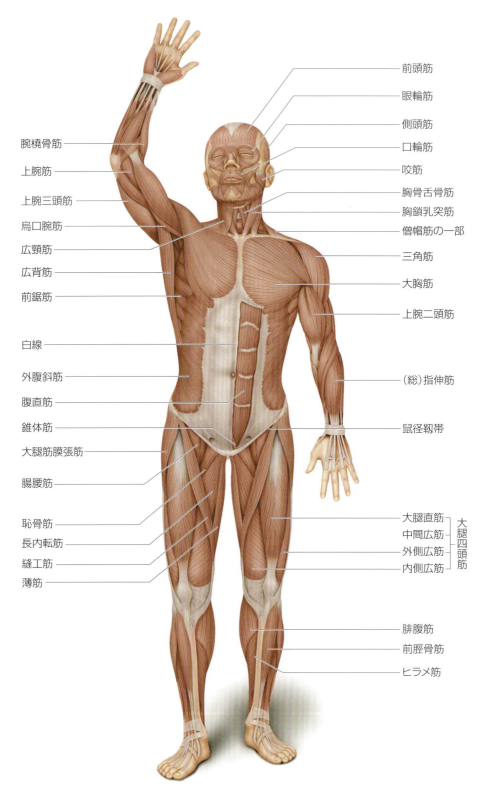

図 7-7　全身表層の筋（前面）

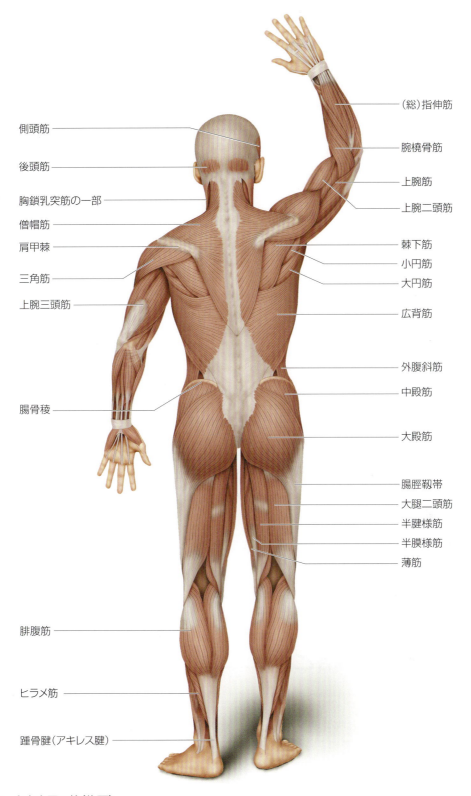

図7-8 全身表層の筋(後面)

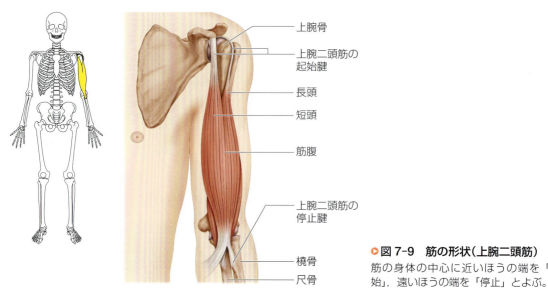

○ 図7-9　筋の形状（上腕二頭筋）
筋の身体の中心に近いほうの端を「起始」，遠いほうの端を「停止」とよぶ。

中に入ると枝分かれし，筋線維の中央付近に付着して終わる。この付着部を**神経筋接合部**（◯ 342ページ，図7-55）といい，神経終末から放出された伝達物質（アセチルコリン）によって筋線維を興奮させるシナプスの一種である。1つの運動ニューロンと，それによって支配される骨格筋線維を合わせて，**運動単位** motor unit という。

● **感覚ニューロン支配**　骨格筋の線維の間には，**筋紡錘**（ぼうすい）という感覚装置が備わっている（◯ 391ページ，図8-29）。筋紡錘は外力により筋が引きのばされる長さとスピードを感知しており，その感覚情報をもとに筋の収縮力が反射的に調節されている。膝蓋腱反射（膝蓋骨の下の靱帯をハンマーで軽くたたくと大腿四頭筋が収縮する）は，その例である。

腱には，**腱受容器**という感覚装置がある。また，ファーテル-パチニ Vater-Pacini 小体（パチニ小体）が，腱や靱帯の中にある。筋・腱・関節などの感覚は，皮膚感覚に対して**深部感覚**とよばれ，手足や身体の各部の位置，その運動の様子などを感じる。

D 体幹の骨格と筋

体幹の骨格は，脊柱が中心となり，脊柱の上端には頭の骨格である頭蓋がのる。胸椎は，12対の肋骨と胸骨がつながって，胸郭をつくる。仙骨と尾骨は，下肢帯の寛骨と一緒に骨盤をつくる。頸椎は頭蓋と胸郭の間，腰椎は胸郭と骨盤の間の可動性の大きな領域である。

体幹の筋は，背部の筋，胸部の筋，腹部の筋の3群に分かれる。背部の筋と胸部の筋は，それぞれ浅層と深層の群に分けられる。背部と胸部の浅層の筋は，肩甲骨や上腕骨を動かす作用があり，はたらきのうえでは上肢の筋に含まれる。

1 脊柱

脊柱 vertebral column は，椎骨が積み重なってできた全長約 70 cm の柱で，椎骨の間には**椎間円板**がはさまっている。全体として可動性があり，また前後方向の 3 か所の彎曲（頸部の前彎-胸部の後彎-腰部の前彎）によって，体重を弾力的に支えることができる（◎図 7-10）。

● **椎骨の構造** 椎骨は，本体をなす**椎体**と，その後方のアーチ状の**椎弓**からなり，両者の間に椎孔という大きな孔がある（◎図 7-11）。椎弓からは，4 種類 7 個の突起が突き出している。後方に向かう無対の**棘突起**と，側方に向かう 1 対の**横突起**は，脊柱起立筋の付着部となる。各 1 対の上・下の**関節突起**が，椎弓の両側から上下に出ている。

● **脊柱管** 椎骨が積み重なると，椎孔は上下につながって脊柱管をつくり，その中に髄膜に包まれた**脊髄**をおさめる。脊柱管は，上方で大後頭孔を通っ

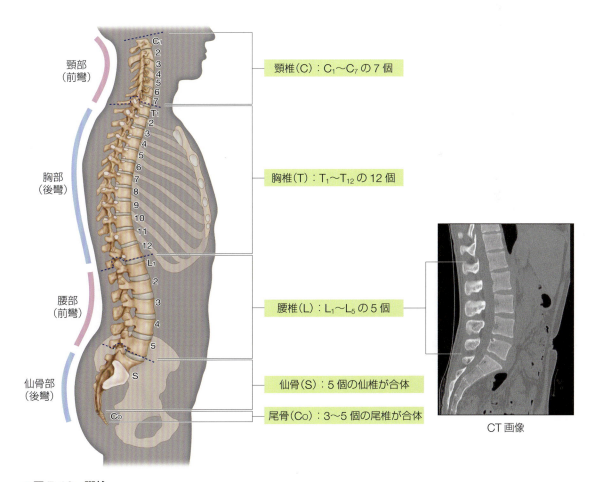

◎ **図 7-10 脊柱**
脊柱は，頸椎・胸椎・腰椎・仙骨・尾骨の 5 領域に区分される。胸椎は肋骨と関節して胸郭をつくり，仙骨は寛骨と関節して骨盤をつくる。
（写真提供：順天堂大学　奥田貴俊准教授）

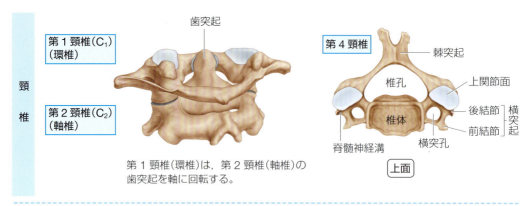
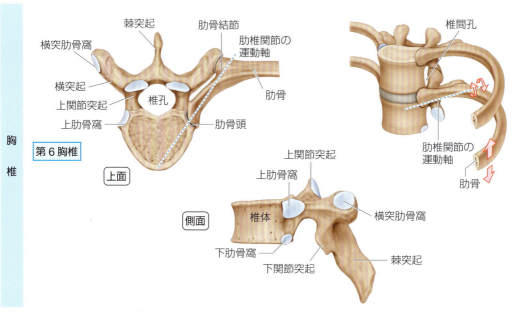
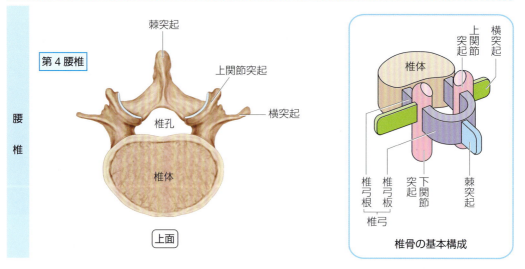

図 7-11　椎骨の形状

て頭蓋腔に続き,下端は仙骨裂孔で外に開く。脊柱の側面にあって脊髄神経の通路となる椎間孔は,椎弓のつけ根にある切痕(せっこん)が,上下に重なってできたものである。

● **椎間円板と椎間関節** 椎間円板は,上下の椎体の間にはさまる線維軟骨性の円板である。ゼリー状の中心(髄核)の周囲を,軟骨が木の年輪のように包んでいる。また上・下関節突起の間で,上下の椎骨が小型の平面関節をつくり(椎間関節),椎骨の動きを制限している。

● **各部の椎骨の特徴** 脊柱をつくる椎骨は,上から**頸椎**7個,**胸椎**12個,**腰椎**5個,**仙椎**5個,**尾椎**3~5個に区分される。

1 **頸椎** 頸椎は,横突起に孔が開いており,ここを通って脳に向かう椎骨動静脈が上下に走る。第1・第2頸椎はきわめて特殊化している。第1頸椎(環椎)は指輪に似た形で,椎体にあたる部分を欠き,第2頸椎(軸椎)の椎体からは,上方に歯突起が突き出している。頸椎は全体としてきわめてよく動き,とくに第1・第2頸椎の間で左右方向の回転運動をする。前方に突き出す彎曲(**前彎**)がみられる。

2 **胸椎** 胸椎は,肋骨と関節をつくって胸郭を構成する。動きは比較的少なく,後方に突き出す彎曲(**後彎**)がみられる。

3 **腰椎** 腰椎は,上半身の体重を支えるために大型で,筋の起始部となる突起が発達している。前方に突き出す彎曲(前彎)があるが,これは直立歩行とともに生じたもので,椎間円板が前方ほど厚くなっている。

4 **仙骨** 仙骨は,5個の仙椎が合体したもので,左右の寛骨と関節をつくり,骨盤をつくる(◯図7-12)。仙骨は後方に突き出す彎曲をつくり,また,腰椎との境界部には鋭く前方へ突出した部分があり,**岬角**(こうかく)とよばれる。

5 **尾骨** 尾骨は,3~5個の尾椎が合体したもので,仙骨の下で関節をつくり,骨盤に含まれる。

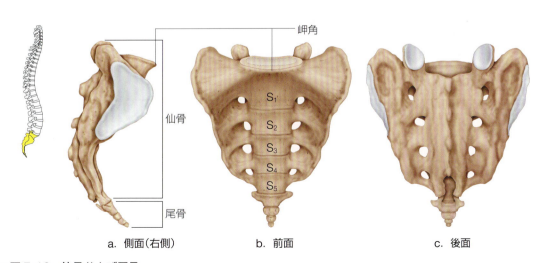

◯ 図7-12 **仙骨および尾骨**
仙骨は左右の寛骨と関節して骨盤をつくる。尾骨は仙骨の下に関節をつくる。

2 胸郭

　胸郭 thorax は，後方の胸椎（12個）の側方に肋骨（12対）が関節をつくり，前方の胸骨とつながってできた籠状の骨格である（◯図7-13）。
- **肋骨**　各肋骨は，肋硬骨部と肋軟骨部からなる。第1〜7肋骨は肋軟骨を介して胸骨と関節をつくる。第8〜10肋骨の肋軟骨は，上位の肋軟骨に付着して**肋骨弓**を形づくる。第11・12肋骨は，先端が遊離している。各肋骨は，肋骨頭と肋骨結節の2か所で胸椎と関節をつくり，これを軸にして肋骨が上下に動き，胸郭の呼吸運動を行う。肋骨内面の下縁に沿って，肋間神経および肋間動静脈が走る溝がある。
- **胸骨**　扁平な骨で，上から順に胸骨柄・胸骨体・剣状突起の3部に分かれる。胸骨柄には，鎖骨と第1肋骨が関節をなす。胸骨柄・体の移行部は隆起して皮下に触れ（**胸骨角**），その両側で第2肋軟骨が胸骨と関節をつくる。

3 背部の筋

　背部の筋のうち，浅背部の筋群は肩甲骨と上腕を動かし，深背部の筋群は脊柱を起立させる（◯図7-14）。

1 浅背部の筋群

　浅背部の浅層には，僧帽筋と広背筋があり，僧帽筋の深層に，肩甲挙筋と

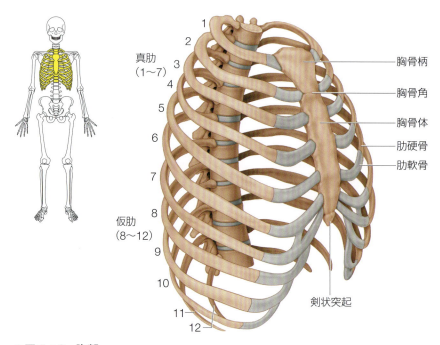

◯図7-13　胸郭
右前上方から見たところ。第11・12肋骨は，胸骨に連結しない。

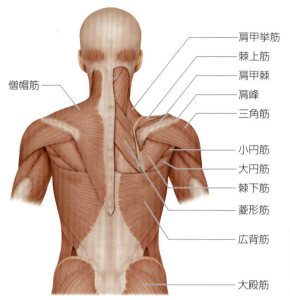

◯ 図 7-14　背部の筋
左半身では浅層の筋を示し，右半身では僧帽筋を取り除いてより深層の筋を示す。第 1 層の僧帽筋と広背筋，およびその深層の肩甲挙筋と菱形筋は，体幹からおこって肩甲骨・上腕骨について，上肢帯・上腕を動かす筋である。

菱形筋がある。

1 僧帽筋　後頭骨および頸椎・胸椎の棘突起から幅広くおこり，肩甲骨(肩甲棘・肩峰)と鎖骨に停止する。肩甲骨に上下や回転の運動をさせる強力な筋である。副神経に支配される。

2 広背筋　下位胸椎・腰椎から腸骨稜の広い範囲からおこる薄い筋で，上腕骨の上部(小結節稜)に終わる。上腕を内転・内旋させる。腕神経叢の枝に支配される。

3 肩甲挙筋・菱形筋　脊柱からおこり，肩甲骨(上角付近と内側縁)に終わる。肩甲骨を上内側方に引く(前鋸筋と拮抗する)。腕神経叢の枝に支配される。

2 深背部の筋群

浅背部の筋群の深層には，きわめて薄い上・下後鋸筋がある。この深層に，脊柱起立筋の群がある。

● **脊柱起立筋の群**　脊柱および胸郭と頭蓋の背面に停止する。長短さまざまな筋がある。いずれも脊柱を起立させ，脊髄神経の後枝により支配される。板状筋・腸肋筋・最長筋・棘筋・半棘筋・多裂筋・回旋筋などがある。

4 胸部の筋

胸部の筋のうち，浅胸部の筋群は上肢帯と上腕を動かし，深胸部の筋群は胸郭を動かし，呼吸運動を行う(◯図 7-15)。横隔膜は，胸腔と腹腔を隔てる薄い筋板である。

1 浅胸部の筋群

前胸部のふくらみをつくるのは大・小胸筋である。その深層では前鋸筋が胸郭側面からおこる。鎖骨の下には，鎖骨下筋という小さな筋がある。いずれも腕神経叢の枝に支配される。

1 大胸筋 前胸部の大きな筋で，鎖骨・前胸壁（胸骨など）からおこり，上腕骨の上部（大結節稜）に終わる（●図7-16）。上腕を強力に内転するほかに，前方挙上・内旋を行う。女性の乳腺は大胸筋の表層に位置する。

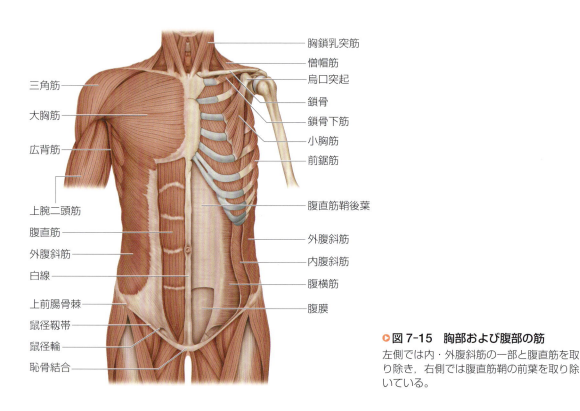

●図7-15 胸部および腹部の筋
左側では内・外腹斜筋の一部と腹直筋を取り除き，右側では腹直筋鞘の前葉を取り除いている。

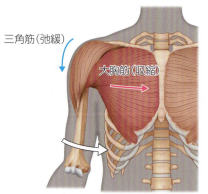
a. 腕を真下に下げたとき

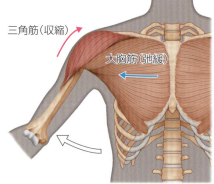
b. 腕を横に少し上げたとき

●図7-16 三角筋と大胸筋
腕を下げるとき（上腕の内転）には大胸筋が収縮し，腕を上げるとき（上腕の外転）には三角筋が収縮する。

2 **小胸筋** 大胸筋の深部にかくれる筋で，第2〜5肋骨からおこり，肩甲骨（烏口突起）に停止する。肩甲骨を前下方に引く。

3 **前鋸筋** 第1〜9肋骨から幅広くおこり，肩甲骨の深層を通ってその内側縁に停止する。肩甲骨を下外側方に引く（肩甲挙筋および菱形筋と拮抗）。

2 深胸部の筋群

外・内肋間筋が主である。胸骨の内面には，胸横筋という弱い筋がある。いずれも肋間神経により支配され，呼吸運動を行う（◯図7-17, 18）。

1 **外肋間筋** 各肋骨の間を，上後方から下前方にはり渡す。肋骨を挙上し，肺への吸息を行う。

2 **内肋間筋** 外肋間筋の深層にあり，下後方から前上方にはり渡す。肋

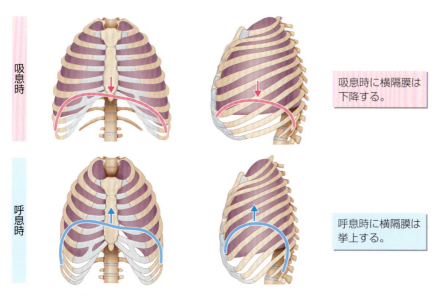

◯図7-17 呼吸運動

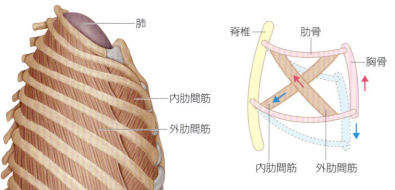

◯図7-18 呼吸筋のはたらき
吸息時（→）には外肋間筋の収縮により肋骨が挙上して胸腔が広がる。
呼息時（→）には肋骨は沈下し，胸腔は狭まる。内肋間筋は肋骨の沈下をたすける。

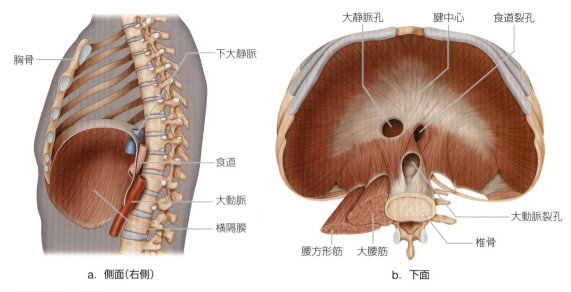

> **図7-19 横隔膜**
> 横隔膜は、胸腔と腹腔を仕切る筋の板である。全体がドーム状の形をして、盛り上がった中心部が結合組織性の腱中心となっている。収縮すると横隔膜のドームは下がって、吸息を行う。

骨を下制し、肺からの呼息を強制的に行う。

3 横隔膜

横隔膜 diaphragm は、胸腔と腹腔の境となるドーム状の骨格筋である(図7-19)。盛り上がった中央部はじょうぶな結合組織(腱中心)になっている。筋の起始は胸腹壁(腰椎の前面、肋骨弓の内周、胸骨)で、そこから上方に向かい、腱中心に停止する。

筋が収縮すると横隔膜が下降し、肺への吸息を行う。頸神経叢からおこる横隔神経に支配される。横隔膜には、胸腔と腹腔をつなぐ器官のために、3つの孔が開いている。

(1) 大動脈裂孔：大動脈・胸管が通る。
(2) 食道裂孔：食道・迷走神経が通る。
(3) 大静脈孔：下大静脈が通る。

5 腹部の筋

腹壁をつくる大きな筋は、前腹部と側腹部に分かれている。後腹壁には、腰方形筋【腸骨稜→第12肋骨と腰椎】[1]がある(図7-20)。いずれも肋間神経により支配される。

---

1) 本文中の【A→B】は、筋の起始(A)と停止(B)を示している。

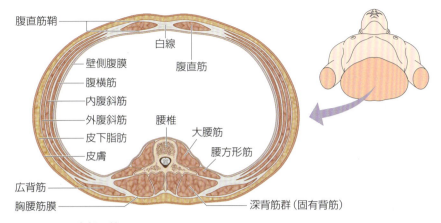

○図7-20 腹部の筋
腹部の正中には腹直筋が帯状に縦に走る。側腹部の筋は外腹斜筋・内腹斜筋・腹横筋の3層からなり，それぞれ筋線維の方向が異なる。

1 前腹部の筋

腹直筋は前腹壁をつくる帯状の筋で，正中線の左右に分かれ，上方の第5〜7肋軟骨と，下方の恥骨との間をつなぐ（●302ページ，図7-15）。筋腹の3〜4か所に腱画がはさまっている。体幹を前屈し，腹圧を高めるはたらきをする。

● **腹直筋鞘** 腹直筋は，腹直筋鞘というじょうぶな筋膜に包まれている。腹直筋鞘は，側腹部の筋が停止する腱膜にもなっており，上腹部では腹直筋鞘の前葉と後葉の両方が，下腹部では前葉のみがじょうぶで，この停止のはたらきをする。左右の腹直筋鞘は正中部で合わさって**白線**になり，臍のところは臍を取り巻く**臍輪**となる。臍輪を通して腸が皮下に押し出されたものを臍ヘルニアといい，幼児に多い。

臨床との関連　ヘルニア

臓器・組織の一部が，本来それがおさまっているべき部位からはみ出してしまった状態をヘルニアという。

大腿ヘルニアは血管裂孔を通って腸管の一部が大腿部にはみ出してしまったもので，成人女性に多い。これによく似たものとして鼠径ヘルニアがあり，これは鼠径管を通して腸の一部が陰嚢内などにはみ出すもので，こちらは男児に多い。

これらとはまったく異なるヘルニアとして，椎間板ヘルニアがある。これは椎骨と椎骨の間にあってクッションの役割をしている椎間円板が老化により弾性を失い，つぶれて後方にはみ出してしまうものである。脊髄や脊髄神経根を圧迫するために，慢性の腰痛や，突然おこると，いわゆるギックリ腰の原因となる。

致命的なヘルニアとしては小脳扁桃ヘルニアをはじめとする脳ヘルニアがある。これは，頭蓋内圧の上昇により，脳の一部が頭蓋内の隔壁をこえてはみ出してしまうものである。

2 側腹部の筋

側腹部の筋は，外から順に外腹斜筋，内腹斜筋，腹横筋の3層からなり，それぞれ筋線維の方向が異なる。腰をねじり，腹圧を高めるはたらきをする。

[1] **外腹斜筋** 側腹壁の最表層で，第5〜12肋骨からおこり，前下方に走り，腱膜となって腹直筋鞘と鼠径靱帯に終わる。

[2] **内腹斜筋** 側腹壁の第2層で，腸骨稜および腰部の腱膜からおこり，前上方に広がるように走り，腱膜となって腹直筋鞘に終わる。

[3] **腹横筋** 側腹壁の最深層で，下位の肋骨，腰部の腱膜，腸骨稜からおこり，前方に走り，腱膜となって腹直筋鞘に終わる。

● **鼠径靱帯と周辺の通路** 鼠径靱帯は，体幹と大腿の境界の皮下を走る靱帯で，上前腸骨棘と恥骨結節の間を結ぶ。外腹斜筋の停止にもなっている。

鼠径靱帯のすぐ上方には，側腹壁の3層の筋を斜めに貫く**鼠径管**という長さ4cmほどの通路がある。腹腔側の入り口を深鼠径輪，外腹斜筋の腱膜を貫く出口を浅鼠径輪という。男性では精索，女性では子宮円索がここを通過する。

鼠径靱帯の深層で寛骨との間の空間は，骨盤から大腿に抜ける通路となっている。外側部（筋裂孔）には腸腰筋と大腿神経が，内側部（血管裂孔）には大腿動静脈が通る。

E 上肢の骨格と筋

上肢は，手によって物を把握し操作するために，運動の自由度が大きい。肩甲骨は，体幹からは鎖骨と数多くの筋によって連結され，運動の自由度が大きく，そこから上肢帯を除いた上肢（自由上肢）の全体がつり下げられている（●図7-21）。

1 上肢帯の骨格

上肢帯は，鎖骨と肩甲骨からなる（●図7-22）。

● **鎖骨** 頸部と胸部の境目で皮下に触れる細長い骨で，ゆるくS字状に彎曲する。内側の端は胸骨柄と関節をつくり（胸鎖関節），外側の端は肩甲骨の肩峰と関節をつくる（肩鎖関節）。鎖骨は，体幹の骨格と肩甲骨をつなぐ唯一の骨である。

● **肩甲骨** 背中の両側にある，扁平な逆三角形の骨である。背面に横走する隆起（**肩甲棘**）があり，その外側端（**肩峰**）は高く突き出して，肩の皮下に触れる。上腕骨頭と関節をつくる浅い関節窩が，肩甲骨の外側部にある。その前面にかぎ状の**烏口突起**が突出し，鎖骨下のくぼみを指で押せばその先端を触れる。肩峰と烏口突起は，両者を結ぶ靱帯とともに，肩関節の上面を保護し，上腕骨が脱臼するのを防いでいる。肩甲骨には，体幹からおこる多数の

E. 上肢の骨格と筋　307

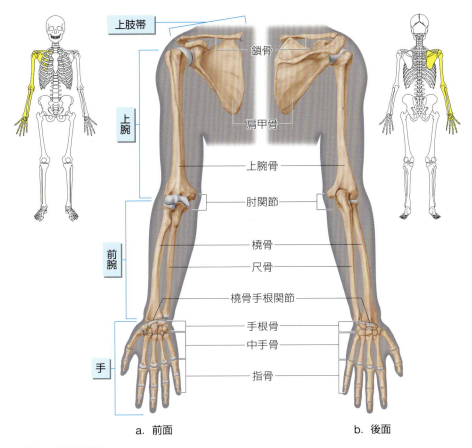

○図 7-21　上肢の骨（右腕）
上肢は，体幹との連結部である上肢帯と，自由上肢（上腕・前腕・手）からなる。上肢は手によって物を把握し操作するために運動の自由度が大きい。

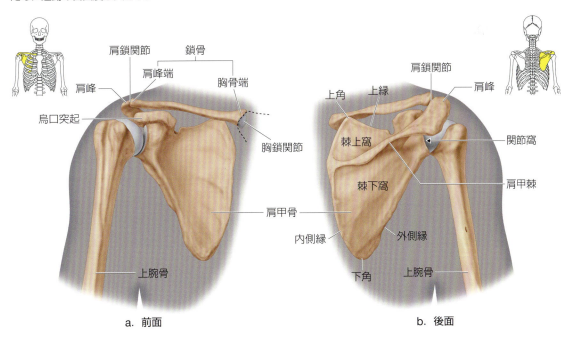

○図 7-22　鎖骨と肩甲骨（右側）
肩甲骨は，肩峰で鎖骨と関節し，関節窩で上腕骨頭と関節する。

筋が停止して，肩甲骨の固定と運動とを行い，またここからおこる多数の筋が，肩関節の安定化と運動とを行う（◯317ページ，図7-30）。

2 自由上肢の骨格

1 上腕骨

　長さ約30 cmの長骨である。近位端には半球状の**上腕骨頭**があって後内側上方に関節面を向け，筋の停止部位となる**大結節**が上外側に，**小結節**が前内側に隆起する（◯図7-23-a）。骨頭と大・小結節との間を**解剖頸**，骨幹との移行部を**外科頸**とよぶ。遠位端には，前腕との肘関節をなす**上腕骨小頭**（橈骨と関節）と**上腕骨滑車**(尺骨と関節)が並ぶ。肘関節のすぐ上で左右に突出する**内側上顆**および**外側上顆**は，それぞれ前腕の屈筋群・伸筋群の起始部になる。内側上顆の後ろを尺骨神経が通り，これを圧迫すると前腕の小指側にしびれを感ずる。

2 前腕の骨

　前腕には2本の骨がある。小指側にあって上部が太い**尺骨**と，親指側にあって下部が太い**橈骨**である（◯図7-23-b）。

●**尺骨**　尺骨は，上端の後部に**肘頭**が突き出し，その前面には上腕骨の滑車と関節をつくる（腕尺関節）切痕があり，その下部は**鈎状突起**となって軽く前面に突き出す。肘を伸展する上腕三頭筋が肘頭に，屈曲する上腕筋が鈎状突起の粗面に停止する。鈎状突起の外側面に，橈骨頭と関節をつくる（上橈尺関節）浅い切痕がある。

　下端には尺骨頭があり，その側面は橈骨の下端部と関節をつくり（下橈尺関節），また関節円板をはさんで手根骨に向かう。

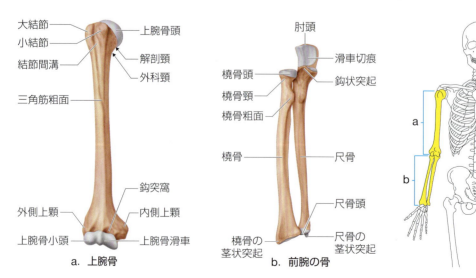

◯図7-23　上腕骨と前腕の骨（右側）

- **橈骨** 上端の橈骨頭は，上腕骨小頭および尺骨と関節をつくる。橈骨上部の内側面にある橈骨粗面には，上腕二頭筋の腱が停止する。橈骨の下端の関節面は，手根骨と関節をつくり（橈骨手根関節），また側面には尺骨頭と関節をつくる浅い切痕がある。

3 手の骨

手の骨は，小さな手根骨8個，手の甲をつくる中手骨5本，および指の本体をつくる14本の指骨とからなる（◯図 7-24）。

- **手根骨** 8個のサイコロ状の骨が2列に並ぶ。近位列は母指側から順に，舟状骨・月状骨・三角骨・豆状骨❶がある。遠位列には大菱形骨・小菱形骨・有頭骨・有鈎骨がある。手根骨の間にも関節があるが，その可動性はきわめて小さい。

- **中手骨** 中手骨（第1～5）は，手の甲に触れる小型の長骨で，底・体・頭を区別する。**手根中手関節**（CM 関節）は，第1指では二軸性の鞍関節をつくり，2方向の運動（母指の対立／復帰，内転／外転）を行う。第2～5指の手根中手関節は，ほとんど動かない半関節である。

- **指骨** 母指には2つの指骨（基節骨と末節骨），ほかの指には3つの指骨（基節骨・中節骨・末節骨）がある。**中手指節関節**（MP 関節）は，二軸性の顆状関節で，屈曲・伸展および指の開閉ができる。**指節間関節**は，母指には1つ（IP 関節），ほかの指には2つ（近位の PIP 関節，遠位の DIP 関節）の関節があり，すべて一軸性の蝶番関節で，指の屈伸を行う。

> **NOTE**
> ❶豆状骨
> 豆状骨は，尺側手根屈筋の腱の種子骨として生じたものである。手根骨は生後に一定の順序で骨化するので，そのＸ線像から小児の発育年齢を判定することができる。

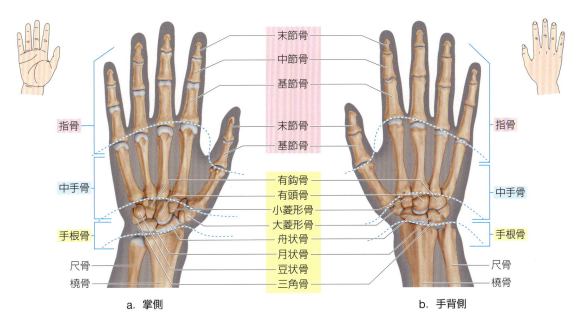

◯図 7-24 手の骨（右側）

3 上肢帯の筋群

　上肢帯の運動は，前述のように，おもに胸部の浅層の筋（大胸筋，小胸筋，鎖骨下筋）と背部の浅層の筋（僧帽筋，広背筋，肩甲挙筋，大・小菱形筋，前鋸筋）により行われる（◯300 ページ）。

　上肢帯にある筋は，おもに肩甲骨からおこり，上腕骨に停止する。その肩の浅層には三角筋がある。肩甲骨の前面と後面からおこる回旋筋群と，肩甲骨の下方には大円筋がある。

1 肩の浅層の筋

　三角筋は肩関節を取り囲み，肩の丸みをつくる（◯図 7-25）。鎖骨（外側部）と肩甲骨（肩峰・肩甲棘）からおこり，上腕骨（中央外側部）に終わる。上腕を強力に外転する。腋窩神経により支配される。筋肉注射の部位としてよく用いられる。

2 回旋筋群

　肩甲骨の前面と後面からおこる 4 つの筋からなる。これらの筋の腱は，回旋筋腱板とよばれ，上腕骨頭をかかえ込んで肩関節を安定させるはたらきがある。

　① 肩甲下筋　肩甲骨の腹側面からおこり，上腕骨の上部（小結節）に停止する。上腕を内旋する。肩甲下神経に支配される。

　② 棘上筋・棘下筋　肩甲骨の背側面で，肩甲棘をはさんでその上と下からおこり，上腕骨の上部（大結節）に停止する。棘上筋は上腕を外転し，棘下筋は上腕を外旋する。肩甲上神経により支配される。

　③ 小円筋　肩甲骨の外側縁からおこり，上腕骨の上部（大結節）に終わる。上腕を外旋する。腋窩神経により支配される。

3 下方の筋

　大円筋は肩甲骨の下角からおこり，広背筋とともに上腕骨の上部（小結節稜）に終わる。上腕を内転および内旋する。肩甲下神経に支配される。

4 上腕の筋群

　上腕の筋群は，前面と後面に分かれる（◯図 7-25）。前面の筋群は肘関節を屈曲し，筋皮神経に支配される。後面の筋群は肘関節を伸展し，橈骨神経に支配される。

1 上腕前面の筋群（屈筋群）

　上腕二頭筋は二頭とも肩甲骨からおこり（長頭は関節上結節から，短頭は烏口突起から），橈骨の上部（橈骨粗面）に停止する（◯296 ページ，図 7-9）。

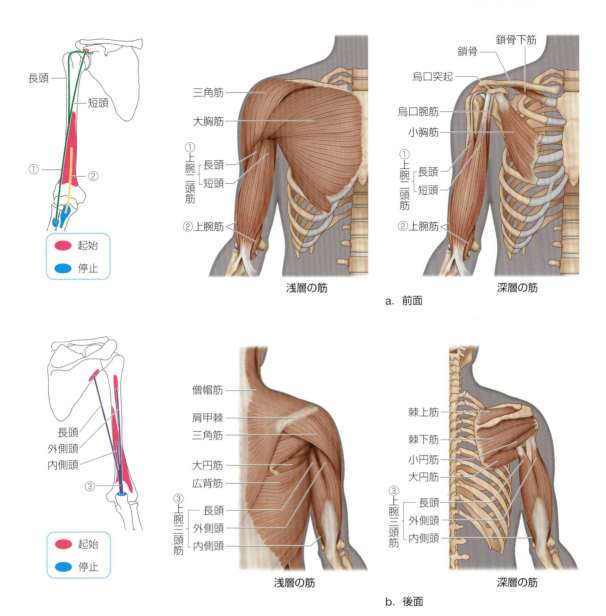

図 7-25　肩と上腕の筋

肘を曲げるとともに，前腕を回外する。筋腹は紡錘形で，肘を曲げたときに力こぶをつくる。

このほかに，烏口腕筋【肩甲骨の烏口突起→上腕骨前面】（上腕を挙上）と上腕筋【上腕骨前面→尺骨の鈎状突起】（肘関節を強力に屈曲）がある。

2　上腕後面の筋群（伸筋群）

上腕三頭筋は上腕後面の大型の筋で，長頭は肩甲骨（関節下結節）から，内側頭と外側頭は上腕骨の背面からおこり，尺骨の上部（肘頭）に終わる。肘関節を伸展する。

5 前腕の筋群

　前腕の筋群も，前面と後面に分かれる（○図 7-26）。前面の屈筋群はおもに正中神経に支配され，後面の伸筋群は橈骨神経に支配される。屈筋群・伸筋群ともに，停止の位置により，前腕を動かす筋群，手首を動かす筋群，指を動かす筋群にさらに分かれる。

1 前腕前面の筋群（屈筋群）

● **前腕を動かす屈筋群**　腕橈骨筋は上腕骨の下部からおこり，橈骨の下部に終わる。肘関節を屈曲する。腕橈骨筋は，例外的に橈骨神経支配である。
　このほかに，円回内筋【上腕骨の内側上顆→橈骨】（肘関節の屈曲と前腕の回内）と方形回内筋【尺骨下部→橈骨】（前腕の回内）がある。

● **手首を動かす屈筋群**　橈側・尺側手根屈筋は上腕骨の下端内側（内側上顆）からおこり，手首前面の母指側（第 2 中手骨の底）および小指側（豆状骨）に終わる。手首を屈曲し，外転（母指側に傾斜）および内転（小指側に傾斜）をする。尺側手根屈筋のみ尺骨神経支配である。
　このほかに長掌筋（手掌の皮下の腱膜を緊張させる）がある。

● **指を動かす屈筋群**　浅・深指屈筋は上腕骨の下端内側（内側上顆），尺骨と橈骨の上部前面からおこり，4 腱に分かれて手根管を通り，第 2〜5 指に向かう。浅指屈筋腱は中節骨に終わり，指の中節までの関節を屈曲する。深指屈筋腱は末節骨に終わり，末節までの関節を屈曲する。浅指屈筋腱は停止部の手前で二分し，その裂け目を深指屈筋の腱が通過する。深指屈筋の尺側の半分は，例外的に尺骨神経支配である。
　このほかに長母指屈筋【橈骨前面→母指末節骨】（母指を屈曲）がある。

● **屈筋支帯と手根管**　手首の前面には，屈筋支帯という強力な靱帯がはっており，その深層に手根管という通路があり，前腕からきた指の屈筋腱を通す（○図 7-27）。腱は腱鞘という袋に包み込まれていて，なめらかに動くことができる。指の過剰な運動や細菌感染によって，腱鞘炎をおこすことがある。

2 前腕後面の筋群（伸筋群）

● **前腕を動かす伸筋群**　回外筋【肘関節周辺・尺骨→橈骨上部】（前腕を回外）がある。

● **手首を動かす伸筋群**　長・短橈側手根伸筋，尺側手根伸筋は上腕骨の下端外側（外側上顆）とその周辺からおこり，手首後面の母指側（第 2〜3 中手骨底）および小指側（第 5 中手骨底）に終わる。手首を伸展し，外転（母指側に傾斜）および内転（小指側に傾斜）をする。

● **指を動かす伸筋群**　総指伸筋は上腕骨の下端外側（外側上顆）からおこり，4 つの腱に分かれて，第 2〜5 指の指背腱膜となり末節骨に終わる。第 2〜5 指を伸展する。
　このほかに，長母指外転筋，長・短母指伸筋，小指伸筋がある。

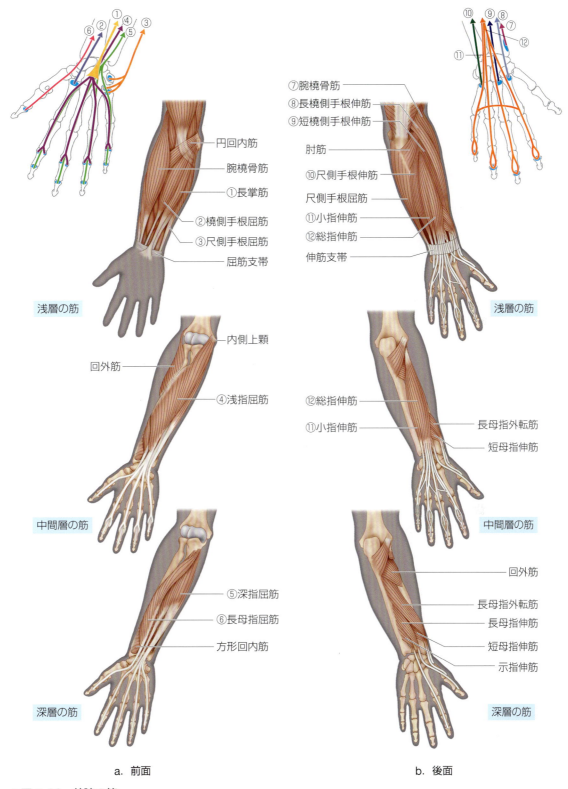

図 7-26　前腕の筋

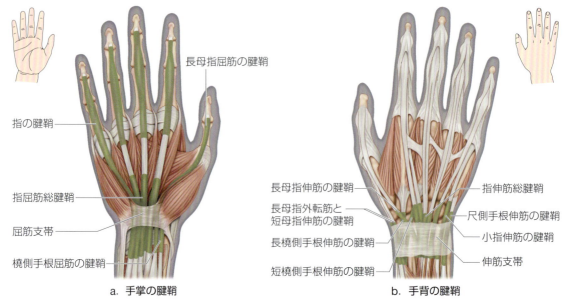

◯図 7-27　手指を動かす筋の腱鞘

6　手の筋群

　手の筋群は，母指球・小指球・中手部の筋群に分かれる（◯図 7-28）。母指球の筋は大部分が正中神経支配，それ以外はすべて尺骨神経支配である。
● **母指球の筋群**　母指の根もとのふくらみにあり，母指を動かす筋で，短母指外転筋・短母指屈筋・母指対立筋・母指内転筋が区別される。
● **小指球の筋群**　小指の根もとにあり，皮膚を動かす短掌筋のほかに，小指外転筋・短小指屈筋・小指対立筋が区別される。
● **中手部の筋群**　母指球と小指球の間で深層にある筋である。
　① **虫様筋**　深指屈筋の腱からおこり，指背腱膜につく小筋である。
　② **掌側・背側骨間筋**　掌側 3 個，背側 4 個で，中手骨の間を占め，中手骨からおこり，指背腱膜と基節骨底に終わる。指のつけ根を曲げるとともに，指の股を開いたり閉じたりする。

7　上肢の運動

　手は物をつかんであやつることができ，さらにその手の位置と方向を自由に動かすことができる。物体を適当な場所に運ぶ，飲食物を口もとに持ってくるなどの動作は，体幹と手をつなぐ 6 個の関節とそれを動かす筋によって可能になっている。

1　肩関節と肩甲骨の運動

　腕は，前後・左右に広い範囲で動かすことができるが，その運動は肩甲骨

E. 上肢の骨格と筋　315

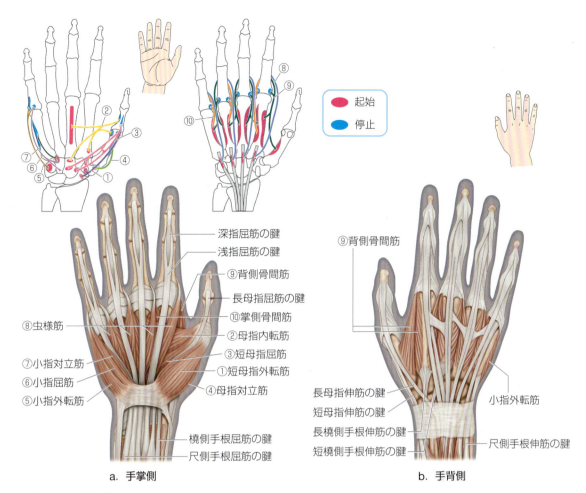

○図7-28　手の筋

と上腕骨の間の肩関節，および肩甲骨そのものの動きによって行われる。腕を真横に上げるとき，その動きの2/3は肩関節，1/3は肩甲骨の動きによるものである。

● **肩関節**　肩関節は，肩甲骨の関節窩と丸い上腕骨頭との間にあり，多軸性の球関節である（○図7-29）。関節窩が浅く小さいため不安定になりやすいが，関節窩の周縁にある線維軟骨性の関節唇により関節面が広げられている。肩甲骨からおこるいくつかの筋（肩甲下筋・棘上筋・棘下筋・小円筋）の腱（回旋筋腱板）が上腕骨頭をかかえ込んでいて，脱臼を防いでいる。回旋筋腱板および肩関節包は，老化に伴い微小な損傷と炎症をおこしやすく，五十肩（肩関節周囲炎）とよばれる症状を引きおこし，長期にわたって痛みが続き，運動が制限される。

肩関節に作用する大きな筋のうち，**大胸筋**は腕を体幹に引き寄せ（内転），前方に上げ（屈曲），**三角筋**は腕を横に振り上げ（外転），**広背筋**と大円筋は後方に振る（伸展）はたらきをする。

● **肩甲骨の運動**　肩甲骨は，**鎖骨**だけを介して体幹の骨格につながっている。そのため肩甲骨の動きの自由度はきわめて大きく，鎖骨の内側端を中心

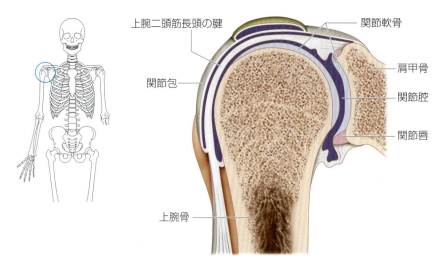

○図7-29　肩関節

にして上下・前後に位置をかえるとともに，鎖骨の外側端を中心に回転することができる（○図7-30-a）。

　肩甲骨を保持するはたらきは，体幹と肩甲骨をつなぐ背中側の筋によって行われる。とくに背中の最表層の**僧帽筋**は上部が強力で，上肢全体および手で持つ重量を支えて引き上げるはたらきをする（○図7-30-b）。肩甲骨の内側縁には，脊柱からおこる筋（肩甲挙筋，大・小菱形筋）と，肋骨からおこる筋（前鋸筋）が逆方向に作用して，肩甲骨の位置をかえるはたらきをしている。上肢を支えるこれらの筋は，動きの少ないわりにたえず緊張していて疲れやすく，それが肩こりの理由の1つである。

2　肘の運動

● **肘関節**　上腕骨と前腕の2本の骨（橈骨・尺骨）との間の関節であるが，

 臨床との関連　　五十肩

　40～60歳ごろの人で，とくにきっかけもなくいつの間にか肩に痛みが生じて，肩関節の運動が制限されることがある。これがいわゆる五十肩である。肩関節周囲炎という病名がつけられているように，肩関節の滑膜とその周辺に炎症が生じており，肩関節の老化現象から生じる病気である。

　肩関節は，あらゆる方向に広い範囲で動くことのできる関節である。形状は球関節で，関節窩が浅くなっているため，かなり不安定である。そこで関節の安定性を高めるために，肩甲骨の前面と後面の筋から出た腱が回旋筋腱板となって肩関節包の周囲を取り巻いている。さらに肩関節の周囲を取り巻くように，肩甲骨の肩峰と烏口突起，鎖骨の外側端をつなぐ靱帯が発達している。このように肩関節を補強するために肩関節の周囲に発達した腱や靱帯が，年齢とともに脆弱になり，負荷に耐えきれなくなって炎症をおこし，五十肩になるのである。

　痛みの激しい時期には安静にして消炎鎮痛薬を投与するが，症状が落ち着いてきたら関節の拘縮（こうしゅく）を防ぐために運動療法を行う。1年～1年半程度で自然に治癒することが多い。

E. 上肢の骨格と筋　317

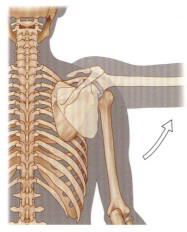

a. 肩甲骨の運動

腕を横に上げる，すなわち上腕を外転・挙上する運動をするときには，肩甲骨と上腕骨の間の肩関節が外転するだけでなく，肩甲骨も回旋の運動をする。

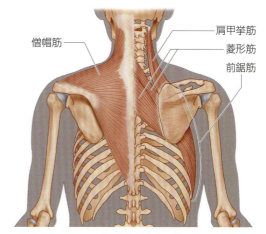

b. 肩甲骨を支える筋

背中の浅い層にある僧帽筋は，とくに上部が発達していて，上肢全体を引き上げるはたらきをする。その深層にある肩甲挙筋と菱形筋は，肩甲骨の内側縁を脊柱に向かって（上内側に）引き寄せる。これに対して前鋸筋は，肩甲骨の内側縁を肋骨に向かって（下外側に）引き寄せる。

● 図 7-30　肩甲骨の運動と筋

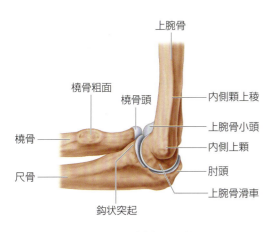

a. 内側面の骨格

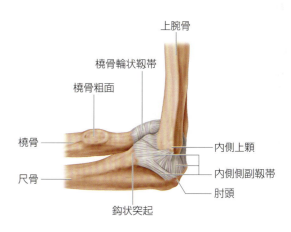

b. 内側面の靱帯

● 図 7-31　肘関節（右側）

　上腕骨と尺骨の間の関節が中心で，単軸性の屈曲・伸展運動を行う（●図7-31）。橈骨は尺骨との間で回転運動を行うが，その上端で上腕骨にも接している。

　肘の屈曲に作用するのは，おもに上腕の前面にある上腕二頭筋と上腕筋，前腕にある腕橈骨筋である（●図7-32）。肘を曲げたときにできる力こぶの本体は上腕二頭筋であるが，この筋は肘の屈曲のほかに，前腕の回外の作用も行う。肘の伸展に作用するのは，おもに上腕の後面にある上腕三頭筋である。

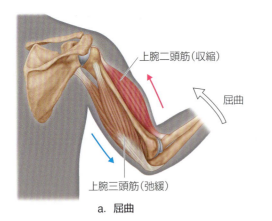
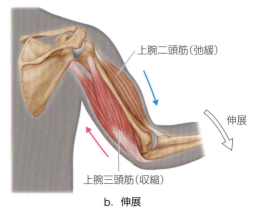

a. 屈曲　　　　　　　　　　b. 伸展

○**図 7-32　肘関節での運動**
上腕筋と上腕二頭筋は肘関節の屈曲を行い，上腕三頭筋は伸展を行う。

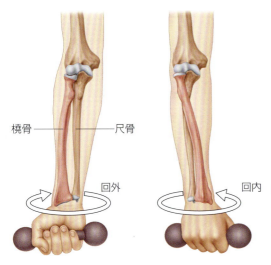

○**図 7-33　前腕の回外と回内（右側）**
回外・回内は，尺骨のまわりに橈骨をねじるように動かす運動である。

3　手首と前腕内の運動

　手は，手首のところでぐるぐるとまわすことができる。この運動の一部は手根と前腕の間で行われ，一部は前腕の2本の骨の間で行われる。手首の少し手前で前腕の骨をしっかり握ると，手首は曲げのばしと左右に振ることができるが，手のひらの表返し・裏返しの運動はできなくなる。この手首をまわして手のひらの向きをかえる運動は，前腕のなかで行われる。

　●**上・下の橈尺関節**　橈骨と尺骨は，上下両端で回転運動を行う車軸関節をなし，全体として尺骨を中心に橈骨がよじれる運動を行う（○図7-33）。外見上で手掌をひるがえす運動，つまり回内／回外は，この前腕の骨の間の運動である。回外では，前に突き出した手の手掌が上を向いて橈骨と尺骨は平行となり，回内では，手掌を伏せて，橈骨は尺骨の上を交差する。橈骨と尺骨は，上下の関節面で関節をつくるだけでなく，骨幹の全長にわたって**骨間膜**によって結ばれる。骨間膜は，前腕の屈筋群・伸筋群を隔て，かつこれら

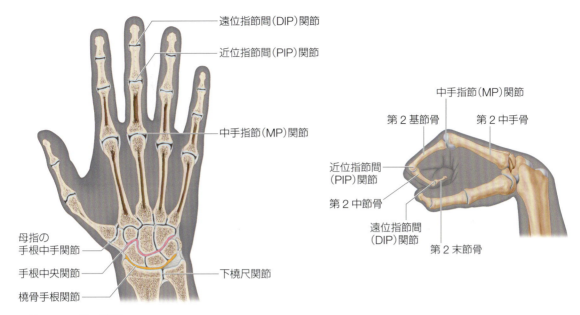

○図7-34 手の関節

の筋が起始する面を広げるはたらきをする。

　回内は，母指を内側にまわして手のひらを裏返す運動で，とくに前腕の円回内筋と方形回内筋がはたらく。回外は，逆に手のひらを表返す運動で，とくに上腕二頭筋と前腕の回外筋がはたらく。

● **橈骨手根関節**　橈骨の下端の手根関節面が関節窩となり，手根骨の近位列がつくる卵形の関節頭と関節をつくる(○図7-34)。二軸性の楕円関節で，手首の屈曲・伸展および内転・外転を行う。

　手首の屈曲は，前腕の前面の筋でとくに手首に終わる筋(橈側・尺側手根屈筋)がはたらく。手首の伸展は，前腕の後面の筋でとくに手首に終わる筋(長橈側・短橈側・尺側手根伸筋)がはたらく。これらの筋で手首の母指側に終わるもの(橈側手根屈筋，長橈側・短橈側手根伸筋)が作用すると手首は外転(母指側に傾く)し，小指側に終わるもの(尺側手根屈筋，尺側手根伸筋)が作用すると内転(小指側に傾く)する。

4　手の運動

　飲食をする，携帯電話を使う，新聞を読むなど，日常生活のあらゆる場面において，私たちは手でものをつかんであやつる。その際に母指は，特別なはたらきをしている。

● **母指の運動**　ヒトの母指はほかの4本の指と向き合って，その間にものをはさんでつかむ。ヒトの母指の**手根中手関節**(CM関節)は二軸性の鞍関節で，母指をほかの指と対立させることができる(○図7-34)。また母指を動かすために母指球に4個，前腕に4個もの筋があり，巧妙な運動をすることができる。隣り合う指の間で物をつかむのはむずかしく，指を向かい合わせにしてはさむほうが，はるかにつかみやすい。それは，指の腹に指紋がついて

いて滑りどめになっていること，屈筋のはたらきで力強くものを押さえることができることが理由である。サルの類の多くでは，母指をほかの指と向かい合わせにできるが，関節と筋の構造の違いのためヒトのように巧妙に道具を使うことができない。

● **第 2～5 指の運動**　手の第 2～5 の 4 本の指では，3 つの関節（MP 関節・PIP 関節・DIP 関節）で屈曲・伸展を行うことができる。さらに**中手指節関節**（MP 関節）では，指の股を開いたり（外転），閉じたり（内転）の運動もできる。

中手筋（骨間筋と虫様筋）は，指のつけ根の MP 関節の屈曲と外転・内転を行う。これに対して，**近位指節間関節**（PIP 関節）と**遠位指節間関節**（DIP 関節）の屈曲は，前腕の屈筋（浅指屈筋・深指屈筋）が行う。4 本の指の伸展は，おもに前腕の伸筋（総指伸筋・示指伸筋・小指伸筋）が行っている。4 本の指の 1 本を屈曲・伸展しようとすると，隣の指も一緒に動いてしまうが，これは前腕にある 1 つの筋から 4 本の腱が出て指を動かしているためである。

F　下肢の骨格と筋

下肢の骨格は，頑丈で安定した構造をもち，全身を支えて立ち，2 足で歩くのに適している（◯図 7-35）。

下肢の筋は，下肢帯の筋群（股関節の運動），大腿の筋群（股関節の内転，膝関節の運動），下腿の筋群（おもに足首と趾の運動），足の筋群（趾を動かす）に分かれる。支配神経は，腰神経叢と仙骨神経叢の枝である。

1　下肢帯と骨盤

下肢帯の寛骨は，脊柱の下部の仙骨と半関節により結合され，骨盤をつくる（◯図 7-36）。骨盤は下肢のつけ根であるとともに，腹部内臓を下から支える受け皿ともなる。

1　骨盤

骨盤は，脊柱の一部の仙骨（および尾骨）に，足のつけ根にあたる左右の寛骨がつながったものである。仙骨の側面は，寛骨との間で動きの乏しい半関節（**仙腸関節**）をつくり，下端は尾骨と関節をつくる（◯ 299 ページ，図 7-12）。尾骨はしっぽの骨格であるが，ヒトでは退化しており小さい。左右の寛骨は，前方の正中部で線維軟骨性の**恥骨結合**によりつながる。

骨盤は，**小骨盤**という中央のくぼんだ部分と，**大骨盤**といってそのまわりに翼のように広がった部分とに分かれる。小骨盤の入り口を**骨盤上口**といい，岬角から恥骨結合にいたる分界線がそのふちをなす（◯ 323 ページ，図 7-37）。小骨盤には，膀胱や直腸などがおさまり，腹部の内臓から下の出口への通り道（肛門，尿道など）になっている。大骨盤は，腹部の内臓全体を下から支え

F. 下肢の骨格と筋　321

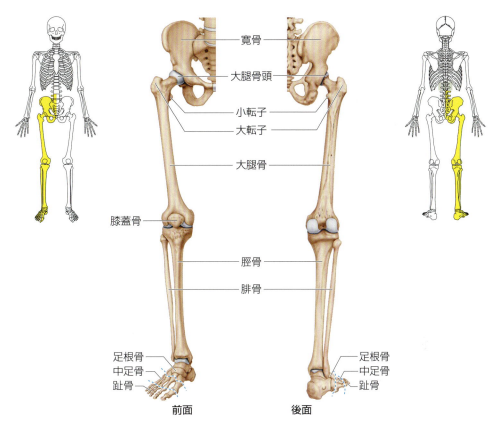

◯図7-35　下肢の骨格の全体像
寛骨は脊柱下部の仙骨と結合し骨盤をつくる。寛骨臼では大腿骨頭と股関節をつくり，自由下肢へとつながる。下肢の骨格は頑丈で安定した構造をもち，2足で歩くのに適している。

る受け皿になっている。

　男性と女性では骨盤の形に違いがあり，骨の形から男女を見分けるのによく用いられる。小骨盤の入り口を上からみたときの形は，男性ではやや前にとがっているのに対し，女性では丸みを帯びている。また骨盤を前からみたときに，恥骨結合の下に開いたすきまの角度（恥骨下角）が，女性のほうが男性より大きくなっている。女性の小骨盤が広くなっていることにより，出産時に胎児が骨盤を通りやすくなっている。

2　寛骨

　寛骨は，小児では，**腸骨**，**恥骨**，**坐骨**の3つの骨に分かれているが，成人になると融合して単一の骨になる。3つの骨が接する中心は，股関節の関節窩である寛骨臼にあり，腸骨はそこから上方に，恥骨は前下方に，坐骨は後下方に広がっている。腸骨は，寛骨の上方に翼状にはり出し，その上縁の**腸骨稜**を皮下に触れる（ベルトがひっかかる，いわゆる腰の骨）。坐骨は，殿部の皮下にあり，その下端の**坐骨結節**は，座位で椅子の座面に接する。恥骨は，腹壁の下端にあり，その前内側端の恥骨結節が皮下に触れる。

　寛骨と付属する靱帯により，下肢への血管・神経の通路となる孔がいくつ

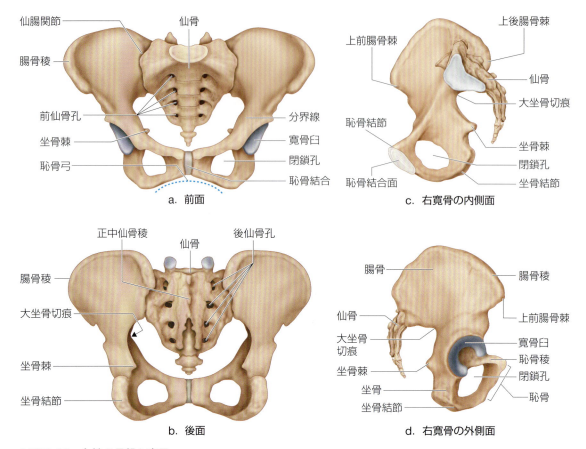

○図7-36 女性の骨盤と寛骨

かつくられている。恥骨の前面で，腸骨稜の前端と恥骨結節を結ぶ鼠径靱帯の深層は，大腿の前面に出る通路（大腿動静脈・神経）である。寛骨臼の下方にあって坐骨と恥骨に囲まれる**閉鎖孔**は，大腿の内側部に出る通路（閉鎖動静脈・神経）である。坐骨の後縁の大きな切れ込みと，仙骨と坐骨をつなぐ靱帯により囲まれた2つの孔があり，そのうちの**大坐骨孔**は，さらに梨状筋により上下に分けられている。大坐骨孔は殿部に出る通路であり，下肢の最大の神経である坐骨神経もここを通る。

2 自由下肢の骨格

1 大腿骨

人体最大の長骨である（約40 cm）。上端の大腿骨頭は，細くなった大腿骨頸により骨幹（大腿骨体）につながる（○図7-38-a）。頸は身体と約125°の角度をなし，内上方に突出する。頸の外側に**大転子**，内側に**小転子**が隆起し，股関節を動かす筋の停止になっている。

骨幹は軽く前方に彎曲し，後面には粗面や縦走する隆起（粗線）があり，そこに多くの筋が停止する。大腿骨の下端は，大きく広がって外側顆と内側顆

F. 下肢の骨格と筋　323

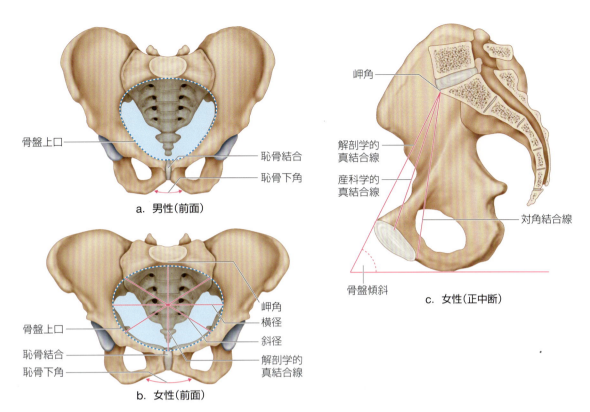

○図7-37　骨盤の計測と男女の比較
骨盤の計測方法を，女性骨盤の正中断した右半分(c)と前面(b)で示す。男性(a)の恥骨下角は女性(b)よりも狭く，骨盤の上口が狭い。

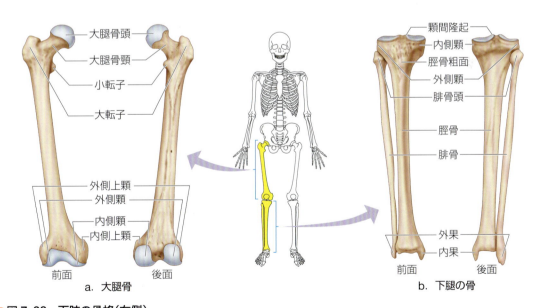

○図7-38　下肢の骨格(右側)

をつくり，脛骨との関節面をなす。下端後面に深い陥凹（顆間窩）があり，前面中央には膝蓋骨が関節をつくる。

2 下腿の骨

下腿には2本の骨があるが，母趾側の脛骨がはるかに太く，小趾側の腓骨は細い（◯図7-38-b）。

● **脛骨** 下腿の主部をなす。上端は広がって，大腿骨の外側顆・内側顆に対応する上関節面をつくる。骨幹は三角柱状で，鋭い前縁の上部に**脛骨粗面**があり，大腿四頭筋腱が停止する。下端は**内果**（うちくるぶし）となって突き出し，半関節的に連結した腓骨の下端ともに，距骨をはさむソケット状の関節窩を構成する。

● **腓骨** 下腿の外側にある細い骨である。上端は脛骨に接し，大腿骨とは関節をつくらない。下端は，**外果**（そとくるぶし）となって突き出す。脛骨と腓骨の間には骨間膜がある。

3 足の骨

● **足根骨** 不規則な形の小型の骨7個からなるが，とくに**距骨**と**踵骨**とよばれる2つの骨が大きい（◯図7-39）。距骨は，下腿の骨と関節をつくる唯一の足根骨で，上面が円筒状の関節面（滑車）になっている。踵骨は，後方に突き出して踵をつくる骨で，その後上部にアキレス腱が停止する。距骨・踵骨と**舟状骨**が足根骨の近位部にあり，内側・中間・外側の**楔状骨**と**立方骨**が遠位部にあって中足骨と関節をつくる。

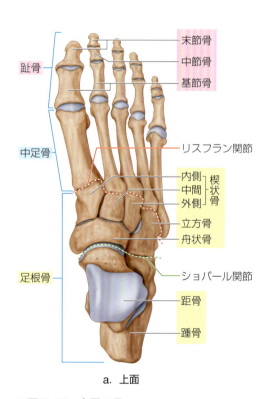
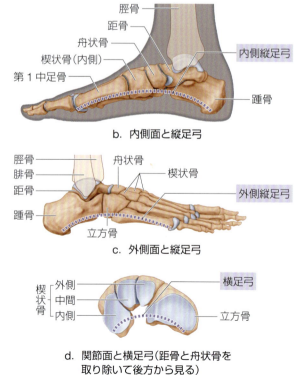

◯図7-39 右足の骨

- **中足骨(第1〜5)** 中足骨は，足の甲をつくる長い骨で，底は，足根骨との間に動きのわるい半関節をつくる。頭は足趾の基節骨と関節をつくる。
- **趾骨** 趾節骨の構成は手と似ており，母趾で2個，ほかの趾で3個からなる。
- **足底弓** 足の骨格は，靱帯で補強されてアーチをつくり，足に弾力性を与える。縦のアーチ(縦足弓)により，足の内側縁は中央がもち上がり，土踏まずをつくる(◯図7-39-b, c)。また遠位部の足根骨と中足骨は，横のアーチ(横足弓)をなして並ぶ(◯図7-39-d)。立位で地面に接して体重を支えるのは，踵骨と第1・第5中足骨の骨頭である。アーチが低下した状態を扁平足という。

3 下肢帯の筋群

下肢帯の筋は，骨盤内の筋と骨盤外の筋群に分かれる(◯図7-40)。

1 骨盤内の筋

腸腰筋は後腹壁(第12胸椎〜第5腰椎，腸骨窩)からおこり，鼠径靱帯の深層をくぐり，大腿骨上部の前面(小転子)に停止する(◯図7-40-a)。股関節を前方に屈曲(大殿筋と拮抗)する。腰神経叢の枝により支配される。

2 骨盤外の筋群

骨盤外には，殿部のふくらみをつくる殿筋群と，その深層の外旋筋群とが

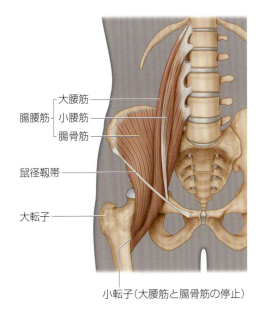
a. 骨盤内の筋

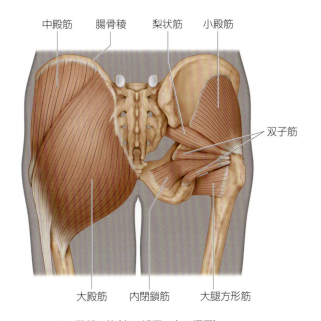
b. 殿部の筋(左：浅層，右：深層)

◯図7-40 骨盤内と殿部の筋

ある。仙骨神経叢の枝により支配される。
- **殿筋群** 骨盤の後面にある筋で，大殿筋，中殿筋，小殿筋からなる。

1 **大殿筋** 殿部のふくらみをつくる強大な筋で，骨盤の後面(腸骨翼・仙骨・仙結節靱帯)からおこり，大腿骨の後面(殿筋粗面)と大腿の筋膜(腸脛靱帯)とに終わる(◯図7-40-b)。股関節を後方伸展(腸腰筋と拮抗)し，上体を後方に引き上げる。また直立の際に膝関節を固定する。下殿神経(仙骨神経叢)に支配される。

2 **中殿筋・小殿筋** 大殿筋の深層の筋で，骨盤の後面(腸骨翼)からおこり，大転子に終わる。大腿を外転(大腿の内転筋群と拮抗)し，片足立ちの際に上体を横方向に引き上げる。上殿神経(仙骨神経叢)に支配される。

このほかに，大腿筋膜張筋【上前腸骨棘→腸脛靱帯】がある。

- **外旋筋群** 殿筋群の深層に，股関節を囲む小さな筋がいくつかある。梨状筋，内閉鎖筋，上・下双子筋，大腿方形筋である。いずれも骨盤下部の内面ないし側壁からおこり，大腿骨上部の後面に終わり，股関節を外旋するはたらきがある。仙骨神経叢の枝に支配される。

4 大腿の筋群

大腿の筋は3群に分かれる。前方部の筋群(伸筋群)と後方部の筋群(屈筋群)は膝関節を動かし，内側部の筋群(内転筋群)は股関節を動かす(◯図7-41)。

1 大腿前方部の筋群(伸筋群)

膝関節を伸展する筋群で，大腿神経(腰神経叢)に支配される。

1 **大腿四頭筋** 大腿の前面と側面をおおう大型の筋で，4頭をもつ。大腿直筋は寛骨前部(下前腸骨棘)から，内側・中間・外側広筋は大腿骨体からおこり，共同の腱となり，膝蓋骨を経て脛骨上部の前面(脛骨粗面)に停止する。膝蓋骨と脛骨の間の腱の部分を，膝蓋靱帯とよぶ。

2 **縫工筋** 大腿前面を斜めに下る帯状の筋で，寛骨前部(上前腸骨棘)からおこり，脛骨上部(内側顆)に終わる。股関節と膝関節に作用する。

2 大腿内側部の筋群(内転筋群)

股関節を内転する筋群で，おもに閉鎖神経(腰神経叢)に支配される。

大内転筋・長内転筋・短内転筋は大腿内側部を占める大きな筋で，寛骨の下面(恥骨結節から坐骨結節にかけて)からおこり，大腿骨の内側面に終わる。大腿を強力に内転する(中殿筋・小殿筋と拮抗)。

このほかに恥骨筋【寛骨下部の恥骨枝→大腿前面の小転子】，外閉鎖筋【寛骨下面の閉鎖膜周囲→大腿骨上部の転子窩】，薄筋【寛骨下面の恥骨結合近傍→脛骨上端】がある。

F. 下肢の骨格と筋　327

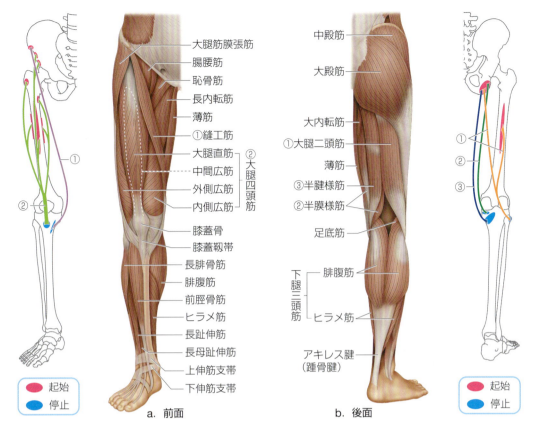

○図7-41　下肢の筋
右下肢の前面と後面を示す。下肢帯の筋は，殿部と骨盤内の筋群に分かれる。大腿の筋は，前面の伸筋，後面の屈筋，内側の内転筋の群に分かれる。下腿の筋は，後面の屈筋，前面の伸筋，外側面の腓骨筋の群に分かれる。

3 大腿後方部の筋群（屈筋群）

膝関節を屈曲する筋群で，坐骨神経（仙骨神経叢）に支配される。ハムストリングスともよばれる。

1 大腿二頭筋　大腿後面の外側部の大きな筋で，長頭は寛骨下面（坐骨結節）から，短頭は大腿骨後面からおこり，腓骨上端に停止する。

2 半腱様筋・半膜様筋　大腿後面の内側部の大きな筋で，ともに寛骨下面（坐骨結節）からおこり，脛骨の上端内側に停止する。

5 下腿の筋

下腿の筋は，3群に分かれる。後方部の筋群（屈筋群）と前方部の筋群（伸筋群）は足首と趾の伸屈を行い，外側部の筋群（腓骨筋群）は足首を外反させる（○図7-41）。仙骨神経叢からの支配を受ける。

1 下腿後方部の筋群（屈筋群）

足首と趾の屈曲を行う筋群で，強大な下腿三頭筋と，その深層のいくつか

の小さな屈筋からなる。脛骨神経に支配される。

下腿三頭筋はふくらはぎをつくる強大な筋である。外側頭と内側頭をもつ腓腹筋は大腿骨下端からおこり，その深層のヒラメ筋は腓骨と脛骨の後面上部からおこり，強靱な**踵骨腱（アキレス腱）**となって踵骨に終わる。足首を底屈させ，歩行の際にはつま先で地面を蹴り飛ばす。

● **下腿の深層屈筋群** 深層の屈筋は，内果の後方を通して足底に腱を送る。後脛骨筋【下腿後面→足底の足根骨】，長母趾屈筋【下腿後面→母趾末節骨】，長趾屈筋【下腿後面→第2～5趾末節骨】があり，足首や趾の屈曲とともに，足首の内反（足底を内側に向ける）を行う。

2 下腿前方部の筋群（伸筋群）

足首と趾の伸展を行う筋群で，腱は伸筋支帯の下を腱鞘に包まれて通過する。前脛骨筋【下腿前面→足背内側の足根骨】，長母趾伸筋・長趾伸筋・第三腓骨筋がある。いずれも深腓骨神経に支配される。

3 下腿外側部の筋群（腓骨筋群）

足首の外反（足裏を外側に向ける運動）を行う筋群で，外果の下を通して足底に腱を送る。長腓骨筋【下腿外側面→足底内側部】と短腓骨筋【下腿外側面→足底外側部】がある。いずれも浅腓骨神経に支配される。

6 足の筋

足の筋は，足背の筋群と足底の筋群に分かれる。
● **足背の筋群** 短母趾伸筋と短趾伸筋がある。深腓骨神経に支配される。
● **足底の筋群** 母趾球の筋群（母趾外転筋・短母趾屈筋・母趾内転筋），小趾球の筋群（小趾外転筋・短小趾屈筋・小趾対立筋），中足部の筋群（短趾屈

臨床との関連　筋区画症候群

四肢では，骨と筋膜が筋区画をつくっている。上腕と前腕は，それぞれ屈筋群を含む前区画と伸筋群を含む後区画の2つに分かれる。大腿では伸筋群を含む前区画，屈筋群を含む後区画，内転筋群を含む内側区画の3つに分かれ，下腿では伸筋群を含む前区画，屈筋群を含む後区画，腓骨筋群を含む外側区画の3つに分かれる。筋区画は，筋が収縮するときに外にふくれ出すのを防ぎ，また筋運動に伴って筋区画内の圧が上昇するのを利用して，静脈血を心臓に押し戻すはたらきをしている。

この筋区画の中の圧が異常に上昇して筋や神経が障害されるのが，筋区画症候群である。悪化すると筋の壊死をおこすことがある。過剰なギプス固定で筋区画を圧迫したり，出血や挫傷などによって筋区画内の体積が増えたりすることでおこる。内圧が上昇すると，循環障害によって毛細血管から液がもれ出して区画の圧がさらに上昇するという悪循環を引きおこす。前腕では前区画の屈筋群に，下腿では前区画の伸筋群に多く発生する。症状としては筋の激しい痛みやはれ，圧痛がある。圧が高い場合には，筋区画を包む筋膜を切り開いて，筋区画の圧を下げる必要がある。

筋・足底方形筋・虫様筋4個，骨間筋〔底側3個・背側4個〕）に分かれる。脛骨神経に支配される。足底の浅層には，強靭な足底腱膜がはる。

7 下肢の運動

　私たち人類は，直立二足歩行を行う。2本の脚で体重を支えながら身体を移動させるのは高度な作業であり，下肢の関節と筋はそれを可能にする安定性と可動性を備えている。

1 股関節の運動

　大腿は前後・左右に動かすことができ，肩関節と比べて大きな荷重を支えることができるが，運動範囲は狭くなっている。また下肢帯の寛骨は，骨盤に組み込まれて仙骨としっかりと結合しているので，上肢帯の肩甲骨のような可動性はない。

● **股関節**　股関節は，多軸性の球関節である（◎図7-42-a）。関節窩である寛骨臼が深く，長い頸をもつ大腿骨頭がはまり込んでいる。関節包をじょうぶな靱帯が補強しており，とくに前面の腸骨大腿靱帯が強靭で，大腿を背中側にまで伸展するのを防いでいる。

　関節包の内部には**大腿骨頭靱帯**があり，寛骨から大腿骨頭への血管の通路になっている。この血管だけでは血流が不足するので，大腿骨頸で骨折をすると，大腿骨頭への血管が断絶して大腿骨頭壊死をおこすことがある。

　股関節の屈曲（前方運動）は，おもに骨盤内にある腸腰筋（大腰筋＋腸骨筋）と大腿前面の大腿直筋が行い，伸展（後方運動）はおもに殿部の大殿筋が行う（◎図7-43-a, b）。外転はおもに中殿筋と小殿筋が行い，内転はおもに大腿内側部の内転筋群（大内転筋，長内転筋，短内転筋など）が行う（◎図7-43-c, d）。

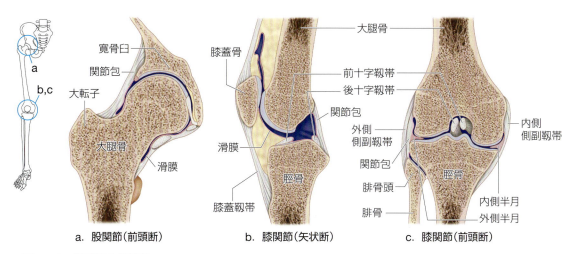

a. 股関節（前頭断）　　b. 膝関節（矢状断）　　c. 膝関節（前頭断）

◎図7-42　股関節と膝関節

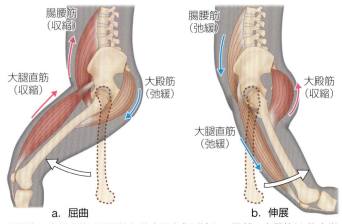

腸腰筋と大腿直筋は股関節を前方挙上(屈曲)し，殿部の大殿筋は後方挙上(伸展)する。

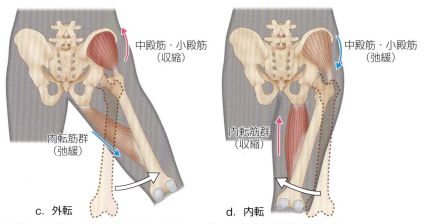

殿部の中殿筋と小殿筋は股関節を外転し，大腿内側の内転筋群は内転する。

◯図7-43 股関節の運動

2 膝関節の運動

　膝関節は，おもに屈曲・伸展の運動を行うが，歩行時に体重の5倍以上の巨大な荷重がかかり，可動範囲が広いという機能的な特徴がある。

● **膝関節**　大腿骨下端(外側顆・内側顆)と脛骨の上関節面との間にできる，最大の蝶番関節である(◯図7-42-b)。関節腔内には，三日月形の関節半月が2つ向かい合って並び，上下の関節面を適合させており，また交差する前・後の**十字靱帯**があって，膝の前後方向のズレを防ぐ(◯図7-42-c)。内側の側副靱帯は関節包の一部をなし，内側半月と癒着するが，外側の側副靱帯は関節包の外にあり，索状で腓骨頭につく。伸展位では側副靱帯が緊張して膝関節が固定されるが，屈曲位では側副靱帯がゆるんで，膝関節での回旋が若干可能になる。膝関節の周辺には，関節腔と交通する滑液包が広がっている。

● **膝蓋骨**　脛骨粗面に停止する大腿四頭筋の腱の中にできた，人体で最大の種子骨である。膝蓋骨は関節の前面で腱の向きをかえて，大腿四頭筋の作用をたすける。膝蓋骨の後面は膝関節腔に露出して関節に参加する。

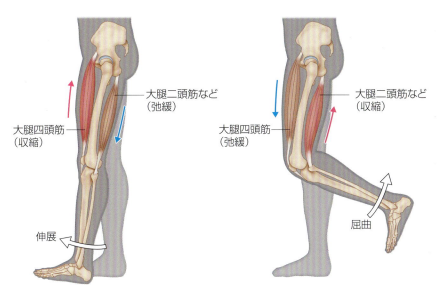

○図7-44　膝関節の運動
大腿前面の大腿四頭筋は膝関節を伸展し，大腿後面の屈筋群は屈曲させる。

　膝の伸展は，おもに大腿前面にある大腿四頭筋（大腿直筋＋外側広筋＋内側広筋＋中間広筋）が行い，膝の屈曲は，おもに大腿後面にある大腿二頭筋と半腱様筋，半膜様筋が行う（○図7-44）。

3　足根の運動

　足首の関節は距骨をはさむ2階建てになっており，距骨とその上の下腿の間では背屈・底屈の運動，距骨とその下の足根骨の間では外反・内反，外転・内転の運動を行う。

● **足の関節**　足首の運動は，距骨の上と下の関節が組み合わさって行われる。距腿関節（距骨上関節）は，脛骨と腓骨の下端の関節窩と，距骨滑車の関節頭がつくる一軸性の蝶番関節である。距骨上関節では，足首の屈伸運動（背屈・底屈）を行い，距骨の下にある関節（距骨下関節，距踵舟関節）では，足の側縁をひるがえす運動（内反・外反）を行う。

　足の切断手術を行う場合には，距骨・踵骨と舟状骨・立方骨の間の**横足根関節**（ショパール Chopart 関節），中足骨と足根骨の間の**足根中足関節**（リスフラン Lisfranc 関節）が用いられる（○ 324ページ，図7-39）。

　足首の背屈はおもに下腿前面の伸筋群（前脛骨筋，長母趾伸筋，長趾伸筋）が行い，底屈はおもに下腿後面の浅層にある下腿三頭筋（腓腹筋＋ヒラメ筋）が行う（○図7-45）。足首の内反はおもに下腿後面の深層にあり内果の後方を腱が通る筋（後脛骨筋，長母趾屈筋，長趾屈筋）が行い，外反はおもに外果の後方を腱が通る腓骨筋群（長・短腓骨筋）が行う。

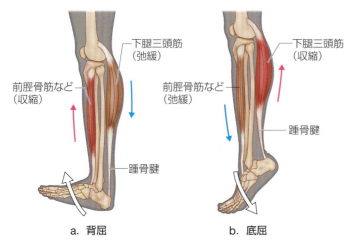

図 7-45　足首の運動
前脛骨筋などの下腿前面の伸筋群は足首を背屈（伸展）し，下腿後面の下腿三頭筋は底屈（屈曲）する。

G 頭頸部の骨格と筋

　頭蓋の後上半は**神経頭蓋**（脳頭蓋）とよばれ，脳を入れる**頭蓋腔**がある。前下半は**内臓頭蓋**（顔面頭蓋）とよばれ，消化器・呼吸器に物質を取り入れる窓（口・鼻）と，外界の情報を取り入れる窓（眼・耳・鼻）が開いている。神経頭蓋は6種8個の骨，内臓頭蓋は9種15個の骨からなる（◯図7-46）。このほかに中耳に3種6個の耳小骨がある。

　1 **神経頭蓋**　前頭骨（1個），頭頂骨（2個），後頭骨（1個），側頭骨（2個），蝶形骨（1個），篩骨（1個）からなる。

　2 **内臓頭蓋**　鼻骨（2個），鋤骨（1個），涙骨（2個），下鼻甲介（2個），上顎骨（2個），頬骨（2個），口蓋骨（2個），下顎骨（1個），舌骨（1個）で構成されている。

1 神経頭蓋（脳頭蓋）

　頭蓋腔の天井（頭蓋冠）は，板状の骨が合わさってできている。頭蓋腔の床（内頭蓋底）は凹凸が激しく，神経や血管を通す孔が多数開いている。

● **頭蓋冠**　頭蓋冠は，前頭骨，左右の頭頂骨，後頭骨，左右の側頭骨で構成される。これらの骨のつなぎ目は，歯のようなぎざぎざのふちになっており，**縫合**とよばれる（◯図7-47）。冠状縫合（前頭骨と頭頂骨の間），矢状縫合（左右の頭頂骨の間），ラムダ（λ）縫合（頭頂骨と後頭骨の間），鱗状縫合（頭頂骨と側頭骨の間）などがある。新生児では，これらの骨どうしの間が膜状の組織でつながれており，とくに前頭骨と左右の頭頂骨の間（**大泉門**）および左右の頭頂骨と後頭骨の間（**小泉門**）で膜状組織が広く残っている。

　これらの泉門があるのは，出生後も成長に伴って大きくなっていく脳に対

G. 頭頸部の骨格と筋　333

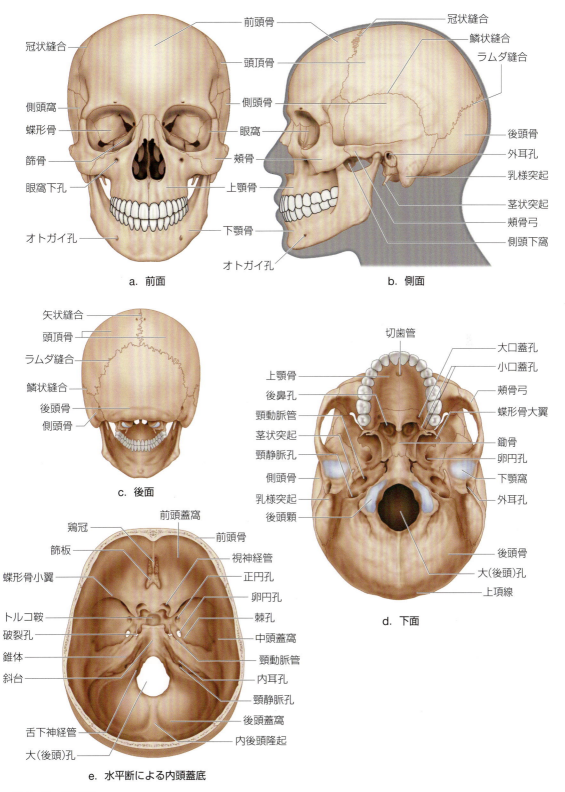

◯ 図7-46　頭蓋骨

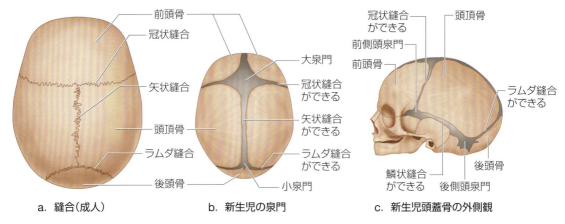

a. 縫合（成人）　　b. 新生児の泉門　　c. 新生児頭蓋骨の外側観

○図7-47　縫合と新生児の泉門

応して，頭蓋内腔の容積も増加できるように余裕をもたせるためである。小泉門は生後約6〜12か月，大泉門は生後約15〜18か月で閉鎖する。

● **内頭蓋底**　内頭蓋底は，大きく前・中・後の3つのくぼみ（前・中・後頭蓋窩）に分かれており，篩骨・蝶形骨・前頭骨・側頭骨・後頭骨などで構成される。

前頭蓋窩の中央部分には，細かい孔の開いた領域（篩板）があり，その下の鼻腔への通路となっている〔嗅神経〕[1]。篩板の左右の平坦な領域の下には，薄い骨板を隔てて眼窩がある。前頭蓋窩と中頭蓋窩の境界は，ひさしのようにはり出している（蝶形骨の小翼）。

中頭蓋窩の中央には，下垂体をおさめるくぼみ（トルコ鞍）がある。トルコ鞍の左右前方には眼窩に抜ける孔（視神経管〔視神経，眼動脈〕，上眼窩裂〔動眼・滑車・眼・外転神経〕）や，外頭蓋底に抜ける孔（正円孔〔上顎神経〕，卵円孔〔下顎神経〕など）が開いており，脳神経や血管の通路となっている。中頭蓋窩と後頭蓋窩の境界には，側頭骨の錐体が山脈のようにそそり立っている。錐体の内部には内耳がおさまっている。

後頭蓋窩の中央は，トルコ鞍から後方に下って（斜台）大後頭孔にいたる。大後頭孔は，脊髄および椎骨動脈の通路となっている。錐体の後面には内耳孔〔内耳・顔面神経〕，錐体の裾の大後頭孔の左右前方あたりには頸静脈孔〔内頸静脈，舌咽・迷走・副神経〕，大後頭孔のふちには舌下神経管〔舌下神経〕がある。

2　内臓頭蓋（顔面頭蓋）

頭蓋の前面には，眼球をおさめる眼窩と鼻の入り口が開いている（○図7-48）。口は，頭蓋の本体と下顎骨にはさまれている。頭蓋の側面には，外耳孔が開いている。顎関節は，頭蓋側面の骨のアーチ（頬骨弓）の陰に隠れている。

---

[1] 以下〔　〕は関連する神経・血管の名称を示す。

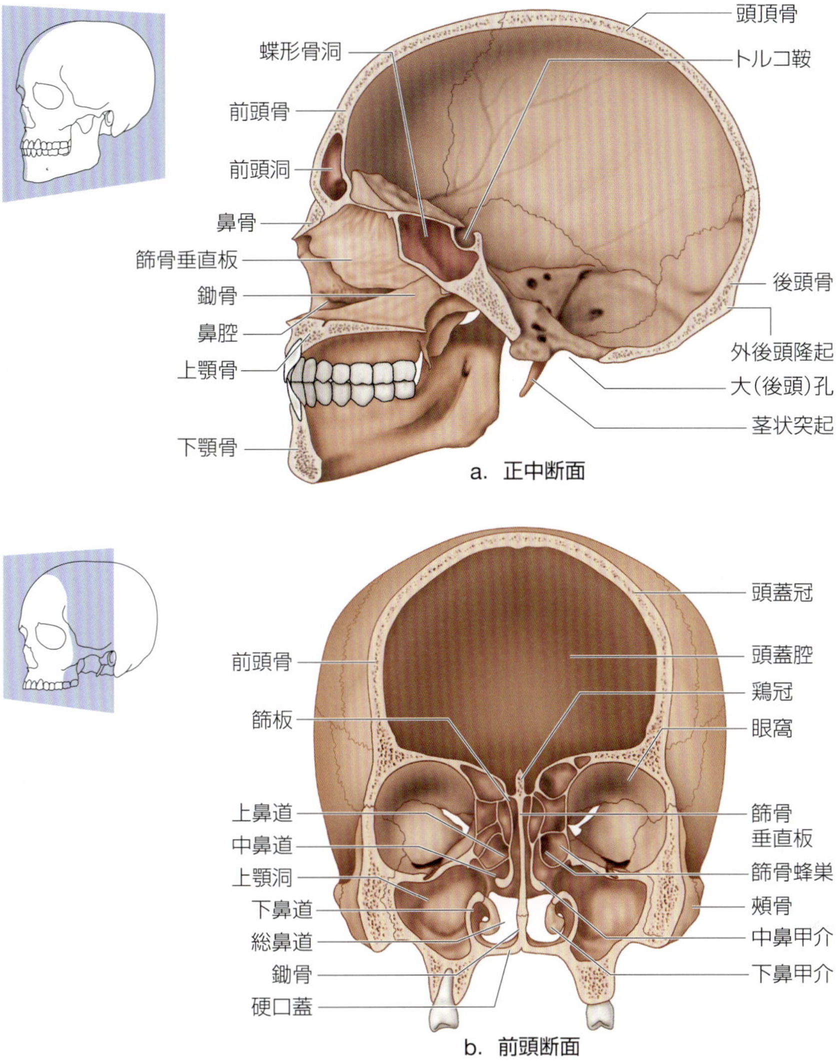

G. 頭頸部の骨格と筋　335

a. 正中断面

b. 前頭断面

○図7-48　頭蓋骨の正中断面と前頭断面

1 眼窩

　眼窩 orbit は眼球を入れる深い大きなくぼみで，ほぼ四角錐形をなす。眼窩の入り口の上縁は前頭骨，下縁は上顎骨と頬骨からなる。眼窩の奥の孔は，頭蓋腔（視神経管・上眼窩裂）や側頭下窩（下眼窩裂）との間の神経や血管の通路である。また眼窩の内側壁には，鼻腔につながる鼻涙管のための孔がある。

2 骨鼻腔と副鼻腔

　頭蓋の前面にある洋ナシ状の孔（梨状口）が，鼻腔の入り口である。内部は**鼻中隔**という薄い骨板によって左右に仕切られている。両側壁からは上・中・下の**鼻甲介**がひさしのようにとび出し，上・中・下の鼻道を分けている。上壁は篩板の小孔を通して頭蓋腔につながる。また下壁の口蓋を隔てて口腔に接する。下鼻道には鼻涙管が開口する。

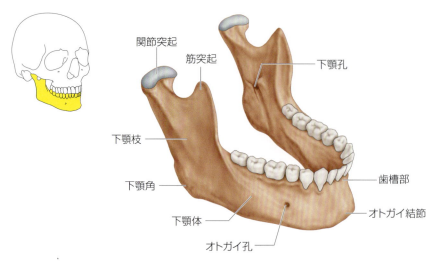

○図7-49 下顎骨
下顎骨の右前面。関節突起により側頭骨と関節する。

鼻腔の周辺の骨の内部にはいくつも空洞があり，鼻腔につながっているために**副鼻腔**とよばれる。そのうちの最大のものは，上顎骨の中の上顎洞で，中鼻道に開口する。

3 下顎骨と顎関節

下顎骨は馬蹄形をしており，下顎体と両側の下顎枝とからなる（○図7-49）。下顎体の上面には歯槽があって歯をおさめる。下顎枝の上部は前後に分かれて筋突起と関節突起となり，前者には咀嚼筋がつき，後者は顎関節をつくる。下顎体の内部には左右に1対の下顎管が貫き，この中には歯槽に出入りする神経・血管が通っている。

● **顎関節**　顎関節は，下顎骨の関節突起と側頭骨の関節窩との間の関節である。側頭骨の関節窩は，外耳孔のやや前方で，頬骨弓に隠れた位置にある。顎関節の関節腔は，関節円板によって上下に隔てられており，下顎骨の関節頭を前後にずらすことができる。そのため顎の開閉運動のほかに，下顎全体を前後・左右に動かすといった複雑な咀嚼運動が可能となる。

4 舌骨

喉頭の上部にある馬蹄形の小骨で，舌の筋を支える作用がある。どの骨とも関節をつくらず，茎状突起や下顎骨などとの間は筋や靱帯によってつながれている。

3 頭部の筋

頭部の骨格筋は小型のものが多く，また数も比較的少ない。頭部の骨格筋の代表的なものは，下顎を動かす咀嚼筋の群と，顔の皮膚を動かす表情筋の群である。

1 咀嚼筋の群

下顎骨に停止する4つの筋である(◎図7-50)。顎を閉じたり歯をかみ合わせたりして，咀嚼運動を行う。下顎神経(三叉神経の第3枝)により支配される。

① **側頭筋** 側頭骨の側面からおこり，下顎骨の筋突起に集まる。こめかみで触れる。

② **咬筋** 頰骨弓からおこり，下顎角の外側面につく。頰の後方で触れる。

下顎骨の内側面には，外側・内側翼突筋があるが，体表から触れることはできない。

2 表情筋の群

顔面の皮膚につく皮下の筋群(顔面筋ともよぶ)で，顔の表情をつくる(◎図7-51)。眼・鼻・口・耳の周囲を取り巻いて，これらの開口部を開閉する

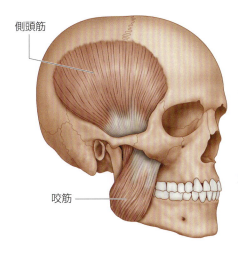

◎ 図 7-50 咀嚼筋
咀嚼筋は，頭蓋骨からおこって下顎骨につく筋で，下顎を閉じるはたらきをする。ここでは，下顎骨より浅層の2つの筋を示す。

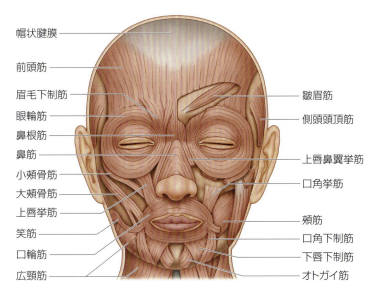

◎ 図 7-51 表情筋
表情筋は，顔・頸の皮下にある筋で，顔・頸の皮膚を動かして表情をつくるはたらきをする。とくに眼と口唇を閉じる筋が重要である。

はたらきがある。顔面神経により支配される。

▇1▇ **眼輪筋**　眼裂の周囲を薄く取り巻き、眼瞼を閉じるはたらきがある。

▇2▇ **口輪筋**　上唇と下唇の中にあり、口の周囲を輪状に取り巻く。口唇を閉じたり、口先をとがらせたりするはたらきがある。このほかに口の周囲には、頰筋(口角を外方に引く)、笑筋(えくぼをつくる)、大・小頰骨筋、口角挙筋(口角を引き上げる)などの筋がある。

　表情筋には、このほかに、頭皮の深層の帽状腱膜の前後(前頭筋・後頭筋、頭皮を動かす)、耳介周囲(耳介を動かすが退化的)、鼻孔周囲(鼻翼を動かす)などにもある。首の前面の皮下にある広頸筋も、顔面神経支配の表情筋の一種である。

3　その他の頭部の筋

　眼球を動かす筋〔動眼・滑車・外転神経支配〕(● 402 ページ)、軟口蓋(● 59 ページ)を動かす筋、舌を動かす筋〔舌下神経支配〕(● 63 ページ)、耳小骨を動かす筋などがある。

4　頸部の筋

　頸部の浅層の筋としては、皮下の広頸筋と、側頸部の胸鎖乳突筋がある(● 図 7-52)。頸部の深層の筋は、前頸部の筋群と後頸部の筋群に分けられる。

1　頸部浅層の筋群

　胸鎖乳突筋は側頸部の浅層を斜めに走るやや大きな筋である。胸骨・鎖骨からおこり、側頭骨の乳様突起に停止する。頭を前に突き出したり(両側が作用したとき)、横にまわしたり(片側が作用したとき)する。副神経支配で

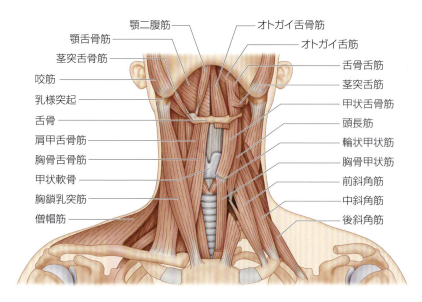

● 図 7-52　頸部の筋

ある。

2 前頸部の筋群

前頸部の筋群としては，舌骨と下顎骨などをつなぐ舌骨上筋群と，舌骨と体幹の骨格などをつなぐ舌骨下筋群がある。舌骨を介して下顎骨を下方に引き，顎を開く筋群である。

- **舌骨上筋群** 顎舌骨筋(【下顎体の内面→舌骨】，下顎神経支配)は口腔の床をつくる。顎二腹筋は，舌骨につながる中間腱で前腹(下顎骨に停止，下顎神経支配)と後腹(茎状突起付近から起始，顔面神経支配)に分かれる。このほかに茎突舌骨筋(【茎状突起→舌骨】，顔面神経支配)，オトガイ舌骨筋(【下顎骨のオトガイ後面→舌骨】，舌下神経と頸神経ワナ支配)がある。
- **舌骨下筋群** 胸骨舌骨筋，肩甲舌骨筋・胸骨甲状筋・甲状舌骨筋があり，舌骨と甲状軟骨と下方の骨格をつなぐ。頸神経ワナの枝が支配する。

3 後頸部の筋群

後頸部の筋群としては，頸椎と肋骨をつなぐ斜角筋群と，脊柱前面の椎前筋群とがある。

- **斜角筋群** 前・中・後斜角筋があり，頸椎の横突起から第1〜2肋骨につく。頸を前や横に曲げたり，第1〜2肋骨を引き上げたりする。前・中斜角筋の間のすきま(斜角筋隙)を腕神経叢と鎖骨下動脈が通り抜ける。頸神経叢の支配を受ける。
- **椎前筋群** 頭長筋・頸長筋・前頭直筋・外側頭直筋などがある。頸の前屈や側屈を行う。頸神経叢の支配を受ける。

H 筋の収縮

1 骨格筋の収縮機構

1 骨格筋の収縮装置

1つの骨格筋(たとえば胸鎖乳突筋)は，結合組織で包まれた複数の**筋束**からつくられている(◯図7-53-b)。筋束は複数の**筋線維**❶からなる。筋線維は1つの骨格筋の端から端までのびる長い細胞であり，多数の核をもつ。筋線維の中央には，運動ニューロンの軸索終末が結合し，**神経筋接合部**(終板)をつくっている(◯342ページ，図7-55)。

筋線維は複数の**筋原線維**からなる。筋原線維を顕微鏡で観察すると，暗い部分と明るい部分が交互に並んで縞模様(横紋)をつくっているのがわかる(◯図7-53-a)。暗い部分を**A帯**，明るい部分を**I帯**という(◯図7-53-a，図7-54-a)。このように見えるのは，筋の収縮を引きおこす細胞骨格の**ミオシ**

> **NOTE**
> ❶筋線維
> 筋細胞のことであるが，細長いためにこのようによばれる。

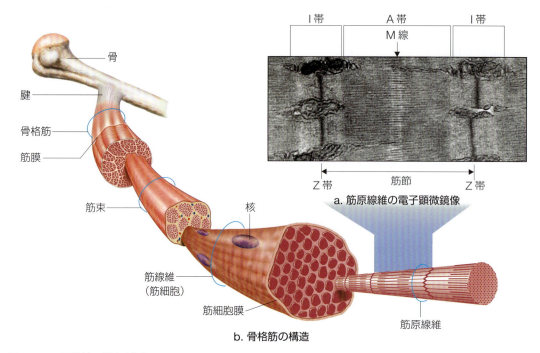

○図7-53　骨格筋の微細構造
（写真提供：群馬大学　依藤宏教授）

ンフィラメントと**アクチンフィラメント**が交互に並んでいるためである。ミオシンフィラメントとアクチンフィラメントが互いちがいにいくつも連結され，集まったものが筋原線維である（○図7-54-b）。

●**ミオシンフィラメント**　ミオシンフィラメントは，**ミオシン** myosin 分子が束になってできている。ミオシンは，2つの頭部と頭部から出る2本のらせん状の骨格（尾部）からなるタンパク質である（○図7-54-c）。いくつものミオシン分子が少しずつずれて束になっており，太い。

●**アクチンフィラメント**　アクチンフィラメントは，**アクチン** actin という球状のタンパク質からなる。数珠状につながったアクチンが2本より合わさってアクチンフィラメントを形成しており，ミオシンフィラメントに比べて細い。アクチンフィラメントには，**トロポニン** troponin と**トロポミオシン** tropomyosin とよばれるタンパク質が一定の間隔でついている（○図7-54-d）。ミオシン頭部がアクチンフィラメントと付着する部分は**連結橋** cross bridge とよばれ，ここが筋収縮の原動力となる。

　アクチンフィラメントの一端はⅠ帯の中央部分に固定されている。この部分は暗い線に見え，**Z帯**（Z膜）とよばれる。ミオシンフィラメントは中央で固定され，A帯の中心部分に対応するこの部分はM線とよばれる。Z帯から隣のZ帯までを**筋節** sarcomere とよび，これが筋収縮の最小単位となる（○図7-54-b）。

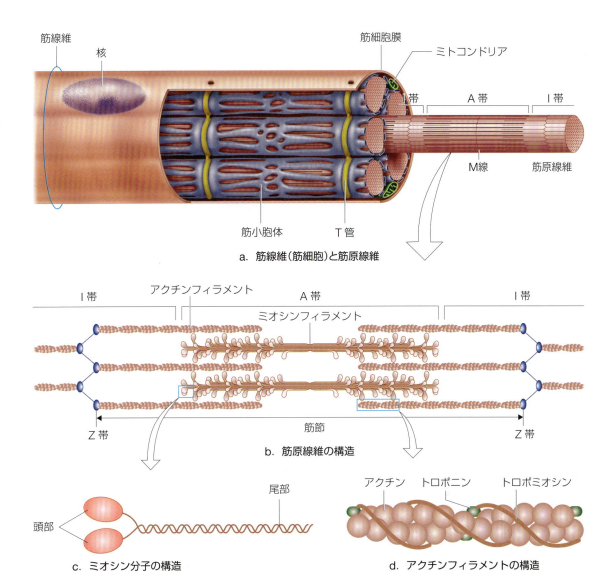

図 7-54 筋線維の構造

2 骨格筋細胞の興奮から収縮まで

　筋線維の細胞膜(**筋細胞膜**，**筋鞘**)には，細胞表面の興奮を細胞内に伝える装置がある。筋細胞膜には，管状に細胞内に陥入した**T管**(**横行小管**)が各所に存在する。また筋細胞内には，筋原線維を網目状に取り巻く滑面小胞体(**筋小胞体**)があり，T管の両側に接している(○図7-54-a)。筋小胞体には収縮を引きおこすのに必要なカルシウムイオン(Ca^{2+})が貯蔵されている。

　T管と両側に密接する筋小胞体を合わせて三つ組み構造(トライアド triad)とよぶ。T管は細胞膜で生じた興奮を細胞内に伝え，隣接する筋小胞体からCa^{2+}を放出させる。このように三つ組構造は筋収縮を引きおこすのに適した構造である。

　運動ニューロンを伝導してきた活動電位が神経筋接合部に到達すると，神

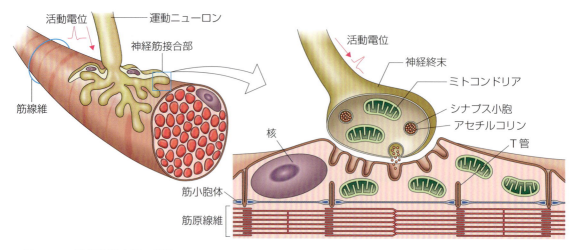

○図 7-55　神経筋接合部の構造
運動ニューロンを伝導してきた活動電位が神経終末にいたると，シナプス小胞よりアセチルコリンが放出される。

経終末からアセチルコリンが放出される（○図 7-55）。これによって筋細胞が脱分極し，引きつづいて筋細胞膜に活動電位が生じ，T 管を通じて細胞内に伝えられる（○図 7-56）。その結果，筋小胞体に貯蔵されている Ca^{2+} が筋細胞内に放出される（○図 7-56）。そして，筋細胞内の Ca^{2+} 濃度の上昇により，筋収縮が開始する。

このような，筋細胞の興奮によって Ca^{2+} が放出され，筋収縮の引きがねが引かれるまでの過程を**興奮収縮連関** excitation-contraction coupling とよぶ。

3　骨格筋収縮のメカニズム

筋小胞体から放出された Ca^{2+} がトロポニンに結合すると，トロポニンの分子構造が変化し，トロポミオシンの位置がずれ，アクチン上のミオシン結合部位が露出する（○図 7-57）。ここで，ミオシン頭部はアクチンに結合し，連結橋を形成する。

アクチンに結合したミオシン頭部は ATP を分解し，そのエネルギーを

---

column　赤筋と白筋

背筋のように姿勢を維持するのに大事な筋は，速く収縮する必要はないが，長時間疲労せずにはたらきつづけなければならない。このような筋にはタイプⅠとよばれる筋線維が多く含まれる。タイプⅠ線維はエネルギーを産生するミトコンドリアや，細胞内に酸素をたくわえるミオグロビンを多く含んでおり，鉄を含むので赤い色をしている。そのため，**赤筋**とよばれる。

一方，眼球を動かす外眼筋や手指の筋はすばやく収縮しなければならない。このような筋にはタイプⅡbとよばれる筋線維が多く含まれる。タイプⅡb線維には鉄が少なく，白く見えるため，**白筋**とよばれる。

マラソンのように持久的な運動トレーニングを続けると，タイプⅠ線維が肥大し，筋が赤みを増す。逆に卓球や短距離走など，すばやい運動を繰り返すとタイプⅡb線維が肥大し，筋は白っぽくなる。

これは，ほかの動物でも同様で，大海を泳ぐマグロやカツオの筋は，持続的な運動に耐えうる赤筋で構成されているため，肉は赤身である。一方，ヒラメのように近海にすみ，すばやく砂にもぐることで敵から逃れる魚の筋は白筋であり，肉は白身である。

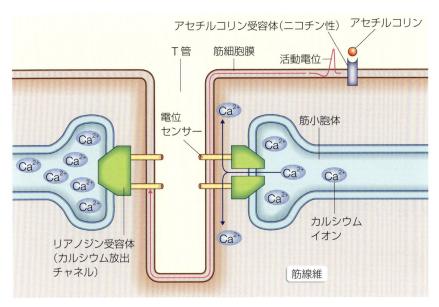

○図 7-56　筋小胞体からの Ca^{2+} 放出のしくみ

神経終末から放出されたアセチルコリンが筋細胞膜のアセチルコリン受容体に結合することで生じた活動電位は，T管を通って筋線維内に伝わり，リアノジン受容体を開口させる。リアノジン受容体は，筋小胞体の中の Ca^{2+} を放出するため，筋線維内の Ca^{2+} 濃度が上昇する。活動電位はつぎつぎと伝わりリアノジン受容体を開口させる。

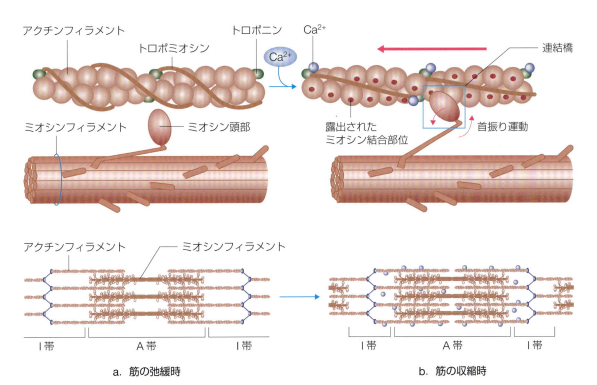

a. 筋の弛緩時　　　　　　　　　　b. 筋の収縮時

○図 7-57　骨格筋収縮のメカニズム

Ca^{2+} がトロポニンに結合すると，分子構造が変化し，アクチン上のミオシン結合部位があらわれ，ミオシン頭部がアクチンに結合する。さらにミオシン頭部は，首振り運動を行い，アクチンフィラメントが滑り込み，筋が収縮する。このとき，A帯の長さはそのままでI帯が短縮する。

使って，アクチンに結合したまま首振り運動をする。これによってアクチンフィラメントは筋節の中央(M線)に向かってたぐり寄せられる。このようにして，アクチンフィラメントおよびミオシンフィラメント自体は短縮することなく筋節が短縮し，筋全体の長さが縮む。このような収縮メカニズムを滑走説(滑り説)sliding theory とよぶ。

筋細胞の電位がもとに戻ると，Ca^{2+}はトロポニンから外れて筋小胞体に取り込まれるとともに，ミオシン頭部にATPが結合することでミオシンとアクチンの連結が外れて筋は弛緩する。

2 骨格筋収縮の種類と特性

1 骨格筋収縮の種類

筋あるいは支配神経の単一の活動電位でおきる一過性の収縮を**単収縮** twitch とよぶ(◯図7-58)。まばたきや，指がピクッと動く不随意な収縮などがこれにあたる。単収縮が終わる前に筋が刺激されると，収縮が重なり(**加重**)，より大きな収縮となる。さらに刺激頻度を増やすと，収縮の強さは最大になる。これを**強縮** tetanus とよぶ。骨格筋の収縮はほとんどが強縮である。

筋が非生理的に長時間収縮するなどによって関節が動かしにくくなることがあり，**拘縮** contracture とよばれる❶。これは細胞外液のK^+の上昇によって膜電位が長時間脱分極をおこしたり，筋小胞体からCa^{2+}放出を引きおこしたりすることで生じる。また，ATPが枯渇し，連結橋が離れなくなった状態は**硬直** rigor とよばれ，死後硬直などがこれにあたる。

2 力発生の調節

1円玉を拾い上げるときと重いスーツケースを持ち上げるときとでは，必要な力が大きく異なる。筋線維1本1本の収縮は全か無かの法則に従い(◯42ページ)，収縮したときの筋線維に発生する力(張力)は一定なため，出力される力の大きさをかえるときには，動員される筋線維の数が調節される。

> **NOTE**
> ❶臨床における拘縮
> 臨床では一般的に，関節が動かしにくくなった状態を拘縮とよぶ。たとえば寝たきりの状態で，関節を動かさない期間が長く続くと，関節が固まって動きにくくなり，可動域が制限される。

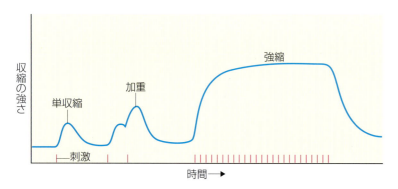

◯図7-58 筋収縮の種類

筋線維は線維ごとに閾値，すなわち収縮しやすさが異なる。刺激が弱ければ，閾値の低い筋線維だけが収縮するため，小さい力を発生することができる。刺激が強くなると，閾値の高い筋線維も収縮し，動員される筋線維の数が増えるため，大きな力を出すことができるようになる。

3 等尺性収縮と等張性収縮

筋の収縮の仕方は大きく2つに分けることができる。1つ目は，動かない壁を押したり，力こぶをつくったりするときのように，筋の長さが一定のまま，張力が発生する**等尺性収縮** isometric contraction である（◯図7-59-a）。

2つ目は，物を持ち上げるときなどの収縮であり，筋が一定の張力を発生しながら縮む**等張性収縮** isotonic contraction（等張力性収縮）である（◯図7-59-b）。発生する張力は持ち上げる物の重さに等しい。

4 骨格筋の長さ-張力関係

いろいろな筋長に固定した骨格筋に電気刺激を加え，等尺性収縮を行わせたときに発生する張力を測定すると，◯図7-60のようになる。筋が短いとき（図の①～③）には，電気刺激前の張力（基線）は一定であるが，筋が長くなる（図の④～⑥）と基線が上昇する。これは静止張力とよばれ，ゴムと同じように，引っぱりに抵抗する受動的な張力のことである。静止張力は，筋に負荷がかかっていないときの筋の長さ（生体長）から発生しはじめ，のびればのびるほど大きくなる。

電気刺激に応じて増える能動的な張力は活動張力とよばれ，前述のミオシンフィラメントとアクチンフィラメントの相互作用によって発生する。筋が短いときには活動張力は小さい（①）が，のびると少しずつ大きくなる（②～③）。しかし，静止張力が大きくなる長さ（④）になると，活動張力は少しずつ小さくなる（④～⑥）。静止張力と活動張力の和が全張力である。

筋の長さと活動張力の関係は以下のように説明できる。

臨床との関連　死後硬直

本文に記したように，ミオシン頭部はアクチンに結合するとATPを分解して首振り運動をしたあと，アクチンから解離する。ところが死亡してATPの合成が不可能になると，ミオシン頭部はアクチンに結合したままとなり，筋は収縮したままの状態となって，他動的に関節を曲げたりのばしたりするには大きな力が必要になる。これが死後硬直である。

死後2時間ほどで，顎関節などにみとめられるようになり，6時間後には全身の関節にみられるようになる。ただし，時間が経過するとミオシンの変性や腐敗を生じ，48時間ほどで硬直は緩解する。この特徴を利用し，部位ごとの硬直の程度を調べることで，早期に発見された不審死体の死亡時刻を推定できる。

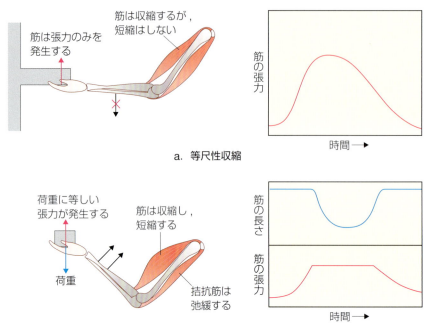

図7-59 等尺性収縮と等張性収縮

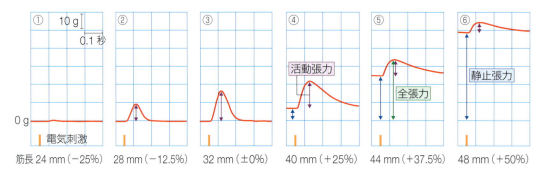

図7-60 骨格筋の長さと張力の関係
カエルの縫工筋をしだいに伸展し，電気刺激によって記録された張力曲線を示す。①〜③の基線は低いままであったが，④，⑤，⑥と長くなるにつれて基線が上昇していることがわかる。

　筋が短いとき，ミオシンフィラメントがZ帯に近づくまでの距離が短いため，活動張力が小さい（◯図7-61-①）。筋がのびると，ミオシンフィラメントがZ帯に近づくまでの距離が長くなり，活動張力が大きくなる（◯図7-61-②）。ミオシン頭部とアクチンフィラメントが至適に結合した筋節長2.2 μm で，活動張力は最大になる（◯図7-61-③）。この長さは，生体長にほぼ等しい。

　さらに筋がのびると，アクチンフィラメントと接触できないミオシン頭部がでてきて，連結橋の数が減るため，活動張力は減少して最終的には0となる（◯図7-61-④，⑤）。

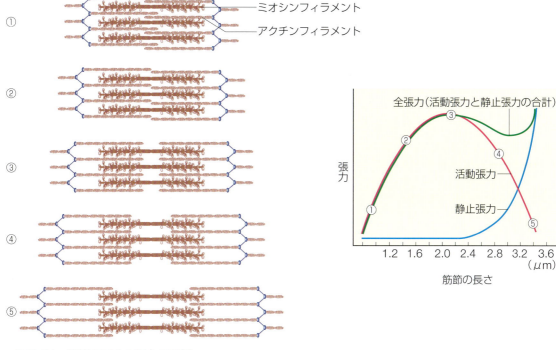

◯ 図 7-61　筋節の長さと張力の関係

5　骨格筋の肥大と萎縮

● **骨格筋の肥大**　骨格筋はよく使うと太くなり，使わないと細くなる。これは筋線維の数が変化するためではなく，筋線維の中の筋原線維の数が増減するためである。筋力トレーニングをすると，筋原線維の数が増えて筋線維は肥大し，筋全体も太くなる。

　筋を肥大させる効果は，等張性収縮よりも等尺性収縮のほうが大きい。ボディービルダーや重量あげ選手が行う運動は等尺性収縮が主体であるため，筋が肥大し，筋肉隆々になる。一方，マラソン選手が行う運動は等張性収縮が主体であるため，筋はあまり肥大しない。

　女性は一流のスポーツ選手であっても，男性ほど筋肉隆々になることは少ない。これは性ホルモンの作用による。男性ホルモン（アンドロゲン）にはタンパク質同化（アナボリック）作用があり，筋の量を増加させる❶。

● **骨格筋の萎縮**　骨格筋が細くなることを筋萎縮という。筋萎縮には筋の疾患による筋原性筋萎縮と，筋に運動指令を伝えている運動ニューロンの障害による神経原性筋萎縮とがある。筋原性筋萎縮では肩や上腕，大腿の筋などの近位筋が萎縮しやすいのに対し，神経原性筋萎縮では手足の先の遠位筋が萎縮しやすい。

　一方，筋や神経に疾患がなくても，筋が萎縮することもある。活動量が低下し，筋を使わなくなれば，筋が萎縮する。これを廃用性筋萎縮という。食事量が減り，低栄養状態になると，タンパク質不足を補うため，筋のタンパク質が減少し，筋萎縮をきたす。また，全身の筋の量は年齢とともに減少し

NOTE
❶筋肉増強剤
　男性ホルモンのタンパク質同化作用を利用した薬剤が筋肉増強剤である。合成男性ホルモン誘導体（アナボリックステロイド）は骨格筋のアンドロゲン受容体に作用し，筋のタンパク質同化を強力に促進する。しかし，筋肉増強剤は生殖器にも作用するため，高用量での使用は，女性の男性化を引きおこすとともに，循環障害や肝障害など多くの副作用を引きおこす。そのため非常に危険であり，ドーピング禁止薬物に指定されている。

ていく。
　筋が萎縮すると筋力が低下し，身体機能が低下する。そのため，運動と栄養摂取によって筋萎縮を防ぐのが重要である。

3 不随意筋の収縮の特徴

　人体には，身体を動かす骨格筋のほか，心臓の壁をつくる心筋，内臓や血管の壁をつくる平滑筋がある（○48ページ）。心筋と平滑筋は，運動ニューロンが結合しない不随意筋であり，自律神経が支配する。

1 心筋の収縮の特徴

　心臓が収縮・拡張を繰り返して全身に血液を送り出すことができるのは，心臓の壁を構成する心筋が収縮・弛緩を繰り返しているからである。

◆ 心筋の収縮と弛緩

　心筋細胞どうしは両端にある**介在板**(かいざいばん) intercalated disc によって密着し，**ギャップ結合** gap junction（ネクサス nexus）という細胞間結合で電気的に連結されている（○図 7-62）。そのため，1 個の心筋細胞が興奮すると，隣接する心筋細胞がつぎつぎに興奮し，心房・心室全体が一気に興奮することになる。このようにして，心房・心室はそれぞれ 1 つの機能単位（機能的合胞体）としてふるまう。

　また，運動時のように心拍数が増加したときに，心筋が強縮をおこしてしまうと心筋の弛緩，すなわち心室の拡張がおこらなくなるために内腔に血液をためることができず，したがって血液の拍出ができないことになる。このような不都合を回避するために，心筋の不応期は長く，いくら心拍数が増えても単収縮だけがおこり，収縮-弛緩のサイクルを繰り返すようになっている。

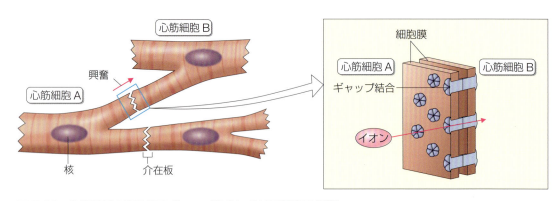

○図 7-62　心筋線維の細胞間のギャップ結合における興奮の伝導
心筋細胞は，介在板にあるギャップ結合で連結されている。ギャップ結合はイオンの通路であり，心筋細胞 A が興奮すると，イオンが心筋細胞 B へと流れ込み，興奮が伝導される。

◆ 心筋の収縮の調節

　心筋の収縮速度は骨格筋よりも遅い。それは，骨格筋の活動電位はスパイク状で，持続時間は2m秒（ミリ秒）程度であるのに対し，心筋の活動電位は200m秒と長いためである（◯159ページ，図4-8）。活動電位が生じている間，細胞外からCa^{2+}が心筋細胞内に流入しつづけ，続いて筋小胞体から多量のCa^{2+}が放出され，心筋の収縮の引きがねが引かれる。これをカルシウム誘発性カルシウム遊離 calcium-induced calcium release（CICR）とよぶ。

　心筋の収縮も全か無かの法則に従う。ただし，心筋の興奮は心房・心室全体に広がるため，骨格筋のように，動員する筋線維の数を調節することで心房・心室で発生する力を調節することができない。そこで，心臓はそれぞれの心筋細胞の収縮性と張力を変化させることにより，収縮力を調整している。

■ 収縮性

　心筋の収縮も骨格筋と同様に，筋小胞体から放出されたCa^{2+}がトロポニンに結合することで開始する。心筋では，興奮に際して放出されるCa^{2+}量は，すべてのトロポニンに結合するには不足している。つまり，心筋では興奮に際して細胞内に流入・放出されるCa^{2+}量を増やすことで，収縮性を増すことができる。

　収縮性が増すと心筋の張力が増すだけではなく，心筋の収縮が速くなる。また，筋小胞体でのCa^{2+}取り込みの速度が増加し，心筋の弛緩も速くなるため，収縮の持続時間が短くなる。

　心筋の収縮性を増加させる物質として，ノルアドレナリンがある。交感神経節後線維から放出されるノルアドレナリンはβ受容体（◯247ページ）を介してCa^{2+}放出を促進するため，交感神経が興奮すると心筋の収縮性は増す。そのほか，心筋細胞内のCa^{2+}濃度を上げる物質として，アドレナリンなどのカテコールアミンがある（◯図7-63）。またジギタリスなどの強心配糖体にも同様の作用がある。

■ 長さ-張力関係——フランク-スターリングの心臓の法則

　自然な状態での心筋の筋節では，アクチンフィラメントが中央部で重なり

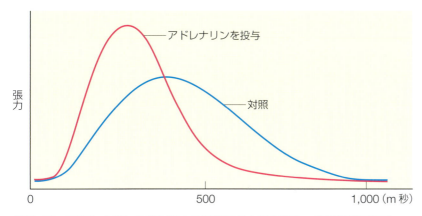

◯図7-63　アドレナリンの投与による収縮性の上昇と張力・収縮時間の変化

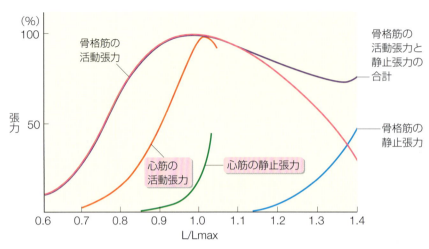

○図 7-64　心筋と骨格筋の長さと張力の関係の比較
横軸は，(筋節の長さ〔L〕)÷(最大張力を発生するときの筋節の長さ〔Lmax〕)で示されており，最大張力を発生するときの筋節の長さが 1.0 となる。縦軸は，心筋および骨格筋の活動張力がそれぞれ最大となるときを 100 とした百分率であらわされている。

合っている(○347 ページ，図 7-61-①〜②の状態)。心筋は静止張力が大きく，最大の活動張力を発生する筋長(○図 7-61-③の状態)をこえてのびることができない。つまり，心筋は引きのばせば引きのばすほど大きな力が発生する。この現象は体循環から戻ってくる静脈血の量が多いほど心室がよりふくらみ，より強い張力を発生して，より多くの血液を拍出できるというフランク-スターリングの心臓の法則のメカニズムとなっている(○図 7-64)。

2　平滑筋の収縮の特徴

　平滑筋は，内臓壁や血管壁などに広く分布する不随意筋で，自律神経やホルモンの調節を受ける。平滑筋による調節の代表的なものは，動脈でのはたらきである。動脈壁の平滑筋が収縮すると動脈の内径が小さくなり，血管抵抗が大きくなることで血圧が上昇するという調節をしている(○図 7-65)。また，腸管壁の平滑筋は，律動的な収縮を繰り返すことで腸管内容物を混和したり，口側から肛門側に移送したりする。

◆ 平滑筋の収縮メカニズム

　平滑筋には骨格筋や心筋にみられる横紋構造がない。これは，アクチンフィラメントとミオシンフィラメントが規則正しく並んでいないためであるが，平滑筋の収縮も骨格筋・心筋同様，アクチンとミオシンの連結によって行われる。ただし，平滑筋はトロポニンを欠き，**カルモジュリン** calmodulin とよばれるカルシウム結合タンパク質によって収縮が開始する。このように，平滑筋の収縮メカニズムは，骨格筋および心筋とは異なる点が多い。

　平滑筋の収縮速度は心筋よりさらに遅いが，その分エネルギー消費が少なく，疲労せずに長時間収縮することができる。たとえば，直腸の内肛門括約筋は排便時以外ずっと収縮しつづけられる。

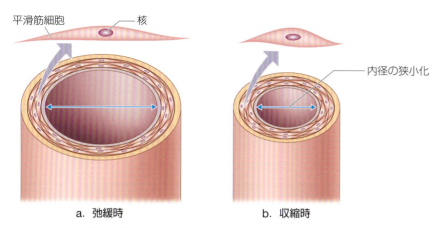

○図7-65 血管平滑筋の収縮による動脈の収縮
血管の内径は，血管平滑筋細胞が弛緩しているときは大きいが，血管平滑筋細胞が収縮することで小さくなり，血圧が上昇する。

平滑筋は部位ごとに自律神経やホルモンの作用の効果が大きく異なる。たとえばノルアドレナリンは血管平滑筋を収縮させるのに対し，消化管の平滑筋を弛緩させる。これは受容体の分布の違いだけではなく，平滑筋細胞内の情報伝達機構の違いにもよる。

I 運動と代謝

1 エネルギー代謝

私たちが生命を維持し，活動するためには，生体内においてエネルギーをつくり出す必要がある。細胞では，摂取した栄養素（グルコースなど）や体内に貯蔵されていたグリコーゲンや脂肪を分解して，エネルギー源であるATPを産生する（○32ページ）。この過程を**エネルギー代謝**という。

私たちは，まったく運動をせず安静にしているときでも，心臓は拍動を続け，呼吸はとまらない。このような生命維持のために必要なエネルギー量を**基礎代謝**という。基礎代謝は通常，早朝の起床前に測定し，日本人の若年女性で約 1,100 kcal/日，若年男性で約 1,500 kcal/日である[1]。

生命維持に加え身体活動を行うとき，さらにエネルギーが必要になる。身体活動の程度によって消費されるエネルギーは大きく異なるため，それに応じてエネルギー代謝の程度は変化する。

エネルギー代謝の程度は，酸素摂取量によって求めることができる。これは，消費されたATPに見合うだけのATPが産生され，それに見合うだけの酸素が消費されるからである。一方，消費したエネルギーに見合うだけの栄養を摂取しなければやせていき，消費エネルギー以上の栄養を摂取したら太っていく。消費エネルギーと栄養摂取量が等しいときに体重は一定になる。

> **NOTE**
> [1] エネルギー量をあらわす単位
> エネルギー量をあらわす単位の1つにcal（カロリー）がある。1 cal は，1 mL の水の温度を1℃上昇させるのに必要なエネルギー量である。私たちが必要とするエネルギー量は，1 cal よりもはるかに大きいため，通常は 1,000 倍をあらわす kcal（キロカロリー）を単位として用いる。糖質1gは4 kcalのエネルギーを発生し，ごはん茶碗1杯のエネルギー量は約 160 kcal である。

2 運動とエネルギー

運動をするときには骨格筋を収縮させるため,骨格筋でのエネルギー消費が大きく増加する。

1 運動の強度

運動の強さは,座位で安静にしているときの酸素消費量と比較して,行った運動や作業の酸素消費量がどの程度であるかであらわされる。これを代謝当量 metabolic equivalents(**METs**〔メッツ〕)という。安静時は 1 である。日常生活でのおおよその METs は,洗濯・調理・散歩などで 2.0〜3.0,自転車こぎ・急ぎ足・ジョギングで 3.0〜6.0,ランニング・水泳で 7.0 以上である。METs は,強い運動などで最大で 20 程度まで上昇する。

2 運動時の循環・呼吸の変化

運動時には,副腎髄質からのアドレナリン分泌の増加や交感神経の興奮により,心拍数が増加し,心筋の収縮性が上昇することで,心拍出量が増加する。心拍出量は,安静時の 5 L/分から 20 L/分程度まで増加する❶。

活動している骨格筋を灌流する動脈は拡張(アドレナリンの β_2 作用,◎248 ページ,表 6-1)して血流を増加させる(◎図 7-66)。一方,消化管,肝臓や腎臓,そして活動していない筋を灌流する動脈は収縮(ノルアドレナリン・アドレナリンの α_1 作用)して血流を減少させる。皮膚血流は初期には減少するが,運動によって筋での熱産生が増えることから,熱放散のためにやがて増加に転じる。

呼吸は運動によって促進されるが,これは動脈血酸素分圧の低下によるフィードバックではなく,中枢性の**フィードフォワード機構**(◎274 ページ)

=NOTE
❶運動時の心拍出量
　オリンピッククラスの運動選手では約 30 L/分まで増えることもある。

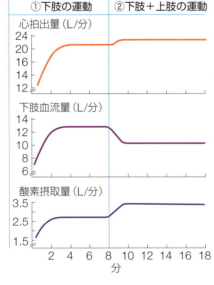

◎図 7-66 運動による血流量の変化
①下肢の運動を開始すると,心拍出量と酸素摂取量が増加し,下肢の血流量は増加する。
②ここに上肢の運動を加えると心拍出量はさらに増加するが,それまでは収縮していた上肢の動脈が拡張してその血流が増えるため,下肢の血流は減少する。

によると考えられている（▶122ページ）。

運動開始時には，呼吸促進が酸素消費の増加に追いつかず，酸素不足を生じる（▶図 7-67-a）。この酸素不足は運動終了後に酸素負債として返還する必要があるため，運動終了後も呼吸の促進はしばらく続く。

一方，非常に激しい運動を始めたときは，酸素消費量が最大酸素摂取量（摂取可能な酸素量）をこえるため，運動を持続することができなくなる（▶図 7-67-b）。これをオールアウトとよぶ。

3 運動時のエネルギー供給

筋収縮のためのエネルギー供給は，①クレアチンリン酸系，②解糖系，③有酸素系の 3 つの系で行われる（▶図 7-68）。

◆ クレアチンリン酸系によるエネルギー供給

筋細胞では，ATP が ADP と無機リン酸に加水分解されることでエネルギーが供給される。産生された ADP は，クレアチンキナーゼによりクレア

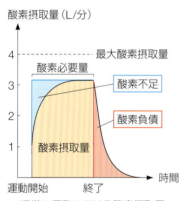
a. 通常の運動における酸素摂取量

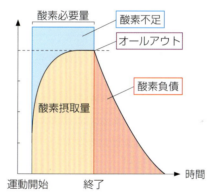
b. 非常に激しい運動における酸素摂取量

▶図 7-67 運動による酸素摂取量の変化

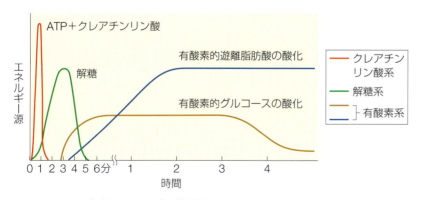

▶図 7-68 運動時のエネルギー供給系
最初にクレアチンリン酸系，ついで解糖系により無酸素的にエネルギーが供給される。長時間の運動では有酸素系によりエネルギーが供給される。
（大地陸男：生理学テキスト，第 8 版．文光堂，2017 による，一部改変）

チンリン酸と反応し，ATPとクレアチンが産生されることでATPの欠乏を防ぐ。このように，筋細胞内にあるATPやクレアチンリン酸などの高エネルギーリン酸化合物がエネルギーの供給源となる。筋細胞内にたくわえられているATP量は少ないため，10秒程度しか持続しない。

なお，筋収縮で生じたクレアチンは再びリン酸化され，クレアチンリン酸として再利用されるほか，クレアチニンに代謝されて腎臓から尿中に排泄される。

◆ 解糖系によるエネルギー供給

運動開始直後で酸素供給が酸素消費に追いつかないとき（●図7-67-a）や，最大酸素摂取量をこえる激しい運動をしたとき（●図7-67-b）には，解糖系によってエネルギーが供給される。筋細胞内にたくわえられているグリコーゲンがグルコースに加水分解され，これが解糖系に投入される。解糖系は無酸素状態でもATPを2分子産生することができる（● 32ページ）。

ただし，産生されるATPが少なく，また無酸素状態では解糖系の反応が乳酸まで進んだところで停止して細胞内に乳酸がたまり，細胞内が酸性化するため，この系は数分しか持続できない。

◆ 有酸素系によるエネルギー供給

酸素の供給が持続すること，つまり有酸素の状況で主として糖質・脂質が酸化的リン酸化を受け，ATPが供給される。グルコース1分子あたり約30個のATPが産生されるきわめて効率のよい経路である。しかも代謝基質が枯渇しない限り，いつまでも持続可能である。有酸素系によるエネルギー供給を受けて行われる筋収縮運動を有酸素運動とよぶ。

✎ work 復習と課題

❶ 骨の発生と成長（長さと太さ）はどのようにして行われるか。
❷ 骨にはどのような機能があるか。
❸ 骨膜は骨に対してどのような意味をもっているか。
❹ 一般的な関節の図を描き，各部の名称を記しなさい。
❺ 5種類の関節の名称と，それぞれの具体的な関節を述べなさい。
❻ 関節の一軸性運動と二軸性運動について，例をあげて説明しなさい。
❼ 筋の起始と停止とはどのような意味か。
❽ 滑液包・腱鞘・滑車は，筋運動においてどのような役割をしているか。
❾ 脊柱の彎曲の特徴を述べなさい。
❿ 脊柱を形成する椎骨の種類と数をまとめなさい。
⓫ 胸郭を構成する骨を述べなさい。
⓬ 横隔膜にはどのような孔が開いており，そこをなにが通るか。
⓭ 呼吸運動にはどのような筋が関係するか。
⓮ 骨盤を構成する骨を述べ，男女の違いについてまとめなさい。

⓯ 鼠径管の中には，なにが通っているか。
⓰ 大殿筋・上腕三頭筋・大腿四頭筋は，大腿・上腕・下腿の伸筋であるが，これらの拮抗筋はどのような筋か。
⓱ 手の回内運動と回外運動は，どのような筋の作用で行われているか。
⓲ 頭蓋底の略図を描き，構成する骨の名称を記しなさい。
⓳ 頭蓋骨にみられるおもな突起をあげなさい。
⓴ 頭の回転運動は，どのような種類の関節の動きによるか。
㉑ 筋原線維を構成するフィラメントの名称をあげ，その特徴を述べなさい。
㉒ 運動神経線維を伝わってきた活動電位が，骨格筋を収縮させるまでの過程についてまとめなさい。
㉓ 単収縮と強縮の違いについて述べなさい。
㉔ 等尺性収縮と等張性収縮の違いについて述べなさい。
㉕ 骨格筋と比較して，心筋の収縮にはどのような特徴があるか述べなさい。

― 解剖生理学 ―

第 8 章

情報の受容と処理

本章の概要

　洋介は目が見えない。赤ちゃんのときに眼（網膜）の悪性腫瘍のため，両方の眼球を摘出したのだ。幸いにも命はたすかったが，それ以来，洋介は見ることができなくなってしまった。6歳になった洋介は現在，盲学校に通っている。でも洋介は目が見えないことを苦しいと思ったことはない。なぜなら，目が見えるということがどういうことなのか，洋介は知らないのだから。

　コウモリやイルカは超音波を出して，その反射波から獲物を見つけている。つまり彼らは「風景を見る」ばかりでなく，「風景を聞く」こともできるのである。超音波を発することのできない私たちは「風景を聞く」ことができないが，だれもそれを苦しいとは思わない，それと同じである。

　私たちはさまざまな感覚を駆使して日常生活を送っている。生体内外の環境変化は，各種の受容器によって検出される。受容器によって検出される情報には，意識されないものも意識にのぼるものもある。これを感覚といい，感覚のための受容器を感覚器とよぶ。感覚には嗅覚・視覚・聴覚・平衡覚・味覚からなる特殊感覚，皮膚や筋・関節などの状態や動きを感じる体性感覚，内臓の痛みなどの内臓感覚などがある。

　感覚器はたえず外部環境のみならず，体内における変化，すなわち内部環境を監視している。そしてそれらの変化に関する情報を神経系に送り，神経系は自律神経やホルモンを介して，その変動を許容範囲におさまるように調節する。つまりホメオスタシスのためにもはたらいている。ホメオスタシスのためには，おなかがすいたら食事をする，寒かったらコートを羽織る，といった行動にかりたてる脳，つまり中枢神経系もはたらいており，これらの行動もホメオスタシスの一部である。

　5年前の洋介の手術は困難をきわめた。小さな乳児の，しかも眼の手術である。外科医は，患部を露出させ，腫瘍を周囲の健常な組織から剝離していく。顕微鏡をのぞきながらの手術である。手もとがほんの少しでもくるうと，正常な組織を傷つけたり，血管が切れて出血したりするおそれがある。外科医は視覚のみならず，手に持つ鑷子（ピンセット）やメスを介して伝わる微妙な触覚，手に伝わる重さやかたさの感覚を総動員して，指の筋の動きをコントロールする。一緒に働いている看護師も集中している。手術の進行を見ながら，外科医が次にどのような手術器具を必要とするかを前もって予想し，要求されたら即座に手渡さなければならない。

　外科医が感覚情報を吟味し，適切な判断を下すことができるのも，手指の動きをコントロールして正確な手術をすることができるのも，そして看護師が記憶している知識と現在の状況とを照合して先を見通すことができるのも，すべて神経系のはたらきのおかげである。

A 神経系の構造と機能

　各種受容器は伸展されるなどの物理的刺激や化学的刺激を受けると，その情報を感覚神経線維（この線維は求心線維とよばれる）を介して脊髄や脳（両者を合わせて**中枢神経**とよぶ）に送る（◯図 8-1）。中枢神経は情報処理システムとしてはたらき，各種受容器から入力された情報に対応した指令を出力する。中枢神経から出力された指令は運動神経線維（この線維を遠心線維とよぶ）を通って内臓や筋などの効果器に伝えられる。脳や脊髄に出入りする求心線維・遠心線維を総称して**末梢神経**とよぶ。

　このように，中枢神経は集中的に情報を処理するコンピュータに相当し，身体のすべての部分にはりめぐらされた末梢神経は，すみやかに情報を伝える配線にあたる。ただし，中枢神経における情報処理は，入力された信号が 1 つか 2 つのニューロンを経て出力される単純な反射から，各種の入力信号を照合したり，大脳における精神活動の影響を受けたりするなど，コンピュータをはるかにしのぐ複雑なものまでさまざまである。

1 ニューロンと支持細胞

●**ニューロン**　神経系をつくる神経組織は，信号を運ぶ**ニューロン** neuron と，それを支える支持細胞を含んでいる。ニューロンはたいてい，木のように枝分かれした多数の**樹状突起** dendrite と，遠くの標的にまでのびる 1 本の

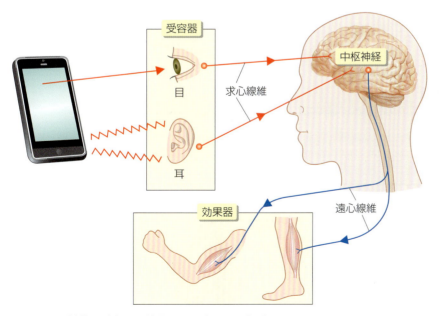

◯**図 8-1　刺激の受容から効果器の反応までの経路**
受容器によって検出された刺激は，脳（中枢神経）に向かう神経線維である求心線維によって脳に送られ，処理される。脳からの指令は，遠心線維によって筋や内臓などの効果器に伝えられ，そこで反応を引きおこす。

軸索 axon という突起をもつ（▶図8-2）。後述するように，ニューロンの興奮は，軸索を伝わってその先端の神経終末にまで運ばれる。

● **シナプス**　軸索の先端は，次のニューロンなどとの間に，**シナプス** synapse という接合部分をつくっていて，そこで信号が伝達される。伝達された興奮は，樹状突起や細胞体で受け取られ，ニューロンを新たに興奮させたり抑制したりする。

● **グリア細胞**　神経組織の支持細胞は，中枢神経と末梢神経で種類が異なる。中枢神経の支持細胞には何種類かあるが，これらはまとめて**グリア細胞** glial cell（神経膠細胞）とよばれる。グリア細胞には，大型で多数の枝をもち，毛細血管とニューロンの間にはさまって両者の物質交換に役だつアストロサイト（星状グリア細胞），ニューロンの軸索突起の周囲に髄鞘を形成するオリゴデンドロサイト（稀突起グリア細胞），異物などを貪食する能力があるミクログリア（小グリア細胞）がある（▶図8-3）。

● **シュワン細胞**　末梢神経系の支持細胞は，**シュワン細胞** Schwann cell である。軸索をいくつか束ねたり，軸索の周囲に髄鞘をつくったりする。また脊髄神経節の中でニューロンの細胞体を取り巻く，外套細胞という支持細胞もある。

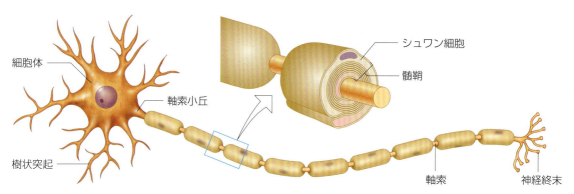

▶図8-2　ニューロンの構造
ニューロンの多くは細胞体からのびる多数の樹状突起と1本の軸索をもつ。

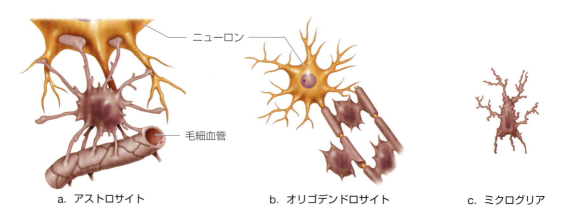

▶図8-3　グリア細胞
中枢神経の支持細胞にはいくつかの種類があり，総称してグリア細胞とよぶ。

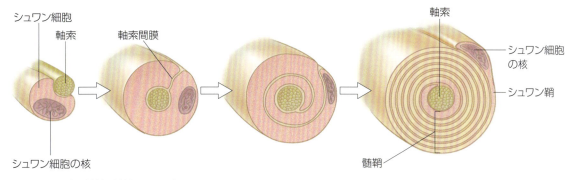

図8-4　有髄神経線維のでき方
有髄神経線維は，軸索のまわりをシュワン細胞のつくる髄鞘が取り巻いたものである。そのできあがる過程をみると，シュワン細胞のシート状の突起が，髄鞘となる様子がよくわかる。

　オリゴデンドロサイトやシュワン細胞のつくる**髄鞘**（ミエリン鞘）は，軸索を節状に囲み，周囲から絶縁する役目をしている。髄鞘に包まれた軸索突起は，**有髄神経線維**とよばれる（◯図8-4）。**有髄神経**では，髄鞘のすきまを跳躍して興奮が伝わるため，髄鞘のない**無髄神経**に比べて，格段に速く興奮が伝わっていくことになる（◯363ページ）。

2　ニューロンでの興奮の伝導

　静止電位と活動電位の生成については第1章C-③-6「膜電位と細胞膜の興奮」で学んだ（◯41ページ）。ここでは静止電位と活動電位について復習したあと，活動電位がどのように軸索を伝導し，どのように情報が次のニューロンに伝達されるかを学ぶ。

● **静止電位**　ニューロンは静止状態では，細胞外に比べて細胞内が負に帯電している。これを**静止電位**とよぶ。ニューロンの静止電位はおよそ$-70 \sim -60\,\mathrm{mV}$である。

● **活動電位**　活動電位は，情報を次のニューロンに伝えるための電気的興奮である。ニューロンが興奮性シナプス（◯364ページ）で，シナプス前細胞から神経伝達物質を受けとると，細胞内電位は静止電位から上昇し，**脱分極**する（◯図8-5）。脱分極があるレベル（閾値）をこえると**活動電位**が発生する。活動電位の大きさは一定であるため，ニューロンを伝わる情報は，活動電位の大きさではなく，単位時間あたりの活動電位の発生頻度で伝えられる。

● **興奮の伝導**　活動電位が発生すると，興奮部で細胞内外の電位が逆転し，細胞内が正に，細胞外が負になる（◯図8-6）。すると，興奮部と非興奮部に電位差が生じ，電流が発生する。この**局所電流**によって隣接部位が脱分極し，活動電位が発生する。このように，活動電位がつぎつぎに隣接部位に伝わることを興奮の**伝導**とよぶ。

　興奮の伝導は$\mathrm{Na^+}$チャネル（◯37ページ）が開くことでおきるが，$\mathrm{Na^+}$チャネルはいったん開いて閉じると，しばらく開かないため，興奮の伝導が逆戻りすることはない。$\mathrm{Na^+}$チャネルが開かない時間は刺激を与えても反応しな

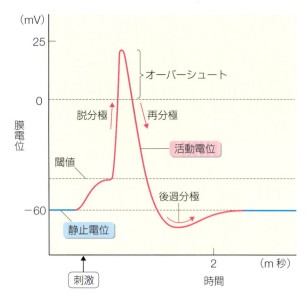

◯図 8-5　ニューロンの静止電位と活動電位
ニューロンは細胞内が負に帯電しており，−70 mV〜−60 mV の静止電位をもつ。刺激を受けたニューロンは脱分極し，閾値をこえると活動電位が発生する。再分極により膜電位は低下し，後過分極ののち静止電位に戻る。

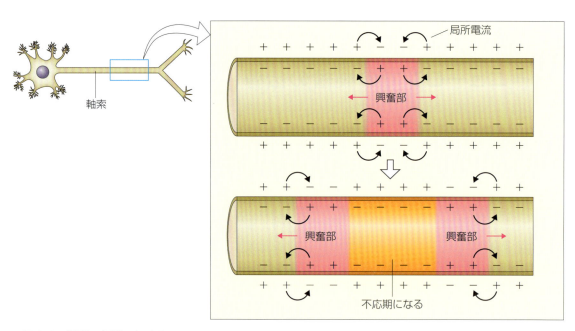

◯図 8-6　興奮の伝導のしくみ
興奮がおこると，その部位の細胞内外の電位が逆転することにより局所電流が発生し，両隣を興奮させる。これがつぎつぎにおこり，興奮が伝導されていくが，興奮した部分は不応期になるため興奮しない。

いため，**不応期**とよばれる[❶]。

軸索を電気刺激すると，興奮は軸索の両方向に伝導する（**両方向性伝導**）。ただし，活動電位は通常，軸索の起始部（軸索小丘，◯図 8-2）で発生し，神経終末に向かって伝導する。活動電位はこのようにして，軸索を通って離れた部位まで伝えられる。

● **伝導の速度と跳躍伝導**　興奮が軸索を伝導する速度は，軸索の太さによ

> NOTE
> ❶絶対不応期と相対不応期
> 　再分極の途中まではどんな強い刺激にも反応しない絶対不応期であり，その後の数 m 秒（ミリ秒）は強い刺激にのみ反応する相対不応期である。

る。太いほど伝導速度は速い（◯表8-1）。また，絶縁性の高い髄鞘で軸索が囲まれた有髄神経線維は無髄神経線維より伝導速度が速い。中枢神経系ではオリゴデンドロサイトが，末梢神経系ではシュワン細胞が髄鞘の形成にかかわっている。

1〜2 mm ごとに開いている髄鞘のすきまが**ランヴィエ絞輪**であり，ここで新たに活動電位が発生する。髄鞘は脂質に富んでいるため電流の減衰が少なく，効率よく速く興奮をランヴィエ絞輪から次のランヴィエ絞輪へと伝導することができる（◯図8-7）。ランヴィエ絞輪間をすばやく興奮が伝導する現象を**跳躍伝導**とよぶ。このしくみのおかげで最も速い線維では120 m/秒，すなわち新幹線をもこえる430 km/時の超高速の伝導が可能となっている[1]。

> **NOTE**
> **[1] 脱髄疾患**
> 有髄神経の髄鞘が障害される脱髄疾患では，軸索の伝導速度が落ちたり，活動電位が伝わらなくなったりするため，さまざまな神経症状をきたす。

◯ 表8-1 神経線維の分類（哺乳類）

神経線維の種類		髄鞘	直径（μm）	伝導速度（m/秒）	機能
伝導速度による分類	直径による分類（感覚ニューロンのみ）				
Aα	Ⅰa	有髄（厚い）	15〜20	70〜120	筋紡錘の一次感覚神経線維
	Ⅰb				ゴルジ腱器官の感覚神経線維
	—				骨格筋を支配する運動神経線維
Aβ	Ⅱ		5〜10	30〜70	触覚を担う皮膚感覚神経線維，筋紡錘の二次感覚神経線維
Aγ	—		3〜6	10〜30	筋紡錘の運動神経線維
Aδ	Ⅲ		2〜5	12〜30	温度感覚，痛覚の感覚神経線維
B	—	有髄（薄い）	<3	3〜15	自律神経節前線維
C	—	無髄	0.5〜1.0	0.5〜2.0	自律神経節後線維
	Ⅳ				温度感覚，痛覚の感覚神経線維

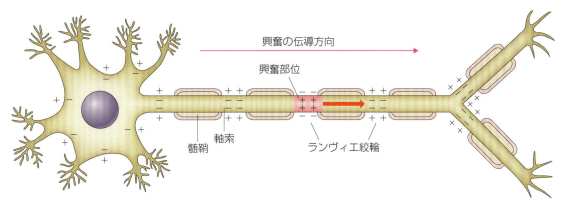

◯ 図8-7 跳躍伝導のしくみ

3 シナプスでの興奮の伝達

● **シナプス** 軸索の末端である神経終末は，次のニューロンの樹状突起や筋と接し，**シナプス**をつくる。神経終末は少しふくらんでおり，神経伝達物質をたくわえる**シナプス小胞**でみたされている。

● **興奮の伝達** 活動電位が神経終末に到達すると，神経終末のカルシウムチャネルが開き，カルシウムイオン（Ca^{2+}）が細胞内に流入する（◯図8-8）。すると，Ca^{2+}の刺激により，シナプス小胞はシナプス前膜と融合し，神経伝達物質がシナプス間隙に開口分泌（エキソサイトーシス exocytosis）される。放出された神経伝達物質は，次のニューロン（シナプス後細胞）あるいは筋の受容体に結合する（◯342ページ，図7-55）。

このように，細胞の興奮が神経伝達物質を介して次の細胞に伝わることを**興奮の伝達**とよぶ。シナプスでの興奮の伝達は一方向性である。神経伝達物質はその後，シナプス前細胞に再取り込みされたり，酵素で分解されたりする。

伝達された興奮は，次のニューロンを興奮させたり抑制させたりする。シナプス後細胞を興奮させるシナプスを**興奮性シナプス**，抑制するシナプスを**抑制性シナプス**とよぶ。後述するように，興奮がおきるか抑制がおきるかは，

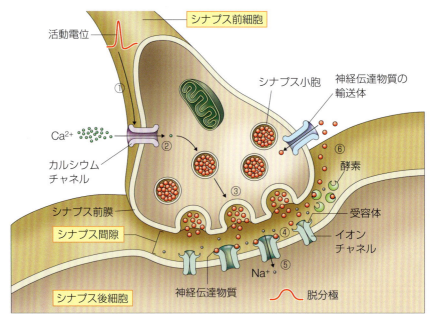

◯ **図8-8 興奮性シナプスにおける興奮の伝達**
①活動電位がシナプス前細胞の末端部に伝わる。
②カルシウムチャネルが開いて Ca^{2+} が流入する。
③シナプス間隙に向かって，シナプス小胞から神経伝達物質が放出される。
④シナプス後細胞の細胞膜にある神経伝達物質の受容体に，神経伝達物質が結合する。
⑤興奮性シナプスでは，イオンチャネルが開くことにより Na^+ がシナプス後細胞に流入し，脱分極がおこる。
⑥神経伝達物質がシナプス前細胞にある輸送体で回収されたり，酵素で分解されたりすることで，すみやかにもとの状態に戻る。

神経伝達物質を受けとる受容体の種類により決定される。

興奮性シナプスでは，神経伝達物質が受容体に結合すると，ナトリウムイオン（Na^+）などを通すイオンチャネルが開き，陽イオンが細胞内に流入し，細胞内電位が上昇する。この脱分極を**興奮性シナプス後電位** excitatory postsynaptic potential（EPSP）とよぶ（○図8-9-a）。抑制性シナプスでは，塩化物イオン（Cl^-）などを通すイオンチャネルが開き，陰イオンが細胞内に流入し，細胞内電位が下降する。この過分極を**抑制性シナプス後電位** inhibitory postsynaptic potential（IPSP）とよぶ（○図8-9-b）。

● **神経伝達物質の種類**　神経伝達物質には多くの種類がある。中枢神経では，グルタミン酸が興奮性シナプスの，**γ（ガンマ）-アミノ酪酸** γ-aminobutyric acid（**GABA**）が抑制性シナプスのおもな神経伝達物質である（○表8-2）。ただし，興奮がおきるか抑制がおきるかは，神経伝達物質を受けとる受容体の種類による❶。ドーパミン，セロトニン，**ノルアドレナリン**，アドレナリンなどのモノアミンを放出するニューロン❷は，脳の広範囲に軸索をのばし，ニューロンの興奮性を調節する。**アセチルコリン**はモノアミン同様，脳に広く軸索をのばすニューロンから放出されるほか，運動ニューロンから放出される。

また，神経伝達物質と受容体の対応は1対1でなく，それぞれの神経伝達物質には多くの受容体がある（○表8-3）。同じ神経伝達物質が多様な作用を発揮することになる。

> **NOTE**
>
> ❶ **神経伝達物質と受容体**
> グルタミン酸を興奮性神経伝達物質，GABAを抑制性神経伝達物質とよぶことがある。しかし，たとえばグルタミン酸がAMPA受容体（○表8-3）に結合すると興奮性にはたらくが，代謝調節型グルタミン酸受容体の一種に結合すると抑制性にはたらく。このように同じ神経伝達物質でも結合する受容体によって，その後の反応が異なることになる。
>
> ❷ 神経伝達物質を放出するニューロンを，神経伝達物質名に作動性を付してよぶ。たとえば，モノアミンを分泌して反応を引きおこすニューロンをモノアミン作動性ニューロンという。

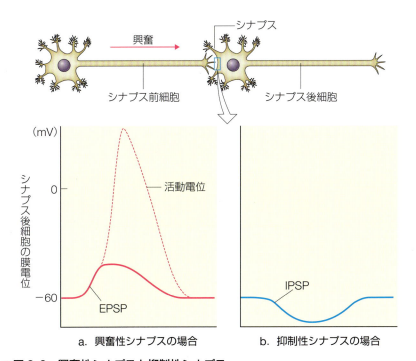

○ **図8-9　興奮性シナプスと抑制性シナプス**
興奮性シナプス（a）では，シナプス後細胞の細胞膜に興奮性シナプス後電位（EPSP）が生じ，活動電位が発生するのに対し，抑制性シナプス（b）では抑制性シナプス後電位（IPSP）が発生し，活動電位の発生が抑制される。

表 8-2　おもな神経伝達物質

アミノ酸	グルタミン酸，γ-アミノ酪酸（GABA），グリシン
アセチルコリン	アセチルコリン
モノアミン	カテコールアミン（アドレナリン，ノルアドレナリン，ドーパミン）
	セロトニン
	ヒスタミン
ペプチド	ソマトスタチン，オレキシン，サブスタンスPなど

表 8-3　神経伝達物質とおもな受容体

伝達物質	イオンチャネル型受容体	代謝調節型受容体
グルタミン酸	AMPA[1]受容体，NMDA[2]受容体	代謝調節型グルタミン酸受容体
γ-アミノ酪酸	$GABA_A$ 受容体	$GABA_B$ 受容体
アセチルコリン	ニコチン受容体	ムスカリン受容体
ノルアドレナリン	——	$α_1$ 受容体，$α_2$ 受容体，$β_1$ 受容体，$β_2$ 受容体，$β_3$ 受容体
ドーパミン	——	D_1 受容体，D_2 受容体
セロトニン	$5\text{-}HT_3$ 受容体	$5\text{-}HT_1$ 受容体，$5\text{-}HT_2$ 受容体，$5\text{-}HT_4$ 受容体
ヒスタミン	——	H_1 受容体，H_2 受容体，H_3 受容体
サブスタンスP		NK_1 受容体

1) α-アミノ-3-ヒドロキシ-5-メソオキサゾール-4-プロピオン酸
2) N-メチル-D-アスパラギン酸

● **シナプス可塑性**　シナプスにおける伝達の効率は一定ではなく，シナプスの活動状態によって変化する。これをシナプス可塑性という。数時間以上，シナプスにおける伝達効率が上がる，つまり，シナプス前細胞の興奮に対してシナプス後細胞の興奮が以前より大きくなり，それが数時間以上にわたって続く現象を**長期増強** long-term potentiation（LTP）という。逆にシナプス伝達効率が長期にわたって下がることを**長期抑圧** long-term depression（LTD）とよぶ。このようなシナプス可塑性は学習や記憶の基盤と考えられている。

> **column　中枢神経の発生**
>
> 中枢神経は，もともと1本の神経管（◯480ページ）から発生したものである。神経管の前方部がふくれて脳となり，残りの部分が脊髄となる。神経管の最前端部に3個のふくらみ（前脳・中脳・菱脳）があらわれる。やがて前脳と菱脳が背側に大きくふくれ出して，それぞれ大脳（終脳）と小脳になり，残りの部分が脳幹となる。
>
>
>
> 神経管は，外胚葉（◯479ページ）に由来する。発生初期に外胚葉の正中部が肥厚して神経板をつくり，その中軸部に溝が生じ（神経溝），側縁部に隆起する（神経堤）。やがて両側の隆起が癒合して神経管を形づくる。その際に神経堤の細胞は内部に落ち込んで遊走し，末梢神経系の神経節細胞などになる。

4 神経系の構造

神経系は，**中枢神経**と**末梢神経**に区分される（◎図8-10）。中枢神経のうち，脳は頭蓋におさめられ，脊髄は脊柱におさめられている。末梢神経には，頭蓋から出る**脳神経**12対と，脊柱から出る**脊髄神経**31対とがある。末梢神経のそれぞれは，中枢から出たのち，枝分かれを繰り返して支配する器官に向かっていく（◎図8-11）。

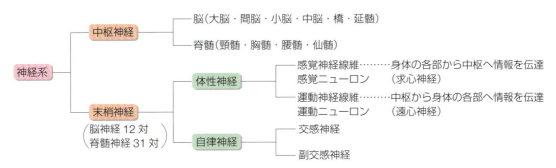

◎図8-10 神経系の区分

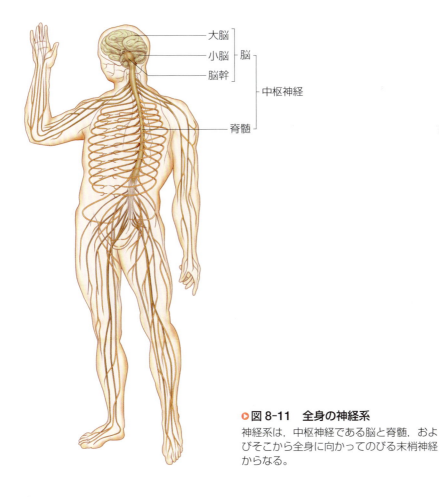

◎図8-11 全身の神経系
神経系は，中枢神経である脳と脊髄，およびそこから全身に向かってのびる末梢神経からなる。

1 中枢神経の外観

　ヒトの脳を外からながめると，その大部分が**大脳**（終脳）で，その後下方に**小脳**が少し顔をのぞかせている。左右の大脳の間にはさまれた部分を**間脳**という。これら以外の部分は，脳の中軸部をなすので**脳幹**とよばれる。脳幹は，上前方から下後方に向かって，**中脳・橋・延髄**に分かれ，延髄は**脊髄**につながる。間脳は脳幹に含められることがある。

　中枢神経の組織は，ニューロンの細胞体が多く集まる**灰白質**と，神経線維が多く集まる**白質**とに区別できる。脊髄や脳幹では，おおむね中心部に灰白質があり，その周囲に白質がある。大脳と小脳では，中心部以外にも，最表層に灰白質が発達している。中心部の灰白質は**核**❶，表層の灰白質は**皮質**とよばれる。また，ニューロンの細胞体と神経線維が混在した**網様体**は，脳幹に発達している。

> **NOTE**
> ❶細胞内にある核とはまったくかかわりがないことに注意。

2 末梢神経線維の構造

● **末梢神経線維の区分**　人体の各部を走る末梢神経のそれぞれは，多数の神経線維を含んでいる。神経線維は，ニューロンの突起である軸索と，それを包むシュワン細胞とからなる（◐ 360ページ，図8-2）。神経線維は，シュワン細胞の包み方により，有髄神経線維もしくは無髄神経線維に分けられる。中枢神経の外にもニューロンが散在しており，**神経節細胞**とよばれる。その細胞集団が神経節である。

　神経線維の性質は，情報を伝える方向と支配する標的により分類される。

1 情報を運ぶ方向による区分
（1）感覚ニューロン・感覚神経線維：身体の各部から中枢へと情報を伝える。
（2）運動ニューロン・運動神経線維：中枢から身体の各部へと情報を伝える。

2 支配する標的による区分
（1）体性神経：皮膚や筋などを支配する。感覚情報は意識にのぼりやすく，運動の指令は大脳から意志的に送り出されることが多い。
（2）自律神経：内臓や血管を支配する。感覚情報は意識にのぼるものは少なく，運動の指令も脳幹から無意識に出される。

B　脊髄と脳

1 脊髄の構造と機能

1 脊髄の構造

　脊髄 spinal cord は，太さ約 1.0〜1.3 cm，長さ 41〜45 cm の棒状の器官で，脊柱管の中にある。脊髄には，上下2か所で紡錘状のふくらみ（頸膨大・腰

膨大)があり，それぞれ上肢・下肢に連絡するニューロンが集まっている。

　脊髄の下端は第1～2腰椎の高さで終わるので，下位の脊髄神経の前根・後根は，出口の椎間孔に達するまで，クモ膜下腔の中を10～20 cmほど束になって下行する。その外観から，この束を**馬尾**（ばび）とよぶ（◯383ページ，図8-21）。

　脊髄の横断面を見ると，H字形の灰白質のまわりを白質が取り囲んでいる（◯図8-12）。小さな中心管の断面が，灰白質の中に見える。中心管の中を脳で産生された脳脊髄液が流れる。前面の正中部には深い溝（**前正中裂**），後面の正中部には浅い溝（**後正中溝**）がある。前面と後面の両側に，脊髄神経の前根と後根が出入りする部位がある（**前・後外側溝**）。

● **灰白質**　H字形の灰白質の，前方への突出部を**前角**（前柱），後方への突出部を**後角**（後柱）という。胸髄では，中間部が側方に突き出している（側角〔側柱〕）。前角には，大型の運動ニューロン，後角には感覚を中継するニューロン，中間部には自律神経のニューロンが集まっている。

● **白質**　脊髄の白質は，**前索・側索・後索**の3部に区分される。内部には，脳と脊髄をつなぐ神経線維❶が通っており，部位によって神経線維群のはたらき（伝導路）が異なる。

> **NOTE**
> ❶中枢神経の神経線維はニューロンの軸索とそれを取り囲むオリゴデンドロサイト（◯360ページ，図8-3）の髄鞘から構成される。

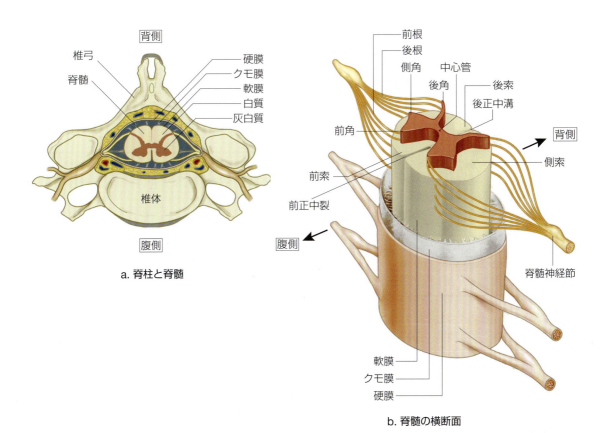

a. 脊柱と脊髄

b. 脊髄の横断面

◯**図8-12　脊髄の構造**
脊髄の中心部は，ニューロンの細胞体が集まった灰白質，周辺部は，神経線維が集まった白質になっている。
脊髄の腹側面では前根が，背側面では後根がそれぞれ正中線の両側から脊髄に出入りする。前根と後根は合わさって脊髄神経となる。脊髄は，脳と同様に，硬膜・クモ膜・軟膜の3層の髄膜に包まれる。

2 脊髄の機能

脊髄の灰白質には運動ニューロンがあり，脳からの指令や感覚ニューロンからの入力を受け取り，脊髄神経を通して出力を送り出すはたらきがある。運動ニューロンのうち，体性運動神経の出力は骨格筋に，自律運動神経（交感性・副交感性）の出力は内臓と血管に送り出される。脊髄の白質には，脳と脊髄をつなぐ伝導路があり，感覚ニューロンからの刺激が後述する上行伝導路を通じて脳に伝えられ，脳からの指令が下行伝導路を通じて脊髄の運動ニューロンに伝えられる。

● **脊髄反射** 脊髄には，脊髄神経節にある感覚ニューロンからの入力を受け取り，反射弓を通して運動ニューロンに伝え，反射的に運動をおこすはたらきがある。脊髄の内部で行われる反射を**脊髄反射**といい，以下のものがある。

1 伸張反射（伸展反射） 骨格筋の筋紡錘からの感覚刺激が，感覚ニューロンから運動ニューロンに直接伝えられ，骨格筋の収縮を引きおこす。伸張反射の代表例は**膝蓋腱反射**で，膝蓋骨の下をハンマーで軽くたたくと，大腿四頭筋が反射的に収縮して下腿がのび上がる。伸張反射は，立位の際に緊張する伸筋が収縮しつづけるようにして，姿勢を保つはたらきがある。

2 屈曲反射 逃避反射ともいい，皮膚や粘膜が不意に刺激を受けたときに，触れた腕や脚全体を瞬時に屈曲して，刺激から離れようとするものであ

臨床との関連　腰椎穿刺の体位と部位

脊柱の内部には縦にのびる脊柱管があり，そこに脊髄がおさまっている。脊髄は3層の髄膜（硬膜，クモ膜，軟膜）に包まれ，クモ膜下腔の脳脊髄液の中に浮かんでいる。医療の場では，脳脊髄液の採取や，脊髄の周辺に麻酔薬を投与して局所的な麻酔を行うなど，脊柱管の中に針やカテーテルを差し入れることがある。

脊柱管の中には脊髄がおさまっているため，針などを挿入すると脊髄を傷つける危険がある。しかし，成人の脊髄の長さは脊柱管よりも短く，第2腰椎の高さで終わっている。そのため第3・4腰椎間よりも下の椎間であれば，脊髄を傷つけることなく脊柱管に針を刺入できる。そのため，この手技を腰椎穿刺という。

腰椎穿刺を行う際，患者は側面を下にして（側臥位），背中を丸めて膝をかかえる姿勢をとる。正中で第3・4腰椎間（ないし第4・5腰椎間）に目印をつけ，そこから穿刺針を挿入する。4～6cm刺入すると，針は硬膜とクモ膜を通過して腰部の広がったクモ膜下腔（腰槽）に入り，脳脊髄液がもれ出してくる。脳脊髄液を含むクモ膜下腔は細菌などのいない清潔な場所であるため，腰椎穿刺を行うにあたっては滅菌した器具と手袋を用い，穿刺する部位をよく消毒して無菌的に行う必要がある。

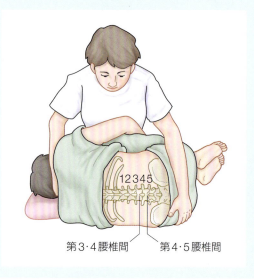

第3・4腰椎間　　第4・5腰椎間

る。感覚刺激が，感覚ニューロンからいくつかの介在ニューロン❶を経て運動ニューロンに伝えられる。複数の筋を収縮させて複合的な運動を引きおこす。

伸張反射のように感覚ニューロンから運動ニューロンに刺激が直接伝えられるものを**単シナプス反射**といい，屈曲反射のように介在ニューロンを経て伝えられるものを**多シナプス反射**という。

3 **内臓反射** 内臓からの感覚入力が，副交感神経と交感神経の運動ニューロンに伝えられ，反射的に平滑筋の収縮や弛緩を引きおこすものである。排便・排尿・勃起・射精など骨盤内臓の内臓反射は，腰髄・仙髄で行われる。

● **上行伝導路・下行伝導路** 脊髄のそれぞれの高さの部位は，上行・下行伝導路によって脳と連絡している。下行伝導路を通して伝えられる脳からの指令は，運動ニューロンを直接刺激して運動をおこしたり，反射に影響して運動を調節したりする。

脊髄の伝導路がある高さで損傷をすると，それより下位の脊髄は脳との連絡を失い，そこから支配される部位の運動ができなくなり（麻痺），感覚も失われる（感覚消失）。

> NOTE
> ❶**介在ニューロン**
> 中枢神経のなかで，感覚および運動ニューロンの間をつなぐニューロンである。

2 脳の構造と機能

ヒトの**脳** brain で外から大きく見えるのは大脳半球であり，その後下に小脳がなかば隠れるように見える。大脳の基部にあたる部分を間脳といい，ここから下の脳の中軸部は脳幹とよばれ，下方で脊髄につながる。

1 脳幹

◆ 脳幹の構造

脳幹 brain stem は，大脳と小脳に隠れた脳の中軸部である（●図 8-13）。**延髄** medulla・**橋** pons・**中脳** midbrain に分かれる。脳幹は小さい部分ではあるが，生命を維持するうえで不可欠な呼吸・心臓・消化などの中枢があり，多くの脳神経（● 388 ページ，図 8-26）が出入りしている。

● **脳幹の腹側面** 脳幹の領域は，腹側面から見ると区別しやすい。延髄は，脊髄の上端に続く長さ約 3 cm の円柱状で，上方向に太くなっている。腹側面で正中線の左右に**錐体**という縦の高まりがあり，その外側に**オリーブ**という丸い隆起がある。その上方にある橋は，腹側に大きくはり出している。その上方の中脳は，腹側面で正中線の両側に大脳脚が盛り上がり，上方で間脳に移行する。

● **脳幹の背側面** 脳幹の背側面の大部分は，小脳により隠されている。延髄下部の背側面には，脊髄後索が延長してきている。延髄の上部と橋の背側面には，第四脳室の底にあたる**菱形窩**が広がっている。橋は，左右の中小脳脚によって小脳につながっている。中脳の背側面には，2 対の半球状の高

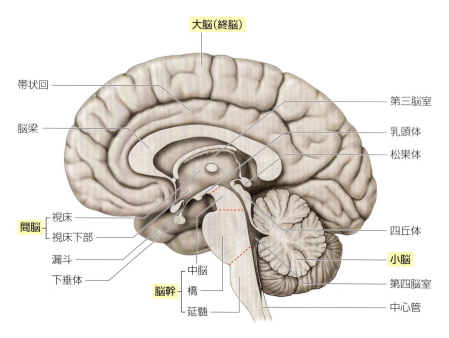

○ 図 8-13 脳の正中断面
正中断面では，ふだん大脳と小脳に隠れている脳幹の構造をみることができる。

まり（上丘，下丘）があり，**四丘体**とよばれる。

● **脳幹の内部構造**　延髄では，大脳皮質から脊髄に下行する錐体路（○ 392ページ）の線維が腹側面の錐体を通り，延髄下部で左右が交差する。脊髄からの感覚伝導路は，延髄背側面の後索を通る。オリーブには，錐体外路系のオリーブ核がある。延髄にはまた，多くの脳神経核や**網様体**が広がっている。

　橋の腹側面のふくらみは，左右の小脳半球をつなぐ神経線維によるもので，この線維は中小脳脚を通って小脳に達している。橋の中心部には，錐体路の線維や，大脳皮質からの線維を小脳皮質に中継する橋核群があり，また網様体も広がっている。

　中脳の大脳脚は，大脳皮質から下行する錐体路などの線維を含む。上丘は視覚，下丘は聴覚に関する反射中枢になっている。中脳の中央部には，眼球運動に関する脳神経核のほかに，**赤核**および**黒質**という錐体外路系の灰白質があり，網様体も広がっている。

　延髄・橋・中脳に広がる網様体は，神経線維とニューロンの細胞体が混在した領域で，生命維持に必須な中枢があり，また大脳に作用して意識状態を保つはたらきをする。

◆ 脳幹の機能

　脳幹は，① 大脳皮質と脊髄の間を上行・下行する神経線維の通路であり，② 脳神経を出す神経核の存在する場所であり，③ 意識・呼吸・循環など，生命維持に必要な機能の中枢部位である。

● **内臓機能の中枢**　脳幹には，内臓の諸機能を調節する中枢がある。この

部分には自律神経の核が網目状に存在し，ここに内臓諸器官からの求心線維と，大脳や視床下部からの下行線維が入力する。これらの入力された情報に基づいて，これらの核からの出力が交感神経と副交感神経を経て全身の内臓・血管のほか，汗腺にも送られ，その機能を調節する。

脳幹に存在する中枢は，消化に関する中枢や呼吸中枢などの器官系単独の中枢であり，複数の器官系のはたらきを連動させる必要のある体温調節中枢や水分調節中枢，日内周期の調節中枢などは，さらに上位の視床下部に存在する。

[1] **循環中枢**　心臓促進中枢，心臓抑制中枢，そして血管平滑筋の収縮状態を調節して血管の内径を変化させて血圧を調節する血管運動中枢からなる。頸動脈洞の圧受容器からのインパルス頻度の変化に応じて，心臓の収縮機能と血管径を変化させて血圧を調節する(○198ページ，図4-40)。

[2] **呼吸中枢**　周期的に吸息・呼息のインパルスを呼吸筋に送り，呼吸運動を引きおこす。頸動脈小体や大動脈小体などの末梢の化学受容器，脳幹の化学受容器からの酸素分圧(P_{O_2})・二酸化炭素分圧(P_{CO_2})・pHに関する情報を受け，反射性に呼吸運動を調節している。

[3] **消化に関する中枢**　嘔吐中枢，嚥下中枢，唾液分泌中枢，その他消化管の運動や消化液の分泌を調節する中枢がある。嘔吐や嚥下はこの中枢に支配された完全な反射でおこるが，消化管の運動や消化液の分泌には消化管の神経叢や消化管ホルモンも深くかかわっている。

[4] **排尿中枢**　仙髄にある排尿に関する一次中枢を支配して，排尿反射を引きおこす。

● **運動調節の中枢**　脳幹には，運動にかかわる調節機能があり，①平衡感覚や視覚などの情報を取り入れて，立つ・歩く・振り向くといった姿勢を反射的に調節する，②歩行運動などの運動パターンの開始や停止を指令する，③眼球運動を反射的に調節する，といったはたらきを行う。

● **瞳孔反射**　中脳には，瞳孔の大きさを調節する中枢があり，光の量によって瞳孔が縮小する**対光反射**，近点を見るときに両眼の視軸が一点で交わる（輻輳）と瞳孔が縮小・拡大する**輻輳反射**などを行う。これらの**瞳孔反射**は，中脳の機能を検査するのに用いられる。

● **覚醒と睡眠**　脳幹の網様体から大脳皮質への出力は，意識状態を保つはたらきをする。意識状態を調べる方法としては，脳波の検査がある(○421ページ)。

2 小脳

◆ 小脳の構造

小脳 cerebellum は，橋と延髄の背側にあり，重さは約130gである。小脳の表面には横向きの平行の溝が多数走っており，溝は大脳に比べて間隔と幅が狭い。小脳は，左右の**小脳半球**と中間の**虫部**に分かれ，**上・中・下3対の小脳脚**で中脳・橋・延髄と連結している。

小脳の内部は，皮質と髄質からなる。**小脳皮質**は，3層の規則的な構築（分子層・神経細胞層〔プルキンエ Purkinje 細胞層〕・顆粒層）をもつ灰白質である。**小脳髄質**は深部の白質で，さらに小脳内部にあるいくつかの灰白質は小脳核とよばれ，**歯状核**はその最大のものである。

◆ 小脳の機能

　小脳では，運動系の統合的な調節を行う。小脳には，大脳皮質運動野から骨格筋へ送られる運動指令のコピー情報が送られる。同時に小脳は，内耳からの平衡感覚，脊髄からの体性感覚，骨格筋や腱からの情報を受け取る。小脳は，これらの情報を統合し，運動指令と感覚情報との誤差(● column)を検出してそれを視床を介して大脳皮質に送り出し，身体の平衡および運動・姿勢の制御を行う。

　腫瘍や出血により小脳に障害がおこると，平衡障害(よろめきやすい)，筋緊張障害(筋力が低下する)，運動障害(筋収縮のタイミングが遅れる)といった症状が出てくる。

3 間脳

◆ 間脳の構造

　間脳 interbrain, diencephalon は，中脳の前方に続き，左右の大脳半球にはさまれている。第三脳室をはさんでその側壁と底にあたり，上方の視床と，下方の視床下部とに分かれる。間脳の後上部には**松果体**，前下部には**下垂体**❶が突き出す。

　視床 thalamus は，第三脳室の側壁をなす灰白質の核群で，ほぼ卵円形をしている。嗅覚を除いて，全身の皮膚感覚や深部感覚の線維，また小脳からおこる線維など，大脳皮質に向かう上行性伝導路はすべて視床に集まり，ここ

> **NOTE**
> ❶生物学では脳下垂体とよぶ。

---

column　自転車の練習と小脳の機能

　はじめて自転車に乗る練習をしたときのことを思い出してみよう。おそらく，必死になってハンドルにしがみつき，右に倒れそうになるとあわててハンドルを右に切り，ともするとペダルをこぐのを忘れてスピードが落ちてしまうなど，とてもぎこちない走りだったことだろう。

　これは，右に倒れそうになるとその傾きを感じて「あっ，ハンドルを右に切らなくちゃ」といったように，大脳皮質だけで手足の筋をコントロールしようとしていたためである。そして，倒れないようにするだけで一所懸命であり，ほかのことなど考える暇はない。

　ところが練習を続けると，いつの間にかに安定して自転車に乗れるようになる。これは大脳のかわりに小脳で姿勢をコントロールできるようになったためである。小脳は姿勢が傾くと，大脳にその情報を送ることによって自動的に筋のはたらきを微妙に調節して正しい姿勢に戻している。つまり，小脳による調節のほうがすばやくかつ細かいために，動きが安定するのである。しかも大脳はこの仕事から解放されるため，「今夜のおかずはなにしようか」などと，あれこれ考えながら自転車をこいでスーパーに行けるようにもなる。

　小脳のもう1つの特徴は，大脳と違い，いったん覚えたことは忘れない点である。自転車の乗り方や泳ぎ方は小脳がつかさどるため，何年もそれをしていなくとも，乗れなくなったり泳げなくなったりすることはない。

でニューロンをかえて大脳皮質のそれぞれの部位に達する。視床から大脳皮質に向かう経路を**視床皮質路**といい，そのなかでも**視放線**は視覚野に向かう線維を，**聴放線**は聴覚野に向かう線維を含む。

視床下部 hypothalamus は，第三脳室の側壁の一部と底をなす小さな核群である。底部から突き出た漏斗の先に下垂体がぶら下がり，その後方に**灰白隆起**，および丸い1対の**乳頭体**がある。視床下部は，全身の自律機能を調節する重要な中枢で，下垂体と密接な関連をもち，また上位の大脳皮質，大脳辺縁系（◯377ページ），視床，下位の脳幹・脊髄などとも線維結合をもつ。

◆ 間脳の機能

視床は，大脳皮質に向かう感覚系の神経経路の中継所であり，下位脳から大脳皮質への中継も行う。視床の尾側部には，**内側膝状体・外側膝状体**という2対の隆起があり，前者は聴覚，後者は視覚の中継を行う。

視床下部は，生命維持に不可欠な本能行動や，感情に駆りたてられる情動行動を支配する場所である。また，体温調節中枢，性中枢，摂食・満腹中枢，飲水中枢などのほかに，下垂体の内分泌機能を調節する部位（**室傍核，視索上核**）など，自律機能の重要な中枢がある。

4 大脳

◆ 大脳の構造

大脳 cerebrum（終脳 endbrain, telencephalon）は，ヒトの脳の大部分を占めている。大脳の表面は，神経細胞の集まる厚さ数 mm の灰白質でおおわれていて，**大脳皮質** cerebral cortex とよばれる（◯図 8-14）。その下には神経線維の集まる白質が広がるが，さらにその内部には，**大脳基底核**とよばれる灰白

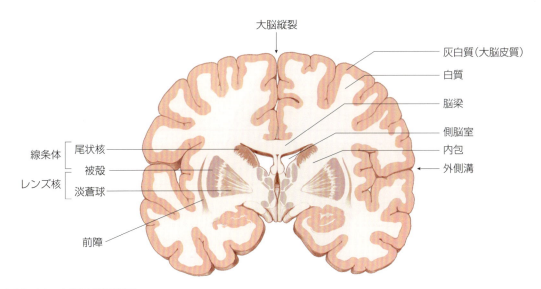

◯ **図 8-14 大脳の前頭断面**
大脳の中心部には，大脳基底核とよばれるいくつかの灰白質がある。大脳基底核には，尾状核・被殻・淡蒼球・前障のほか，側頭葉の前端にある扁桃体が含まれる。

質のかたまりがある。

　大脳の正中部には深い溝(**大脳縦裂**)があり，左右の大脳半球を隔てている。溝の深部には，左右の大脳半球をつなぐ神経線維が集まって，**脳梁**という板状の構造をつくっている。大脳半球の中心部には，側脳室がある。

◆ 大脳皮質

　大脳の表面には，多数の曲がりくねった**溝**があり，溝にはさまれた膨隆を**回**とよぶ(○図8-15)。回と溝は，大脳皮質の表面積を広げている。大脳皮質は，**前頭葉・頭頂葉・後頭葉・側頭葉**の領域に区分される。前頭葉と頭頂葉の間は**中心溝**により，前頭葉と側頭葉の間は外側溝により隔てられる。頭頂葉と後頭葉を隔てる溝(**頭頂後頭溝**)は，正中面でよく見える。外側溝の奥には，**島**という皮質領域が隠れている。

　大脳皮質は，発生過程と内部構造をもとに新皮質と古皮質の2つに分けられる。

● **新皮質**　大脳半球の表面の大部分を占める皮質で，ニューロンの細胞体が表面に平行に配列され，6層の層構成がみられる。部位によって層構成に違いがあり，ブロードマン Brodmann, K.(ドイツの解剖学者)によって詳しく分類され，各部に番号がつけられている。新皮質のいくつかの領域は，感覚・運動など機能がはっきりしており(**機能局在**)，また特定の機能と対応しない領域は**連合野**とよばれ，意識・思考・記憶・連想などの高次の精神活動を営む。新皮質は，ヒトでとくに発達している。

● **古皮質**　大脳半球の内側で脳幹の周辺に位置し，**辺縁皮質**または**辺縁葉**とよばれる。嗅脳，**帯状回**，**海馬**などからなり，下等動物の脳では相対的に割合が大きい。

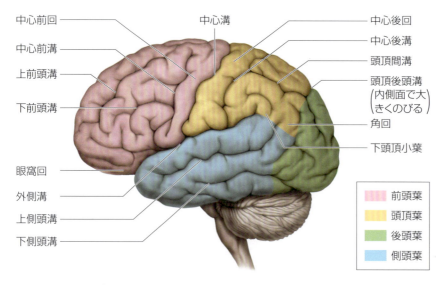

○図8-15　脳の左外側面
大脳の表面には，多数の溝と，溝にはさまれた膨隆部，すなわち回がみられる。大脳皮質は，溝を目安に前頭葉・頭頂葉・後頭葉・側頭葉に分けられる。

◆ 大脳基底核

　大脳半球の深部にある灰白質のかたまりで，**尾状核・レンズ核・扁桃体**[1]の3群が区別される（○図8-14）。レンズ核は，淡蒼球と被殻という2つの核に分かれている。被殻と尾状核は合わせて**線条体**とよばれ，本来は同一の核が内包の神経線維によって隔てられたものである。被殻と尾状核は，ところどころ細い線条（すじのように見える構造）によって連絡している。尾状核とレンズ核は，機能的には錐体外路系に属する。扁桃体は側頭葉の前端に位置し，機能的には辺縁系に属する。

> **NOTE**
> [1] 生理学では扁桃体を大脳基底核に含めないこともある。

◆ 辺縁系

　大脳皮質の一部である海馬や帯状回などの辺縁葉，扁桃体，中隔核などは，大脳辺縁系とよばれ，視床下部や脳幹の一部と合わせて**辺縁系**を構成する（○図8-16）。辺縁葉は，大脳皮質といっても系統発生的に古く，ほかの大脳皮質とは組織学的に異なった構造を示す。

　大脳辺縁系は，記憶・認知・判断・行動などの最も高級な機能をもつ新皮質と連絡しながら情動や本能行動を発現し，視床下部ではそれに伴う自律神経系や内分泌系の反応を引きおこす。

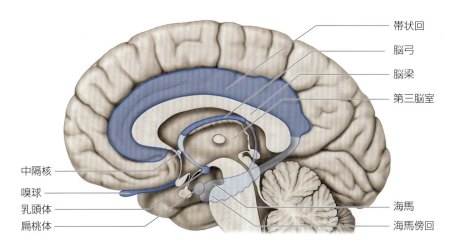

○図8-16　辺縁系
辺縁系は，帯状回や海馬などの大脳と視床下部，脳幹の一部からなる脳組織の複合体で，情動や本能行動を調節している。帯状回と海馬傍回は大脳皮質の一部であり，古皮質に属する。（わかりやすいように大脳の辺縁系を青くしている。実際の色はほかの脳部位と同じである。）

◆ 大脳の白質

大脳半球の内部を占める白質は，有髄線維の密な集まりで，その線維は次の3種に大別される。

1 交連線維 左右の大脳半球間を連絡するもの。代表的なものは脳梁である。

2 連合線維 同側の半球内で皮質の各部を連絡するもの。

3 投射線維 大脳皮質を脳幹や脊髄などと結ぶ線維。上行性（感覚性）と下行性（運動性）の線維を含む。とくに視床とレンズ核にはさまれた白質の領域を**内包**といい，大脳皮質と連絡する運動・感覚の伝導路の大部分がここを通過する。脳出血がここにおこると，少量の出血でも反対側の片麻痺をおこす。

◆ 大脳の機能

新皮質の機能

新皮質には，運動や感覚を受けもつはたらきや，意識や思考など高次の精神活動を営むはたらきがある。運動や感覚などの役割は，特定の場所で行われる（◯図8-17）。これを**機能局在**という。

● **運動野と体性感覚野** 一次運動野は，脊髄や脳幹の運動ニューロンに出力する随意運動の中枢であり，前頭葉の後端部で，中心溝のすぐ前（**中心前回**）にある。体性感覚野は，皮膚などの体性感覚の中枢であり，頭頂葉の前端部で，中心溝のすぐ後ろ（**中心後回**）にある。一次運動野と一次体性感覚野では，皮質の部位と身体の部位との間に対応関係（**体部位局在**）があり，下外方から上内方にかけて，舌─顔─上肢─体幹─下肢を担当する（◯図8-18）。

● **視覚野** 一次視覚野は網膜からの情報を受ける視覚の中枢で，後頭葉の内側面で鳥距溝の周囲にある。層構造の一部が白く線条に見えるので有線領ともよばれる。その周囲には，映像の意味を理解する**二次視覚野**が広がる。

● **聴覚野** 一次聴覚野は内耳からの聴覚の中枢で，側頭葉の上面にある。

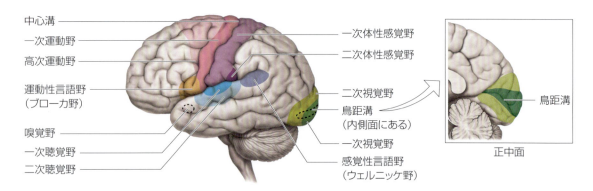

◯図8-17 **大脳皮質の機能局在**
下位脳と連絡して運動や感覚などのはたらきをする部位が，大脳皮質の決まった部位にある。それ以外の部位は連合野とよばれ，大脳皮質内部で連絡しており，言語や判断などの高度な機能を担う。

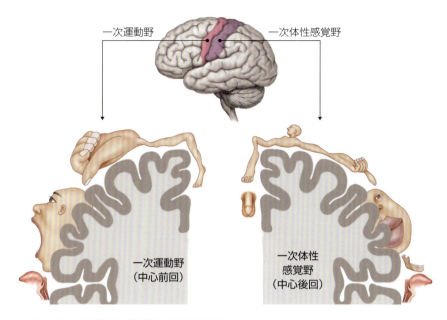

◐ **図 8-18 運動野と感覚野の体部位局在**
大脳皮質の運動野と感覚野には，皮質の部位と身体の部位との間に対応関係がある。

その周囲には，聞こえた音の意味を理解する**二次聴覚野**が広がる。
● **味覚野・嗅覚野** 味覚野は，体性感覚野（中心後回）の最下部とそれに隣接する領域にある。嗅覚野は辺縁皮質に属する。
● **連合野** 新皮質の大部分は，大脳皮質以外の部分との間で運動の出力や感覚の入力のやりとりを直接行わず，大脳皮質内で互いに連合して機能を行うので，**連合野**とよばれる。一次感覚野（一次体性感覚野・視覚野・聴覚野）の周辺には，それと密な関係をもつ**二次感覚野**が広がるが，これも連合野に含まれる。二次感覚野以外の連合野は，感覚情報を統合し，認識・記憶・学習・判断などの高次の精神機能を営む。
● **言語野** 優位の大脳半球（通常は左）の連合野の中に，2か所の言語中枢がある。1つは**運動性言語野**（ブローカ Broca **中枢**，ブローカ野）❶で，頭部の運動を受けもつ運動野の近くにある。発語に必要な筋を支配して発語させる中枢で，ここが障害されると発語ができなくなる（運動性失語症）。ほかの1つは**感覚性言語野**（ウェルニッケ Wernicke **中枢**，ウェルニッケ野）で，聴覚野の後方にあり二次聴覚野の一種である。ここが障害されると，言語の理解ができなくなり（感覚性失語症），発話はできても相手の言葉が理解できず，会話が成立しない（◐ 430 ページ）。
● **大脳の左右差** 右半球は身体の左側，左半球は身体の右側の運動・感覚を支配する。高次機能については，大脳半球に左右差があり，言語中枢のあるほう（通常は左）を**優位半球**という（反対は**劣位半球**）。

　優位半球は，言語的・分析的なはたらきにすぐれ，劣位半球は映像的・音楽的なはたらきにすぐれているといわれる。左右の大脳皮質は脳梁を通る交連線維によりつながれているため，はたらきの違いを意識することはない。

> **NOTE**
> ❶野は部位，中枢は機能を意味する。

古皮質の機能

古皮質は，扁桃体などとともに大脳辺縁系に含まれ，視床下部とともに本能行動や情動行動を支配する。また海馬は，大脳皮質連合野からの情報を受け取り，記憶としてたくわえるはたらきを行う。

◆ 大脳基底核の機能

大脳基底核では，錐体外路系に属する中枢として，運動の調節を行う。大脳皮質および中脳の黒質などからの入力を受け取り，視床を経て大脳皮質に出力を送り出す。

基底核や黒質に病変があると，錐体外路症状とよばれる筋緊張の異常や不随意運動がみられる。たとえばハンチントン Huntington 病では，手足をくねらせるなど奇妙で無目的な運動がおこり，筋の緊張が低下する。パーキンソン Parkinson 病では，筋の緊張が高まり，運動が減少し，顔から表情がなくなる。

5 脳室と髄膜

◆ 脳室

中枢神経の内部には，**脳室** ventricle という空間が広がっているが，これは発生期の神経管の内腔が広がったものである（ 480 ページ）。大脳の内部には左右の**側脳室**，間脳の正中部の**第三脳室**，橋と延髄の背面の**第四脳室**がある（ 図 8-19）。脳室は互いに細い通路でつながっており，側脳室と第三脳室の間は**室間孔**（モンロー Monro 孔），第三脳室と第四脳室の間は**中脳水道**（シルヴィウス Sylvius 管）とよばれる。また第四脳室には，左右1対の**外側口**（ルシュカ Luschka 孔）と下方の**正中口**（マジャンディー Magendie 孔）があり，脳の外側のクモ膜下腔と交通する。脳室は脊髄の中心管にまでつながる。

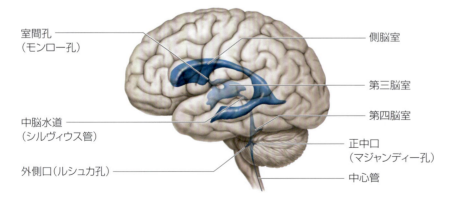

 図 8-19 脳室
脳の内部には脳室とよばれる空間が広がり，脊髄の中心管までつながっている。

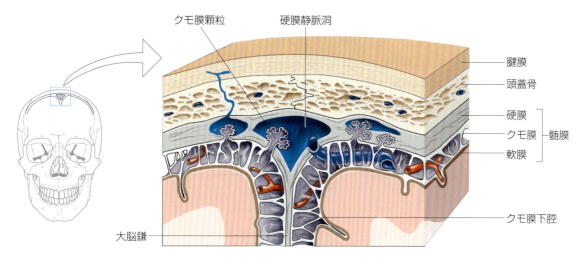

○図 8-20　髄膜
脳と脊髄は，硬膜・クモ膜・軟膜の 3 層からなる髄膜に包まれている。クモ膜と軟膜の間にある空間をクモ膜下腔といい，脳脊髄液で満たされている。

◆ 髄膜

脳と脊髄は，髄膜という 3 層からなる結合組織の皮膜に包まれている（○図 8-20）。

1 硬膜 dura mater　髄膜の最外層で，強靱な結合組織の膜である。脳硬膜は，頭蓋内面の骨膜と緊密に密着している。脳硬膜の一部は，内外の 2 葉に分かれて，その間に硬膜静脈洞をおさめている。また脳硬膜の一部は頭蓋腔に向かって突き出し，大脳半球の間（**大脳鎌**）や，大脳と小脳の間（**小脳テント**）に入り込む。脊髄の硬膜は，脂肪組織によって脊柱の骨膜から隔てられている。

2 クモ膜 arachnoidea　髄膜の中間層のやわらかい結合組織の膜で，硬膜と軟膜をつなぐ。クモ膜の結合組織の中の空間を**クモ膜下腔**といい，脳室と交通があり，脳脊髄液によって満たされている。

3 軟膜 pia mater　髄膜の最内層で，脊髄と脳の表面に密着している。

6 脳脊髄液の循環

脳室とクモ膜下腔は，**脳脊髄液**（髄液）cerebrospinal fluid（CSF）によって満たされている。脳はクモ膜下腔の脳脊髄液の中に浮かんだ状態にあり，脳脊髄液は，脳室とクモ膜下腔の中を循環している。正常成人での量は 100～160 mL で，その 1/2 は脳に，1/2 は脊髄にある。

◆ 脳脊髄液の産生と循環

脳脊髄液は，4 つの脳室表面の**脈絡叢** choroid plexus における血液の濾過により，1 日あたり 400～600 mL 産生される。前述したように，両側脳室は両側の室間孔を通じて第三脳室にいたり，中脳水道を通って第四脳室にいた

る(◯図8-19)。ここから正中線に沿って下がると脊髄中心管につながる。第四脳室は外側口と正中口を通して延髄背面でクモ膜下腔につながり，一部は頭頂の方向へ，また一部は延髄周囲を経て脊髄中心管を下降する。

循環した脳脊髄液は，硬膜内層を貫いて上矢状静脈洞へ突出しているクモ膜絨毛またはクモ膜顆粒，脳の表面の毛細血管などを介して静脈血中に吸収される(◯図8-19)。クモ膜絨毛は脊髄神経根の部位にも存在し，そこでも吸収が行われる。

◆ 脳脊髄液の圧と組成

第3-4または第4-5腰椎の間に穿刺して，脳脊髄液圧を測定することができる(◯370ページ「臨床との関連」)。圧は臥位で12〜15 cmH$_2$O，座位で20 cmH$_2$O以下である。頭蓋内の圧(頭蓋内圧，脳圧)は，座位では陰圧である。

血液の濾過・選択的な分泌によって生成されるため，組成は血清やリンパのそれに似るが，タンパク質が少ない(20〜40 mg/100 mL)。

◆ 脳脊髄液の機能

(1) 脳や脊髄を浮かべることで，外部からの衝撃や内部の拍動をやわらげる。
(2) 脳重量は約1,500 gであるが，脳を浮かべることで浮力によって脳脊髄液中での実効重量はわずか50 gほどとなる。脳の実効重量を減らし，自重により脳底部の血管や脳神経がつぶれるのを防ぐ。
(3) 脳のリンパとしてはたらき，過剰な細胞外液を排出し，脳組織の性状を恒常に保つ。
(4) 脈絡叢には血液髄液関門とよばれるしくみがあり，脳脊髄液の電解質やさまざまな化学物質の濃度は非常に狭い範囲で一定に保たれている。これにより，脳脊髄のニューロンが支障なく機能できるようにしている。

◆ 頭蓋内圧(脳圧)亢進

脳腫瘍およびそれに伴う脳浮腫，血腫，脳脊髄液の通過障害，脳を灌流する静脈系の閉塞，脳脊髄液の吸収障害などにより，脳脊髄液圧が上昇する。症状として頭痛・嘔吐・視力障害(うっ血乳頭)が生じ，さらに精神症状や痙攣を伴う場合もある。激しい場合には，大後頭孔ヘルニア，テント切痕ヘルニアをおこす場合もある。頭蓋内圧亢進時には脳脊髄液の採取は禁忌である。

◆ 血液脳関門

血液脳関門 blood-brain barrier の概念は，血漿タンパク質と結合する色素(エバンスブルー)を血管内に注入すると，全身の臓器が青く染まるが，脳実質だけが染まらないという，エールリッヒ Ehrlich, P.(1887)による観察結果から導入された。

水やO_2，CO_2のような呼吸ガスをはじめとする脂溶性物質を除けば，脳内への物質透過は，ほかの組織に比べて著しく遅い。これは脳毛細血管内皮

細胞間のタイト結合（◯45ページ，図1-28）に由来する。
　ニューロンの周辺環境を一定に保ち，必要な物質の出入りを調節することが血液脳関門の機能といえる。

C 脊髄神経と脳神経

1 脊髄神経の構造と機能

　脊髄に出入りする末梢神経を**脊髄神経** spinal nerves といい，31対ある。出口となる椎間孔の高さにより，**頸神経**（8対〔第1頸椎の上からも出るため，頸椎よりも1対多い〕，C_1〜C_8），**胸神経**（12対，T_1〜T_{12}），**腰神経**（5対，L_1〜L_5），**仙骨神経**（5対，S_1〜S_5），**尾骨神経**（1対，C_0）に区分される（◯図8-21）。それぞれの神経は，骨格筋の運動神経線維や皮膚などの感覚神経線維，さらに自律神経の線維を含む。脊髄神経（前根と後根）が脊髄に出入りす

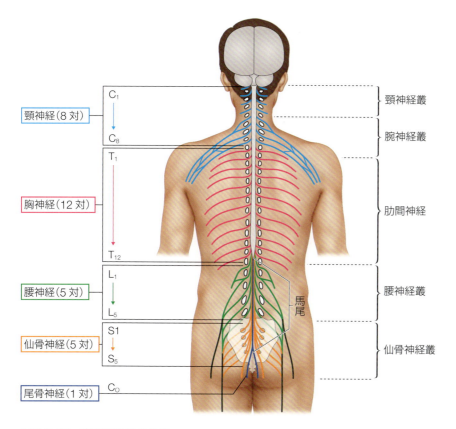

◯図8-21　脊髄神経の全体像
脊髄神経は，通過する椎間孔の高さによって名前をつけられている。頭蓋および第1〜7頸椎の下の椎間孔からは頸神経（C_1〜C_8），第1〜12胸椎の下の椎間孔からは胸神経（T_1〜T_{12}），第1〜5腰椎の下の椎間孔からは腰神経（L_1〜L_5），仙骨からは仙骨神経（S_1〜S_5），尾骨からは尾骨神経（C_0）が出る。

る高さによって，脊髄の本体も頸髄・胸髄・腰髄・仙髄・尾髄に区分される（脊髄分節）。

1 脊髄神経の構成

● **前根・後根** 脊髄の前面から出た前根と，後面から出た後根とが接続して，脊髄神経となる。後根は椎間孔に入るところで**脊髄神経節**というふくらみをつくる。ここには感覚ニューロンの細胞体が集まっている。

前根には，前角の運動ニューロン（および側角の自律神経のニューロン）から出る運動性の軸索が通り，後根には脊髄神経節の感覚ニューロンから出る感覚性の軸索が通っている（◯図8-22）。前根が運動性，後根が感覚性であることを，**ベル-マジャンディーの法則** Bell-Magendie law という。

● **前枝・後枝，神経叢** 脊髄神経は椎間孔を出るとすぐに，背中の筋や皮膚に行く細い後枝を送り出して，残りが太い前枝となる。前枝の多くは，上下の脊髄神経がからみ合って神経叢をつくり，そこから筋や皮膚などの標的に向かう枝が出る。胸神経の領域では，肋間神経としてそのまま神経叢をつくらずに標的に向かう。

2 脊髄神経（前枝）のおもな支配域

1 頸神経叢（C_1～C_4） 頸神経叢の枝は，頸部前外側面の皮膚と舌骨下筋群，斜角筋群などに分布する。また横隔神経（C_3～C_5）は胸腔内を下行して横隔膜を支配する。

2 腕神経叢（C_5～T_1） 腕神経叢は強大な神経の集まりで，上肢帯と自由上肢に分布する多数の神経を出す（◯図8-23）。おもな枝と分布域は◯表8-4

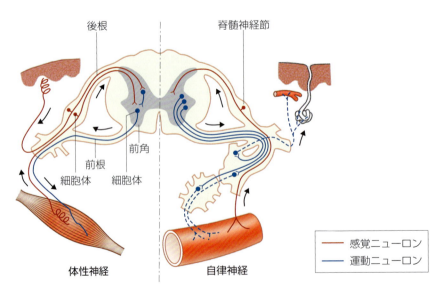

◯ **図8-22 脊髄神経の線維構成**
脊髄の前根はもっぱら運動神経線維を通し，後根はもっぱら感覚神経線維を通す。運動ニューロンの細胞体は，脊髄の前角にあり，感覚ニューロンの細胞体は，後根に付属する脊髄神経節の中にある。

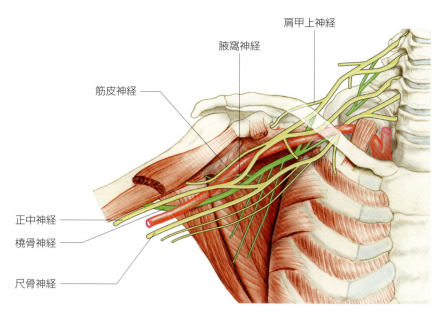

○図8-23　腕神経叢

腕神経叢は，C_5〜T_1の前枝がつくる神経叢である。近位部から上肢帯に向かう枝を出したあと，上肢の前面に向かう3本の枝（筋皮神経・正中神経・尺骨神経）と，後面に向かう橈骨神経に分かれる。

○表8-4　腕神経叢のおもな枝と運動性分布域

腕神経叢前面の枝		腕神経叢後面の枝	
筋皮神経	上腕の屈筋群	腋窩神経	三角筋と周辺の筋
正中神経	前腕の屈筋群の大部分	橈骨神経	上腕と前腕の伸筋群
尺骨神経	手の筋群の大部分		

のとおりである。

なお，手の皮膚の感覚は，正中神経（手掌の母指側），尺骨神経（手掌と手背の小指側），橈骨神経（手背の母指側）によって支配される。

3 肋間神経（T_1〜T_{12}）　神経叢をつくらず，肋骨の下縁に沿って進み，胸腹壁の筋と皮膚を支配する。乳頭付近の皮膚はT_4〜T_5，臍付近の皮膚はT_{10}の支配を受ける。T_1の枝の一部は腕神経叢に加わり，T_{12}の枝の一部は腰神経叢に加わる。

4 腰神経叢（T_{12}〜L_4）　腰神経叢の枝は，下腹部・鼠径部・大腿の皮膚と筋に分布する。最大の枝である大腿神経は，鼠径靱帯の深層を通って大腿の前面に入る。閉鎖神経は骨盤の閉鎖孔を通り，大腿の内側面に入る（○図8-24）。L_4の枝の一部は，仙骨神経叢にも加わる。

5 仙骨神経叢（L_4〜S_4）　仙骨神経叢は強大な神経叢で，下肢の大半の皮膚と筋を支配する。坐骨神経は人体で最大の神経で，骨盤の後面から出て大腿の後面に入り，膝窩で脛骨神経と総腓骨神経に分かれる（後者はさらに浅・深腓骨神経に分岐）。さらに殿部の筋や皮膚，大腿後面の皮膚を支配す

る枝や，陰部神経（会陰・外陰部の筋と皮膚・粘膜を支配）などの枝がある。

腰神経叢と仙骨神経叢はともに下肢を支配するので，まとめて**腰仙骨神経叢**とよばれることがある。下肢を支配するおもな枝と分布域を◯表 8-5 に示した。

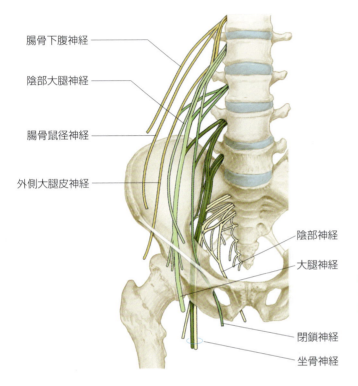

◯図 8-24　腰仙骨神経叢

腰神経叢は T_{12}〜L_4 の前枝が，仙骨神経叢は L_4〜S_4 の前枝がつくる神経叢である。両者を合わせて腰仙骨神経叢といい，下肢帯に向かう枝を出したあと，骨盤の前面を通る大腿神経，閉鎖孔を通る閉鎖神経，大坐骨孔を通る坐骨神経を下肢に送る。

◯表 8-5　下肢を支配する神経叢のおもな枝と運動性分布域＊

腰仙骨神経叢前面の枝		腰仙骨神経叢後面の枝	
閉鎖神経	大腿内側面の内転筋群	大腿神経	大腿前面の伸筋群
坐骨神経	大腿後面の屈筋群	深腓骨神経	下腿前面の伸筋群
脛骨神経	下腿後面の屈筋群	浅腓骨神経	下腿外側面の腓骨筋群

＊下肢の伸側と屈側は進化・発生の過程で，背腹が入れかわり，前面から出る枝が後面の屈筋を，後面から出る枝が前面の伸筋を支配する逆転現象が生じている。

臨床との関連　脊髄損傷

脊髄損傷は，脊椎の脱臼・骨折など外傷によりおこる。麻痺と感覚消失の部位と程度から，損傷の高さと程度を判断することができる。胸髄・腰髄の損傷では，両側の下肢に麻痺がおこる（対麻痺）。頸髄の損傷では四肢麻痺がおこり，さらに上位頸髄の損傷では，横隔神経が巻き込まれて横隔膜が麻痺し，呼吸運動ができなくなり，死にいたる。損傷した脊髄を再生させる治療は，現在のところまだ成功していない。

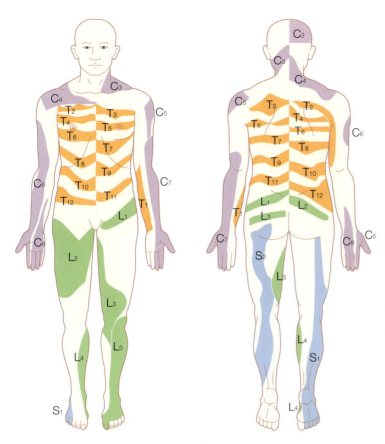

○図 8-25　脊髄神経の皮膚分布

脊髄神経の高さによって，皮膚のどの部位の感覚を支配するかが決まっている。上肢は C_5〜T_1，下肢は L_2〜S_2 によって支配される。乳頭は T_4，臍は T_{10} ぐらいの高さに相当する。脊髄神経の皮膚への分布域は，境界が明瞭ではなく，異なる神経の分布域がしばしば重なり合っており，また個人差も大きい。ここに示した図は，多数の研究の結果を総合したもので，空白や重なりがあるのは，このような分布域のあいまいさや個人差を反映したものである。

3 脊髄神経の機能

脊髄神経の枝は，皮膚，骨格筋，内臓・血管などに分布する。

- **筋枝**　骨格筋に入る枝は筋枝とよばれ，筋の運動と筋紡錘の感覚を支配する。
- **皮枝**　皮膚に分布する枝は皮枝とよばれ，皮膚の感覚や汗腺からの分泌を支配する。ある高さの脊髄神経は，神経叢をつくった場合でも，一定の帯状の皮膚（**皮膚分節** dermatome）を支配する。そのため全身の皮膚は，脊髄神経によって分節的に支配されることになる（○図 8-25）。
- **自律神経**　内臓・血管には，自律神経の線維が分布する。胸神経と上位腰神経には交感神経の節前線維が含まれ，仙骨神経には副交感神経の節前線維が含まれる。

2 脳神経の構造と機能

脳に出入りする末梢神経を**脳神経** cranial nerves という。12 対あり，脳から出る順に従って，Ⅰ から Ⅻ までのローマ数字で番号をふる習慣になっている（○図 8-26）。脊髄神経と異なり，脳神経はそれぞれが明瞭な個性をもっていて，隣の脳神経と神経叢をつくることはない。

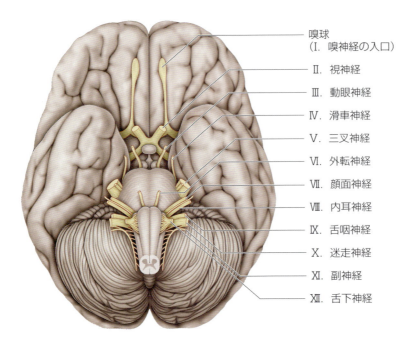

○図8-26 脳神経
脳の底面から見たところ。12対の脳神経が脳に出入りしている。

脳神経に含まれる神経線維には、体性運動性（骨格筋の運動），体性感覚性（皮膚や粘膜の感覚），副交感性（平滑筋の運動と腺の分泌）のほかに，特殊感覚性（嗅覚・視覚・聴平衡覚）といった種類がある。

1 脳神経のおもな支配域

● **嗅神経（Ⅰ）**　嗅覚を伝える（特殊感覚性）。

鼻腔上部の嗅粘膜の感覚細胞から出る多数の神経線維が，頭蓋底（前頭蓋窩）の篩板を貫いて頭蓋腔に入り，嗅球に終わる。

● **視神経（Ⅱ）**　視覚を支配する（特殊感覚性）。

眼球の後極から始まり，視神経管を通り抜けて頭蓋腔に入る。下垂体の前で視交叉をつくり，視索となって間脳（外側膝状体）に入る（○ 396ページ，図8-33）。眼球の網膜のニューロンの軸索が，視神経の神経線維になる。

視交叉では，左右の視神経がほぼ半分の神経線維を交換（**半交叉**）して，右脳と左脳は，それぞれ眼球の右半（左半の視野）と左半（右半の視野）からの情報を，左右の眼から重複して受け取る。こうして両眼で見えるものを比較して，対象の遠近を知ることができる。

● **動眼神経（Ⅲ）**　眼窩内の外眼筋と眼球内の平滑筋を支配する（体性運動性・副交感性）。

中脳（大脳脚の内側縁）から出て，海綿静脈洞を通り，上眼窩裂から眼窩に入る。眼球を動かす4つの筋（上直筋・内側直筋・下直筋・下斜筋）と上眼瞼挙筋を支配する。これに含まれる副交感線維が，**毛様体神経節**を経て，眼球内の瞳孔括約筋と毛様体筋に分布する。

● **滑車神経（Ⅳ）**　眼窩内の外眼筋を支配する（体性運動性）。

中脳背面から出て，海綿静脈洞を通り，上眼窩裂から眼窩に入る。眼球を

動かす上斜筋を支配する(上斜筋の腱は滑車で向きをかえる)。

- **三叉神経(Ⅴ)** 顔面の体性感覚,咀嚼筋を支配する(体性感覚性・運動性)。

脳神経では最も太く,太い感覚根と細い運動根とからなる。橋の外側端で脳に出入りする。中頭蓋窩の硬膜内に感覚性の**三叉神経節(半月神経節,ガッセル Gasser 神経節)**があり,感覚根はその先で3枝(**眼神経**〔V_1〕,**上顎神経**〔V_2〕,**下顎神経**〔V_3〕)に分かれ,運動根は下顎神経に加わる(●図8-27)。3枝はそれぞれ,上眼窩裂(眼窩へ),正円孔(翼口蓋窩へ),卵円孔(側頭下窩へ)を抜けて頭蓋腔から出る。

三叉神経の感覚根は,顔面の皮膚・粘膜・歯などに分布し感覚をつかさどる。眼裂より上方は眼神経,眼裂と口裂の間は上顎神経,口裂より下は下顎神経が担当する(●図8-28)。運動根は,咀嚼筋群(顎を動かす筋)などを支配する。

- **外転神経(Ⅵ)** 眼窩内の外眼筋を支配する(体性運動性)。

橋の下縁から出て,斜台の硬膜を貫き,海綿静脈洞を通り,上眼窩裂から眼窩に入る。眼球を動かす外側直筋を支配する(眼球を外方に回転させる)。

- **顔面神経(Ⅶ)** 顔面の表情筋,舌前半の味覚と唾液腺の分泌を支配する(体性運動性・特殊感覚性・副交感性)。

橋の下縁から出て,内耳神経とともに内耳道に入り,顔面神経管を通って,乳様突起のすぐ前(茎乳突孔)から頭蓋の外に出る。耳下腺を貫きながら分岐し,顔面の表情筋群に分布する。この経路の途中からいくつか枝が出るが,そのうち**鼓索神経**は中耳を通り抜け,下顎神経の枝に合流して舌の前2/3の味覚を担当し,顎下腺と舌下腺に分布する副交感神経を含む(● 247ページ,図6-5)。

- **内耳神経(Ⅷ)** 聴覚と平衡覚を支配する(特殊感覚性)。

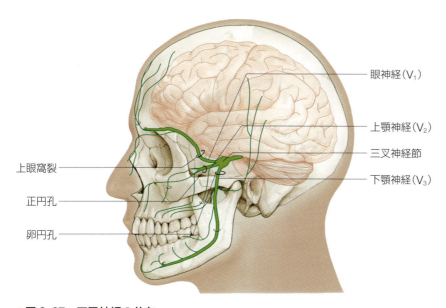

◯図8-27 三叉神経の分布
三叉神経(Ⅴ)は,3本の枝に分かれ,おもに顔の皮膚と粘膜の感覚を担当する。

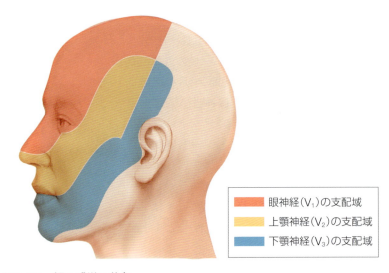

◉ 図 8-28　顔の感覚の分布
顔の感覚は，おもに三叉神経の3本の枝によって支配される。

平衡聴神経ともいう。この神経は2部に分かれ，そのうち蝸牛神経は内耳（● 409ページ）の蝸牛（ラセン器〔コルチ器〕）からの聴覚を，**前庭神経**は前庭（平衡斑）と半規管（膨大部稜）からの平衡覚を伝える。内耳道底で合流して頭蓋腔に入り，橋の下縁（顔面神経根の外側）から脳に入る。

● **舌咽神経（Ⅸ）**　舌の後半の感覚，咽頭の運動と感覚，唾液腺の分泌を支配する（体性・特殊感覚性・体性運動性・副交感性）。

延髄上部外側から始まり，迷走神経・副神経とともに頸静脈孔を通って頭蓋腔を出る。頸静脈孔を通過するところに，感覚性の上・下神経節がある。舌と咽頭に分布し，舌の後半1/3の触覚と味覚，また咽頭粘膜の感覚および咽頭筋の嚥下運動をつかさどる。また耳下腺を支配する副交感神経線維を含む。

● **迷走神経（Ⅹ）**　胸腹部内臓の副交感神経線維，咽頭・喉頭の運動と感覚を支配する（副交感性・体性運動性・体性感覚性）。

延髄外側から始まり，舌咽神経・副神経とともに頸静脈孔を通る。この部分で感覚性の上・下神経節をつくる。内頸静脈と総頸動脈にはさまれて下行し，鎖骨下動脈（および左では大動脈弓）の前方，肺門の後方を通り，食道とともに横隔膜を貫いて腹腔に入る。

頸胸部では，咽頭枝・上喉頭神経・心臓枝・反回神経（終枝は下喉頭神経となる）・気管支枝などの枝を出し，腹部では，骨盤領域以外の内臓（胃・小腸・大腸・脾臓・膵臓・肝臓など）に広く分布する。

● **副神経（Ⅺ）**　胸鎖乳突筋と僧帽筋などを支配する（体性運動性）。

延髄根と脊髄根とがあり，合流して舌咽神経・迷走神経とともに頸静脈孔を通る。延髄根は迷走神経に合流して口蓋筋と咽頭筋に分布し，脊髄根は肉眼的に独立した副神経として胸鎖乳突筋と僧帽筋に分布する。

● **舌下神経（Ⅻ）**　舌筋（外舌筋と内舌筋）を支配する（体性運動性）。

延髄から始まり，舌下神経管を通って頭蓋から出る。咽頭の外側を下行し，下方から舌に進入する。

2 脳神経の機能

脳神経は，機能と由来をもとに，次の3つの群に分けることができる。

- **体性運動神経の群** 体性運動神経は，脊髄神経に相当するものである。外眼筋を支配する動眼神経（Ⅲ）・滑車神経（Ⅳ）・外転神経（Ⅵ），および舌の筋を支配する舌下神経（Ⅻ）がこれに含まれる。
- **特殊感覚神経の群** 特殊感覚神経は，頭部にだけある特殊な感覚器の神経である。嗅覚を伝える嗅神経（Ⅰ），視覚を伝える視神経（Ⅱ），聴覚と平衡覚を伝える内耳神経（Ⅷ）がこれにあたる。
- **鰓弓神経の群** 鰓弓神経は，魚の鰓の神経にあたるものである。ヒトでも，ごく初期の胎児の頸の横に，魚の鰓に似た切れ込みとふくらみが見える。このふくらみを鰓弓といい，脊椎動物が魚類から四肢動物（両生類・爬虫類・鳥類・哺乳類）に進化した名残だと考えられる。三叉神経（Ⅴ），顔面神経（Ⅶ），舌咽神経（Ⅸ），迷走神経（Ⅹ），副神経（Ⅺ）が鰓弓神経にあたる。

D 運動機能と下行伝導路

1 運動ニューロン

運動ニューロンは，脳幹では動眼神経（Ⅲ），滑車神経（Ⅳ），外転神経（Ⅵ），顔面神経（Ⅶ），舌咽神経（Ⅸ），迷走神経（Ⅹ），副神経（Ⅺ），舌下神経（Ⅻ）の起始核にあり，脳神経を介して外眼筋のほか，顔面，咽頭・喉頭，舌などの骨格筋に情報を伝達する。脊髄では前角にあり，脊髄神経を介して頸より下の骨格筋に情報を送る。運動ニューロンには，筋線維を収縮させるα運動ニューロンと，筋紡錘を収縮させるγ運動ニューロンとがある（○図8-29）。

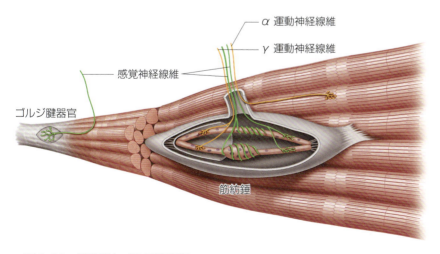

○図8-29 筋紡錘とゴルジ腱器官

2 下行（遠心）伝導路

　大脳皮質からの運動の指令は，下行伝導路を通り脳幹および脊髄の前角の運動ニューロンに伝えられる。脊髄に向かう伝導路は，延髄の錐体を通るので**錐体路**とよばれる（○図8-30）。

　錐体路は，大脳皮質の運動野の細胞から始まり，内包→大脳脚→橋底部→延髄の錐体を通って下行し，大部分の線維は延髄下端の**錐体交叉**で反対側に移り，脊髄の側索後部を下行して（**外側皮質脊髄路**），脊髄のいろいろな高さで前角の運動神経細胞に達して終わる。一部の線維は同側の脊髄前索を下行し（**前皮質脊髄路**），下位で交差して反対側の前角の細胞に達する。錐体路と同様の線維で，脳幹にある脳神経の運動ニューロンに終わるものは，**皮質核路**とよばれる。

　大脳皮質の運動野からの出力の一部は，大脳基底核・小脳にも送られ，そこから視床を経て大脳皮質に回帰し，運動の調節を行う。これらの経路の異常により，錐体外路症状❶（○380ページ）が生じる。

> **NOTE**
>
> ❶錐体外路症状
> 　錐体外路症状というのは，大脳基底核の損傷により生じる不随意運動や筋緊張異常などの症状である。大脳皮質から大脳基底核を経由する錐体路以外の下行伝導路として錐体外路を想定したものであるが，機能的に意味のあるそのような伝導路は見つかっていない。大脳基底核からの出力の大部分は視床を経て大脳皮質に送られ，そこから運動ニューロンに送られる。

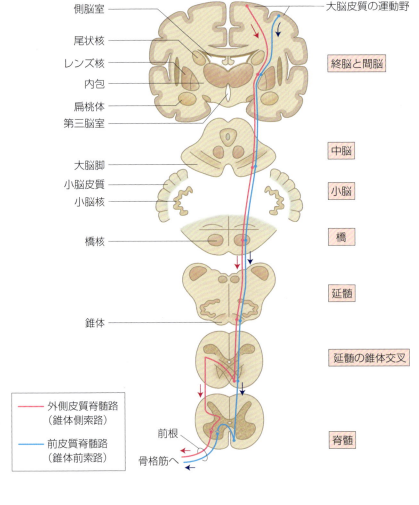

○図8-30　錐体路
錐体路は，大脳皮質から骨格筋への主要な出力路である。大脳の内包・中脳の大脳脚を通り，延髄の錐体で左右が交叉して脊髄前角の運動ニューロンにいたる経路と，錐体で交叉せずにそのまま下行し，脊髄の下位で交叉する経路がある。

E 感覚機能

1 感覚の種類

　人体内外の情報はさまざまな感覚器で受容され，感覚ニューロンを通って中枢に運ばれ，脳で感覚として意識される。感覚は，感覚器の存在する部位によって，以下の3群に分けられる。

　1 特殊感覚　頭部にある特殊な感覚器で受容される感覚（視覚，聴覚，平衡覚，嗅覚，味覚）

　2 体性感覚　全身の皮膚と筋で受容される感覚（皮膚感覚〔触覚❶，温度感覚，痛覚〕，固有感覚）

　3 内臓感覚　内臓で受容される感覚（臓器感覚，内臓痛覚）

> **NOTE**
> ❶ 触覚と圧覚
> 　触覚と圧覚が異なる感覚として記載されることがある。しかし，どちらも機械的な刺激（皮膚の圧迫）によって，皮膚の機械受容器が活動することで生じるものである。本書では圧覚を触覚に含めることにする。

2 感覚の性質

　違いがわかるのに必要な感覚刺激の差は，感覚刺激の強さに比例する。例えば，1gと2gの違いがわかる人でも，10gと11gの違いがわかるとは限らない。1gと2gの感覚の違いは，10gと20gの違いに相当する。つまり，感覚の強さは感覚刺激の差で決まるのではなく，比で決まる❷。

　同じ感覚刺激を与えつづけると，感覚は弱くなる。これを **順応** adaptation とよぶ。ある刺激にだけ順応すると，神経系のバランスがくずれ，後効果 after effect があらわれる。たとえば，赤い画面をずっと見た（順応した）あとに白い画面を見ると緑っぽく見えるのは，後効果である。

> **NOTE**
> ❷ ウェーバーの法則
> 　感覚の強さが比で決まることをウェーバー Weber の法則とよび，すべての感覚にあてはまる。気づくことができる最小刺激差を基準で割ったものがウェーバー比であるが，これは感覚の種類によって異なる。触覚と視覚のウェーバー比は小さいのに対し，味覚と嗅覚のウェーバー比は大きい。

---

column　手術着はなぜ緑や青なのか

　手術中に術野をじっと見たあとに，手術着を見たとしよう。もし手術着が白かったら，赤（血の色）をじっと見ることで赤錐体が順応したあと，白（手術着の色）を見ることになる。すると，緑錐体が赤錐体よりも相対的に感度が高くなっているため，緑色の残像が見えるはずである。一方，手術着が緑色や青色であれば，赤錐体が反応しない色のため，残像は見えない。このように，手術着が緑色や青色なのは残像を緩和する工夫なのである。

F 体性感覚と上行伝導路

1 体性感覚の受容器の種類

　体性感覚には皮膚と粘膜の受容器で受容される**皮膚感覚**と，筋・腱・骨膜などで受容される**深部感覚**とがある。皮膚の受容器には，触覚受容器と温度受容器・侵害受容器がある。

● **触覚受容器**　皮膚に与えられる刺激は機械受容器で受容される。マイスネル小体，ファーテル-パチニ小体，ルフィニ小体，メルケル盤が皮膚の伸展や振動を検知し，触覚を脳に伝える(◯図 8-31)。

● **温度受容器・侵害受容器**　温度と痛みの感覚は，皮膚と粘膜にはりめぐらされている自由神経終末に分布するイオンチャネルで検知される。痛みに関連するイオンチャネルは，43℃以上の温度や，トウガラシの成分であるカプサイシン，酸(H^+)など複数の刺激に反応し，侵害受容器とよばれる❶。

● **深部感覚の受容器**　骨格筋には，筋の長さ・伸展を検知する筋紡錘と，筋の張力を検知するゴルジ腱器官(◯ 391 ページ，図 8-29)があり，これらの受容器からの情報で関節の位置や動きの感覚が生じる。

> **NOTE**
> ❶ 43℃より高い温度のお風呂には熱くてなかなか入れない。これは 43℃以上のお湯を侵害受容器にある受容体が侵害刺激として検知するからである。この 43℃という温度を検知する受容体は，カプサイシンの受容体でもある。そのためトウガラシを食べると辛さ(辛さは侵害刺激である)とともに，口の中が熱く感じられる。

2 皮膚の感覚受容器の分布

　皮膚に刺激を与えると，感覚が生じる場所と生じない場所とがある。感覚

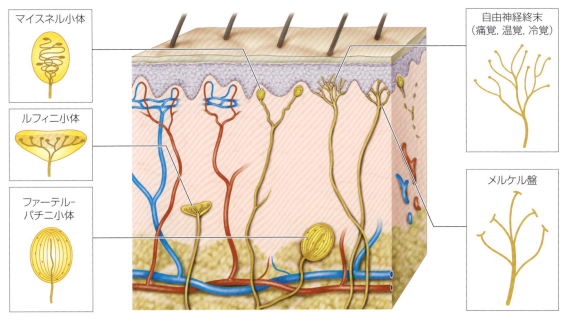

◯ 図 8-31　皮膚の受容器

が生じる感覚点には，**触点・温点・冷点・痛点**がある。感覚点の密度は感覚の種類と皮膚の場所によって異なる。たとえば，1 cm² あたりの触点は，敏感な顔や指では 100 以上，鈍感な大腿部では 10 程度である。痛点の数が一番多く，冷点のほうが温点よりも数が多い。

3 上行（求心）伝導路

上行伝導路は，皮膚・筋などからの体性感覚と，視覚器・聴覚器などからの特殊感覚を脳に伝える伝導路で，中枢内で 2 つ以上のニューロンを経過して大脳皮質に達する。末梢側から一次ニューロン，二次ニューロン，三次ニューロンとよばれる。

1 体性感覚の伝導路

皮膚感覚や深部感覚を伝える一次感覚ニューロンは，脊髄神経節の中にある。ここから脳への経路は，感覚の種類によりいくつかに分かれている（◎図 8-32）。

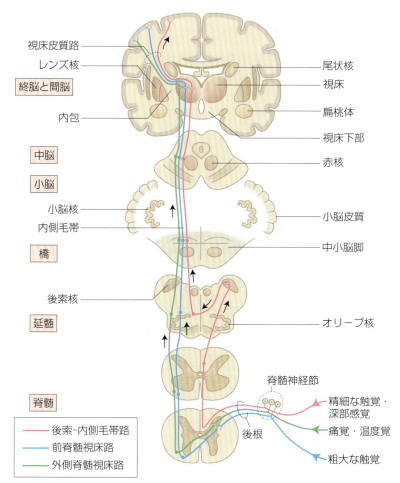

◎図 8-32 体性感覚の伝導路
体性感覚のおもな伝導路には，精細な触覚や筋の伸長状態などを伝える後索-内側毛帯路，粗大な触覚を伝える前脊髄視床路，痛覚や温度覚を伝える外側脊髄視床路がある。

- **後索-内側毛帯路** 精細な触覚や筋の伸長状態などの固有覚の経路は，脊髄の後索と脳幹の内側毛帯を通る。脊髄神経節の一次ニューロンの軸索は，脊髄に入って後索を上行し，延髄の後索核に達する。二次ニューロンの軸索は，内側毛帯を上行し，視床に達する。三次ニューロンの軸索は，そこから大脳皮質に投射する。
- **前脊髄視床路** 粗大な触覚を伝える経路は，脊髄の前索を通って視床に達する。脊髄神経節の一次ニューロンの軸索は，脊髄の後角に達する。二次ニューロンの軸索は，反対側の脊髄前索を上行し，視床の三次ニューロンに接続し，そこから大脳皮質に投射する。
- **外側脊髄視床路** 痛覚と温度覚を伝える経路は，脊髄の側索を通って視床に達する。二次ニューロンは脊髄の後角にあるが，その軸索は，反対側の脊髄側索を上行して視床に達する。

2 視覚伝導路

網膜の視細胞の興奮は，双極細胞（一次ニューロン）を経て神経節細胞（二次ニューロン）に伝わり，その軸索が集まって視神経となる。これは頭蓋内に入るとすぐ**視交叉**をつくり，半分の線維が交差するために，視野の左半（網膜の右半）からの線維が右脳に集まり，視野の右半（網膜の左半）からの線維が左脳に集まる（◯図8-33）。

視交叉から先は視索となり，外側膝状体に達する。ここの三次ニューロンから出た軸索は，内包の後部を通って**視放線**をつくり，後頭葉の視覚野に達する。二次ニューロンの軸索の一部は中脳の上丘と視蓋前域に送られる（◯407ページ）。

> **NOTE**
> ❶視蓋前域は瞳孔反射に関係する。

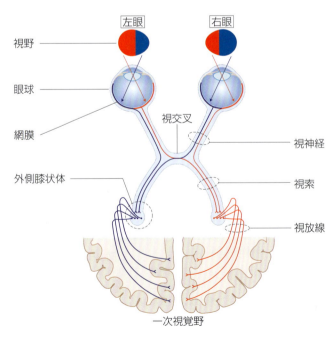

◯図8-33 視覚伝導路

3 聴覚伝導路

　聴覚を伝える内耳神経の一次ニューロンは，内耳に近い蝸牛神経節の中にある。ここから出た軸索は，延髄と橋の境の高さで蝸牛神経核に達する。二次ニューロンの軸索は，交差しておもに対側の外側毛帯を上行し，中脳の下丘核に達する。三次ニューロンの軸索は両側を上行して，視床の内側膝状体に達する。四次ニューロンの軸索は**聴放線**をつくって側頭葉の聴覚野に達して終わる。橋にある上オリーブ核と外側毛帯核のニューロンは，聴覚伝導路のニューロンと接続し，聴覚の情報処理に重要なはたらきをする。

G 眼の構造と視覚

　視覚器は，眼窩の中におさまる眼球を中心とし，これに眼瞼，涙器，眼筋などが付属してできている。

1 眼球の構造

　眼球 eyeball は，直径 25 mm ほどの球状で，前後径のほうが横径より少し大きい。前方の角膜部では，ほかの部分よりも彎曲が強い。後極の少し下内側で視神経につながる。眼球の壁は3層構造からなり，内部には水晶体・硝子体・眼房水が含まれる（◯図 8-34）。

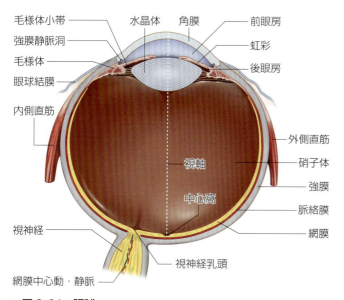
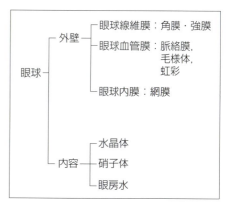

◯**図 8-34　眼球**
右の眼球の水平断面を示す。前方からきた光は，角膜・前眼房・水晶体・硝子体を通って網膜に達する。網膜で感じた光は，視神経を通って脳に運ばれる。

1 眼球線維膜（外膜）

　眼球壁の最外層をなす，コラーゲン線維を主体とする強靱な膜である。前方の一部は透明な**角膜** cornea だが，残りの大部分は**強膜** sclera というかたい白い膜である。
- **強膜**　眼球外層の約 5/6 を占め，血管が少ないために白く見える。厚さは後部で厚く（約 1 mm），赤道部で薄く（約 0.4 mm），この厚さの部位差と眼内圧のバランスで，眼球の形が保たれる。角膜の内面が虹彩と接する部分を隅角といい，この部分の内面にある**強膜静脈洞**（**シュレム管** Schlemm canal）が，眼房水の流出部になっている（◯図 8-35）。
- **角膜**　眼球の前 1/6（直径約 10〜12 mm）を占め，厚さ約 1 mm で，前方に凸彎する透明部である。角膜の本体は規則的に配列したコラーゲン線維からなり，外表面の角膜上皮は重層扁平上皮で角化しておらず，強膜をおおう結膜の上皮に続く。後面では，前眼房に面して 1 層の内皮細胞が並ぶ。角膜の結合組織と上皮には神経が豊富に分布し，異物により鋭く痛む。角膜の刺激により，眼瞼が反射的に閉じる（**角膜反射**）。

2 眼球血管膜（ブドウ膜）

　血管の豊富な膜で，大部分を占める**脈絡膜** choroid と，前方に突き出す**毛様体** ciliary body，**虹彩** iris とからなる。
- **脈絡膜**　強膜の内面にある薄い膜で，血管と色素細胞に富み赤黒い。これは眼球内部を暗くし，また眼球壁に栄養を与える。
- **毛様体**　脈絡膜の前方に突き出す肥厚部で，内部に平滑筋性の**毛様体筋**がある。毛様体の内面には，約 70 の隆起（毛様体突起）が中心に向かって突

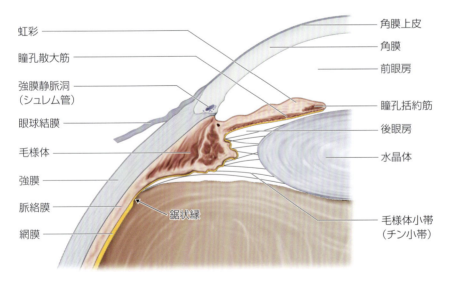

◯図 8-35　眼房部の構造
脈絡膜の前方部は，毛様体および虹彩という 2 種類の突起を突き出す。虹彩は周囲から水晶体の前面に向かって突き出し，中央の孔は光を通す瞳孔となる。毛様体は，毛様体小帯という線維によって水晶体を引っぱり，水晶体の厚みをかえて遠近調節を行う。

き出し，無数の線維(**毛様体小帯**，**チン小帯** Zinn zonule)によって水晶体と連結している。毛様体表面の上皮細胞は，眼房水の分泌を行う。毛様体筋は，副交感神経(動眼神経，毛様体神経節を経由)に支配され，収縮すると毛様体を中央に向かって突き出し，毛様体小帯がゆるみ，水晶体はみずからの弾力で凸度を増す(◯ 404 ページ)。

● **虹彩**　毛様体の前方に突き出す，平たい環状の膜で，中央の**瞳孔** pupil を取り囲んでいる。眼球の外から角膜を通して見える。虹彩により，水晶体と角膜の間の空間(眼房水を含んでいる)は，**前眼房**と**後眼房**に分けられる。虹彩は血管・神経・色素を豊富に含み，内部には瞳孔の大きさを調節する 2 群の平滑筋がある。輪状の瞳孔括約筋は副交感神経(動眼神経，毛様体神経節を経由)に支配され，放射状の瞳孔散大筋は交感神経に支配される。いわゆる目の色(黒目，茶目，青目)は，虹彩の結合組織に含まれるメラニン細胞の量の違いにより生じる。

3　網膜(眼球内膜)

　眼球壁の最内層で，本体をなす狭義の**網膜** retina と，脈絡膜に面する色素上皮とからなる❶。

● **網膜**　眼球壁の最内層部で，感覚細胞・神経細胞・神経線維が整然と配列し，多くの層が区別される(◯図 8-36)。色素上皮(外)の側から，視細胞の層，双極細胞の層，神経節細胞の層がある。双極細胞は，視細胞からの刺激を神経節細胞に伝え，同じ層にあるほかの神経細胞とともに，網膜内である程度の情報処理を行う。

● **視細胞**　視細胞には，**杆体** rods と**錐体** cones という 2 種類の感覚細胞❷があり，色素上皮に向かって出る突起(外節)の形により名づけられている。杆体は**ロドプシン** rhodopsin という感光色素をもち，光の感度が高く，色を区別しない。光が杆体に照射されると，フォトン(光子)がロドプシンに吸収されて視細胞にある G タンパク質が活性化され，それまで開いていた Na^+ チャネルが閉鎖して過分極がおきる。この信号が視神経を通って伝えられ，一次視覚野で視覚を生じる。錐体は**イオドプシン** iodopsin (アイオドプシン)という感光色素をもち，光の感度は低いが，異なる色を感知する 3 種類(青錐体，緑錐体，赤錐体)がある(◯図 8-37)。

● **視神経**　網膜の神経節細胞から出た軸索は，網膜の最内層を通って**視神経乳頭**(円板)に向かって集まり，ここで眼球を離れて視神経に入る。視神経乳頭には視細胞がなく，光を感じない。視神経乳頭の外側 4〜5 mm の場所に，黄色っぽい領域(**黄斑**)があり，その中央に軽いくぼみ(**中心窩**)がある。ここは視細胞の錐体が集まり，注視するときに視野の中心になって，高い視力が得られる。

　網膜は中心窩の周縁で厚く，前方に向かって薄くなりながら**鋸状縁**(狭義の網膜の前縁)に達し，ここで急にごく薄くなって，毛様体の内面と虹彩後面をおおう上皮に移行する。

> **NOTE**
>
> ❶網膜
>
> 　網膜は発生学的に，脳の一部が袋状に突き出したもの(眼胞)からなる。網膜の視細胞層と色素上皮との間は，脳室の続きにあたり，ここで網膜剝離がおこる。網膜と視神経は，組織学的に中枢神経の性質をもつ。
>
> ❷生物学では杆体細胞，錐体細胞とよぶ。

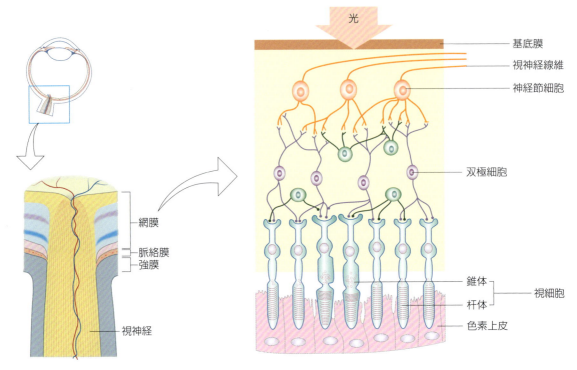

図 8-36 網膜の構造
網膜ではさまざまな細胞が規則正しく並んで層をなしている。視細胞の層には，光の感度は高いが色を感じない杆体と，光の感度は低いが色を感じる錐体がある。
網膜に入ってきた光は最深層の視細胞で感受される。刺激は視細胞から双極細胞を経て神経節細胞に伝えられ，神経節細胞から出た視神経線維を通して脳に送られる。

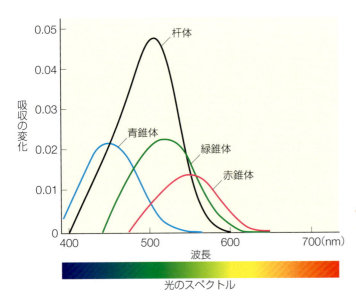

図 8-37 杆体と錐体の吸光スペクトル
杆体は錐体よりも感度が高いが，色を区別することはできない。色は3種類の錐体（青錐体，緑錐体，赤錐体）により感知され，錐体の種類によって感知する波長のピークが異なる。

4 眼房水

　角膜と水晶体の間には，**眼房水**によって満たされる眼房があり，虹彩によって前眼房と後眼房に分けられる。眼房水の成分は血漿に近いが，炭酸水

素イオン(重炭酸イオン，HCO_3^-)を多く含み，角膜・水晶体・硝子体に栄養を与える。眼房水は循環しており，毛様体上皮から後眼房に分泌され，前眼房に入り，虹彩と角膜の境界部にある強膜静脈洞に吸収される。

● **眼内圧**　眼房水の圧を**眼内圧**(眼圧)といい，平均眼内圧は 14〜16 mmHg，正常値の上限は 20〜21 mmHg である。眼房水の出口がふさがると眼内圧が高まるため視神経が障害されて緑内障となり，失明の危険がある。

5 水晶体

水晶体 lens は，直径約 9 mm で前後両面が凸のレンズで，後面の彎曲が強く，眼房水および硝子体よりも屈折率が大きい。前後軸は約 4 mm だが，遠近調節のために厚さをかえ，遠方視で薄く，近方視で厚くなる。水晶体の表面は弾力性のある膜(水晶体包)に包まれ，内部の大部分は上皮細胞からなる水晶体線維が規則的に集合している。毛様体内面からおこる毛様体小帯が，水晶体包に付着する。

加齢とともに水晶体はかたくなり，遠近調節が困難になる(老視)。さらに高齢になると水晶体が白濁し，視力障害がおこる(白内障)。このようなときには，水晶体を摘出し，人工の眼内レンズを挿入することで視力を回復することができる。

6 硝子体

硝子体 vitreous body は水晶体の後ろにあり，眼球の後ろ約 3/5 を占めるゼリー状の物質である。

2 眼球付属器

1 眼瞼・結膜

上・下の眼瞼(まぶた)があり，必要に応じて光を遮断し，眼球を保護する。外面は皮膚，内面は血管と神経に富む粘膜(結膜)におおわれる。眼瞼の内面をおおう結膜(**眼瞼結膜**)と，眼球前面の強膜をおおう結膜(**眼球結膜**)は，上下の結膜円蓋で互いに移行する(●図 8-38)。

眼瞼の内部には，かたい結合組織性の**瞼板**および，いくつかの腺がある。**マイボーム** Meibom **腺**は，瞼板中に 30〜40 個ある大型の皮脂腺で，眼瞼後縁に開口する。眼瞼前縁には睫毛(まつ毛)が 2〜3 列あり，その根部に特殊なアポクリン汗腺(睫毛腺，モル Moll 腺)と脂腺(ツァイス Zeis 腺)が開く。

眼窩内の上眼瞼挙筋(動眼神経支配)が上眼瞼を引き上げて眼瞼裂を開き，眼瞼裂を取り巻く眼輪筋(顔面神経支配)が，眼瞼裂を閉じる(● 338 ページ)。

2 涙器

涙腺は，眼球の上外側にある小指頭ほどの漿液腺である。涙腺が分泌する涙液は，角膜の表面をおおい，乾燥を防ぎ保護する。涙液は内眼角に集まり，

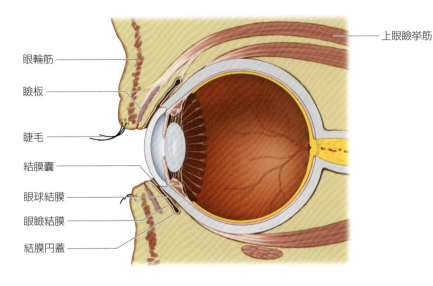

▶図 8-38 眼瞼と結膜

眼瞼と結膜は眼球を保護する役割をもつ。眼瞼内部には、瞼板中にあるマイボーム腺や睫毛根部のアポクリン汗腺、脂腺など、いくつかの腺がみられる。

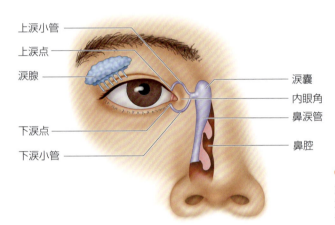

▶図 8-39 涙器

角膜の乾燥を防ぎ、保護する涙液は、涙腺から分泌され、涙点、涙小管、涙囊、鼻涙管を経て鼻腔へと入る。

上下の涙点から流出し、**鼻涙管**を通って鼻腔の下鼻道に入る（▶図8-39）。
瞬目（まばたき）は、眼瞼を動かして涙液を眼球表面に均等に広げるだけでなく、鼻涙管を収縮・拡張させて涙液を吸引するはたらきもある。

3 眼筋（外眼筋）

眼窩の中には、眼球を動かす6つの外眼筋がある（▶図8-40）。作用からみると、4つの直筋と2つの斜筋があり、3本の脳神経（動眼神経、滑車神経、外転神経）に支配される。**上眼瞼挙筋**は、眼球の運動は行わないが、外眼筋に含める。

1 上直筋・下直筋・内側直筋・外側直筋 これら4つの直筋は、視神経管のまわりにある総腱輪からそれぞれおこり、前方に直進して扁平な腱となり、角膜縁から5〜10 mm後ろで眼球の強膜に停止する。

2 上斜筋 総腱輪からおこり、眼窩の前上内側隅に進み、ここで軟骨性の滑車により外後方に向きをかえ、眼球の上面に斜めに停止する。

3 **下斜筋** 眼窩底の鼻側で涙嚢の直下からおこり，外後方に向かい，眼球の外側面に停止する。

滑車神経は上斜筋（滑車で向きをかえる）を，外転神経は外側直筋（眼球を外転する）を支配し，動眼神経はそれ以外の4筋と上眼瞼挙筋を支配する。

3 視覚

1 視野と視力

● **視野と盲斑** 眼の前の1点を注視した状態で見える範囲を，**視野**とよぶ。白に対する視野よりも，色に対する視野は狭く，なかでも緑に対する視野が最も狭い（◯図8-41）。注視した点から15度外側の位置に，視細胞のない視神経乳頭に対応して視覚のない**盲斑（盲点）**がある。

● **視力** 視力とは，眼の分解能のよしあしを示す数値で，識別できる最小の視角（分単位）の逆数で示す（◯図8-42）。視力1.0で識別できる1分の角は，5mの距離から見た1.5mmの長さに相当する。

2 色覚

ヒトの眼は，波長が400nm（ナノメートル）の紫から，800nmの赤までの可視光線を感知できる（◯400ページ，図8-37）。色覚には，波長やその組み合せに対応する**色調** hue，色の明るさにあたる**明度** luminosity，色に白や黒がまざって白っぽく，ないし黒っぽくなった度合いを示す**飽和度** saturation（**彩度**）の3要素が区別できる。

● **色覚異常** 錐体に異常があって色の識別ができないことを色覚異常とい

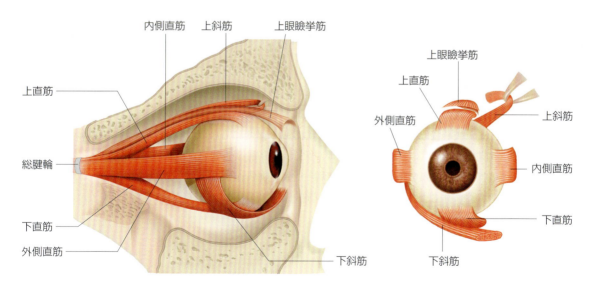

◯図8-40 **外眼筋**
外眼筋には4つの直筋（上直筋・下直筋・内側直筋・外側直筋）と2つの斜筋（上斜筋・下斜筋）があり，これらのはたらきにより眼球運動が行われている。

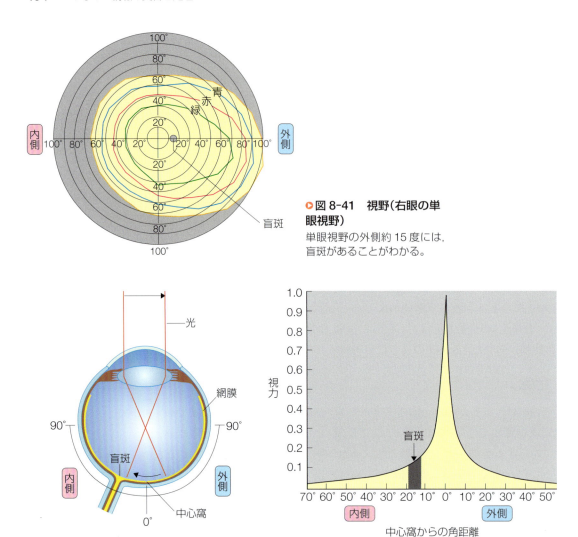

◯ 図 8-41 視野（右眼の単眼視野）
単眼視野の外側約 15 度には，盲斑があることがわかる。

a. 網膜に投影される像
b. 視力

◯ 図 8-42 網膜への光の届き方と視力の関係
中心窩からの角距離の内側約 15 度には視神経乳頭（盲斑）があるため視力がない。像が反転して網膜に届いて感知されるため，視野とは逆になっていることに注意。

い，その多くは先天性である。錐体には赤・青・緑の 3 種類の感光物質のうちのどれかが含まれて色を識別しているが，色覚異常の程度にも種類があり，1 色覚（3 つの色覚の欠如），2 色覚（1 つの色覚が欠損），異常 3 色覚（1 つの色覚が鈍い）に区別される。臨床的には赤または緑の感光物質が欠損して，赤か緑の色覚異常をおこすことが多い。このような赤緑色覚異常は X 連鎖潜性（劣性）遺伝を示し，多くは男性にあらわれる。

3 遠近調節

眼の遠近調節は，毛様体筋の収縮と水晶体の弾力により行われる。副交感神経の刺激により毛様体筋が収縮すると，毛様体が内方に突出し，水晶体は自分の弾性によって前後の厚さを増し，視点が近方に移動する（◯ 図 8-43）。

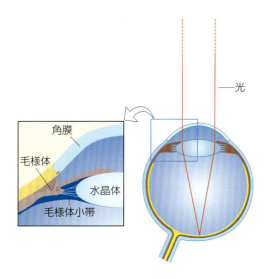 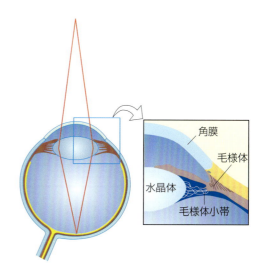

a. 遠くを見るとき
毛様体筋が弛緩することで毛様体小帯の緊張が強まり，水晶体が薄くなる。屈折力が小さいため，遠くの物に焦点が合う。

b. 近くを見るとき
毛様体筋が収縮することで毛様体小帯の緊張がゆるみ，水晶体が厚くなる。屈折力が大きいため，近くの物に焦点が合う。

◯図8-43　遠近調節のしくみ

中年以後には，水晶体がかたくなって弾力性を失い，調節力が小さくなる。これは老視とよばれる。

● **屈折異常**　遠近調節を休止した状態で，無限遠の像が網膜に結ぶ状態は正視であるが，それ以外の状態をすべて屈折異常という。

近視では，屈折力に比べて眼軸が長く，遠方の物体の像が網膜の前方に生じてしまう状態で，凹レンズによって矯正する（◯図8-44-b, c）。遠視では，遠方の物体の像が網膜の背後で結び，凸レンズにより矯正する（◯図8-44-d, e）。

乱視のうち，水平方向と垂直方向の焦点距離が違うためにおこる正乱視は，円柱レンズによって矯正できるが，角膜表面に凹凸があるために生じる不正

---

column　距離感

私たちは，Aという物体とBという物体のどちらが遠くにあるのかを，容易に判定することができる。これは左右の眼球が向く角度から判定されている。

遠くの物体を見るときには，左右の眼球のなす角度は平行に近くなる。逆に，近くにある物体になるほど，両眼は寄ってきて，角度は大きくなる。物体の遠近，つまり距離感は，無意識のうちに，この両眼のなす角度から判定されている。したがって，片眼しか見えないと，距離感がつかみにくくなり，コップをひっくり返したり，お箸で物をつかみそこねたりするようになる。

動物には，距離を眼以外の器官で測定するものもいる。フクロウの左右の耳の穴は，上下に少しずれている。このため，左右の耳に入る音の時間差によって，左右だけでなく上下方向にも音源の位置を特定することができる。このため，落ち葉の下をネズミが走るときのカサコソする音を聞いただけで正確な位置がわかり，飛びかかってつかまえることができる。

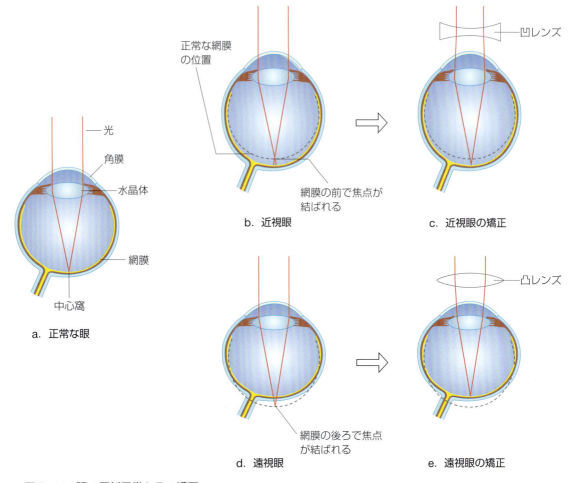

◎図8-44　眼の屈折異常とその矯正

乱視は，コンタクトレンズによって矯正する。通常，角膜を移植した際には乱視となるので，コンタクトレンズで矯正する必要がある。

4 明暗順応

　明所から暗所に移ると，はじめはものが見えないが，やがて見えはじめる。この過程を**暗順応**といい，30分ほどかかる。逆に暗所から明所に移ったときのまぶしさに慣れる**明順応**は，1分ほどで完了する。明暗順応により，網膜の感度は100万倍にも変化する。

　この暗順応と明順応は，杆体の外節に含まれるロドプシンが，分解されたり再合成されたりして行われる。ロドプシンはビタミンAからつくられる物質を含むため，ビタミンAが欠乏すると，暗所での視力が低下する夜盲症(いわゆる鳥目)となる。

5 眼球運動の調節

　外眼筋による眼球の運動には，2つの目的がある。
● **像のぶれを防ぐ**　頭部がある方向に回転すると，反射的に眼球が逆方向

に回転して，眼球の方向を一定に保つ。これには内耳の半規管からの平衡覚（◯413ページ）が大きな役割を果たす（前庭動眼反射）。
● **視線を向ける**　興味のある対象に視線を移すときに，**衝動性眼球運動**（サッケード saccade）が，身体の向きをかえる運動（定位反応）と協調しておこる。これにより，求める像が解像度のよい中心窩にすみやかに結ばれる。
● **複視**　外眼筋の動きが障害されると，ものが二重に見える。これを複視という。

6　眼球に関する反射

● **対光反射**　網膜に入る光の量により，瞳孔の大きさが反射的に調節されることを**対光反射**という。光を斜めから瞳孔にあてると，瞳孔が反射的に収縮する。暗所に移ると，瞳孔は散大する。瞳孔の散大・縮小による入射光量の変化は最大でも 20 倍足らずで，明・暗順応に比べてはるかに小さい。しかし光を照射すると反射によって即座に瞳孔が縮小する（縮瞳）ため，強い光による網膜の傷害を防ぐことができる。虹彩の瞳孔散大筋は交感神経により，瞳孔括約筋は副交感神経（動眼神経，毛様体神経節経由）により収縮する。
● **輻輳反射**　近いものを注視すると，両眼の視軸が鼻側に寄る（内転）が，このとき反射的に瞳孔が縮小する（**輻輳反射**）。
● **瞬目反射，角膜反射**　角膜や眼の周囲の皮膚にものが触れたり，眼前に急に物体が近づいたりすると，反射的に眼瞼が閉じる。これを**瞬目反射**といい，角膜を保護するはたらきをする。とくに角膜の刺激によるものは**角膜反射**とよばれ，中枢神経の障害を検査するのに用いられる。

臨床との関連　直接対光反射と間接対光反射

　一方の（たとえば右眼の）瞳孔に光をあてると，右眼の瞳孔が収縮するが（直接対光反射），このとき，光のあたっていない左眼の瞳孔も同時に収縮する（間接対光反射）。
　図のように，右眼の外側（耳寄り）の網膜にあたった光の情報（図の赤い線）は，視神経と視索を経て右の外側膝状体に送られる。視索は外側膝状体の少し手前で枝を出し，中脳右側の視蓋前域を経て動眼神経副核にも情報を伝えている。この核から動眼神経が出て右側の瞳孔括約筋を収縮させるが，同時に右側の視蓋前域から左側の動眼神経副核にも情報が伝えられ，左側の瞳孔括約筋も収縮することになる。
　同じ右側であっても内側（鼻寄り）に光をあてた場合（青い線）は，視神経，視交叉，左の視索，視蓋前域を経て右の動眼神経副核，動眼神経がはたらいて直接対光反射を生じることになる。

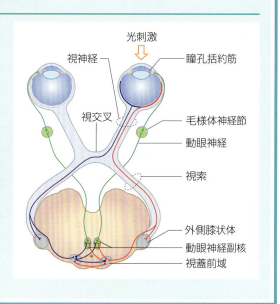

H 耳の構造と聴覚・平衡覚

1 耳の構造

耳は，音を鼓膜まで伝える**外耳**，鼓膜の振動を耳小骨を通して奥に伝える**中耳**，そして音や平衡を感じる**内耳**という，3つの部分に分かれる(○図8-45)。

1 外耳

外耳は，**耳介**と**外耳道**からなる。耳介は，弾性軟骨が骨組みとなっているが，耳垂(みみたぶ)には軟骨がない。外耳道は長さ約3.5 cmで，軽くS状に曲がっており，耳介を上後方に引っぱることで奥の鼓膜をみることができる。外耳孔から1/3は軟骨，2/3は骨で囲まれ，軟骨部の皮膚にはアポクリン汗腺(耳道腺)が発達している。この分泌物に剝離した上皮細胞の加わったものが耳垢である。

2 中耳

外耳道から**鼓膜** tympanic membrane を隔てて奥に，中耳がある。中耳の主要部は，**鼓室** tympanic cavity という空洞で，内部にある耳小骨が音波を適当な強さの振動にかえて，内耳に伝えるはたらきをする。

● **鼓膜** 楕円形(長径約1.0 cm)の薄い膜で，外面が前下外方を向き，水平に対し約45度傾いている。中央部が漏斗状に浅くくぼみ，内面にツチ骨の柄が付着している(**ツチ骨条**)。鼓膜の上端で，ツチ骨と接しない部分を弛緩部，ほかの大部分を緊張部という。

● **鼓室** 上下・前後にかなり広い空洞で，**耳管** auditory tube によって咽頭に

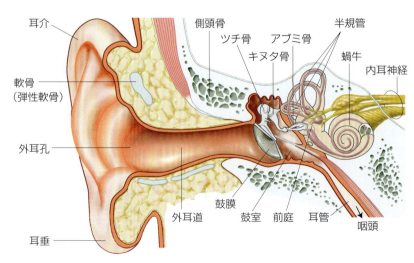
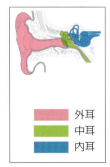

耳は外耳・中耳・内耳の3つの部分に分けられる。

○図8-45 耳の構造

つながり，後方は乳突洞を経て乳様突起中の乳突蜂巣に続く。鼓室の内側には内耳をおさめる骨壁があり，内耳に連なる**前庭窓**（卵円窓）と**蝸牛窓**（正円窓）がある（◯図 8-46）。耳管は，鼓室から前下内方に出て咽頭上部に開く長さ 30〜40 mm の管であり，ふだんは閉じているが，嚥下の際に開き，外耳と中耳の間に生じた気圧差を解消するのに役だつ。

鼓室の中には，**ツチ骨・キヌタ骨・アブミ骨**❶という 3 個の**耳小骨**があり，鼓膜の振動を前庭窓に伝える。鼓膜と前庭窓の面積比（17：1）および耳小骨の間のテコのはたらきによる振幅の減少（3/4 程度）により，空気中の音の振動エネルギーの約 60％を，内耳のリンパ中に伝えることができる。ツチ骨には鼓膜張筋，アブミ骨にはアブミ骨筋という小さな筋がついていて，耳小骨での音の伝達を抑制するはたらきをする。

> **NOTE**
> ❶ツチ（槌）骨は木槌，つまりハンマーの形，キヌタ（砧）骨は布をたたく道具の形，アブミ（鐙）骨は馬具の足を乗せる金具の形に似ていることに由来する。

3 内耳

内耳は，音の振動や平衡の情報を感知する器官で，側頭骨の錐体の中にある。内耳の内部構造は，**骨迷路** bony labyrinth と**膜迷路** membranous labyrinth からなる（◯図 8-46）。また内耳の領域は，前方から蝸牛，前庭，半規管の 3 部からなる。

● **骨迷路と膜迷路** 骨迷路は，錐体の骨の中にある複雑な形をした空洞で，膜迷路はその中にあるほぼ同じ形の膜の袋である。骨迷路と膜迷路の間の空間は**外リンパ**，膜迷路の内部の空間は**内リンパ**という液で満たされており，膜迷路をつくる膜の数か所に，感覚細胞（多数の毛をもつため**有毛細胞**という）があり，振動や加速度を感知する。外リンパの組成は一般的な細胞外液に似ているが，内リンパはカリウム濃度が高く，ナトリウム濃度が低く，細胞内液と似た性状をもつ。

骨迷路および膜迷路は，大きく 3 つの部分に分かれる。迷路の中央部分に

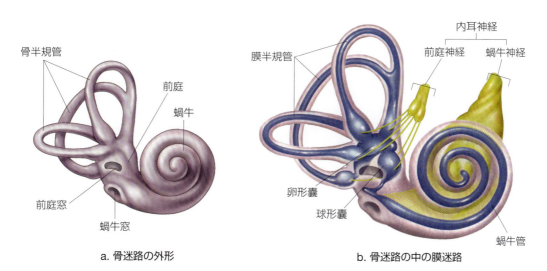

a. 骨迷路の外形　　b. 骨迷路の中の膜迷路

◯**図 8-46　骨迷路と膜迷路**
右耳の内耳を前方からみたところ。内耳は蝸牛・前庭・半規管からなり，骨迷路の中に膜迷路がおさまった構造になっている。

あり，アブミ骨につながる前庭窓をもつ**前庭**は，頭の傾きを感知する。その後上方にある**半規管**は，3つの環状のループ❶を備えた構造で，頭の回転を感知する。前庭の前下方にある**蝸牛**❷は，カタツムリのような形をして，音波による内リンパの振動を感知する。

● **蝸牛**　内耳の最前方部にあり，ラセン状の管腔が軸（蝸牛軸）の周囲を2巻き半しており，形がカタツムリの殻に似ている。管腔の内部は3部に分かれている（●図8-47）。前庭階と鼓室階は膜迷路の外の空間で外リンパをおさめ，両者にはさまれた蝸牛管は膜迷路にあたり内リンパをおさめる。前庭階は前庭窓に，鼓室階は蝸牛窓につながり，蝸牛の頂点で互いに交通する。

　蝸牛管の基底板にある**ラセン器**（**コルチ**Corti**器**）が，音を感知する装置であり，内・外有毛細胞（感覚細胞），支持細胞などを含み，その上に蓋膜がかぶさっている。音波が，前庭窓→前庭階→蝸牛頂→鼓室階→蝸牛窓と進行する間に，蝸牛管の基底板を振動させるが，共鳴により最大振幅を示す部位が音の周波数により決まっているため，その部位のラセン器が刺激され，音の周波数として感知される（●図8-48）。

● **前庭**　蝸牛と半規管をつなぐ中央部で，2つの膜迷路の袋（**球形嚢**と**卵形嚢**，合わせて**耳石器**とよばれる）がある。2つの袋の内面には，**平衡斑**という感覚装置が，互いに直角に配置し，2方向の直線加速度を感知する（●図8-49-a）。平衡斑には，丈の高い有毛細胞があり，炭酸カルシウムの結晶である**平衡砂**（**耳石**）を含むゼリー層が表面をおおっている。

> **NOTE**
> ❶三半規管というのは，この3つの半規管の総称である。
> ❷生物学では，うずまき管とよぶ。

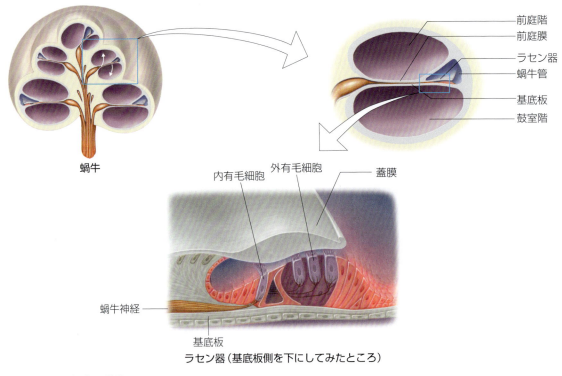

● **図 8-47　蝸牛の構造**
内耳前方のカタツムリ状の構造が蝸牛である。蝸牛には，音を感知するラセン器がある。

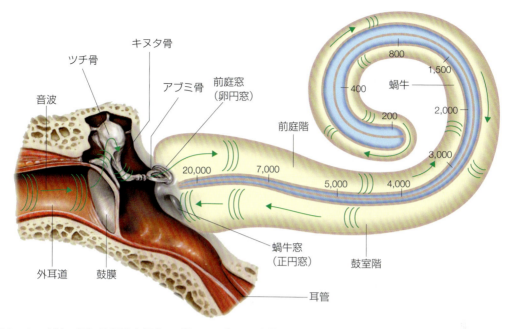

◯ 図 8-48 音波の伝わる経路と蝸牛で感知する音の周波数
音波により鼓膜が振動すると,その振動がツチ骨→キヌタ骨→アブミ骨を介して蝸牛に伝わる。蝸牛は前庭側が太く,先にいくほど細くなっている。図中の数字は蝸牛で感知する音の周波数を示しており(単位 Hz),周波数が高い高音は蝸牛の太い部分で,低音は細い部分で感知される。

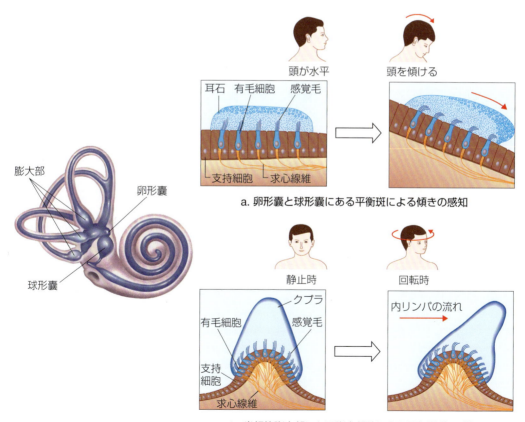

◯ 図 8-49 平衡覚の感知

● **骨半規管・膜半規管** 前庭から上後方に突き出た 3 本のループ(半規管)である。外側・前・後半規管が，互いに直角な 3 平面上にあり，回転運動の加速度を 3 次元的に感知する。骨半規管の中に，ひとまわり細身の膜半規管がある。膜半規管の膨大部には，感覚装置の**膨大部稜**があり，内リンパの液の動きを感知する(◯図 8-49-b)。膨大部稜には有毛細胞があり，細胞の毛は**クプラ**とよばれるゼリー質の小帽でおおわれている。

2 聴覚

音は，高低・強弱・音質を区別して感知される。

● **音の高低** 音の高さは，1 秒あたりの振動数であらわされ，単位は Hz(ヘルツ)❶である。振動の少ないほうが低い音，多いほうが高い音になる。私たちが感知できるのは，20 Hz～20,000 Hz くらいまでの範囲であり，20,000 Hz 以上の耳で聞こえない音を**超音波**という。よく聞こえるのは，話し声の高さにあたる 200 Hz～4,000 Hz くらいの範囲である。老化とともに，まず高音の聴力が低下することが多い。

● **音の強弱** 音の強さ(エネルギーの大きさ)を示すには，dB(デシベル)という単位が用いられる。聞こえる最小の音の強さを基準にして，音の強さが 10 倍になると dB が 10 増える(強さが 100 倍になると dB は 20 増し，1,000 倍になると dB は 30 増す)。

● **音質** 音質は，音波の波形により決まる。基礎となる音にさまざまな周波数の音が加わることにより，複雑な波形が生まれ，独特の音質(音色)を示すようになる。

● **難聴** 音の聞こえのわるくなる症状を**難聴**といい，内耳まで音が伝わりにくい**伝音難聴**と，内耳や中枢に障害のある**感音難聴**に分けられる。伝音難聴の最大の原因は，中耳の病変である。中耳炎のために液が貯留することに

> **NOTE**
> ❶ Hz(ヘルツ)
> 周波数・振動数の単位である。1 Hz は 1 秒間に 1 回の周波数・振動数として定義される。

---

column　老人性難聴

年をとると耳が遠くなる。おじいさんの「おばあさん，食事だよ」という声に，おばあさんが「えっ，なんだい」と返すので，おじいさんは大きな声で「**おばあさん，食事だよ**」と呼ぶと，やっと気がつく。おじいさんは小声で「おばあさんも耳が遠くなって，めんどうくさいったらありゃしない」とつぶやくと，「えー，えー，私はどうせ厄介者ですよ」などと返ってくる。

こんな光景をみたことはないだろうか。耳が遠いはずなのに，悪口だけはよく聞こえる。ほんとうは耳の遠いふりをしているだけなのではないかと思ってしまう。

しかし，本当に悪口はよく聞こえるのだ。老化に伴い聴力が低下するが，全般的に低下するわけではなく，とくに高い音に対する聴力低下は著しいが，低い音に対する聴力は比較的よく保たれる(これを高音難聴とよぶ)。

悪口などを言うときには声を小さくしてひそひそと話すため，音が低くなる(かん高い声でひそひそ話す人はあまりいないだろう)。低音になるため，高齢者でも聞きとれるようになる。そのため，必要なことは低い声で，悪口など聞かれたくないことは高い声で言うとよい(言わないのが一番だが)。また，女性よりも男性のほうが声が低いため，男性の声のほうがよく聞こえる。その意味では，高齢者の世話は男性のほうが適しているといえる。

より耳小骨の動きが制限されたり，耳小骨が線維性組織により固まったりして，難聴をきたすことがある。耳硬化症は，前庭窓付近の骨が増殖して難聴を生じるものである。感音難聴は，薬剤（ストレプトマイシンなど）による副作用が原因となるものがあり，後述する平衡覚も障害されてめまいを生じることがある。

3 平衡覚

前庭の卵形嚢と球形嚢という2つの耳石器は，互いに直角な2つの面内の直線加速度をそれぞれ感知する。この部位には有毛細胞とよばれる感覚細胞があり，その上を耳石をのせたゼラチン様の膜がおおっている（▶図8-49-a）。加速度が加わると耳石膜は有毛細胞に対してズレを生じ，有毛細胞の感覚毛が傾いて興奮し，信号を中枢に送る。

また半規管には，互いに直角な3つのループがあり，回転による内リンパの動きによって膨大部稜の上皮の有毛細胞が興奮し，その面内での回転加速度を感知する（▶図8-49-b）。前庭と半規管の感覚情報は，内耳神経を通して中枢に伝えられる。平衡覚は，反射的に姿勢や運動の調節を行い，明確に意識されることは少ない❶。

> **NOTE**
> ❶メニエール病
> 　内耳の障害によっておこるめまいで有名なものは，初老期の人に多いメニエール Meniere 病である。これはめまいと難聴と耳鳴りの発作を反復する病気で，内リンパの水腫が原因である。

I 味覚と嗅覚

1 味覚器と味覚

1 味覚器の構造

● **味覚の受容器**　味覚の受容器は，口腔の粘膜上皮内にあって蕾（つぼみ）の形をしているため，**味蕾**（みらい）とよばれる（▶図8-50）。ヒトの舌にある味蕾は約5,000個で，舌の表面にみられる乳頭の一部にある。味蕾の半数は，舌体と舌根の境にある大型の有郭乳頭にあり，舌の側面の葉状乳頭，舌背の茸状（じじょう）乳頭にも味蕾がある（▶59ページ）。有郭乳頭の周囲の溝には漿液腺（エブネル腺）があり，乳頭の表面を洗い流している。味蕾は，高さ約70μm，幅は約40μmほどで，内部に3種類の味細胞が区別でき，味覚を感知して神経に伝達する役割をしている。

● **神経支配**　舌の前2/3の粘膜には，三叉神経の枝の舌神経が分布するが，これに顔面神経の枝の鼓索神経が合流している。この部分の触覚は三叉神経によって支配され，味覚は顔面神経によって支配されている。舌の後ろ1/3の感覚（味覚と触覚）は，舌咽神経によって支配されている。

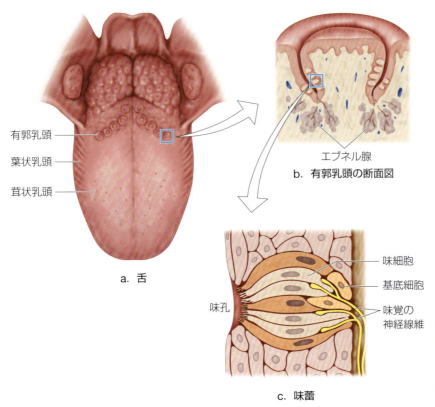

○図 8-50 味蕾
味覚の受容器である味蕾は，ヒトの場合約 5,000 個あるとされている。
大型の有郭乳頭や，葉状乳頭などにみられる。

2 味覚の特徴

　味には色々な種類があるが，塩味 salty，酸味 sour，甘味 sweet，苦味 bitter，うま味 umami の 5 つの基本味が混合して生じる。味細胞の 5 種類の受容体が刺激されて興奮する。

　これまで，たとえば塩味は舌先で感じるなど，舌の部位によって味覚の感受性が異なるとされてきた。しかしその後の研究により，舌のどの部位の味蕾でも 5 つの基本味に対する感受性に差のないことが明らかになっている。また味覚は，感覚の個人差が大きいこと，順応が速いために同じ刺激を受けつづけると感覚がすみやかに弱まることが特徴である。トウガラシなどの辛さは味覚ではなく痛みの感覚である[1]。

> **NOTE**
>
> **[1] 辛味 hot**
> 　辛味は，トウガラシに含まれるカプサイシンなどによって侵害受容器が刺激されておこる感覚であり，味覚ではない（○394 ページ，NOTE）。トウガラシを皮膚に貼り付けてしばらくするとヒリヒリと熱く感じる。これが口腔内でおこったときに「辛い」と表現している。

2 嗅覚器と嗅覚

1 嗅覚器の構造

●**嗅細胞**　ヒトの鼻腔の最上部には，嗅粘膜の領域が広がっている。においを感じる**嗅細胞** olfactory cell は，支持細胞にはさまれて上皮の中に孤立して存在する（○図 8-51）。嗅細胞の鼻腔に向かう突起からは十数本の特殊な線毛が出ており，基底部からは 1 本の軸索突起が出て，中枢に向かう。嗅上皮

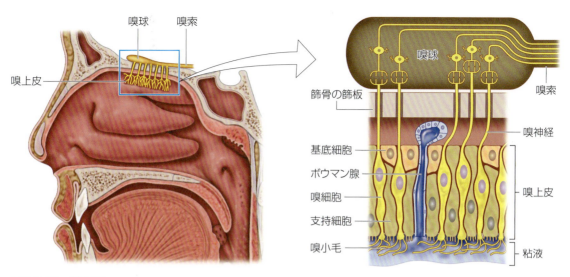

○図8-51　嗅上皮
においの刺激を受容する嗅細胞は嗅上皮にあり，嗅神経により嗅球，嗅索，嗅三角を経て脳の嗅覚野へとにおいの刺激を伝える。

には，ボウマン Bowman 腺（嗅腺）があり，嗅上皮の表面をおおう粘液を分泌する。

● **嗅神経**　嗅神経は，嗅細胞の軸索が集まってできた約20本の神経線維束からなる。嗅神経は，篩骨の篩板に開いたいくつもの孔を通って頭蓋腔に入り，脳から突き出た左右の嗅索の先端の嗅球に達する。そこから嗅覚の刺激は，嗅索・嗅三角を経て大脳皮質の嗅覚野に達する。

2 嗅覚の特徴

嗅覚は，空気中を浮遊する揮発性物質の化学的な性質を感知する感覚である。基本的なにおいとして，8種類のもの（腋窩汗臭，精液臭，魚臭，麦芽臭，尿臭，ジャコウ臭，ハッカ臭，樟脳臭）に対応するにおい物質が提案されている。におい物質が嗅細胞の受容体と結合すると，嗅細胞が興奮する。

におい物質を感知できる最低濃度，つまり閾値は，物質によりさまざまである。またヒトの嗅覚はほかの動物よりも鈍感で，たとえばイヌよりも100万～1000万倍も閾値が高い。嗅覚は，1つのにおいに対して短時間で順応し感じなくなる（このような現象を**選択的疲労**という）が，その場合でもほかのにおいは感じることができる。

J　痛み（疼痛）

痛み（疼痛）は，皮膚や粘膜，骨膜，内臓の自由神経終末（● 394ページ）が刺激されておこる。痛みの情報は，脊髄の後根や脳神経から中枢神経に入り，視床を介して一次体性感覚野に到達し，痛みとして知覚される。これが痛覚

である。痛みの感覚は，末梢から一次体性感覚野までに到達する間に強められたり弱められたりする❶。

　痛みは，身体に加えられた侵害刺激を反射的に避けたり，体内に生じた異常をすばやく検知したりするのに非常に重要である。痛覚の大切さは，痛覚を失った人の症例からよくわかる。このような障害をもつ人は，熱い物を触っても痛みを感じないため大やけどをしたり，釘を踏み抜いても気づかずに化膿したりする。また関節を過伸展させたりするため，手足の変形がひどく，切断を余儀なくされることもある。一方，激しい，慢性的な痛みはなんの利益もなく人に著しい苦痛を与えるため，積極的に取り除く対象となる。

> **NOTE**
> ❶痛みを抑制するしくみは多様かつ複雑であり，痛みに対する閾値は個人差が大きいことが知られている。

1 痛みの分類

1 体性痛と内臓痛

　痛覚は大きく**体性痛**と**内臓痛**に分けられる（◯図8-52）。体性痛はさらに，皮膚や粘膜でおきる**表在痛**と，骨膜・関節・筋などでおきる**深部痛**に分けられる。内臓痛は腸管や胆嚢などの壁が急激に伸展されたり，内臓の細胞が壊死したりしたときに生じる痛みである。表在痛は局在がはっきりしているが，深部痛や内臓痛は漠然とした痛みである。痛みの感覚はほとんど順応せず，痛みを引きおこす原因が取り除かれるまで続く。

2 誘因による分類

　痛みをその誘因によって，大きく4つに分類することができる。

　1️⃣**外来の侵害刺激**　皮膚に針を刺すなど，外来の痛み刺激によって生じる痛みであり，生体を損傷からまもる警告信号として役だつ。

　2️⃣**生体内の病変**　心筋梗塞などによって生じる痛みであり，治療を求める警告信号の役割を果たす。ただし，慢性化した痛みは警告信号の意味を失う。

　3️⃣**神経系の異常（神経障害性疼痛）**　痛覚をつかさどる感覚ニューロンや中枢神経の異常による痛みである。脳出血や脳梗塞，脊髄損傷による痛み，帯状疱疹❷のあとにおきる痛み，糖尿病の合併症に伴う痛み，坐骨神経痛などがある。また，手足を切断したあとに，失われた手足の痛みを感じる幻肢

> **NOTE**
> ❷帯状疱疹
> 　水痘-帯状疱疹ウイルスが初感染時に三叉神経節，脊髄神経節に潜伏し，ストレスなどで再活性化することで，神経の分布に沿って痛みなどを生じる。ウイルスによって神経が傷つくと長期にわたり痛みが残る。

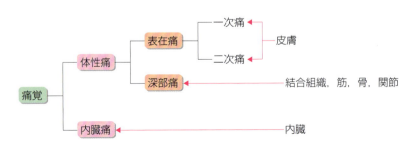

◯図8-52　痛覚の分類

痛もこれにあたる。

4 心因性 痛みはストレスや心理的要因に大きく影響を受けるため，身体的には異常が軽いにもかかわらず，耐えがたい痛みが感じられる場合がある。うつ病では痛み刺激に敏感になり，痛みが増強する。痛みを訴えることで同情や関心を得たい（疾病利得）という欲求が加わることもある。

2 疼痛の発生機序

1 疼痛の原因

皮膚に針を刺したり，熱い物や強酸に触れたりすると，その機械的，化学的な刺激は自由神経終末に分布するイオンチャネルで検知され，痛みの情報はすぐに中枢神経に伝えられる（急性痛，◯図8-53）。一方，組織が損傷を受

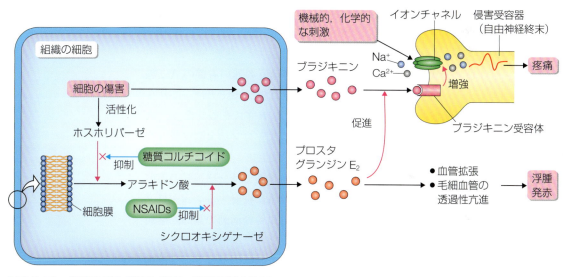

◯図8-53 疼痛の発生機序と鎮痛・抗炎症薬の作用

臨床との関連　　腹痛と腹膜刺激症状

一度もおなかが痛くなったことのない人は，おそらくいないだろう。おなかが痛くなったときには「イタタタタ」と言っておなかをかかえて，身体を折り曲げた姿勢になる。この痛みは，一般には疝痛とよばれ，腸などの壁が伸展されて生じる内臓痛である。身体を折り曲げることで，腸壁の伸展の程度を弱めると，この痛みがやわらぐ。

ところが，炎症などが内臓にとどまらず，腹膜にまで及ぶとどうなるだろうか。腹膜には痛覚受容器があり，体性痛となる。皮膚をあやまって切ってしまった場合と同様に，この場合は動かすと痛みが増強することになる。したがって，そのようなときには身体を折り曲げたりせず，ただじっと寝て痛みに耐えようとするようになる。

外界からの圧迫なども痛みを増強するため，腹筋が収縮しておなかが板のようにかたくなる。これを筋性防御とよび，腹膜が刺激を受けていることを示している。このような症状が見られたときは，腹膜炎をおこしている，あるいはおこしかけている証拠であり，緊急の治療が必要となる。

けるとブラジキニン bradykinin とよばれる生理活性物質が傷害された細胞で産生される。ブラジキニンは強力な発痛物質であり，自由神経終末にあるブラジキニン受容体に結合し，イオンチャネルの活動を増強させる。イオンチャネルの活動増強は，通常では痛みを引きおこさない軽度の圧迫や非侵害的な温冷刺激などでも痛みが生ずる原因の1つと考えられている。

また，組織の傷害によってホスホリパーゼ phospholipase が活性化するため，細胞膜の成分であるアラキドン酸が遊離し，シクロオキシゲナーゼ cyclooxygenase の作用でプロスタグランジン E_2 が産生される。プロスタグランジン E_2 はブラジキニンの作用を促進して痛みを増強するとともに，組織内の血管拡張と毛細血管の透過性亢進を引きおこし，局所の発赤や浮腫などの炎症反応を誘発する。

いわゆるステロイド薬である糖質コルチコイドは，ホスホリパーゼを抑制することで，またアスピリンやインドメタシンなどの非ステロイド性抗炎症薬 non-steroidal anti-inflammatory drugs (NSAIDs) はシクロオキシゲナーゼを抑制することで，鎮痛・抗炎症作用を発揮する。

2 疼痛の伝導

痛覚は，2種類の一次ニューロン，すなわち伝導速度の速い有髄のAδ線維と伝導速度の遅い無髄のC線維によって伝導される（◯図8-54）。これらの線維は後根から脊髄に入り，二次ニューロンにシナプスをつくる。二次ニューロンは反対側の脊髄を上行し，視床の三次ニューロンは大脳皮質一次体性感覚野に投射する。

痛覚を伝えるニューロンはこの伝導路の途中で，脊髄では交感神経の節前ニューロンや運動ニューロンと，視床では大脳辺縁系に投射するニューロンとシナプスをつくる。これによって，疼痛に伴う自律神経活動の調節，疼痛刺激から逃避する屈曲反射，不快感や抑うつ状態などの精神的変化が生じる。

一方，脳から痛みを抑えようとする信号が出ると，脳幹のセロトニン作動性ニューロン・ノルアドレナリン作動性ニューロンが，一次ニューロンからの神経伝達物質の放出を抑制したり，二次ニューロンの活動を抑制したりする。これを下行性痛覚抑制系といい，痛みをやわらげるはたらきに重要である。

3 急性痛と慢性痛

●**急性痛**　急性痛は侵害刺激の直後に感じる痛みである。すばやく感じる鋭い痛みは伝導速度の速いAδ（デルタ）線維（◯363ページ，表8-1）で運ばれた痛みの情報であり，一次痛とよばれる。しばらくたってからおきる鈍い痛みは伝導速度の遅いC線維で運ばれた痛みの情報であり，二次痛とよばれる❶。

急性痛により交感神経の活動が亢進するため，心拍数の増加，血圧上昇，呼吸促進，発汗などがみられる。ただし，激烈な痛みのときには，副腎髄質から放出されるアドレナリンの作用により，骨格筋の動脈が拡張するため，

> **NOTE**
> ❶筋・関節・内臓は，Aδ線維とC線維の密度が低く，さらに皮膚に比べてAδ線維の比率が低い。そのため，深部痛や内臓痛には一次痛，二次痛の区別はなく，局在がはっきりしない鈍い痛みとして感じられる。

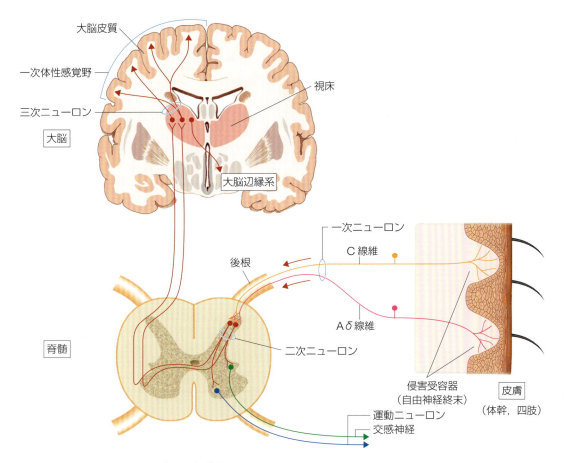

○図8-54 **侵害受容器から感覚の伝導路**
痛覚は，侵害受容器から一次ニューロンであるAδ線維とC線維によって脊髄に伝導され，二次ニューロンにのりかえて視床に伝わる。視床で三次ニューロンにのりかえたのち，大脳皮質頭頂葉に投射される。この伝導路の途中で，交感神経の節前ニューロンやほかの運動ニューロン，大脳辺縁系に投射するニューロンとシナプスをつくっている。

血圧が低下する。逆にいえば，痛みがあるときに血圧が低下していれば，痛みが激烈であることがわかる。

● **慢性痛** 慢性痛は痛みが4週間以上持続するものであり，抑うつ状態になったり，食欲が減退したり，痛みに対する耐性が落ちたりする。警告信号としての役割はないため，積極的に取り除く必要がある。

4 関連痛

内臓痛は皮膚の痛みとして感じられることがある（**関連痛** referred pain）。これは，内臓からの痛みを伝える求心線維が脊髄で二次ニューロンにのりかえるとき，一部が皮膚からの求心線維と同じ二次ニューロンに乗りかえるからである（○図8-55-b）。

臓器（腸のように大きな臓器ではその部位）によって関連痛が生じる体表部位が決まっており，臨床的に重要である。代表的な例として，心筋梗塞でおきる心臓の痛みは左肩〜左腕内側に痛みを生じることがあげられる（○図8-55-a）。また，虫垂炎の初期の痛みは上腹部に痛みを生じる。

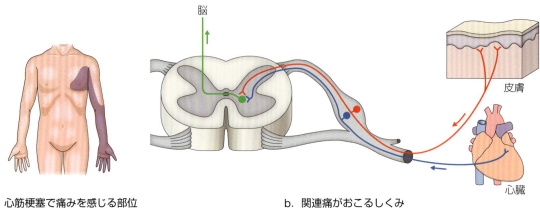

a. 心筋梗塞で痛みを感じる部位　　　　　　　　b. 関連痛がおこるしくみ

◎図 8-55　関連痛

5　内因性鎮痛物質

　脳内にあるエンケファリン enkephalin，エンドルフィン endorphin などは内因性の鎮痛物質であり，**オピオイド** opioid とよばれる。オピオイドの受容体は，脳や脊髄，末梢神経に広く分布している。大脳皮質や視床にあるオピオイド受容体は，前述した下行性痛覚抑制系を活性化する。また，Aδ線維やC線維のシナプス終末に存在するオピオイド受容体は，Ca^{2+}チャネルの機能を抑制し，サブスタンスP❶などの神経伝達物質の放出を抑制することで鎮痛効果を示す。これらの内因性のオピオイドが痛覚抑制物質としてはたらいているおかげで，軽い侵害刺激に対しては痛みを感じないのである。

　植物から精製されるオピオイドであるモルヒネ morphine は強力な鎮痛物質であり，がんなどの強い痛みの鎮痛に使われる。副作用として便秘，吐きけ，眠けなどがあるが，対策すれば解決できることが多い。

NOTE
❶サブスタンスP
　11個のアミノ酸からなるペプチドで，痛覚だけでなく，炎症や嘔吐，嚥下などにも関与していることが知られている。

K　脳の統合機能

　脳は外界と身体の情報を，感覚ニューロンと自律神経の求心線維を通して受け取っている。そして，入力された情報を統合，分析し，適切に決定された出力を運動ニューロンや自律神経の遠心線維に伝えることができる。入力

臨床との関連　　**オピオイド**

　オピオイドは，内因性のものだけでなく薬剤として投与される。がんによる痛みのほか，手術中・手術後の痛み，外傷による痛み，分娩時の痛み（陣痛）などの急性痛，神経損傷による痛み（神経障害性疼痛）などの慢性痛に対して鎮痛薬として用いられる。手術中・手術後の痛みや外傷による痛みなどの外来の侵害刺激による痛みには，とくに有効である。

に適応した出力ができるように，脳には高度な分析能力，出力決定機能が備わっている。さらには，脳を休ませるための睡眠や，摂食や飲水，性行動といった生存に必要な本能行動を行うしくみもある。このように，情報を統合し，状況に適応した行動をするためのさまざまな機能を脳の統合機能とよぶ。

1 脳の活動の測定と脳のリズム

1 脳波

　大脳皮質の活動は，**脳波** electroencephalogram（EEG）として記録することができる。脳波とは，国際的に決められた頭皮上の部位に装着された電極から得られる大きさ数μV（マイクロボルト）の波である。

● **脳波の種類**　脳波は周波数，すなわち1秒間にいくつの山があらわれるかで記述される。安静時には8〜13 Hz（ヘルツ）であるα（アルファ）波がみられ（◯図8-56），眼を閉じるとα波の振幅（波の大きさ）が大きくなる。眠くなると4〜7 Hzのθ（シータ）波がみられ，熟睡すると徐波ともよばれる0.5〜3 Hzのδ（デルタ）波がみられる。一方で，暗算をするなど，大脳皮質の活動が上がると，速波ともよばれる14 Hz以上のβ（ベータ）波が出現する。

　てんかんでは棘のようにとがった波や，やや幅広い波が出現するため，脳波はてんかんの診断に重要である。また，脳波は感覚機能障害を診断するのにも重要である。視覚や聴覚刺激で誘発される脳波は**誘発電位** evoked potential とよばれ，脳幹や大脳皮質の局所活動をとらえることができるため，感覚障害の脳部位を診断できる。

2 睡眠

　睡眠とは意識がなく，身体の動きがとまり，感覚刺激に対する反応が低下

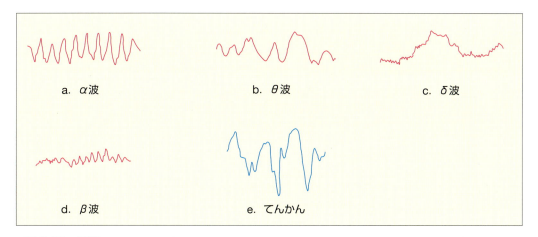

◯図 8-56　脳波
a〜dは健常者の脳波である。

しているにもかかわらず、簡単に目がさめる状態のことをよぶ。ヒトをはじめとする動物がなぜ眠るのかはよくわかっていないが、脳と身体を休ませるためだという説が有力である。

睡眠は、**急速眼球運動**[1] rapid eye movement（REM）が生じる**レム睡眠** REM sleep と**ノンレム睡眠** non-REM sleep から構成される。ノンレム睡眠は、眠っている間に観測される脳波（睡眠脳波）の種類で第1期〜第4期の4段階に分けられる（◯図 8-57）。

入眠すると、覚醒状態からノンレム睡眠に入り、少しずつ段階が進行し、深いノンレム睡眠に落ち込む（◯図 8-58）。そしてしばらくすると、ノンレム睡眠の浅い段階に戻ったあと、レム睡眠に入る。その後、またノンレム睡眠に入り、しばらくしたらレム睡眠に入る、というように、覚醒するまでに90分程度の周期で5回ほど繰り返される。睡眠が進行すると深いノンレム

> **NOTE**
> [1] 眼球の運動は、注視していたところからほかのところへ急激に視線を移動する場合にみられる速い運動（急速眼球運動）と、ゆっくり動いているものを目で追うときなどにみられる遅い運動に分けられる。睡眠時におこる眼球の運動は、両眼球が同じ方向に急激に動く速い運動である。対象物をとらえるために意識的に行われるものは、衝動性眼球運動（サッケード、◯407ページ）ともよぶ。

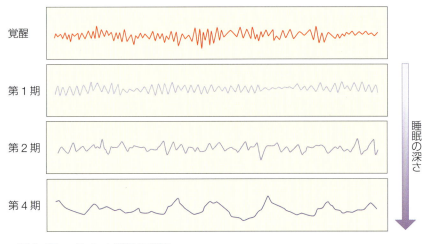

◯**図 8-57　ノンレム睡眠の脳波**
第3期の脳波は除いて示してある。

臨床との関連　聴性脳幹反応 auditory brainstem response（ABR）

　脳波は難聴の診断にも使われる。難聴は伝音難聴と感音難聴に分けられる（◯412ページ）。伝音難聴は鼓膜が破れるなど、音が蝸牛まで伝わらない障害であり、診断は比較的容易である。一方、感音難聴は、蝸牛から脳にいたる聴覚伝導路の障害であり、どこが障害されたのかを診断するのは容易でない。そこで脳波が利用される。

　音を聞かせて脳波を測定すると、聴覚伝導路の各部位が反応し、脳波に波が生じる。この聴覚誘発電位を聴性脳幹反応 auditory brainstem response（ABR）という。音が出てから最初の10m秒の波の形や大きさを見て、どの部位まで反応が到達しているのかを調べることで、感音難聴の障害部位を特定することができる。音が聞こえるのに合わせてボタンを押す聴力検査と違って、新生児の聴力検査としても有効である。

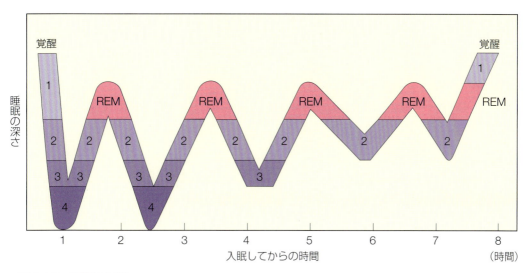

○図 8-58 睡眠の周期
REM はレム睡眠を，1～4 の数字はノンレム睡眠の段階を示している。

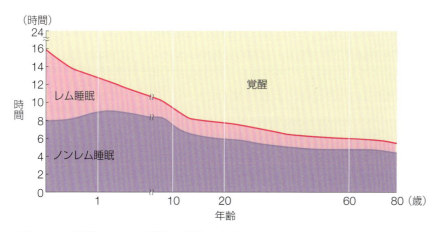

○図 8-59 加齢によるレム睡眠の割合の変化

睡眠は減り，レム睡眠が長くなる。

　レム睡眠中は眼筋や呼吸筋以外の運動ニューロンが抑制されているため，急速眼球運動はおきるが，骨格筋は弛緩している。一方，大脳皮質は活発に活動しているため，脳波は覚醒時と似ている。レム睡眠中に夢を見るため，レム睡眠中に覚醒した場合，夢の内容を覚えていることが多い。成人ではレム睡眠の割合が約 25% であるが，新生児では 50% 程度であり，高齢になるとレム睡眠の割合は減る（○図 8-59）。

　また，睡眠にはいくつかの物質がかかわっている。たとえば，覚醒を維持するにはオレキシン❶という物質が重要な役割を果たしている。また，睡眠不足が続き，疲労が蓄積すると，プロスタグランジン D_2 やアデノシンなどの睡眠を誘発する物質が蓄積する。これらの物質が一定以上蓄積すると，深いノンレム睡眠が誘導され，脳が休息するようになっている。

NOTE

❶オレキシン
　視床下部のオレキシン産生ニューロンが脱落すると，覚醒状態を維持できないほどの強い眠けがあらわれ，時間や場所に関係なく不適切な状況であっても急に眠ってしまう。これをナルコレプシーという。ナルコレプシーには，喜んだりびっくりしたりすると急に脱力するという症状もあり，これはレム睡眠に近い状態が引きおこされているためと考えられる。

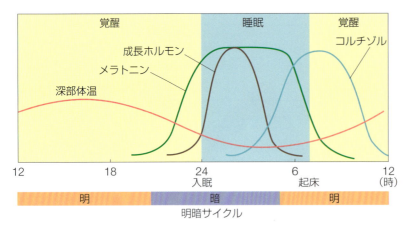

◎図 8-60　深部体温とホルモンの概日リズム

3 概日リズム

　夜になると眠り，朝になると目がさめるように，睡眠と覚醒には**概日リズム**（サーカディアンリズム）がみられる。概日リズムとは，生物に普遍的な 24 時間ほどの周期である[1]。睡眠と覚醒だけでなく，体温の変化やホルモンの分泌（◯273 ページ）などにも概日リズムがある。たとえば，松果体ホルモンのメラトニンの分泌には顕著な概日リズムがみられる（◯図 8-60）。

　概日リズムの中枢は視床下部の視交叉上核 supra-chiasmatic nucleus（SCN）にある。視交叉上核でつくられたリズムが，神経性あるいは体液性に多くの臓器に伝えられている。

　概日リズムがあることで，生理機能が順序よくはたらくことができる。たとえば深夜に成長ホルモンの分泌がされることで，睡眠中に細胞分化や成長が促進される。また，明け方に副腎皮質ホルモンであるコルチゾルが分泌されることで，糖新生が促進され，起床時の低血糖を防いでいる。

　しかし，夜ふかしをすることができることからもわかるように，視交叉上核のつくる概日リズムが睡眠と覚醒を完全に制御しているわけではない。成長ホルモンは断眠すると，深夜になっても分泌されず，次に睡眠をとったときに増加する。また，夜間勤務などで睡眠のリズムが乱れると，概日リズムと生理機能のはたらく時間にずれが生じ，心身に不調を引きおこすことがある。

2 記憶

　記憶とは学習の成果を保存することであり，①覚える（記銘），②保存する（保持），③思い出す（想起）の 3 つの過程からなる。この 3 つの過程は共通であるが，記憶される時間によって大きく**短期記憶** short-term memory と**長期記憶** long-term memory に分けられる[2]。

● **短期記憶**　短期記憶は数秒から数時間までの記憶をさす。本を読むとき

NOTE

[1] 明暗の変化がない部屋で生活すると概日リズムは約 25 時間であるが，日常生活のように明暗のある環境では光に同調して 24 時間周期になる。

NOTE

[2] 時間に基づく記憶の分類
　時間に基づく記憶の分類は学術分野によって異なる。心理学では感覚記憶，短期記憶，長期記憶に分類され，短期記憶は数十秒程度の記憶をさす。ここでいう短期記憶は一次記憶，長期記憶は二次記憶ともいわれる。一方，生理学では短期記憶は数秒から数時間，長期記憶は数日から数年の記憶をさす。
　生理学では近年，時間に基づく記憶の分類はあまり使用されず，記憶内容による分類が主流となっている。そのため，短期記憶という用語は作業記憶におきかわりつつある。

に前のページになにが書かれていたかを数秒間記憶することだけでなく，その日の朝とめた自分の車を探せるように数時間にわたって記憶することも短期記憶とよばれる。このように短期記憶は一時的な作業のための記憶であり，すぐに情報が更新されるため，作業記憶ともよばれる。

● **長期記憶**　長期記憶は内容によって**陳述記憶**と**非陳述記憶**に分けられる（●図8-61）。陳述記憶は，思い出，つまり主観的な体験の記憶である**エピソード記憶**と，ことがらの記憶，つまり学校で勉強するような知識である**意味記憶**に分けられる。エピソード記憶は1回で記憶されるが，意味記憶は繰り返し学習することで記憶が定着する。非陳述記憶は意識にのぼらない記憶であり，自転車に乗れるようになったり，ピアノがひけるようになったりするような技能・習慣・癖などである。

● **記憶の保持**　短期記憶を保持するのは前頭葉である。一方で，陳述記憶の記銘には海馬が大事である。海馬が障害されると，短期記憶は正常であるが，新しい陳述記憶をつくることができなくなる前向性健忘がおきる。陳述記憶の保持にはおもに海馬周辺の側頭葉が，非陳述記憶の保持にはおもに小脳と大脳基底核がかかわっている。

記憶には長期増強や長期抑圧などのシナプス可塑性（● 366ページ）が深くかかわっており，ニューロンのイオンチャネルの通過しやすさの変化，シナプス後細胞の受容体の数の変化，神経伝達物質の放出量の変化，新しいシナプスの形成がおこっている。

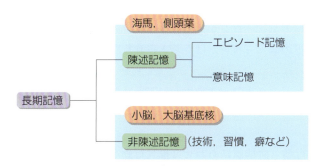

●図8-61　長期記憶の種類

> **column　海馬が障害されるとどうなるか**
>
> 海馬の障害で有名なのがHM（患者のイニシャル）という患者のケースである。HMは1953年，てんかんの手術のため，両側の海馬と周辺部位を切除された。すると，術後におこった新しいできごとを記憶することができない（前向性健忘）ことが明らかになった。たとえば，HMは同じ漫画を何回でもおもしろがって読める。これは，その漫画を読んだという記憶を形成できないからである。陳述記憶，とくにエピソード記憶の障害は著しかった反面，運動技能などの非陳述記憶には障害がなかったらしい。手術前の記憶がほぼ残っていることと，短期記憶が障害されていないことから，海馬は長期記憶の記銘に重要だと考えられている。

3 本能行動と情動行動

1 本能行動

本能的な欲求に基づく行動には摂食行動，飲水行動，性行動などがあり，視床下部が大きな役割を果たす。

◆ 摂食行動

体内のエネルギー量が不足すると空腹感が生じ，充足すると満腹感が生じる。脳はこのような体内のエネルギー量の変化に応じて，摂食行動を開始・停止し，体内のエネルギー量を調節している。

空腹感を生じて摂食行動を促進する**摂食中枢**は視床下部の外側部に，満腹感を生じて摂食行動を抑制する**満腹中枢**は視床下部の内側部にある[1]。この2つの中枢とその周辺に存在するニューロンが，血液中の物質の濃度を検知して摂食行動を調節している。

● **短期的なエネルギー貯蔵量と摂食行動** 食事をするとグルコースが血漿にとけ込み，血糖値が上昇する。しばらくするとグルコースは消費あるいは貯蔵されて血糖値が低下する。このように，体内の短期的なエネルギー貯蔵量は，血糖値の変動としてあらわれる。短期的なエネルギー貯蔵量にあわせて摂食行動を調節するためのしくみとして，摂食中枢には血糖値の低下で活動するニューロンが，満腹中枢には血糖値の上昇で活動するニューロンが存在する。血糖値が低下すると，摂食中枢のニューロンがはたらき摂食行動を促進し，血糖値が上昇すると，満腹中枢のニューロンがはたらき摂食行動を抑制する。

短期的なエネルギー貯蔵量の指標として，グルコースのほかにアミノ酸や遊離脂肪酸などの栄養素や消化管ホルモンの濃度も脳幹や視床下部のニューロンで検知されている（◯図8-62）。

● **長期的なエネルギー貯蔵量と摂食行動** 血糖値にあわせて摂食行動を調整するだけでは，血糖値が下がるとすぐに摂食行動が促進されることになり肥満となってしまう。つまり，摂食行動は，体内の長期的なエネルギー貯蔵量とも合わせて調節されている。

長期的なエネルギー貯蔵量は，脂肪細胞から分泌される**レプチン** leptin や，膵臓から分泌されるインスリンの血中濃度に反映される。視床下部には，レプチン受容体やインスリン受容体を発現し，摂食行動を促進したり抑制したりするニューロンがある。たとえば，レプチンの分泌量は脂肪細胞が増える，つまり肥満になると増えるため，視床下部のニューロンが摂食を抑制するという負のフィードバックがはたらく。

◆ 飲水行動

塩辛い物を食べると，細胞外液の浸透圧が上昇し，細胞内から細胞外に水

> **NOTE**
> [1] 摂食中枢，満腹中枢の存在は，動物実験により確認された。動物の視床下部の外側部を破壊すると食べなくなりやせ細る。一方，視床下部の内側部を破壊すると動物は満腹できないために過食になる。

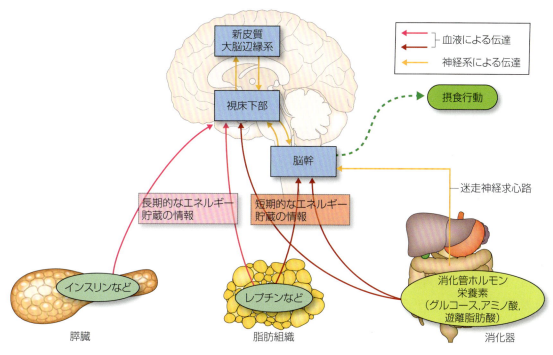

○図 8-62 摂食行動の調節

が移動する。細胞内液量が減少すると，中枢性の浸透圧受容器 osmoreceptor が活動し，視床下部を介して飲水行動を引きおこす❶。

また，出血などにより血液量だけが減少すると，レニン-アンギオテンシン-アルドステロン系がはたらき，アルドステロンが腎臓における Na^+ の再吸収を促進するとともに，アンギオテンシンⅡが浸透圧受容器に作用し，飲水行動を引きおこす。同時に，視床下部から下垂体後葉にのびるニューロンからバソプレシン（抗利尿ホルモン〔ADH〕）が分泌され，腎臓での水の再吸収が促進される。

◆ 性行動

性行動や性的指向は，ヒトでは生後 12〜22 週に脳内のアンドロゲンがどの程度であったかで決まる。ある程度以上であれば，男性型の性行動をとる。これに伴い，脳の神経核の大きさなどに性差がみられるようになり，性的二型 sexual dimorphism とよばれる。

マウスでは延髄のセロトニン作動性ニューロンが反射的な性行動を抑制する役目を果たす。メスのマウスでは上位中枢である視床下部のニューロンに，エストロゲンやプロゲステロン受容体が発現していて，性周期に応じた性行動ができるようになっている。オスのマウスでは視床下部にある性的二型核 sexually dimorphic nucleus（SDN）が上位中枢であり，刺激すると性行動を誘発できる。

NOTE

❶飲水中枢
ラットやネコなどで視床下部の外側部を破壊すると無飲症がおきることがあるため，この領域が飲水中枢と考えられる。

2 情動

　情動とは，短期的に生じる強い反応❶であり，感覚刺激に対する好悪といった評価により生じる生理的反応や情動行動，主観的体験の総称である。生理的反応には自律神経系・免疫系・内分泌系の反応があり，情動行動には刺激に対する接近や逃避，攻撃などある。また，主観的体験とは，喜怒哀楽といった感情の変化をさす。情動には海馬，扁桃体，帯状回，中隔核，乳頭体を含む辺縁系（◯ 377ページ）が大きな役割を果たしている。

　情動を生み出すしくみには嫌悪系と報酬系がある❷。

　嫌悪系の中心は扁桃体である。動物では扁桃体の刺激で逃避行動や攻撃行動などの負の情動がおきる。ヒトでは刺激により怒りや恐怖が生じる。両側扁桃体が障害されると，感覚刺激に対して適切な情動があらわれなくなったり，相手の表情から怒りや悲しみといった感情が読みとれなくなる。

　ラットを用いて，レバーを押すと脳に植え込んだ電極から電気刺激が流れる実験を行ったところ，内側前脳束 medial forebrain bundle（MFB）とよばれる部分への刺激では，ラットが好んでレバーを押した。内側前脳束にはドーパミン作動性ニューロンの軸索が通っており，このニューロンは思いがけず報酬をもらえたとき，つまり予測した報酬を上まわって報酬を得られたときに活動することがわかった。そのため，ドーパミンを含むニューロンは，予測した報酬と実際の報酬の差をとらえることができ，報酬が得られる行動を強化する学習にかかわっていると考えられている。

> **NOTE**
> ❶ゆるやかな反応は気分とよばれる。

> **NOTE**
> ❷学校の試験でとてもよい点数がとれると，次も高得点をとりたくなる。逆にわるい点数だと，怒りが生じる。これらは，それぞれ大脳辺縁系の報酬系，嫌悪系が興奮するためである。私たちはこの報酬系を興奮させようと勉強するのだが，この動機づけは長続きしないのが問題である。

4 内臓調節機能

1 自律神経系による内臓機能の調節

　脊髄や脳幹には交感神経と副交感神経の核があり，これらは自律神経系の中枢である。そして，この中枢をさらに調整する上位の中枢として，生命維持に重要な循環・呼吸・嚥下・嘔吐・排尿などの中枢が，延髄を主とする脳幹に存在している。さらに，これらの生命維持に必要な調整をしている中枢の上位の中枢として，体温調節・血糖調節・水分調節などの中枢があり，視床下部に位置している。自律神経系の中枢には，さまざまな内臓器官からの求心線維および上位の中枢からの線維を介して情報が入力されて処理される。処理された情報が内臓や血管，汗腺などに送られ，内蔵機能が調整される。

2 防衛反応と死にまね反応

　防衛反応 defense reaction は闘争と逃走 fight and flight（◯ 278ページ）に備えるための反応であり，中枢は視床下部にある。副腎髄質からのアドレナリン分泌亢進によって心臓の促進や呼吸の促進を生じる。100 m走のスタートラインに立ったときの状態が典型的であり，まだ運動を始めていないにもかかわらず，心臓が促進され，筋血流が増加する。

死にまね反応 playing dead reaction は，動物が闘うことも逃げることもできないときに引きおこされる❶。これは，副交感神経（迷走神経）の緊張亢進によって心臓が反射的に抑制されて血圧が低下するための反応である。中枢は視床下部にある。ヒトでも程度は軽いが出現し，病院などの医療機関においてしばしば経験される。患者や検診者は採血や検査に恐怖感をいだいているが，理性が逃げ出すことを禁じることにより，血圧の低下から脳血流量が減少し，気分不快やめまいなどが出現する。臨床では血管迷走神経反射とよばれるが，ベッドなどに寝かせて落ち着かせれば数分〜数十分程度で回復する。

NOTE
❶死にまね反応の代表的なものは，タヌキのものでタヌキ寝入りとよばれる。タヌキは猟師につかまると死んだようになることから，昔は死んだふりをして猟師をだまそうとしていると考えられ，「タヌキ寝入り」という言葉が生まれた。

5 中枢神経系の障害

中枢神経，とくに大脳皮質には，感覚・運動・言語・記憶・意識などの高次機能が局在している。このため，大脳皮質の障害は重篤な障害をきたす。

1 意識障害

覚醒した状態は，ノルアドレナリン作動性，セロトニン作動性，ヒスタミン作動性，アセチルコリン作動性のニューロンにより維持されている。これらのニューロンは，視床や大脳皮質の広い範囲にのびており，障害されると大脳皮質の機能が低下し，意識障害が生じる。意識障害は，脳血管障害，頭部外傷，脳の感染症などといった脳自体の病変のほか，心疾患などによる低酸素血症，低血糖，尿毒症，急性アルコール中毒，薬物中毒などのさまざまな全身疾患が原因となる。

● **意識レベル** 意識レベルをあらわす用語には，正常な**意識清明** alert，軽度に低下した**意識混濁** clouding，強い刺激を与えないと覚醒できない**昏迷** stupor，まったく反応しない**昏睡** coma などがあるが，あいまいであるため，客観的に数値化した指標が必要である。国際的に使われている指標が，開眼，言語反応，運動機能から意識障害の重症度を判定し，スコア化した**グラスゴー-コーマ-スケール** Glasgow coma scale（GCS）である（▶表 8-6）。

一方，わが国では**ジャパン-コーマ-スケール**（3-3-9 度方式，日本昏睡尺度）も用いられている（▶表 8-7）。覚醒状態で 3 段階に分け，さらに刺激に対する反応で 3 段階に分ける。

> **column** 覚醒を維持する脳のしくみ
>
> ネコの脳幹網様体を損傷すると，脳波が徐波化し，覚醒が維持できなくなる。このことから脳幹網様体に存在するニューロンが覚醒を維持しているというしくみが考えられた（上行性網様体賦活系）。その後の研究により，中脳や橋に存在するモノアミン作動性ニューロンおよびアセチルコリン作動性ニューロンの軸索が網様体を経由しており，覚醒に関与していることがわかった。そのほかにも，オレキシンやヒスタミンといった物質を含むニューロンの関与も調べられている。覚醒を維持するしくみは複雑で，現在も研究が続けられている。

● 表 8-6 グラスゴー-コーマ-スケール

観察項目	反応	スコア
開眼	自発的に開眼する	4
	呼びかけにより開眼する	3
	痛み刺激により開眼する	2
	まったく開眼しない	1
最良言語反応	見当識あり	5
	混乱した会話	4
	混乱した言葉	3
	理解不明の音声	2
	まったくなし	1
最良運動反応	命令に従う	6
	疼痛部へ	5
	逃避する	4
	異常屈曲	3
	伸展する	2
	まったくなし	1

3つの項目のスコアの合計を求め、重症度の評価尺度とする
最も重症…3点、最も軽症…15点

● 表 8-7 ジャパン-コーマ-スケール

覚醒の有無	刺激に対する反応	意識レベル（小分類）
Ⅰ 覚醒している	だいたい清明だが、いまひとつはっきりしない。	1
	時・人・場所がわからない（失見当識）。	2
	名前、生年月日が言えない。	3
Ⅱ 刺激を加えると覚醒する（刺激をやめると眠り込む）	ふつうの呼びかけで、容易に開眼する。	10
	大きな声、または身体を揺さぶることにより開眼する。	20
	痛み刺激を加えつつ呼びかけを繰り返すと、かろうじて開眼する。	30
Ⅲ 刺激を加えても覚醒しない	痛み刺激に払いのける動作をする。	100
	痛み刺激に少し手・足を動かしたり、顔をしかめる。	200
	痛み刺激にまったく反応しない。	300

● **植物状態と脳死** 意識障害の重度な例として、植物状態や脳死がある。大脳皮質のはたらきが失われ、睡眠と覚醒のリズムがあるものの、感覚刺激に適応的な反応ができないのが植物状態である。植物状態の定義を●表 8-8 に示す。ただし、適応的な反応ができなくても、感覚刺激を理解できている症例があることも報告されている。脳死は、大脳皮質のみならず脳幹の機能が不可逆的に失われた状態である。脳死の判定基準を●表 8-9 に示す。

2 大脳皮質の局所障害

　脳出血や脳梗塞などで、大脳皮質が局所的に障害されると、担当部位の機能が失われる。よくみられる障害は、運動野の障害による損傷部位と反対側の運動麻痺、体性感覚野の障害による損傷部位と反対側の感覚麻痺、視覚野の障害による損傷部位と反対側の視野欠損（同名半盲）などである。

　また、言語障害もしばしばみられ、運動性言語野（ブローカ野）の損傷による文法や話し言葉の障害（**運動性失語**）、感覚性言語野（ウェルニッケ野）の損傷による言語理解の障害（**感覚性失語**）などがある。

　さらに、頭頂葉の障害は、指示された運動を間違えて行ったり、物品を間違えて使ったりする失行をきたす。右頭頂葉の損傷では、反対側（つまり左側）を無視してしまう半側空間無視がみられることがある。

表 8-8 植物状態の定義

以下の 6 項目を満たし，各種の治療が奏効せず，3 か月以上の長期にわたり継続し，ほぼ固定した状態をいう。
(1) 自力で移動ができない。
(2) 自力で食物が摂取できない。
(3) 糞尿失禁状態である。
(4) 目で物を追うが，認識できない。
(5) 簡単な命令に応ずることもあるが，それ以上の意思の疎通ができない。
(6) 声は出すが，意味のある発語はできない。

現実にはこの条件を完全に満たさない状態も含まれている。
(日本脳神経外科学会, 1972)

表 8-9 わが国の脳死判定基準

除外条件	1. 脳死と類似した状態になりうる症例（急性薬物中毒，代謝・内分泌障害） 2. 知的障害者などの臓器提供に関する意思表示が困難となる障害を有する者 3. 被虐待児，または虐待が疑われる 18 歳未満の児童 4. 年齢不相応の血圧（収縮期血圧） 5. 低体温（直腸温，食道温などの深部温） 6. 生後 12 週未満（在胎週数が 40 週未満の場合には出産予定日から起算して 12 週未満） などの症例は脳死の判定から除外する
判定項目	1. 深昏睡 2. 瞳孔が固定し，瞳孔径が左右とも 4 mm 以上であること 3. 脳幹反射（対光反射，角膜反射，毛様脊髄反射，眼球頭反射，前庭反射，咽頭反射，咳反射）の消失 4. 平坦脳波 5. 自発呼吸の消失 これらが 6 時間を経過しても再確認されること

注）上記以外にも，判定の前提となる条件や，判定を行ってはいけない条件なども決められている。
(「臓器の移植に関する法律」による)

3 精神神経疾患

　大脳皮質の異常はさまざまな精神神経疾患を引きおこす。その代表的なものが認知症である。認知症の一種であるアルツハイマー型認知症 Alzheimer's disease では，アミロイド β やタウとよばれるタンパク質が蓄積し，海馬などのニューロンの変性がおきる。そのため新しい記憶をつくることができなくなり，最終的には人格の崩壊にいたる。また，レビー小体型認知症では，パーキンソン症状や幻視を伴うことが多い。前頭側頭型認知症では，前頭葉や側頭葉ニューロンが脱落し，社会性が欠如したり，行動が時刻表のように画一化したりすることがある。

　統合失調症 schizophrenia は幻覚や妄想を主とする病態であり，ドーパミンやグルタミン酸の伝達系の障害が原因であると考えられている。躁状態とうつ状態を繰り返す双極性障害 bipolar disorder やうつ病 depression には，セロトニン，ノルアドレナリン，ドーパミンが関係する神経系の異常が考えられている。

work 復習と課題

1. ニューロンの簡単な図を描き，樹状突起・細胞体・軸索を示しなさい。
2. グリア細胞はどのようなはたらきをもつか。
3. 不応期とはなにか。
4. 有髄神経と無髄神経とでは，興奮の伝導にどのような違いがあるか。
5. シナプスにおける興奮の伝達過程をまとめなさい。
6. 神経系はどのように区分されるか。
7. 神経の細胞体と線維は，それぞれどのような場所に集まっているか。
8. 脊髄の横断面を描き，その各部の名称を記しなさい。
9. 中枢神経で生命維持に重要な部位はどこか。
10. 小脳のはたらきについてまとめなさい。
11. 新皮質の機能局在について，各機能の領域を図示しなさい。
12. 連合野とはなにか。
13. 脳や脊髄はどのように保護されているか。
14. クモ膜下腔とはなにか。
15. ① 横隔神経，② 橈骨神経，③ 大腿神経，④ 坐骨神経は，それぞれどの神経叢から出ているか。
16. 迷走神経の走行についてまとめなさい。
17. 錐体路とはなにか。
18. 眼球の3層の膜構造について説明しなさい。
19. 眼球の遠近調節はどのようにして行われているか。
20. 音が外耳より入り，音が感知されるまでの経路を図示しなさい。
21. 関連痛とは，どのような痛みか。
22. 大脳辺縁系のはたらきにはどのようなものがあるか。
23. レム睡眠とノンレム睡眠の違いはなにか。

― 解剖生理学 ―

第 9 章

身体機能の防御と適応

本章の概要

　諒子はお母さんに連れられて，近所の医院にやって来た。インフルエンザの予防接種を打ってもらうのだ。しかし，諒子はけっして喜んで来たのではない。痛いのは嫌いだし，そもそも病院やお医者さんがなんとなくこわい。それでも，お母さんに言われていやいやながらやって来たのは，去年の苦しかったことをよく覚えているからである。

　去年，諒子はインフルエンザにかかってしまい，39℃台の熱が3日も続いた。なんともいえない身体のつらさ，節々の痛み，もうこりごりである。結局，楽しみにしていた幼稚園のお遊戯会も欠席せざるをえなかった。よかったことといえば，お父さんが会社の帰りに買って来てくれたアイスクリームがおいしかったことぐらいである。あのつらさに比べれば，注射なんてへっちゃらさ，と自分に言い聞かせている。

　私たちは，暑さや寒さ，紫外線などの物理的刺激や，さまざまな化学物質による刺激，そして身体内部に侵入して病気を引きおこす多くの微生物や寄生虫の充満している環境のなかで生活している。このような環境において，私たちの身体をまもっているのは，眼や粘膜部分を除く身体のほとんど全体をおおっている皮膚である。

　皮膚は，その緻密な細胞層によって過剰な水分の蒸発を防ぎ，体温の調節に非常に重要な役割を果たしている。さらに，皮膚に含まれる色素であるメラニンの作用によって，有害な紫外線を遮断している。また，じょうぶな皮膚の層は，ほとんどすべての微生物の体内への侵入を許さない鎧のような存在でもある。

　しかし，この鎧のような皮膚をもってしても，空気や飲食物を介して体内に微生物や寄生虫が侵入することは防ぎきれない。このような侵入してきた外敵に対しては，免疫系をはじめとするさまざまな生体防御機構が発動され，身体をまもっている。

　化学・物理的刺激や細菌・ウイルスなどの病原微生物は，私たちのホメオスタシスに対する直接的な攪乱要因となるため，それらに対する防御機構はきわめて重要である。一方，細菌に感染したときに発熱を生じるように，私たちの身体は，ホメオスタシスをある程度犠牲にしてでも，防御を優先させる場合もある。

　ここでは，さまざまな外部環境からの攻撃より身体をまもっている皮膚や生体防御機構のしくみについて学ぶ。

A 皮膚の構造と機能

皮膚 skin は全身をおおう，じょうぶな被膜である。総面積は成人で平均1.6 m²，皮膚本体の厚さは数 mm で，その重量は 3 kg 弱であるが，皮下組織まで加えると約 9 kg となり，体重の 14% に及ぶ。

1 皮膚の組織構造

皮膚は表面から，上皮組織からなる**表皮**，線維性結合組織からなる**真皮**，疎性結合組織からなる**皮下組織**の 3 層に分かれる（○図 9-1）。表皮と真皮を合わせたものが皮膚の本体である。皮膚の厚さは，身体の部位によって異なる。また手掌と足底の表皮には，規則的な高まりと溝がみられ，指紋・掌紋・足底紋をつくる。これらの紋理は個人差が著しく，個体識別に用いられる。

1 表皮

表皮 epidermis は重層扁平上皮であり，上皮細胞は**角化**をする。角化とは，細胞内にケラチンとよばれるタンパク質が蓄積して細胞がかたくなる現象である。表皮の最深層で細胞分裂によって生じた上皮細胞は，しだいに上行しながら角化していき，約 4 週間を経て表層から垢として剝離する。

表皮の断面には，上皮細胞が生まれてから角化していく過程が，層として観察される。最深部の基底層（幹細胞の層）から，有棘層，顆粒層，淡明層，角質層となる。基底層には**メラニン細胞**があって，皮膚の色をつくるメラニ

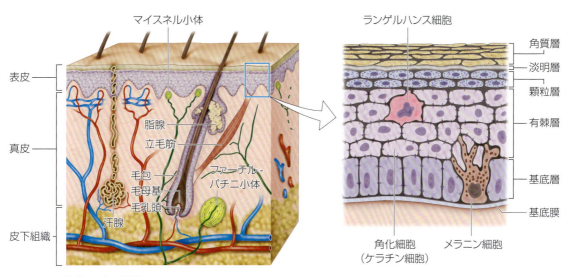

○図 9-1 皮膚と毛の構造
皮膚は，表皮・真皮・皮下組織の 3 層からなる。表皮は上皮組織から，真皮は線維性結合組織から，皮下組織は疎性結合組織からなっている。

ンを産生する。ランゲルハンス細胞は皮膚に侵入した微生物などを貪食し，免疫系への橋渡しをする。表皮の中に血管はない。

2 真皮

真皮 dermis は強靱(きょうじん)な線維性結合組織であって，皮膚の機械的な強靱さをつくりだす。細胞外マトリックス（細胞外基質）の主成分はコラーゲン線維で，少量の弾性線維を含む。細胞成分にはコラーゲンをつくる線維芽細胞のほかに，生体防御に関与するマクロファージ（大食細胞）・肥満細胞・形質細胞（◯ 128ページ，図3-30）などがある。表皮の下面に向かって真皮の乳頭が突き出し，ここに毛細血管や神経終末が入り込んでいる。血管網は真皮の浅層と最深層の2面に発達している。

3 皮下組織

皮下組織 subcutaneous tissue は疎性結合組織で，脂肪細胞の集団が集まっている。浅層にある皮膚の本体と，深層にある骨格や筋との間をゆるくつないで，じょうぶな皮膚が身体の動きを妨げないようにする。また脂肪を貯蔵して，体熱の喪失を防いだり，外力に対するクッションの役割を果たす。

2 皮膚の付属器

毛と爪(つめ)は，表皮の細胞が変化して生じたものである。また皮膚には，表面に汗や皮脂を分泌する皮膚腺が付属する。

1 毛

毛 hairs は，ほぼ全身の皮膚に存在し，皮膚の保護や保温に役だつ。太くかたい毛が見えるのは，頭皮・眉(まゆ)・腋窩(えきか)・外陰(がいいん)部などであるが，これ以外の皮膚も大部分が細かい毛でおおわれている。口唇(こうしん)・手掌(しゅしょう)・足底などには，毛が存在しない。

毛は，皮膚の一部が管状に落ち込み，その底部の表皮が変形してのび出したものである。皮膚の表面に出た毛幹の断面を見ると，髄質と皮質が区別でき，表面は毛小皮という鱗(うろこ)状の薄い層におおわれている。皮質に含まれるメラニン顆粒が，毛の色を黒くする。

臨床との関連　褥瘡と潰瘍

褥瘡(じょくそう)は，自分の意志で寝返りのできない場合に，骨と寝床の間で皮膚と皮下組織が圧迫されて，壊死(えし)をおこしたものである。皮膚が圧迫されると血流が減少し，それが長時間続くと皮膚が壊死して潰瘍(かいよう)を生じる。褥瘡の潰瘍の深いものは，筋膜や骨にまで及び，激しい痛みを引きおこすことがある。

真皮中にある毛根は，毛包という袋に包まれている。毛包は，表皮に続く上皮性毛包と，そのまわりの結合組織性毛包とからなる。毛包の最深部からは，毛根に向かって結合組織性の毛乳頭が入り込む。毛乳頭を円蓋状におおう上皮細胞の集団が毛母基(毛母)で，この細胞が分裂して毛を発育させる。

毛包には脂腺が付属し，毛孔に開口する。毛包の外には立毛筋があり，毛を立てるとともに，脂腺からの分泌をたすける。

2 爪

爪 nails は，指背の末端部で表皮が分化してできたものである。表面に露出した部分を爪体，皮膚にかくれる奥の部分を爪根，爪体をのせている皮膚面を爪床という(●図9-2)。爪は爪根で新たにつくられ，後深部から前浅方に向かって押し出されていく。

3 皮膚腺

皮膚には，毛に付属する脂腺のほかに，汗を分泌する汗腺がある。

脂腺 sebaceous glands は，脂肪性の分泌物を出して，皮膚や毛の表面をやわらかくなめらかにする。脂腺の多くは毛包に付属する毛包腺だが，毛と無関係の独立脂腺もある。

汗腺 sudoriferous glands は，細長い管状の腺で，導管は表皮深層を貫き，真皮の深層ないし皮下組織に糸玉状にうねった終末部がある。汗腺には，**エクリン汗腺**(小汗腺)と**アポクリン汗腺**(大汗腺)の2種類がある。エクリン汗腺は全身の皮膚に分布し，水分に富む薄い汗を出す。とくに手掌と足底でよく発達している。一方，アポクリン汗腺の分布は，腋窩や耳道などに限られており，脂肪やタンパク質に富む汗を出す。腋臭(わきが)のにおいは，アポクリン汗腺の分泌物が細菌に分解されて生じたものである。

乳腺 mammary glands(● 472ページ)は，アポクリン汗腺が変形したものと考えられている。

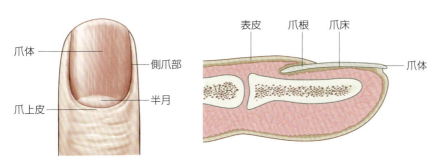

● 図 9-2 爪の構造
爪は表皮の細胞が変化して生じたもので，皮膚の内部に埋まった爪根と，指先に見えている爪体とに分けられる。

3 皮膚の血管と神経

皮膚に分布する血管と神経は，筋のすきまを貫いて深部から顔を出し，皮下組織の中を通って広がる。

1 皮膚の血管

皮膚に分布する血管には，寒冷な環境でも心拍出量の約 5％にあたる血液が流れており，熱を体外に放出する役割をしている。外気温の上昇に応じて，皮膚の血流量は 20 倍も増加し，寒冷により指の皮膚の血流はほぼ 0 にまで減少する。

深部から皮膚に進入した動脈は，真皮の中に広がる血管網をつくる。そこから枝が出て，真皮の乳頭や，皮下組織にある汗腺や毛包に血液を送る。

2 皮膚の神経

皮膚は触覚や痛覚，温度を感じる感覚装置でもあり，多くの感覚神経線維が分布する。皮膚に分布する神経の一部は，血管壁・立毛筋・汗腺に分布する自律神経である。

皮膚の感覚神経線維の一部は無髄であり，一部は表皮に接近するが，大部分のものは真皮や皮下組織にさまざまな終末装置をもって終わる。真皮の乳頭内には**自由神経終末**（痛覚を感知）や**マイスネル** Meissner **小体**（触覚を感知），皮下組織には層板状の**ファーテル-パチニ** Vater-Pacini **小体**（圧力を感知）がみられる（◎ 394 ページ，図 8-31）。

臨床との関連　皮膚の色とアセスメント

顔面などの皮膚は露出されているため，注意して見ればその人の状態をある程度把握することができる。皮膚の血流が少なければ蒼白になり，逆に多ければ紅潮する。

蒼白になるのは交感神経の緊張が亢進している場合で，精神的緊張時や発熱時，大出血後などにみられる。一方，紅潮するのは皮膚からの熱放散を増やそうとしている場合が多く，風呂上がりが典型的だが，解熱時にも顔面は紅潮する。お酒に酔ったときに顔が赤くなるのもアルコールによる血管拡張のせいである。ただし，寒い場合には細動脈が収縮するが，細静脈も収縮するため毛細血管にとどまる血液量が増え，赤くなる。真冬に外で遊んできた子どもの頰が赤くなるのはこのためである。

皮膚の色調は，血液に含まれる物質の量によって決まる。酸素を結合していないデオキシヘモグロビンの量が 5 g/100 mL をこえるとチアノーゼが出現し，皮膚が暗紫色になることはすでに説明した（◎ 203 ページ）。一酸化炭素（CO）中毒では一酸化炭素が酸素のかわりにヘモグロビンに強く結合するため，ピンク色のとてもよい顔色になる（この場合に顔色がよいのは，状態がわるいことを意味する）。また，溶血の亢進や胆道の閉鎖などによって血中ビリルビン濃度が上昇すると，皮膚は黄色くなる。眼の白目の部分が黄色くなることで気づく場合が多い。

4 皮膚の機能

皮膚のはたらきは，①身体内部を外界の影響から保護すること（●440ページ），②外界についての情報を感覚として受け取ること（●394ページ），③発汗や血流調節によって体温を調節すること（●451ページ），④水分や一部の物質を汗として排出すること，である。

さらに，⑤緻密な皮膚は水分の過剰な蒸発を防いでいる。このため開腹手術などに際して内臓が露出されると，1時間あたり500 mLの輸液が必要となる。このことからも，皮膚の蒸発阻止作用がわかる。そして，⑥皮膚に含まれるメラニンは，発がん性のある紫外線が皮膚深部に到達することを防いでいる。また，⑦皮膚には吸収機能もある（経皮吸収）。皮膚からの物質の吸収は，毛包から吸収される経毛包吸収と，表皮を浸透して吸収される経表皮吸収がある。経皮吸収では，分子量が小さく，脂溶性の物質が吸収されやすい。皮膚疾患に対する外用薬治療（軟膏などによる）は，この性質を利用している。

さらに，⑧表皮にはランゲルハンス細胞とよばれるマクロファージ系の細胞が存在し，傷口などから侵入した細菌などの異物を捕食する。ランゲルハンス細胞は，抗原に関する情報をT細胞（Tリンパ球）に伝える（抗原提示）など，後述する免疫機能にも関与する。

このように皮膚には多くの機能があるため，熱傷によりその機能が失われた場合，その面積が20％以上に及ぶとショックのおそれがあり，40％以上に及ぶと生命の危機が生じる。

B 生体の防御機構

私たちは，ウイルスや細菌，カビなどの真菌など，肉眼では見えないほど小さな微生物とともに暮らしている。これらのなかには，病気を引きおこす（**病原性**がある）微生物も少なくない。人体には，これらが身体内部に侵入す

臨床との関連　皮膚の蒸発阻止作用

皮膚はじょうぶな被膜によって全身を包むことで，体内の水分が蒸発することを防ぐ，という意味でも重要な役割を担っている。大やけど（熱傷）を負って皮膚が広範囲にわたって損傷されると，身体からの水分の蒸発が増えて脱水症状が引きおこされる危険がある。また，胃がんなどで開腹手術を行う場合や心臓手術などで開胸手術を行う場合も，皮膚が切開されて内臓が露出するため，内臓表面からの水分蒸発が増加する。この蒸発分を補う目的で，まったく出血がなくても1時間あたり500 mLの輸液が行われる。

るのを防ぎ，侵入した場合にはそれを殺滅するためのさまざまな防御機構が備わっている。防御機構は，非特異的防御機構と特異的防御機構である免疫とに大きく分けられる。免疫は強力な防御機構であるが，成立するには1週間程度を要するため，それまでの間は非特異的防御機構のみで身体をまもっている。

1 非特異的防御機構

非特異的防御機構は，あらゆる微生物の体内への侵入を防ぎ，侵入を許した場合でも最前線で防御するためのしくみである。

1 皮膚・粘膜における防御

● **皮膚における防御** 皮膚表面は頑丈な角質層でおおわれているため，傷がない限り，ほとんどの微生物は皮膚から体内に侵入することはできない❶。また皮膚表面は，酸性の皮脂が分泌されているために酸性となっている。ほとんどの細菌は酸に弱いため，皮膚表面は細菌が定着・増殖しにくい環境になっている。その一方で，こうした環境に適応した種々の細菌が皮膚表面には生息しており（これらの細菌は**常在細菌**とよばれる），常在細菌以外の細菌の増殖を抑制している。

● **粘膜における防御** 消化管・気道・尿路・生殖器などの表面は，粘膜でおおわれている。粘膜も微生物の侵入に対して機械的障壁としてはたらくが，皮膚に比べるとその防御力は弱い。その弱さを補うために，粘膜にはいろいろなしくみが備わっている。これらのしくみに共通しているのは，粘膜表面に分泌される粘液に**リゾチーム**とよばれる酵素や IgA と分類される抗体（◎443ページ）などさまざまな殺菌物質が含まれていることである。

またこれ以外にも，以下のようなしくみにより，微生物の侵入を防いでいる。

1 消化管 最初に食物が消化を受ける胃では，胃酸，つまり塩酸による殺菌が行われる。胃酸は pH 1〜2 の強酸であり，ほとんどすべての微生物が殺される。また，小腸内はほとんど無菌であるが，大腸には非常に多くの非病原性細菌が定着しており（これらの常在細菌群を**腸内細菌叢**という），病原微生物の定着を妨害している。

2 気道 鼻腔・気管・気管支の粘膜には線毛をもった上皮細胞が存在し，その線毛がなびくことにより，細菌などが付着した粘液を鼻汁や痰として体外へと排出する（◎109ページ）。

3 尿路 無菌である尿が流れることによって，膀胱・尿道が洗浄される。尿道炎などの際には，できるだけ水を多く飲んで頻回に排尿すると早く回復する。

4 腟 腟には数種類の乳酸桿菌が常在しており，これらはデーデルライン Döderlein 桿菌とよばれる。乳酸桿菌が産生する乳酸により腟内は酸性となり，ほかの細菌の増殖が妨げられている。

NOTE

❶**皮膚のわずかな傷から侵入するウイルス**

アフリカで流行を繰り返しているエボラ出血熱を引きおこすエボラウイルスは，皮膚表面の目には見えないほどのわずかな傷からも体内に侵入できると考えられている。

2 貪食作用・細胞傷害物質による防御

　皮膚・粘膜の防御壁を乗りこえて細菌が侵入してきた場合には，別のしくみによる防御が行われる。組織が傷害された結果，細菌が侵入すると**炎症**反応がおきる。組織に常在する**肥満細胞** mast cell や傷害された細胞からヒスタミンやブラジキニンが放出され，血管拡張による発赤や，血管透過性亢進による局所的な浮腫（◯202ページ）による腫脹，そして疼痛を引きおこす（◯図9-3）。また，炎症をおこした組織からは**サイトカイン** cytokine とよばれる物質が放出される。サイトカインに誘引された好中球は炎症局所に集合し，細菌をとらえて細胞内に取り込み消化する（**貪食作用**あるいは**食作用**という）。組織に常在するマクロファージ（◯139ページ）も，強力な食作用を発揮する。

　ウイルス感染や奇形などで異常をきたした細胞が生じた場合には，リンパ球の一種である**ナチュラルキラー細胞** natural killer cell（**NK細胞**）がその排除を担う。NK細胞は，異常な細胞の表面に出てくる物質をみつけ，それに取りついて細胞傷害物質を注入して破壊する。

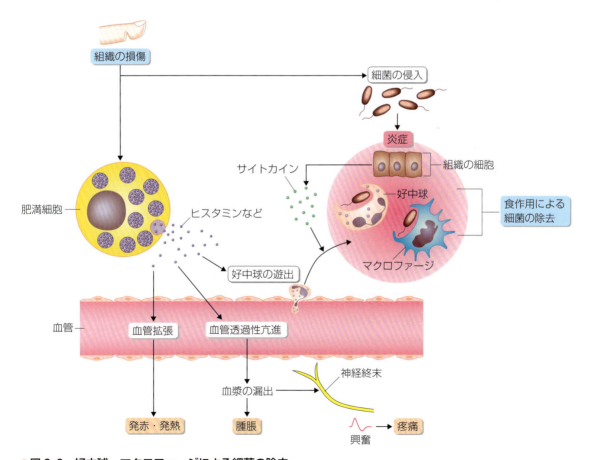

◯図 9-3　好中球・マクロファージによる細菌の除去
組織が傷害されると，細菌の侵入に対抗するために，肥満細胞などから放出されたヒスタミンなどや，炎症をおこした組織から放出されたサイトカインにより好中球やマクロファージが集まり，食作用により細菌を除去する。また，ヒスタミンなどにより，炎症の徴候（発赤・発熱・腫脹・疼痛）がおこる。

2 特異的防御機構——免疫

1 免疫に関与するリンパ球の機能

免疫 immunity とは，体内に侵入した微生物や毒素に対して抵抗するしくみのことである。広い意味では好中球などによる食作用も免疫の一種として扱うこともあるが，ここではリンパ球が関与する生体防御機構，つまり獲得免疫のみを免疫として扱うことにする。

免疫を担当するのはリンパ球であり，以下に述べるように，液性免疫はおもに B 細胞（B リンパ球）が，細胞性免疫はおもに T 細胞（T リンパ球）が中心的な役割を果たしている。ほかの血球成分と同様に，リンパ球も骨髄の造血幹細胞から産生されるが，血流中に放出されたリンパ球は，胸腺 thymus またはリンパ節などのリンパ性組織で成熟・増殖する。胸腺で成熟するリンパ球をその頭文字をとって T 細胞，リンパ性組織で成熟するものを B 細胞とよぶ❶。

免疫系は，自分自身のタンパク質ではないタンパク質（細菌などに含まれるタンパク質であり，これらは**抗原** antigen とよばれる）を見つけると，それに反応して特異的に攻撃する。まず，マクロファージなどが抗原となる細菌などを貪食する（●図 9-4）。そして，それをリンパ球が反応しやすい形に処理して細胞膜上に提示する（**抗原提示**）。この提示された抗原に**ヘルパー T 細胞**が反応して**インターロイキン** interleukin とよばれる B 細胞刺激因子を放出し，同じ抗原を認識する B 細胞を活性化する。こうして身体に侵入してきた細菌やウイルスなどの異物に対して，特異的な免疫反応が開始される。一方，母体内での発生初期から共存する細胞（つまり自分の身体を構成する細胞＝個人の細胞の仲間）に対しては攻撃しない。このように，ある特定の抗原に対しては免疫反応を示さないことを**免疫寛容**という。

NOTE
❶ B 細胞
　鳥類では，ファブリキウス囊 bursa of Fabricius で成熟するため，bursa の B をとって B 細胞と名づけられた。

臨床との関連　温湿布と冷湿布

　炎症がおこったときに，あたためたほうがよいのか，冷やしたほうがよいのか，迷ったことはないだろうか。その答えは簡単で，急性の炎症は冷やし，慢性の炎症はあたためるのがよい。

　急性の炎症では組織での炎症がおきているため，冷やすことで炎症反応を抑えてやれば，痛みなどが軽くなる。野球の投手が，降板したあとで肩を氷などで冷やしているのは，酷使した筋を冷やし，炎症を抑えようとしているのである。

　一方，慢性化した炎症では，冷やした程度では炎症はおさまらない。あたためることで血管を拡張させて炎症をおこしている部分への血流を増やし，酸素や栄養素を十分に供給するほうが，早く治癒することになる。

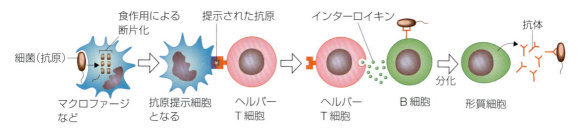

○図9-4　リンパ球による抗体産生の過程
抗原はマクロファージなどにより貪食され，ヘルパーT細胞に提示される。抗原の提示を受けたヘルパーT細胞は種々のインターロイキンを放出し，B細胞より分化した形質細胞に抗体を放出させる。

◆ B細胞

　ヘルパーT細胞により刺激されたB細胞は，分化して**形質細胞**になり，その抗原を破壊するタンパク質である**抗体** antibody を産生する。抗体は特定の抗原にしか効果を発揮せず，ほかの抗原にはまったく無効である。しかし，いったん抗体が産生されるとその情報は**メモリーB細胞**に記憶され，次に同じ抗原が侵入するとすみやかに抗体産生が開始される。

　このような抗体による防御機構は，次項で学ぶように**液性免疫**とよばれる。すなわち，B細胞は液性免疫を担当するということができる。

◆ T細胞

　ある種の細菌（結核菌など）やウイルスは，細胞の中に侵入して増殖する。このような細胞の中に入ってしまった抗原に対しては，抗体は作用できない。そこで，感染した細胞，あるいは奇形の細胞を発見して細胞ごと破壊してしまうことが必要になる。このような防御機構を**細胞性免疫**といい，それを担当するのがT細胞の一種である**細胞傷害性T細胞**[1]である。

　また，前述したヘルパーT細胞はT細胞のなかで圧倒的に多い割合を占め，B細胞や細胞傷害性T細胞を活性化させ，マクロファージの食作用を亢進させる。さらに，自己免疫疾患など過剰な免疫反応を抑制する制御性T細胞とよばれるものもある。

2 液性免疫

　B細胞が産生する抗体によって抗原が排除されることを，**液性免疫** humoral immunity とよぶ。抗体は特定の抗原にのみ反応し，この1対1の関係は厳密であるため，しばしば「鍵と鍵穴」の関係にたとえられる[2]。

◆ 抗体の種類

　抗体は**免疫グロブリン** immuno-globulin（Ig）ともよばれ，血漿タンパク質のγ（ガンマ）グロブリンである（○140ページ）。Igには，IgG，IgM，IgA，IgE，IgDの5種類があるが，IgDは血中濃度が低く，どの程度の生理的な意味をもっているかは不明である（○表9-1）。

NOTE
[1] 細胞傷害性T細胞
キラーT細胞ともよばれる。キラー killer は殺し屋の意味である。

NOTE
[2] 「鍵と鍵穴」の関係
私の家のドアの鍵は私の家のドアを開錠できるが，あなたの家のドアは開錠できない。つまり特定の相手にしか有効ではない，という意味である。

1 IgG 血漿中に最も多く，主力となる抗体である。胎盤を通過することができるため，母体の IgG が胎児に移行し，出生後の数か月間，乳児を感染からまもる。

2 IgM 抗原が侵入したときに最初につくられる抗体で，凝集・細胞溶解の効率が高い。ABO 式血液型(◯ 145ページ)の抗体や自然抗体の多くは IgM である。胎盤は通過しない。

3 IgA 粘膜からの分泌液中に多く，管腔局所免疫の主役となる。母乳中にも多く含まれ，乳児の消化管粘膜に IgA が供給されることにより，微生物の侵入から乳児をまもる(◯図9-5)。

4 IgE 肥満細胞に付着してヒスタミンの放出を促進する(◯図9-6)。過剰に産生されると，アレルギー性鼻炎や気管支喘息などのアレルギー性疾患の原因となる。

◆ 抗体の機能

抗体は，以下のようなはたらきにより，細菌やウイルスを攻撃する。

1 中和抗体として ウイルスは，細胞の中に侵入して増殖する性質をもっている。抗体がウイルスに結合すると，ウイルスが細胞に取りつくこと

◯ 表9-1 免疫グロブリンの機能

種類	おもな特徴	胎盤通過	補体の結合性
IgG	血液・体液中に最も多く存在する。毒素の中和も含め，液性免疫における感染防御の主役となる。	＋	＋
IgM	細菌を凝集させ，溶菌させる効率が高い。B 細胞の表面にも存在する。	－	＋
IgA	分泌液中に多くあり，管腔での免疫の主役となる。	－	
IgE	アレルギーを引きおこす。寄生虫の感染で増加する。	－	－
IgD	B 細胞の表面に存在する。	－	－

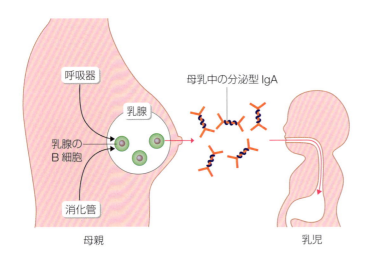

◯ 図9-5 **母乳中の IgA のはたらき**
乳腺には B 細胞があり，IgA を産生している。IgA はポリペプチドが付着した分泌型 IgA となり，母乳とともに乳児の消化管に入る。乳腺には呼吸器や消化管から移動してきた B 細胞が多いため，それらの器官に多い微生物に対する IgA が分泌され，乳児を感染からまもっている。

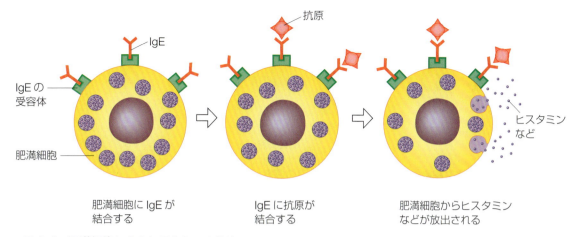

◦図 9-6　肥満細胞からのヒスタミンの放出

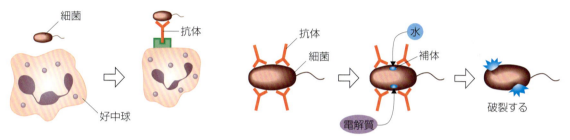

a. オプソニン作用
細菌に抗体が付着することにより、好中球やマクロファージなどの食細胞が細菌を貪食しやすくなる。

b. 補体の活性化による溶菌
抗体が細菌と反応すると、補体とよばれるタンパク質が活性化し、細菌の細胞膜に穴を開ける。穴から水・電解質が入り込むため、細菌は破裂する。

◦図 9-7　抗体のオプソニン作用と補体の活性化による溶菌

ができなくなったり、細胞の中に入り込むことができなくなったりして、増殖能力を失う。このような抗体の作用をウイルスの中和という。

②**オプソニンとして**　抗体が細菌に結合すると、白血球による食作用が促進される（◦図 9-7-a）。このように食作用を助ける作用を**オプソニン作用**という。次に述べる補体にもオプソニン作用がある。

③**補体の活性化を介して**　血漿中には、細菌の細胞膜に付着して膜に穴をあける**補体** complement とよばれるタンパク質がある。細菌に抗体が結合すると補体が活性化され、細菌の細胞膜に穴を開け、そこから水などが浸入することにより細菌を破裂させて殺す（◦図 9-7-b）。

3　細胞性免疫

前述したように、液性免疫が効果を発揮しない感染細胞などに対しては、T 細胞による感染細胞の破壊、つまり**細胞性免疫** cellular immunity がはたらく。感染した細胞は、その細胞膜上に独特の抗原を提示する。この抗原を発見すると、ヘルパー T 細胞のたすけを借りた細胞傷害性 T 細胞がその細胞を破壊する（◦図 9-8）。

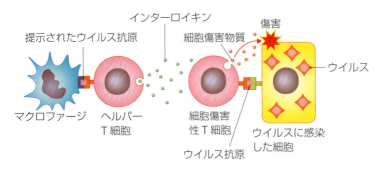

○図9-8 細胞傷害性T細胞によるウイルス感染細胞の傷害
ウイルスに感染した細胞があると，ヘルパーT細胞からのインターロイキンにより活性化された細胞傷害性T細胞が，感染した細胞表面のウイルス抗原を認識し，感染した細胞を傷害する。

4 予防接種

　免疫は強力な生体防御機構であるが，欠点もある。それは抗体の産生や細胞性免疫の活性化に約1週間かかるという点である。免疫の発動に時間がかかるため，対応が間に合わずに発病してしまうこととなる。

　しかし，病気によっては，1度かかるとその病原性微生物に関する免疫学的記憶が長期間保持され，2度目に感染した場合は2〜3日で免疫が強烈に活性化されるため，再び発病しないですむようになる。麻疹(はしか)や風疹(三日ばしか)，水痘(水ぼうそう)などが代表的である。この性質を利用しているのが**予防接種**である❶。

　予防接種では毒性を極端に低下させた細菌やウイルス，あるいは殺した細菌などのワクチンを皮下注射する。毒性がないまたは低いとはいえ，菌体の構成成分は毒性の強いものと同じであるため，免疫系は活性化され，その微生物に関する免疫学的記憶も保持される。そのおかげで，予防接種をしておけば，その病気にはかからないようになる。

　前述の麻疹などは免疫学的記憶が長期間保持されるものの代表であり，免疫が成立すければ通常は一生続く。しかし，赤痢などはほとんど免疫学的には記憶されないため，予防接種は存在しない。

5 免疫の異常

　免疫反応のうち病的なものを**アレルギー** allergy という。アレルギーはⅠ型〜Ⅳ型に分類されるが❷，狭い意味でのアレルギー性疾患(一般にいうアレルギー)はⅠ型の反応とⅣ型の反応の一部であり，ほかのものは自己免疫疾患とよばれる。

　1 Ⅰ型アレルギー　化学伝達物質による即時型反応(数分で反応が出る)である。アレルギーを引きおこす抗原(アレルゲン)がIgE抗体と結合し，肥満細胞などからヒスタミンを放出させて炎症反応を引きおこす。空気中の抗原，たとえば花粉やダニの糞，動物の毛やフケを吸い込むことにより，花粉症や気管支喘息が引きおこされ，鼻汁，くしゃみ，目のかゆみ，咳などが

NOTE

❶2度目に抗原が侵入した場合はきわめてすみやかに免疫系が活性化する。
　この反応を利用して予防接種が行われる。

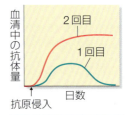

NOTE

❷アレルギーの分類
　アレルギーの分類については，Ⅰ〜Ⅳ型に加え，Ⅱ型の亜型をⅤ型として5種類とすることもある。Ⅴ型アレルギーでは，抗体が細胞表面上の抗原と反応することにより，Ⅱ型のような細胞傷害ではなく，細胞の機能亢進または障害が生じる。甲状腺機能亢進症を生じるバセドウ病はその代表である。

主症状となる。食物（卵白，そば，ピーナッツなど）による食物アレルギーやハチ毒では，各種の胃腸症状や蕁麻疹が出現する。重症の場合には，血管拡張による血圧低下や喉頭浮腫による窒息のため死にいたることもあり，**アナフィラキシーショック**とよばれる。

2 Ⅱ型アレルギー 抗体による細胞傷害反応である。薬物などが細胞膜に付着したり，細胞膜が微妙に変化したことなどにより，細胞が異物と認識されて免疫反応が引きおこされる。Ⅱ型アレルギーでは，IgG と IgM が主役となり，自己免疫性溶血性貧血や自己免疫性血小板減少症などがこれにあたる。血液型不適合輸血による反応もⅡ型アレルギーである。

3 Ⅲ型アレルギー 免疫複合体による全身・局所の傷害反応である。血中に免疫複合体（抗原-抗体複合体）が形成され，それが組織に沈着することに起因する。免疫複合体が沈着することで，活性化された補体により沈着した組織が攻撃されるだけでなく，種々の貪食細胞の攻撃をも受ける。糸球体腎炎や全身性エリテマトーデス（SLE）などがこれにあたる。

4 Ⅳ型アレルギー 細胞性免疫による遅延型反応であり，抗原によって感作された T 細胞により引きおこされる。細胞性免疫による反応であるため，抗原の刺激を受けてから 24～72 時間後に症状があらわれる。ツベルクリン反応や移植組織に対する拒絶反応がこれにあたる。また化粧品・金属（ニッケルなど）・ウルシなどによる接触性皮膚炎もⅣ型アレルギーにより発症する。

3 生体防御の関連臓器

1 リンパ節

　リンパ節は，リンパ管（206 ページ）のところどころにはさまって，フィルターのはたらきをする粟粒大の器官であるが，炎症がおこるとダイズほどの大きさにはれる。リンパ節では，リンパ管に入ってきた細菌などの異物をとらえ，血液中に入るのを防いでいる。リンパ節には抗原提示をする**樹状細胞**のほかに，リンパ球が常在しており，捕食された異物の抗原物質に対して免疫反応を引きおこす。

　リンパ節はソラマメに似た形をしており，凸面から多数の**輸入リンパ管**が入り，凹部の門から少数の**輸出リンパ管**と血管が出入りする（図9-9-b）。表面は線維性の被膜があり，そこから梁柱が内部に入り込む。リンパ節の内部は，細網細胞と線維のゆるい網目と免疫系の細胞を含むリンパ組織からなる。皮質の浅層にはリンパ小節があり，B細胞が豊富に存在する。深層にはリンパ小節がほとんどなく，T細胞と樹状細胞を含む。髄質は，髄洞に隔てられた髄索からなり，B細胞を多く含む。

　● **おもなリンパ節**　リンパ節がとくに多いのは，頭部の付け根の頸部，四肢の付け根の腋窩と鼠径部，胸腹部の内臓と大血管の周囲である（図9-9-a）。

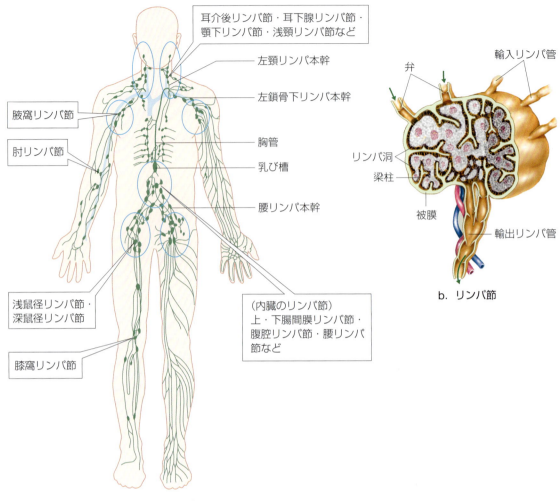

a. 全身のリンパ節

b. リンパ節

図9-9　リンパ節
リンパ節は，リンパ管に入ってきた異物が血液に入るのを防ぐフィルターの役割をもつ。頸部，腋窩，鼠径部，胸腹部の内臓や，大血管の周囲に多数集まっている。

①頭頸部　耳介後リンパ節・耳下腺リンパ節・**顎下リンパ節**，**浅頸リンパ節**などから，深部の**深頸リンパ節**を経て，頸リンパ本幹に注ぐ。

②上肢　肘窩に肘リンパ節がある。**腋窩リンパ節**は，上肢のほかに，胸壁（とくに乳房）・背中・腹壁上部からのリンパを集め，鎖骨下リンパ本幹に注ぐ。

③下肢　膝窩リンパ節がある。**浅鼠径リンパ節**および**深鼠径リンパ節**は，下肢のほかに，腹壁下部・外陰部・殿部からのリンパを集め，腰リンパ本幹に向かう。

④内臓　腹腔では，胃・十二指腸・膵臓・肝門に沿うリンパ節，大きな動脈に沿う上・下腸間膜リンパ節・腹腔リンパ節，腰リンパ節（腹大動脈や下大静脈に沿う）などがあり，これらのリンパは乳び槽を経て胸管に向かう。

胸腔では，気管・気管支・肺（とくに肺門）などに沿うリンパ節，内胸動

脈・食道・心臓などに沿うリンパ節がある。右側のものはおもに右リンパ本幹に，左側はおもに胸管に注ぐ。

● **がんの転移**　がん細胞は，リンパの流れに乗って転移することが多い。そのため，がん化した臓器・組織の近傍のリンパ節（所属リンパ節）は，最初の転移先となる。がんの手術に際しては，これらのリンパ節をすべて除去する郭清手術が行われる。

たとえば，肺がんでは肺門リンパ節の郭清が行われ，乳がんでは患側（乳がんが発生した側）の腋窩リンパ節の郭清が行われる。特殊な転移として，胃がんなどにおける左鎖骨上窩（鎖骨の上部のくぼみ）リンパ節への転移があり，これをウィルヒョー Virchow 転移とよぶ。

がんが転移したリンパ節はかたく腫大し，周囲と癒着して可動性が失われる。通常，圧痛はみられない。

2 粘膜付属リンパ組織と扁桃

内臓の粘膜には，微生物の侵入に対抗するために，リンパ小節やリンパ組織の集合があり，これらは粘膜付属リンパ組織とよばれる。口腔と咽頭の周辺には扁桃とよばれる大型のリンパ組織がある。

● **粘膜付属リンパ組織**　粘膜の中に，リンパ球が密に集合して小結節状となり，周囲の組織からいくぶん区分されているものを**リンパ小節**という。消化管・呼吸器・泌尿生殖器の粘膜に多くみられる。リンパ小節の内部には，丸く明るくみえる胚中心があり，さかんに細胞分裂をしてリンパ球がつくられる。小腸の**パイエル板** Peyer patch は，リンパ小節が集合したものである。虫垂では**集合リンパ小節**が内腔全体を囲む。

● **扁桃**　扁桃 tonsil は，咽頭とその周辺によく発達したリンパ性器官である。咽頭扁桃・口蓋扁桃・舌扁桃の3種類がある（● 64ページ，図2-8）。扁桃の上皮は凹凸に富み，深いくぼみ（陰窩）をもち，その上皮下に，胚中心をもつリンパ小節が多数集まっている。扁桃には，はっきりした被膜も輸入リンパ管もない。ここでつくられたリンパ球は，上皮を通り抜けて咽頭や口腔に出たり，粘膜内の毛細リンパ管を経て頸部のリンパ管に送られたりする。

3 胸腺

胸腺 thymus は，縦隔の最上部で胸骨の後ろに位置する。心臓より上方で，心臓に出入りする大血管の前面にある。乳幼児期から発達し，10〜12歳ごろに最大となるが，その後は年齢とともに退化し，高齢者ではほとんど脂肪組織に置きかわっている。

胸腺の実質はリンパ組織よりなり，細網細胞と細網線維が枠組みをつくり，そのすきまにリンパ球が常在している。胸腺では多数のリンパ球が成熟・分化し，血液や脾臓，リンパ節に送り出されていく。胸腺およびそこで成熟するT細胞は，免疫系において中心的なはたらきをする❶。

NOTE

❶胸腺の欠損・除去
先天的に胸腺が欠損したり，実験動物で生後すぐに胸腺を除去したりすると，その個体は免疫不全をおこして死亡する。

4 脾臓

　脾臓 spleen は，左上腹部の背側よりにあり，握り拳を薄くしたくらいの臓器である（◯図9-10）。脾臓に血液を送る脾動脈は，大動脈の枝の腹腔動脈から分かれる（◯182ページ，図4-26）。脾臓の静脈血は，脾静脈から門脈を通って肝臓に流れ込む。脾臓の組織の大半は**赤脾髄**とよばれ，赤血球を満たした静脈洞で占められており，残りの**白脾髄**はリンパ組織からなる。

　脾臓では，老化した赤血球が破壊される。かたくなったり，形のかわった赤血球は，脾臓内の細い動脈を通り抜ける際に機械的にこわれたり，マクロファージに処理される。

　白脾髄にはリンパ球が常駐し，樹状細胞やマクロファージが血液中の抗原を捕捉して提示し，リンパ球からの抗体産生を促す❶。さらに胎児期には，造血も行われる。

> **NOTE**
> ❶脾臓の摘出
> 　疾患の治療のために脾臓を手術により摘出することがあるが，免疫機能が低下することが知られており，とくに小児では影響が大きいので脾臓摘出を避ける。

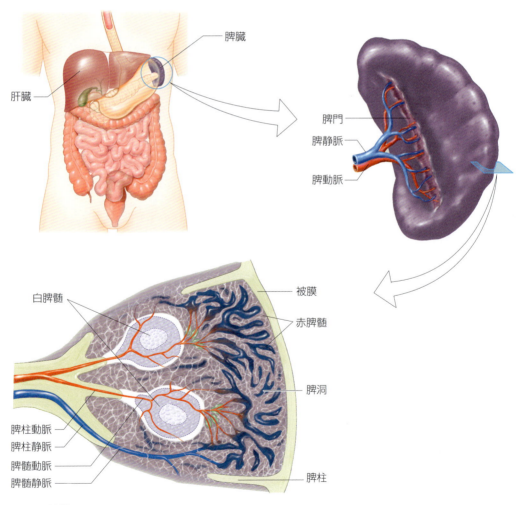

◯図 9-10 脾臓
脾臓の組織は赤脾髄と白脾髄に分けられる。白脾髄にはリンパ球があり，生体防御の一端を担っている。

C 体温とその調節

　代謝や，臓器の活動に関係する酵素のはたらきは，体内水分量やpHのみならず，温度の影響を強く受ける。そのため体温は，酵素のはたらきが最も効果的に行われる範囲に調節されている。一方，体内に生じた異常によって，体温は変動する。したがって，患者の状態を把握する際に，体温は最も重要な測定項目の1つとなる。

1 熱の出納

　体温を一定に保つためには，熱の出納，つまり体内で産生される熱と，生体から外部へ放散される熱が等しくつり合っていなくてはならない。

1 熱産生

　熱は通常の代謝活動によって発生するが，安静時ではその約55％が胸・腹腔臓器に，20％が骨格筋に，15％が脳に由来する。熱産生は，とくに次の場合に増加する。

　1 **身体活動**　骨格筋による熱産生が増加する。激しい運動の際には，熱産生は安静時の2倍近くに達する。通常の活動をしているだけでも，1日の熱産生量の60％程度が骨格筋に由来する。

　2 **特異動的作用**　食物摂取後は，数時間にわたって代謝が亢進し，熱産生が増加する。この効果は，タンパク質を食べたあとに最も顕著であり，これは主として肝臓における合成・分解の亢進による。

　3 **ふるえ**　寒冷刺激により，骨格筋に細かい不随意の収縮を生じる。伸筋群と屈筋群が同時に収縮して外部に仕事を行わないため，熱産生効率が高い。

　4 **各種ホルモンの作用**　甲状腺ホルモンやアドレナリンは代謝を亢進させ，熱産生量を増加させる。

　5 **褐色脂肪組織**　新生児の肩甲骨の間や腋窩に存在する脂肪組織であり，ミトコンドリアに富むため褐色をしている。交感神経の刺激により脂肪分解を促進し，熱産生を増加させる。ラットやクマをはじめとした大部分の動物にみとめられるが，ヒトでは成長につれて退縮する。

2 熱放散

　体内からの熱の放散の仕方には，次のようなものがある（◯図9-11）。

　1 **呼吸に伴う熱放散**　吸入された空気は，気道・肺胞内で加温されてから呼出されるため，熱の放散を生じる。イヌのように発汗しない動物では，暑熱時にこの効果を利用して，浅い呼吸を頻回に行って熱放散を増加させ，体温調節を行っている。

　2 **体表面からの伝導・放射**　熱は身体の中心部で産生され，これが血流

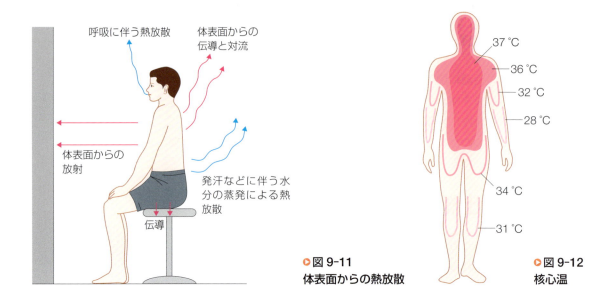

◯図9-11 体表面からの熱放散

◯図9-12 核心温

によって体表面にいたる。通常は体温よりも外気温のほうが低いため，伝導・放射によって血液は冷却される。したがって，暑熱時には，皮膚血管を拡張させて皮膚血流を増加させることにより熱の放散量を増やし，寒冷時には，皮膚血管を収縮させて熱放散量を減らすというように，皮膚の血流を変化させることで体温調節を行うことができる。

③ **発汗に伴う蒸発による熱放散**　温刺激により，手掌・足底を除く全身のエクリン汗腺から発汗を生じる（温熱性発汗）。体表面の水が蒸発するときに，気化熱として熱が奪われる。外気温が体温よりも高くなったときには，熱放散を増加させる唯一の手段となる。

なお，精神的緊張によっておこる精神性発汗は，手掌・足底・腋窩・鼻などでおこる。

動物は寒冷時に毛を逆立てることにより，皮膚表面に接する空気層を厚くして熱の放散を減らす。鳥肌はその名残であり，立毛筋が収縮することによって生じるが，ヒトでは体毛はないに等しいため，生理的にはほとんどなんの効果もない❶。

> **NOTE**
> ❶私たちが寒いとコートなどを着るのも，動物が毛を逆立てて熱放散を減らすのと同じことである。

2 体温の分布と測定

1 体温の分布

生体の温度は，その部位によって異なっている。通常は内部の温度が高く，表面に近いほど低い。身体の中心部の温度を**核心温**とよび，直腸温で代表される。皮膚の温度（皮膚温）は場所によって，また外気温によって異なるが，たとえば外気温が20℃のとき，手掌の皮膚は28℃以下，上腕で32℃程度である（◯図9-12）❷。

> **NOTE**
> ❷経験的に発熱の有無を前額部に手をあてて確かめるが，これは前額部の皮膚温が比較的核心温に近いためである。

2 体温の測定

体温を測定する場合，知りたいのは外気温に影響されない核心温であるが，日常の測定にいちいち直腸温を測定するのは現実的ではない。そこで通常は，それにかわるものとして**腋窩温**を測定する（欧米では口腔温を用いる）。

腋窩温を核心温に近づけるためには，腋窩を密閉した状態で最低 5〜10 分の時間をかける必要がある。しかし臨床的には，短時間で測定可能な電子体温計で十分にこと足りる。なお，日本人の腋窩温の平均は 36.6℃[1]であり，直腸温は腋窩温よりも 0.4〜0.7℃ 高い。

3 体温の日内変動と性周期による変動

● **日内変動**　体温は早朝睡眠時に最低となり，覚醒によって上昇しはじめ，朝食後に急激に上昇する。その後ゆるやかな上昇が続き，夕方に最高となる。その後は下降に転じ，夜がふけると急激に低下する（◯ 424 ページ，図 8-60）。この体温のように，一日の中で変動することを，**日内変動**とよぶ❶。

● **性周期による変動**　成熟女性では，性周期に伴って体温が変動する（◯ 473 ページ，図 10-10-d）。排卵前の月経期と増殖期が低温相であり，排卵後に分泌期になると体温は約 0.6℃ 上昇して高温相となる。これは，分泌期に卵巣に形成される黄体から分泌されるホルモンであるプロゲステロンが体温調節中枢（後述）のある視床下部に作用するためである。

> **NOTE**
> ❶日内変動が一定の環境条件下で 1 日ごとに同じように繰り返されることを概日リズム（サーカディアンリズム）という（◯ 424 ページ）。

3 体温調節

生体内外の温度情報は，温度受容器で感受され，視床下部にある体温調節中枢に伝えられる。この情報に基づいて，体温調節中枢から神経系と内分泌系を介して各効果器に指令が伝達され，発汗・ふるえなどの体温調節反応が

---

column　お酒を飲んだとき，身体は本当にあたたかくなるだろうか

寒い冬の夜，「お酒でも飲んであたたまろう」などと言う人がいる。しかし，お酒を飲んで本当にあたたまることはできるのだろうか。

その答えは否である。お酒，つまりアルコールには血管を拡張させる作用がある。飲むと顔が赤くなるのは，顔面の皮膚血管が拡張するためである。同様に，顔面以外の皮膚血管も拡張するため，皮膚にあたたかい血液が多く流れて皮膚があたためられ，皮膚にある温受容器が刺激されてあたたかく感じる。ところが実際は，冷たい外界と接している皮膚の血流が増加するため，熱の放散量が増加し，身体は冷えていくことに

なる。つまり本人はあたたかく感じているが，実は身体はどんどん冷えている。酔いざめにガタガタふるえるほど寒くなるのは，これが原因である。

しかし，だからといって，寒い冬の夜の飲酒を完全にやめる必要はない。お酒を飲んだら，ふとんに入って寝てしまえばよいのである。飲酒による皮膚血管の拡張のため，手足の先まであたたかくなり，そして熱の放散も増えているため，ふとんの中もすぐにあたたかくなる。それ以上の熱の放散はふとんが妨げるため，身体も冷えず，あたたかく気持ちよく眠れることになる。

1）入來正躬ほか：健常日本人の口腔温．日本生気象学会雑誌 25(3)：163-171，1988．

引きおこされ、核心温が一定範囲内に調節されている。

体温調節反応は、体温が変化したときにそれをもとに戻そうとするフィードバック機構が中心になって行われるが、寒い部屋に入るとすぐに身ぶるいしたり、暑い部屋に入るとすぐに汗が出るなど、体温が変動する以前に変動を未然に防ぐ**フィードフォワード機構**もある（◯ 274 ページ）。

- **行動性体温調節**　私たちは寒冷刺激にさらされると、厚着をし、少しでもあたたかい場所に行こうとする。暑い場合には、まずシャツを脱ぎ、エアコンをつけたり、うちわなどであおいだりする。このようにして暑さ・寒さをできるだけ避けることにより、体温の変動を防ごうとする行動を**行動性体温調節**という。

行動性体温調節は、ネコが冬には日だまりで、夏には最も風通しのよい場所で昼寝をするように、爬虫類や魚類までを含めた動物に広くみられる行動である。行動性体温調節だけでは体温を維持できないときに、皮膚血管の収縮・拡張、発汗、ふるえなどの体温調節反応が引きおこされる。

1 温度受容器

生体周囲の温度条件と皮膚の温度は、皮膚と粘膜にある**温受容器**と**冷受容器**によって感知される。また生体内部の温度条件は、視床下部・延髄・脊髄などに散在する温度受容器によって感知される。脳のみならず、腹部内臓や骨にも温度受容器は存在し、これらの受容器が刺激されると体温調節反応が引きおこされる❶。

2 体温調節中枢

体温調節中枢は視床下部にあり、体温がある一定の基準値になるように調節している。これを**セットポイント**といい、エアコンの設定温度のようなものである。皮膚や脳内各所、腹部内臓などからの温度情報は視床下部に集められ、セットポイントと照合して高すぎれば、皮膚血管の拡張や発汗をおこして熱の放散を増加させる（◯ 図 9-13）。逆に低すぎれば、ふるえをおこすなどによる産熱量の増加と、皮膚血管の収縮などによる熱放散の減少がはかられる。これにより体温がセットポイントに戻るように調節される。

4 発熱

発熱物質 pyrogen により、体温が正常以上に上昇することを**発熱** fever という。発熱物質は、細菌の破壊によって遊離される毒素（内毒素）や、腫瘍・心筋梗塞などにより生体組織が破壊されると遊離される。これらを**外因性発熱物質**という❷。とくに細菌の壁を構成するリポ多糖類（多糖類に脂質が結合したもの）は、強力な発熱物質となる。また発熱物質は、外因性発熱物質を認識した免疫細胞や、細菌や壊死組織を貪食した白血球からも遊離される。これらを**内因性発熱物質**という。

内因性発熱物質は、前視床下部に作用してプロスタグランジン E_2（PGE_2）

NOTE

❶脳の温度受容器は脳組織の温度を感知しており、動脈血の温度に影響を受ける。私たちは寒いと首にマフラーを巻くが、これは総頸動脈の血液が冷やされ、脳が冷えないようにしているのである。つまりマフラーを巻くのもお酒を飲むのと同じことで、寒さを感じにくくしているだけで実際の防寒効果としては小さい。

NOTE

❷内因性発熱物質の放出を誘導する物質を外因性発熱物質とよぶ。

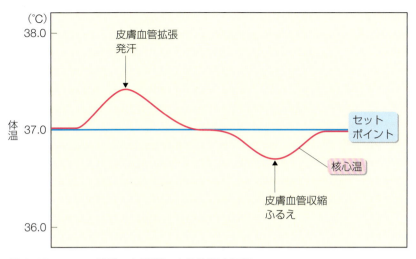

◯図 9-13　フィードバック機構による体温の調節

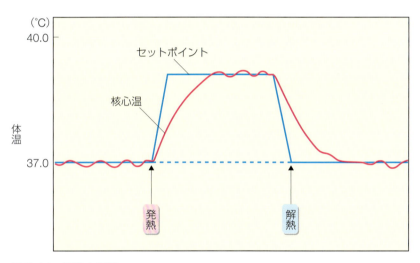

◯図 9-14　発熱と解熱

を遊離させる。この PGE$_2$ が体温調節中枢に作用し、セットポイントを高温側にずらす（◯図 9-14）。その結果、体温調節のうえでは、相対的に体温が低すぎる状態と同じ反応がおきる。すなわち、寒いと感じ（悪寒）、皮膚血管が収縮して熱放散が減少する。同時に熱産生量を増加させるために、しばしばふるえ（戦慄）を生じる。これらによって体温が上昇してセットポイントに到達すると、不快感は消え、皮膚血管の収縮やふるえもとまる。

● 解熱　体温降下、すなわち解熱の際には、発熱とは逆に、発熱物質の消失によってまずセットポイントが健常時のレベルに低下するため、そのときの体温はセットポイントよりも高すぎることになる。皮膚血管が拡張するため顔面などが紅潮し、多量の発汗がおこって体温は下降する。インドメタシンなどの解熱薬は、シクロオキシゲナーゼ❶を抑制することにより、発熱物質である PGE$_2$ の産生を抑制する（◯418 ページ）。これによってセットポイントが下がることになり、体温の低下をもたらす。

NOTE

❶シクロオキシゲナーゼ
シクロオキシゲナーゼは PGE$_2$ を産生することにより発熱を引きおこすと同時に、発痛物質に対する感受性を上昇させる。このためシクロオキシゲナーゼの活性を抑制するインドメタシンなどの NSAIDs は、解熱作用と同時に鎮痛作用を発揮する。

白血球からも発熱物質が放出されることからわかるように，発熱は細菌などの増殖を抑える防御機構の一部でもある。したがって，微熱程度の発熱に対して安易に解熱薬を使用することは避けたほうがよい。

　なお，脳出血や脳腫瘍などの際には，体温調節機構が機械的に損傷・圧迫されることにより発熱がおきる。

5 高体温と低体温

1 高体温（うつ熱）

　発熱は，セットポイントの上昇に応じて，そのレベルになるように体温が調節されている。つまり，私たちの身体は能動的に発熱しているのであり，したがって発熱そのもののために死にいたることはない。

　しかし，熱産生が異常に増加した場合（悪性高熱症など）や，熱中症のように，熱放散が十分にできないことによって生じる体温の上昇（高体温）は，非常に危険である。高体温では，体温調節機構が作動しないために体温が無制限に上昇し，42℃をこえると不可逆的な障害をおこして死にいたる。

　またこの場合，体温調節中枢が機能できない状態であるため，セットポイントを下げるはたらきをする解熱薬は無効である。そのため，① 冷涼な環境に移す，② 皮膚をぬらして皮膚からの熱放散を増加させる，③ 太い血管が比較的皮膚の近くを走っている頸部・腋窩・鼠径部などを氷嚢で冷やす，④ 可能であれば冷水（冷やしたスポーツドリンクが最良）を飲ませる，などの物理的手段で体温を下げる必要がある。

2 低体温

　外気温が低下すると，体温と外気温との温度差が大きくなるため，皮膚血管を収縮させたとしても熱の放散量が増加する。これに対して，身体は熱産生量を増加させることによって対応する。熱の放散量と産生量がつり合っていれば，体温は一定に保たれる。しかしながら，熱の産生量が放散量に追いつかなくなると，しだいに体温は低下する。

　核心温が35℃以下になると，体温調節機能自体が障害される。そして30～33℃以下になると，体温調節機能が完全に失われて呼吸中枢の麻痺，心室細動などで死亡する。高齢者や酩酊している場合には，体温調節機能が低下しているため，健常な成人ではまったく問題にならない程度の寒冷でも，低体温となって死亡することがある。また，心臓手術などにおいて，厳重な管理のもとで人工的に低体温とすることもある。

work 復習と課題

1. 皮膚の構造の簡単な模式図を描きなさい。
2. 皮膚感覚の神経終末はどのような装置になっているか。
3. 炎症のときに局所でおこる変化を述べなさい。
4. 非特異的防御機構にはどのようなものがあるか。
5. 特異的防御機構を大きく2つに分け,それに最も関係するリンパ球をあげなさい。
6. リンパ節にはどのようなはたらきがあるか。
7. 脾臓の構造にはどのような特徴があるか。
8. 体温の一日の変動について述べなさい。
9. 熱の産生と放散はどのようにして行われているか。
10. 熱の調節機構をまとめなさい。
11. 発熱は人体にとってどのような現象であるといえるか。

― 解剖生理学 ―

第 10 章

生殖・発生と老化のしくみ

本章の概要

　私たちは，地球という青い星の表面にへばりついて増殖しているちっぽけな存在である。私たちの皮膚に付着している細菌が小さすぎて肉眼では見ることができないように，地球全体を視野に入れると，私たちの存在などまったく見えなくなってしまう。その地球も，太陽の周りをまわる1つの小さな惑星にすぎない。そして太陽も，銀河系の外れにある比較的小さな恒星にすぎない。さらに宇宙には似たような銀河がたくさん存在する。つまり私たちの存在など，宇宙全体から見ればあってもなくてもなにもかわらない程度のものである。

　ちょっと視点をかえてみよう。宇宙は，約138億年前にビッグバンとよばれる大爆発によって誕生した。そして地球が生まれたのが約46億年前。その地球上に38億年前，生命が誕生した。この生命は最初のうちは細胞が単に2つに分裂する方法で増えていたが，やがて性の違いを生じ，生殖によって子孫を残すようになった。長い進化の歴史のなかで，生命は親から子へ，子から孫へと受け継がれ，そして現在のあなたがいる。つまりあなたは，38億年間つぎつぎと受け継がれてきた生命のバトンを受け取り，次の走者にバトンを手渡すべく，いまを走っている。

　私たち1人ひとりはきわめて小さい，とるにたらない存在である。しかし，私たちが紡いできた生命の糸の長さは，宇宙の歴史の長さと比べてみても，それほど見劣りのしない，私たちはそのようなすばらしい存在なのである。このように本人は死んでも，貴重な生命を継続可能にしてくれるメカニズム，それが**生殖**である。

　生殖器は，個体の生命維持には必要ないが，次の世代の個体を生み出して種を維持する役目を担っている。生殖とは，雌雄の生殖細胞である**卵子**と**精子**が融合し（受精），それぞれの細胞からの遺伝情報がまじった新しい個体を生み出すことである。生殖器には，身体のさまざまな器官系のなかできわだった特徴がいくつかある。第1の特徴は，男性と女性で構造が著しく異なることである。第2の特徴は，生殖細胞という特殊な細胞を含むことである。

　私たちの一生は母親の胎内で生じた受精卵から始まり，子宮内で身体の形態形成と成長が進む。胎児の成長に必要となる栄養素と酸素は，胎盤を通して母体から供給されているため，胎児の消化器系・呼吸器系・循環器系のはたらきは誕生後と異なっている。

　身体の成長は生後も続いていき，性的に成熟する思春期をもって一応の完成をみる。思春期以降も身体にはさまざまな変化が生じるが，それはむしろ機能の衰えを伴う老化というべきものである。

A 男性生殖器

　男性生殖器は，①性腺にあたる精巣，②精巣輸出管から射精管までの生殖路，③3つの付属生殖腺を含む。尿道は，尿路と生殖路に共通する経路である。これは次のようにまとめられる。

```
                              精嚢
                               ↓
精巣―精巣上体（精巣輸出管・精巣上体管）―精管―射精管―尿道―外尿道口
                                        （前立腺部・隔膜部・海綿体部）
                                        ↑            ↑
                                      前立腺       尿道球腺
```

　精巣と精巣上体は陰嚢（いんのう）の中におさまり，精管はそこから膀胱の下面までの長い経路を走り，射精管となって尿道に注ぐ（◯図10-1）。尿道は陰茎の中を通り抜けて，外尿道口に開く（◯図10-2）。

1 精巣（睾丸）

　ヒトを含めた哺乳類の**精巣** testis は，かたくて丸い形をしているので，睾丸（こうがん）ともよばれる（◯図10-2）。精巣は左右にあり，発生期に下降して腹部から外に出て（◯485ページ「臨床との関連」），股のところにある陰嚢という袋の中

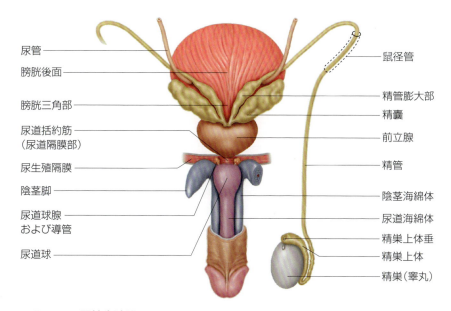

◯ 図10-1　男性生殖器
男性生殖器を背面より見たところ。精巣でつくられた精子は，精巣上体・精管を通って運ばれ，前立腺を貫いて尿道に入り，陰茎の先端から放出される。

◯図10-2　**男性の骨盤内臓**
男性骨盤の正中断面，膀胱が充満した状態を示す。尿道は，膀胱から下に向かい，前立腺・尿生殖隔膜を貫き，陰茎を通って外に開く。

におさまっている。精巣の重さは10 gほどで，形は楕円球状である。精巣の後上面には，精巣上体がのる。

　精巣の表面は，結合組織の強い被膜と腹膜由来の漿膜で包まれている。精巣の内部は，後面中央の精巣縦隔から放射状にのびる仕切りによって，250個ほどの小葉に分けられている（◯図10-3）。そこには精細管とよばれるループ状の細い管が，複雑に迂曲しながらぎっしりと詰まっている（**曲精細管**）。精細管の両端部（**直精細管**）は精巣縦隔にある精巣網につながり，そこ

臨床との関連　尿道の構造と導尿

　医療の場では，自然な排尿ができない患者に対して，カテーテルを尿道から膀胱内に挿入して尿を排出させることがある。これを導尿という。手術後など絶対安静の場合や尿路の通過障害がある場合などに行う。尿道にカテーテルを挿入するにあたっては，尿道の構造をよく理解しておくことが必要である。とくに，男性と女性では尿道の長さと構造が違うことを理解しておかなければならない。

　男性の尿道の長さは16～18 cmほどで，前立腺，尿生殖隔膜，尿道海綿体を貫いている（◯図10-2）。尿生殖隔膜のところに外尿道括約筋があり，排尿をコントロールしている。外尿道口からカテーテルを挿入すると，12～15 cmほど入ったところで外尿道括約筋に達して抵抗を感じる。陰茎を持ち上げて尿道をのばすようにしてさらに進め，合計20 cmほど挿入すると膀胱に達する。

　女性の尿道の長さは3～4 cmほどで，尿生殖隔膜を貫いている（◯466ページ，図10-4）。4～6 cmほど挿入すると膀胱に達する。

　膀胱の中は細菌などのいない清潔な場所であるため，導尿にあたっては滅菌した器具と手袋を用い，外尿道口を消毒し，無菌的に行わなければならない。

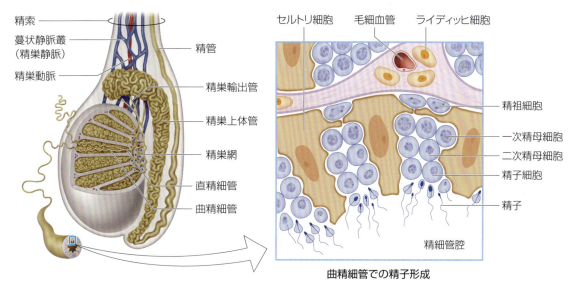

◎図10-3　精巣と精巣上体
精巣の中には，曲精細管という細い管が詰まっている。曲精細管の壁は精子をつくる精細胞の系列（精祖細胞，一次・二次精母細胞，精子細胞）とセルトリ細胞からできており，外側の間質にライディッヒ細胞がある。曲精細管でつくられた精子は直精細管を経て精巣網に行き，精巣輸出管を通って精巣上体に出ていく。精巣上体の中の精巣輸出管は，1本の迂曲した管で，精管につながる。

から出る十数本の精巣輸出管が精巣上体管につながっている。

　精巣は，3種類の特徴的な細胞を含んでいる。まず精細管の壁には，精子のもとになる**精細胞**と，それを支える**セルトリ細胞** Sertoli cell がある。精細胞はたえず分裂して，その一部が精子になっていく。また精細管の外の間質には，**ライディッヒ細胞** Leydig cell（間質細胞）があり，男性ホルモンであるテストステロンを分泌する。

2　精路（生殖路）と付属生殖腺

1　精路

　精巣上体 epididymis（副睾丸）は，精巣の上端から後縁にかけて付着する器官で，頭・体・尾部に区別される。**精巣輸出管**は，精巣から出る十数本の管で，1本の**精巣上体管**に注ぐ。精巣上体の頭部には精巣輸出管が，体・尾部には精巣上体管がそれぞれうねりながらおさまっている。精巣上体管は約4mの長さをもち，尾部で精管に移行する。精子は精巣上体の中で成熟し，精管に近い遠位部に貯蔵されて射精を待つ。

　精管 spermatic duct は，陰嚢から膀胱下面まで続く全長40〜50 cm の管（外径3〜3.5 mm，内径0.5 mm）である。壁の筋層は内縦・中輪・外縦の3層からなり，きわめて厚い。

　精管の経路はきわめて複雑である。①精巣上体の尾部に続き，②精巣の後方で陰嚢の中を上行し，③腹壁を貫く鼠径管を経て骨盤内に入り，④腹

膜下を後下方に進んで尿管の下端部の上を乗りこえ，⑤下行して膀胱後面の下部に達し，左右の精管が近づき，太くなる（**精管膨大部**）。ここで細い**射精管**に移行して前立腺を貫き，尿道前立腺部の後壁の高まり（**精丘**）に左右別々に開く。精管の経路の②と③は，血管（精巣動脈・蔓状静脈叢）や神経などとともに，小指ほどの太さの**精索** spermatic cord という索状物を形成する。精索と精巣はともに，腹壁からのびてきた骨格筋（精巣挙筋）と筋膜に包まれている。

男性の**尿道**は，前立腺部・隔膜部・海綿体部の3部に分かれる。

2 付属生殖腺

精嚢 seminal vesicle は，長さ3〜5cmのS状に曲がった袋状の腺で，精管の末端部に開口する。膀胱の背後で精管膨大部の外側に左右1対ある。袋の粘膜には多くのヒダがあり，精液の一部をなすアルカリ性の液を分泌する。精子の運動をよびおこし，またエネルギー源となるフルクトース（果糖）を供給する。

前立腺 prostate gland は，尿道の始部および射精管を取り囲むクリの実ほどの大きさの腺で，膀胱底と尿生殖隔膜の間にある。分岐管状腺の集合で，精臭のある乳白色のアルカリ性液（精液の約20％を占める）を分泌する。尿道前立腺部の精丘の両側には，多数の小さな開口部がある。間質には多量の平滑筋があり，前立腺液の分泌，射精管からの精液の放出を行う。前立腺は直腸の前面に接するので，直腸に指を入れて触診することができる❶。

尿道球腺 bulbo-urethral gland（カウパー Cowper 腺）は，前立腺の直下で尿生殖隔膜に埋まって存在する。エンドウ豆大の1対の粘液腺で，長さ約3cmの導管により尿道海綿体部の下壁に開く。尿道球腺は，女性の大前庭腺（◯471ページ）に相当する。

> **NOTE**
> ❶前立腺肥大
> 高齢者ではよく前立腺が肥大し，尿道狭窄や排尿困難をおこす。また前立腺は，がんが発生しやすい臓器の1つでもある。

3 男性の外陰部

陰茎 penis は，2つの海綿体（**陰茎海綿体・尿道海綿体**）を含む勃起器官で，交接のはたらきをする（◯462ページ，図10-2）。海綿体は白膜とよばれるじょうぶな結合組織の膜で囲まれ，発達した静脈洞を内部に含み，これが血液で満たされて，海綿体が膨大硬化する（勃起）。勃起がおこるのは，動脈が拡張して海綿体に流入する血液が増えるが，静脈が細いために流出量が少ないためである。陰茎の皮膚は薄く，脂肪層がなくて移動性に富む。

陰茎海綿体は，陰茎の背面部（上面部）をなし，根もとが左右に分かれ，それぞれ坐骨海綿体筋におおわれて恥骨枝に付着する。

尿道海綿体は，陰茎の下面に沿ってのび，その前端が帽子状にふくらんで**亀頭**をつくり，皮膚のヒダ（包皮）によって包まれる。後端は丸くふくらんで（尿道球），球海綿体筋により包まれる。尿道は，前立腺と尿生殖隔膜を貫いて，尿道球の上面で尿道海綿体に入り，その中を前進して亀頭の前下面にある外尿道口に開く。

陰囊 scrotum は精巣・精巣上体・精索を入れる袋で，中隔によって内部が左右に分かれている。皮膚は薄く，真皮の深層に肉様膜とよばれる平滑筋層が発達し，その収縮により細かいシワができる。正中部の皮膚には縫線がみられる。

4 男性の生殖機能

1 精子の形成と成熟

● **精子の形成**　精子は，精細管の壁にある**精細胞**からつくられる（▶463ページ，図10-3）。精細管の中の精細胞は，精子に分化するさまざまな段階の姿をしている。精細管の底にある**精祖細胞**（精原細胞）はたえず細胞分裂をし，その精祖細胞の一部が精子に向かって分化していく（精祖細胞→**一次精母細胞**→**二次精母細胞**〔精娘細胞〕→**精子細胞**）。減数分裂は，一次精母細胞から精子細胞にかけて行われ，染色体数が半減する（▶477ページ，図10-12）。精子細胞は，さらに細胞質のほとんどを失って精子になる。精細胞の間にあるセルトリ細胞は，精細管の上皮を支持し，精細胞に栄養を与えるはたらきをしている。

● **精子の構造**　精子は，4〜5 μm の頭部に細長い尾部がついた，長さ60μm ほどの細胞である（▶478ページ，図10-14）。精子の頭部には，遺伝子の本体である DNA を含む核があり，ミトコンドリアが集合している中部を隔てて，運動性のある尾部につながる。

● **精子の運動**　精巣でつくられた精子は，はじめはまったく運動しないが，精巣から出て精巣上体を通る間に遊泳するようになり，受精する能力を獲得する。精子は，毎分1〜4 mm ほどの速度で遊泳する。

精子の形成は思春期とともに始まり，ほぼ一生にわたって持続する。精子は1日あたり3000万個ほどつくられ，1回の射精で1〜4億個が放出される。精子は，精路の中では何週間でも生きているが，射精されると，体温では24〜48時間ほどしか生きていることができない。しかし精子を−100℃で凍結すると，何年にもわたって保存することができる。

2 勃起と射精

● **勃起**　男性の陰茎は，性的な刺激を受けると**勃起**する。勃起は，陰茎のかたさと大きさが増す現象で，海綿体に血液が充満しておこる。性的な刺激を受けると，反射的に骨盤領域の副交感神経から陰茎に刺激が送られ，細動脈が拡張する。これにより陰茎の海綿体に血液が流入するが，静脈からの流出路が制限されているので，海綿体に血液が充満してかたくなり，勃起がおこる❶。交感神経の刺激は，勃起を消失させるはたらきがある。

● **射精**　男性がさらに性的な刺激を受けて興奮が高まると，尿道の先端から精液の**射精**がおこる。精液の大部分は，精囊・前立腺・尿道球腺からの分泌物で，これに精巣でつくられた精子が含まれている。精液の量は，1回の

NOTE

❶勃起不全の治療薬

勃起不全の治療薬であるシルデナフィルクエン酸塩（バイアグラ®）は，陰茎の細動脈の平滑筋を弛緩させる。

射精で 2.5〜3.5 mL であり，1 mL あたり 1 億個の精子が含まれている。精子の数が少ない，精子の形に異常がある，精子の運動能が低い，などの場合には受精できなくなる。精子の数を判断するには，精液を顕微鏡で観察する必要がある。

射精は，下腹神経からの交感神経の刺激によりおこる。この刺激により精嚢と精管の平滑筋が収縮して，精液が尿道の中に送り出される。これを射出という。さらに陰茎基部を包む骨格筋の球海綿体筋が収縮して，精液が尿道から外に送り出される。

B 女性生殖器

女性生殖器は，①性腺にあたる卵巣，②卵管から腟までの生殖路，③ 1 つの付属生殖腺を含む。

卵巣…卵管─子宮─腟─腟前庭
　　　　　　　　↑**大前庭腺**

卵巣，卵管，子宮，腟といった女性生殖器は，骨盤の中におさまっている（◯図 10-4）。骨盤の中央には子宮がある。その上端から左右に卵管がのび出し，さらにその先端近くに卵巣がある。子宮の下端は腟につながり，さらに腟は腟前庭に開いている。

卵巣は，卵管とは直接つながっておらず，排卵された卵子は卵管の腹腔口から取り込まれる。卵管の中で卵子と精子が出会って受精が行われると，受精卵はやがて子宮粘膜に着床し，発育して胎児となる。成長した胎児は，腟

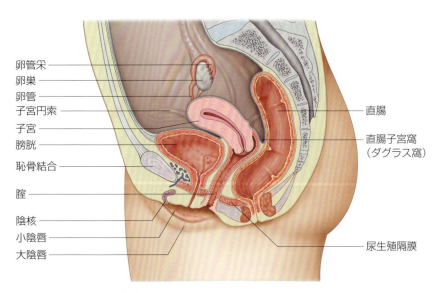

◯**図 10-4　女性の骨盤内臓**
女性骨盤の正中断面。膀胱と直腸の間に，女性生殖器の腟・子宮がある。
女性の尿道は短く，腟とともに腟前庭に開く。

を通って娩出される。

　乳腺は皮膚の腺であるが，生まれた子を発育させるのに必要であるため，生殖器に含められる。

1 卵巣

　卵巣 ovary は卵細胞をたくわえ，これを成熟させる器官であり，エストロゲン(卵胞ホルモン)とプロゲステロン(黄体ホルモン)を内分泌するはたらきも行う。ウメの実ほど(大きさ約 2.5×4 cm，重さ約 7 g)の実質性器官で，骨盤腔の外側壁の近くに左右 1 対ある(●図 10-5)。

　表面はほぼ腹膜でおおわれ，血管の出入口(卵巣門)は**卵巣間膜**を介して子宮広間膜の背面につく。卵巣の外側に，卵管腹腔口を取り巻く卵管采が接する。

　卵巣の中心部分(**髄質**)は血管・リンパ管・神経に富み，表層部(**皮質**)は比較的緻密な結合組織の中に種々の発育段階の卵胞や黄体・白体がみられる。

● **卵胞の発育**　**原始卵胞**は，新生児の卵巣にもみられる最も未熟なもので，1 個の卵子(**卵母細胞**)とこれを包む単層の卵胞上皮からなる(●図 10-6)。成熟した女性では，月経の周期に合わせて毎月 15〜20 個の卵胞が成熟を開始し，**一次卵胞**(卵胞上皮が重層)と，**二次卵胞**(内部に液腔をもつ)を経て，最終的に 1 個だけが，大型の液腔をもつ**グラーフ卵胞** graafian follicle(**成熟卵胞**)になる。グラーフ卵胞では，液腔の壁の 1 か所が盛り上がって**卵丘**になり，

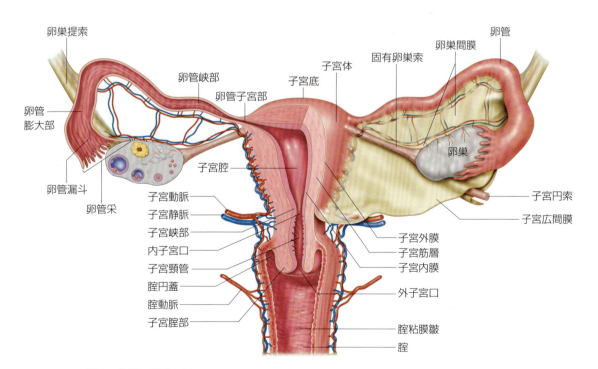

● 図 10-5　卵管・卵巣・子宮・腟
図は背面から見たものである。腟および子宮の左側，左の卵管・卵巣は断面を示す。

卵子はその中で厚い**透明帯**と**卵胞上皮**とに包まれる。

卵胞の外周には，結合組織性の卵胞膜がある。卵胞膜の細胞は，女性ホルモンの1つであるエストロゲンを分泌する。

● **排卵** グラーフ卵胞は直径2cmにも達し，卵巣の表面に盛り上がり，ついに卵胞が破れて，卵母細胞が卵丘とともに腹腔内に放出される（**排卵** ovulation）。排卵は，月経周期の14日目ごろに行われ，左右の卵巣から交互におこることが多い。卵は，排卵後ただちに卵管采に包まれ，卵管の腹腔口から卵管内に入る。

● **黄体** 排卵した卵胞は出血して赤くなるが（**血体**），まもなく黄色の色素をもつルテイン細胞（顆粒層黄体細胞）に満たされて**黄体** corpus luteum となる。卵子が受精して子宮内膜に着床すると，黄体はさらに大きく（直径4cmにも）なって，妊娠初期の間持続する（**妊娠黄体**）。受精しないと，黄体（月経黄体）は2週間後に最大に（約2cm）になって退縮し，結合組織がふえて**白体** corpus albicans となる。黄体は，プロゲステロンとエストロゲンの2種類の女性ホルモンを分泌する。

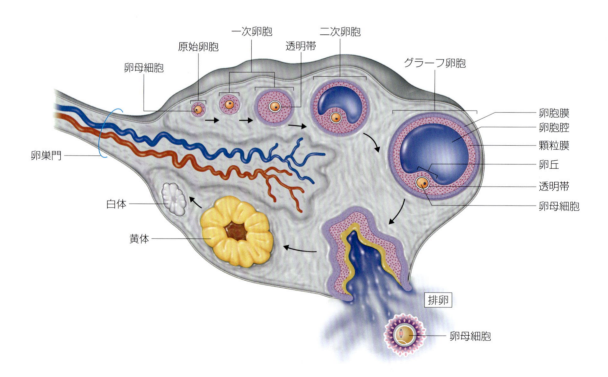

● **図10-6 卵胞の発育**
卵巣の断面で，卵胞の発育を模式的に示す。成熟した卵胞は大きな卵胞腔をもつグラーフ卵胞となり，排卵する。排卵を終えた卵胞は，黄体にかわる。卵胞からはエストロゲンが，黄体からはプロゲステロンとエストロゲンが，それぞれ内分泌される。

2 卵管・子宮・腟

1 卵管

　卵管 uterine tube は子宮底から左右に向かう長さ 10～15 cm の管で，腹膜に包まれて子宮広間膜の上縁を走る（●467 ページ，図 10-5）。外側端は広がって（**卵管漏斗**）腹腔に開き（**卵管腹腔口**），その縁に花びら状の卵管采がある。漏斗より先の約 1/3 の部は管腔が広く（**卵管膨大部**），卵子はふつうここで受精し，子宮に着床するまでにある程度発生が進む。子宮端の近くは細くなり（**卵管峡部**），子宮壁を貫いて子宮腔に開く。

　卵管の粘膜は，網状に分岐した多数のヒダを備え，粘膜上皮には線毛細胞と分泌細胞とが混在する。筋層は内輪・外縦の 2 層からなる。卵子の輸送は，おもに線毛運動による水流と，平滑筋の収縮により行われる。

2 子宮

● **位置と形状**　**子宮** uterus は，膀胱と直腸の間にある平滑筋性の中空器官で，扁平なナス形で長さ 7 cm，幅は底部で 4.5 cm，厚さ 3 cm ほどである。正常な子宮の軸はやや前傾し，さらに子宮の下部で前方に屈曲している（前傾前屈）。子宮上部の広がりを**子宮底**といい，左右に卵管の開口部がある。子宮の本体（**子宮体**）は幅広く，下方は軽くくびれ（**子宮峡部**）を隔てて細い子宮頸になり，腟内に突出する（**子宮腟部**）。

　子宮腔は三角形でかなり狭い。上部では左右の卵管に通じ，下部は峡部および子宮頸管を経て，**外子宮口**に開く。

● **子宮壁**　子宮内膜（粘膜）・子宮筋層・子宮外膜（漿膜）の 3 層からなる❶。

　1 子宮内膜　単層円柱上皮の下に，厚い固有層があり，**子宮腺**（管状腺）が密に分布する。月経の際に剝離する表層部を**機能層**，残留する深層部を**基底層**という（●473 ページ，図 10-10-c）。機能層にはラセン動脈があり，黄体ホルモンが欠乏すると収縮し，機能層に血行障害が生じて剝離し，月経をもたらす。基底層の動脈は別系統で，月経時にも維持され，月経終了後にここから粘膜が再生する。

　2 子宮筋層　1 cm をこえる厚さがあり，深さにより平滑筋の走行が若干異なる（内縦・中輪・外縦）。妊娠すると平滑筋細胞と線維芽細胞が増殖し，個々の筋線維も著しく肥大して，子宮壁が肥厚する。

　3 子宮外膜　子宮体の前面と後面を包む腹膜からなる。子宮体の側面は子宮広間膜に接する。

● **直腸子宮窩**　直腸子宮窩は，**ダグラス窩** Douglas pouch ともよばれる。子宮の後壁と，後方の直腸との間が，腹膜でおおわれたくぼみをつくっている❷。

● **子宮の支持組織**　子宮から側方の骨盤腔内壁に向かって，腹膜におおわれた**子宮広間膜**というヒダがのびている。広間膜の中には卵管・卵巣のほか，

NOTE

❶子宮壁には血管がよく発達しており，外科手術時に出血しやすい。

NOTE

❷ダグラス窩穿刺
　ここは立位で腹膜腔の最下部になり，血液や膿がたまりやすい。腟から針を刺して液を採取することができる。

固有卵巣索と**子宮円索**という索状物がある。固有卵巣索は卵巣と子宮を結び，子宮円索は子宮外側縁で卵管始部の直下から始まって前方に向かい，鼠径管を通って大陰唇の皮下に放散する。

子宮の主要な支持組織は，子宮頸と骨盤内壁とをつなぐ靱帯であるが，とくに子宮頸と腟円蓋の外側部から側方にのびる基靱帯が重要である。

3 腟

腟 vagina は，子宮に続くじょうぶな管状器官で，長さは約 7 cm，前後に扁平である。膀胱と尿道の後方，直腸の前方にある（▶ 466 ページ，図 10-4）。尿生殖隔膜を貫き，腟前庭で外尿道口の後方に開く（**腟口**）。処女では，処女膜により腟口が部分的に閉ざされている。

腟の上部には子宮腟部が突出し，その周囲のくぼみを**腟円蓋**といい，後方では薄い壁を隔てて直腸子宮窩に接する（▶ 467 ページ，図 10-5）。

腟粘膜は，角化しない重層扁平上皮でおおわれ，多数の横ヒダがみられる。腟の周囲を骨盤底の骨格筋が囲んでいる。

3 女性の外陰部と会陰

1 外陰部

生殖器の体壁由来の部分を**外陰部** vulva（外性器）といい，女性では恥丘・陰核・大陰唇・小陰唇・大前庭腺・腟前庭が含まれる（▶図 10-7）。

恥丘は，恥骨結合の前にあるふくらんだ部分で，後方で左右の大陰唇につながる。脂肪がよく発達しており，思春期になると陰毛が発生する。**大陰唇**

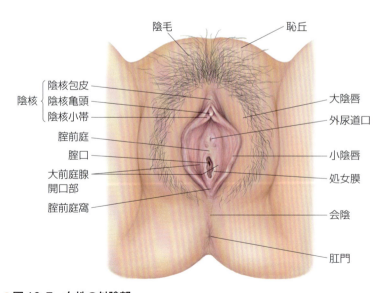

▶ 図 10-7　女性の外陰部
ヒダ状の小陰唇に囲まれた腟前庭で，前方に尿道が，後方に腟が開口する。小陰唇の外側に土手状の大陰唇がある。

は，前方の恥丘から後方の肛門までの間に走る左右のヒダで，皮下脂肪に富む。

小陰唇は，大陰唇の内側にある1対のヒダで，左右の小陰唇に囲まれた部分を**腟前庭**という。腟前庭には外尿道口（前）と腟口（後）が開く。

陰核は男性の陰茎に相当するもので，海綿体を含む。左右の小陰唇が前方に合わさったところで，外尿道口の前に陰核亀頭が突出する。

大前庭腺はバルトリン Bartholin 腺ともいい，エンドウ豆大の付属生殖腺で，腟前庭の両側で，腟口の後外側にある。導管は腟口の両側で腟前庭に開き，アルカリ性の粘液を分泌する。男性の尿道球腺（カウパー腺）に相当する。

2 会陰

会陰 perineum は骨盤の出口にある構造で，筋・筋膜・皮膚からなり，前方の恥骨結合から後方の尾骨にまで広がる。骨盤出口の後半を閉鎖する構造を**骨盤隔膜**，前半で恥骨角の間にあって尿道および腟で貫かれるものを**尿生殖隔膜**という。肛門の周囲には外肛門括約筋がある（○図 10-8）。

臨床的には，会陰の範囲はもう少し狭く，女性の場合，腟口から肛門までの部分をいう。ここは伸展性に富む部位で，分娩時にとくにのびて産道口が広がる。しかし分娩時に生じる裂傷後の処置が不適切だと，のちに腟脱や子宮脱をきたすことがある。

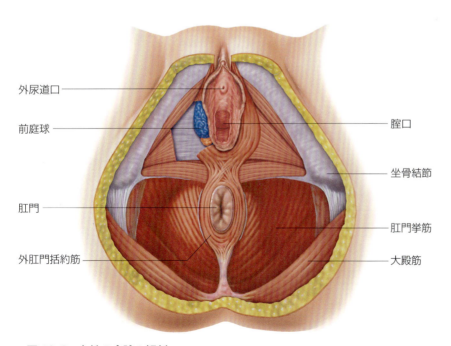

○図 10-8 女性の会陰の解剖
会陰の前方部には，尿生殖隔膜があり，そこを尿道と腟が貫いている。
後方部では，骨盤壁からおこる肛門挙筋が，肛門をつり下げている。
肛門挙筋の筋束の一部は，外肛門括約筋となって肛門を取り囲む。

4 乳腺

乳腺 mammary gland は汗腺と同様に皮膚腺の一種であるが，女性生殖器の補助器官に含められる。**乳房**の中央には**乳頭**が突出し，その周囲に色素に富む**乳輪**がある（◯図 10-9）。妊娠すると色素が増して，黒っぽくなる。

乳頭には，十数本の**乳管**が開口しており，乳管は枝分かれをして乳房の中に広がり，乳腺の本体をつくる❶。

乳腺には血管ならびにリンパ管が多く分布するが，とくに妊娠末期や授乳期には著しく発達する。男性の胸にも乳腺はあるが，発達しない状態でとどまっている。エストロゲンを投与されると，男性でも乳腺が発達する。

乳腺には，しばしばがんが発生する（**乳がん**❷）。このときはリンパ管を通じて同側の腋窩のリンパ節に転移をおこしやすい（◯448ページ）。

> **NOTE**
> ❶乳管洞
> 　以前は，開口部の手前の乳管には乳管洞とよばれる広がりがあると考えられていた。
>
> ❷乳がん
> 　乳がんは，子宮がんとともに 35〜45 歳の女性に好発する。早期の治療によって治ることが多いため，定期的な健康診断が重要である。外から手で腫瘤を触れるようになった段階では，すでに進行がんであることが多い。

5 女性の生殖機能

女性の生殖機能は，平均 28 日周期の妊娠準備期間と，妊娠期とに分けられる。ここでは，女性の妊娠準備期間における性周期について述べ，妊娠に伴う機能の変化は，次節で述べる。

日常の妊娠準備期間には，下垂体から分泌される性腺刺激ホルモンによって卵巣に周期的におこる卵巣周期と，卵巣から分泌されるホルモンの分泌量の周期的変化によって引きおこされる月経周期（子宮周期）がある（◯図 10-10）。

卵巣内には，出生時にすでに第一減数分裂前期に入っている卵母細胞が 100 万〜200 万個含まれているが，思春期までに 30 万〜40 万個に減る。前

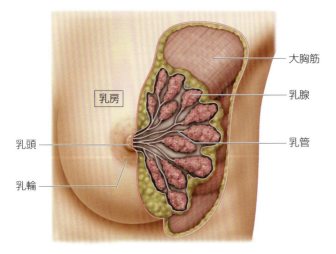

a. 正面（左）

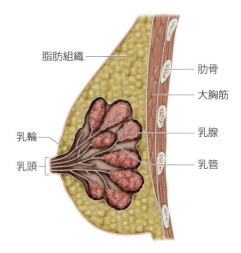

b. 右の矢状断

◯図 10-9　女性の乳房と乳腺
乳腺は，数本の乳管となって，乳頭の先端部に開口する。

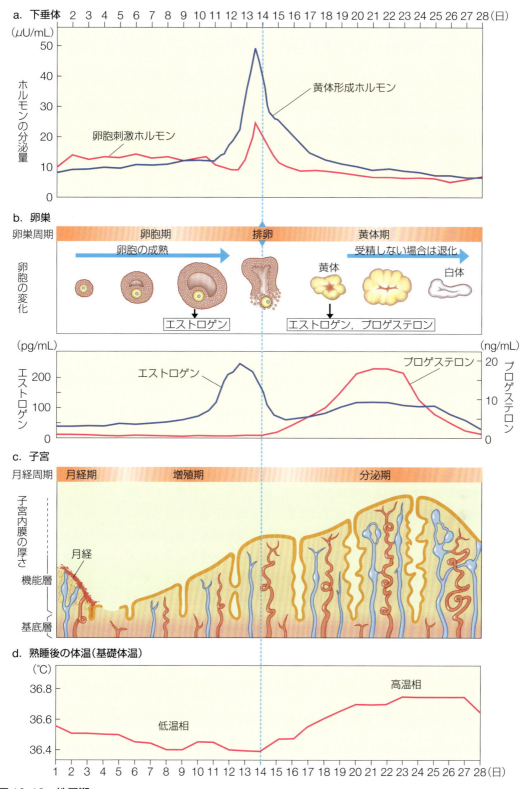

◯ 図 10-10　性周期

述したように，各卵母細胞の周囲は卵胞上皮に囲まれており，原始卵胞を形成している（ 467ページ）。思春期以降には，28日ごとにこのうちの1個が成熟して排卵される。1年間に13回の排卵があり，12歳に初潮・50歳で閉経とすると，1人の女性は，一生の間に500個程度の卵を排卵する計算となる。残りの卵母細胞は，1回の排卵あたり千〜数百個ずつ退縮して消滅し，閉経後は卵巣内の卵は0（ゼロ）となる。

1 卵巣周期

卵巣周期 ovarian cycle は，卵胞期，排卵期，黄体期に分けられる（ 図10-10-b）。

● **卵胞期** 卵胞期には，多数の原始卵胞が成熟を始めるが，そのうちの1個だけが成長を続け，残りは退縮する。下垂体からの卵胞刺激ホルモン（FSH）と卵胞内で産生されるエストロゲンの作用によって卵胞の内部に液体（卵胞液）で満たされた卵胞腔と，それを包む顆粒膜とよばれる細胞層が形成される。これが二次卵胞である（ 468ページ，図10-6）。二次卵胞の周囲は，結合組織性の卵胞膜でおおわれる。

二次卵胞は，黄体形成ホルモン（黄体化ホルモン，LH）の作用も加わり，エストロゲンの一種であるエストラジオールを産生するとともに，急速に大きくなり，グラーフ卵胞となる。グラーフ卵胞は卵巣表面に移動し，最終的には卵巣表面に突出する。卵はこの時期に中断していた減数分裂を再開し，第一分裂を完了して二次卵母細胞になる（ 477ページ，図10-12）。

● **排卵期** エストロゲンの血中濃度が増大し，LHとFSHの血中濃度が最大になると排卵期となる。LHの作用により卵巣表面に突出した卵胞壁が崩壊し，卵丘細胞に囲まれた卵と卵胞液が腹腔内に放出される。放出された卵は，卵管采内面の線毛運動によって卵管内に取り込まれ，子宮へと送られる。

● **黄体期** 排卵後の卵巣では，LHの作用を受けて卵胞を構成していた顆粒膜と卵胞膜の細胞によって黄体が形成される。黄体はエストロゲンとプロゲステロンを分泌して子宮を分泌期にして，受精卵の着床に備えさせる。妊娠がおこらない場合は，LHの分泌低下により黄体はやがて退化しはじめ，白体となる。黄体期が終わると月経が始まる。

2 月経周期

月経周期 menstrual cycle は，月経期，増殖期，分泌期に分けられる（ 図10-10-c）。

● **月経期** 黄体からの女性ホルモンであるエストロゲンとプロゲステロンの分泌が減るために子宮内膜が脱落し，血液とともに腟から排出される。これが月経期であり，月経開始の日を第1日として5日程度続く。

● **増殖期** 卵胞が成熟するにつれてエストロゲン分泌が増加するため，それに応じて子宮内膜は急激に増殖する。これが増殖期であり，14日目まで続く。基底細胞の増殖と，分泌腺と血管の発達によって，内膜は初期の1mmから5〜6mm程度の厚さとなる。

●**分泌期** 排卵によって黄体が形成されると，黄体から分泌されるプロゲステロンの作用により子宮は分泌期となる。血管と分泌腺はさらに発達し，分泌腺からはグリコーゲンを含んだ分泌液が分泌される。また，子宮内膜表面には多くのヒダがあらわれ，受精卵の着床を容易にする。

妊娠が成立すると黄体が維持され，胎盤からもプロゲステロンが分泌されるため，子宮内膜は分泌期のまま維持される。しかし，妊娠が成立しないと，黄体が退化するためプロゲステロン分泌が減り，12日程度で子宮内膜の脱落がおこって再び月経期となる。

C 受精と胎児の発生

1 生殖細胞と受精

1 生殖細胞

生殖細胞である精子と卵子は，個体発生の最初から性腺(精巣・卵巣)に含まれているのではない。精子と卵子を生み出す始原生殖細胞は，性腺に外から進入してきた細胞である。

●**生殖細胞の由来** 始原生殖細胞は，卵黄嚢(○483ページ，図10-18)の後壁あたりに由来し，胎生4週末以後に性腺原基(○485ページ，図10-20)に進入し，生殖細胞に分化する。精巣に入った生殖細胞は，精細管の上皮内の精祖細胞となり，思春期になると分裂を繰り返して，つぎつぎと新しい精子をつくり出すようになる。卵巣に入った生殖細胞は分裂して卵母細胞になり，卵胞の中におさまる。新生児で100万個以上あった卵胞は年齢とともに減り続け，思春期には30万～40万個，そして更年期には0(ゼロ)となる。そのうち思春期から更年期までの間に排卵されるものは500個ほどで，残りはすべて卵胞の閉鎖により消失してしまう。

●**減数分裂** 生殖細胞をつくるための細胞分裂は，身体のふつうの細胞(体細胞)の細胞分裂とは異なり，染色体の数が$2n$(ヒトでは46本)から半減してn(ヒトでは23本)になるので，**減数分裂**とよばれる。

体細胞の細胞分裂では，まずDNAの合成がおこって染色体が複製され，$2n$の染色体を2組もつようになる。細胞が2つに分かれる際に，もとの染色体と複製が分かれるように2つの細胞に分配される。その結果，$2n$の染色体を1組もつ細胞が2個生じる(○43ページ，図1-26)。

一方，生殖細胞をつくる過程でおこる減数分裂では，染色体数をnにするために，DNA合成のあと第一減数分裂と第二減数分裂が続く(○図10-11)。

第一分裂では，$2n$の対をなす染色体(相同染色体)が分かれるように2つの細胞に分配される。その結果，染色体数は半減してnになるが，nのそれぞれに複製が伴っている。つまり，DNAの量としては減っていない。

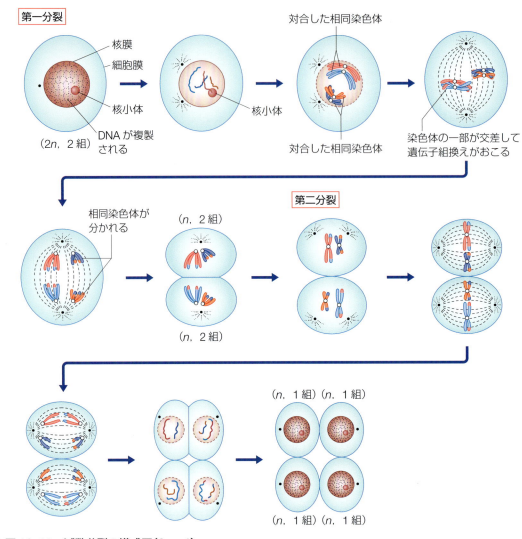

◯図10-11　減数分裂の模式図（2n＝4）
減数分裂では，DNAが複製されたのちに連続して2回分裂がおこるため，染色体数が2n→nとなる。

　第二減数分裂では，もとの染色体と複製が分かれるように2つの細胞に分配される。これによりDNAの量は半減する。
　第一と第二の減数分裂の結果，染色体数がnの細胞が4個生じることになる。
● **精子の形成**　精子形成では，減数分裂が常時進行し，1個の精祖細胞から4個の精子細胞が生じる（◯図10-12）。
● **卵子の形成**　卵子形成では，卵母細胞は第一減数分裂の前期で停止した状態にあり，排卵直前に分裂が再開する。第一分裂で細胞質が大小に分割され，大きい二次卵母細胞（卵娘細胞）と小さな一次極体を生じる。第二分裂でも大小に分割され，一次極体は分裂しないため，減数分裂の結果，卵子1個と極体2個が生じることになり，極体は消滅する。排卵は第二分裂のはじめのころにおこり，その直後に卵管膨大部で受精がおこる。受精されないと第

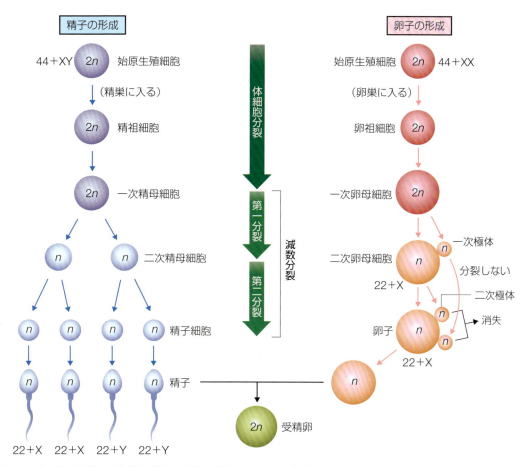

◎図10-12 　生殖細胞の形成と受精の過程における染色体の動き

精子と卵子の染色体数は，減数分裂により体細胞の半分の23本となっている。そのうちの22本は常染色体であり，精子と卵子で共通である。残りの1本が性染色体であり，精子にはX染色体かY染色体のどちらかが，卵子にはX染色体が含まれている。

二分裂がおこらず，卵子はおよそ24時間で死に，体外に排出される。

2 受精

● **受精**　排卵された卵（二次卵母細胞）は卵管に取り込まれる。一方，腟内に射精された精子は，みずからの鞭毛運動と卵から分泌される物質（化学走化性因子）の濃度勾配に従って子宮頸部から子宮内に入り，上行して卵管に入る。精子の女性生殖器内における生存期間は24〜48時間であり，卵が受精可能であるのは，前述したように24時間以内である。

　卵管内を下行する卵と，上行する精子は，通常は卵管膨大部で出会う（◎図10-13）。そして，精子が卵に接触すると，精子の尖体（先体）から酵素が放出され，二次卵母細胞の表面をおおう透明帯を消化して卵に進入する。これが**受精** fertilization である（◎図10-14）。

　受精が成立すると，その直後に卵細胞膜が脱分極をおこす。これによって，それ以上の精子が卵内に進入することが阻止される。さらに，卵細胞膜直下に分布する顆粒が透明帯と反応し，ほかの精子の進入を防止する。

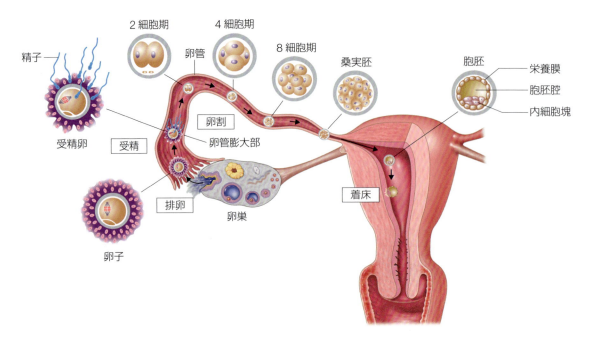

● 図10-13　排卵から着床まで

卵巣から排卵された卵子は，卵管の中で精子と出会い受精し，受精卵となる。受精卵は卵割を繰り返すことで細胞数が増え，胞胚となる。受精後6日ほどで，胞胚が子宮に着床して妊娠が成立する。

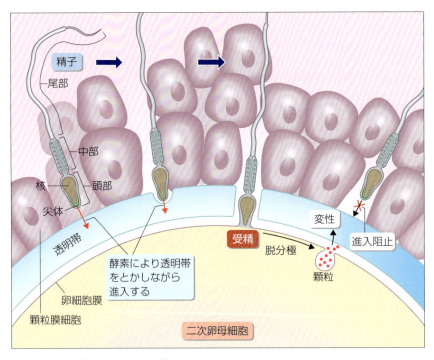

● 図10-14　精子の卵子への進入

精子は尖体から酵素を放出して透明帯をとかし，二次卵母細胞に進入する。受精が成立すると，卵細胞膜が脱分極し，さらに卵細胞膜直下から放出された顆粒が透明帯を変性させ，さらなる精子の進入が阻止される。

- **受精卵** 精子の進入が刺激となって、二次卵母細胞は第二減数分裂を完了して本当の意味での卵子となり、精子由来の染色体と合体して $2n$, つまり46本の染色体をもつ細胞となる。これを**受精卵**という。
- **性の決定** ヒトの染色体は男女ともに46本である。そのうち44本(22対)は男女に共通の**常染色体**であり、あとの2本は**性染色体**で、男性はX染色体とY染色体を1本ずつもち、女性は2本のX染色体をもつ(● 44ページ、図1-27)。

減数分裂後の生殖細胞は、男女とも22本の常染色体と1本の性染色体をもっている。精子には、性染色体としてXをもつものとYをもつものの2種類が同数あり、卵子はXをもつものだけである。X染色体をもつ精子が受精すると、胎児はXXの女性となり、Y染色体をもつ精子が受精するとXYの男性となる。

2 初期発生と着床

- **卵割** 受精卵は、細胞分裂を行いながら、卵管から子宮腔内に移動する。その間、透明帯という殻に囲まれたまま、卵全体の大きさはかわらず(直径 $0.15〜0.2$ mm)、分裂のたびに個々の細胞(割球)が小さくなる。このような細胞分裂を**卵割**という。

2細胞期→4細胞期→8細胞期→16細胞期→32細胞期と卵割を重ねていった受精卵は、集塊状になり**桑実胚**とよばれるようになる(●図10-13)。また、32〜64細胞期になると、細胞間に液がたまり、内部に液腔(**胞胚腔**)を生じるようになり、これを**胞胚**(**胚盤胞**)という。胞胚の表面は1層の細胞(**栄養膜**)で包まれ、内部に**胚子** embryo(胎芽)の本体となる**内細胞塊**が区別されるようになる。受精から3〜4日かけて、胞胚は子宮内腔に到達する。
- **着床** 胞胚が子宮に達するころには、子宮内膜はプロゲステロンの作用を受けて肥厚・充血し、胚を受け入れる準備ができている。胞胚は子宮内膜に付着し、粘膜下に進入して、**着床** implantation する。着床の時期は排卵後約1週間で、着床部位は子宮の前・後壁を問わない。

着床すると、まず栄養膜の細胞が盛んに増殖し、やがて多数の突起(絨毛)を出して**絨毛膜** chorion となり、周囲から栄養を吸収する。絨毛膜の一部は、やがて母体側の脱落膜と協力して胎盤を形成する。
- **妊娠** 受精卵の着床から、胎児とその付属物(胎盤など)が排出される分娩までの期間は、**妊娠**とよばれる。産科における妊娠週数は、最終月経第1日を起点として計算され、分娩予定日は40週0日とされるが、以下に述べる週数は受精を起点とした発生学的なものである。
- **胚子の形成** 受精後第2週目、内細胞塊の内部に、2つの腔所(**羊膜腔**・**卵黄嚢**)とそれを隔てる円板状の**胚盤**が生じる(●図10-15-a)。胚盤の羊膜腔に面する細胞層(胚盤葉上層)からは**外胚葉**が、卵黄嚢に接する細胞層(胚盤葉下層)からは**内胚葉**が生じる。羊膜腔の中は羊水で満たされる。胚盤は胚子の本体をつくり、**付着茎**(臍帯の前身)によって、のちに胎盤となる栄養膜

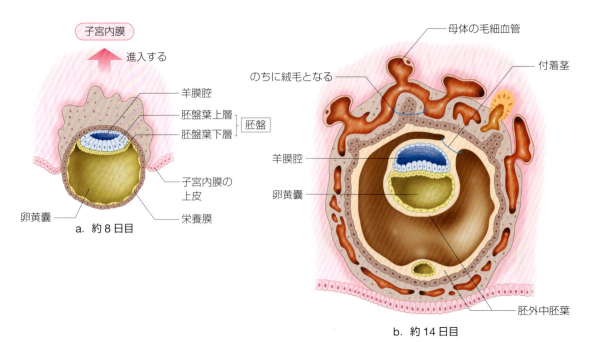

○図 10-15　胞胚の発育
受精後第 2 週目には，内細胞塊から，胚子の本体となる胚盤ができる。胚盤は胚盤葉上層と下層の 2 層の細胞からなり，胚盤葉上層からは外胚葉が生じ，胚盤葉下層からは内胚葉が生じる。胚盤は，のちに臍帯となる付着茎によって栄養膜とつながる。

の部分に連なる（○図 10-15-b）。

● **胚葉の分化**　受精後第 3 週には，羊膜腔に面する細胞の一部が，内・外胚葉の間に進入して，新しい細胞群（**中胚葉**）ができる。胚盤表面のほぼ中央に**原始結節**とその尾方の**原始線条**から細胞が深層に進入し，頭方にのびて**脊索**をつくる。脊索の側方に生じた中胚葉は，体節・中間中胚葉・側板の 3 部に分かれる。脊索の表面をおおう外胚葉は厚くなり（**神経板**），やがて陥入して管状の**神経管**をつくり，**神経堤**の細胞を派生する（○図 10-16）。

卵黄嚢をおおう内胚葉は，胚子の体内に一部が取り込まれて**原腸**となり，体外の部分とは卵黄嚢茎（のちに卵黄腸管）で連なる。おもに中胚葉から派生する**間葉細胞** mesenchymal cell が，組織の間隙を埋めたり，結合組織をつくり出したりする（○表 10-1）。

このようにしてできた胚子の形は，中軸に脊索があり，その背側に神経管（中枢神経系の原基），腹側に原腸（消化・呼吸器系の原基）があり，両側に体節（硬節・筋節・皮節に分化），中間中胚葉（泌尿生殖器の原基），側板が生じる。側板は，壁側板と臓側板の 2 葉に分かれて，体腔を囲む配置をつくる。

胚子の外形も，発生とともに変化する（○図 10-17）。第 5 週には**四肢原基**があらわれる（頭尾長は 5〜10 mm）。第 6 週には顔の形成が始まり，眼に色素があらわれる。外形がヒトらしくなるのは，第 7 週以後のことである。第 8 週の終わりまでは胚子とよばれるが，それ以後は**胎児** fetus とよばれる。

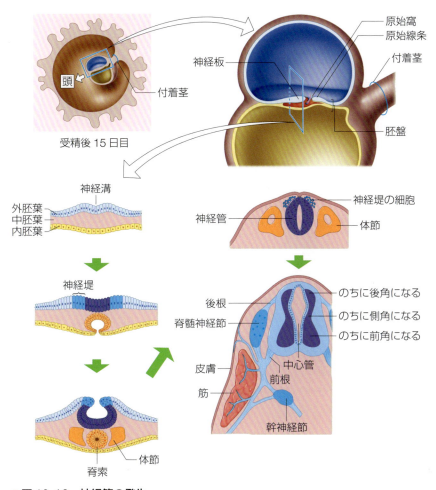

○図 10-16　神経管の発生
胚盤表面の原始結節と原始線条から入り込んだ中胚葉は脊索や体節をつくる。脊索の上の外胚葉は陥入して神経管および神経堤となり，のちに脊髄や脊髄神経節などになる。

○表 10-1　各胚葉に由来する組織と器官

胚葉	組織・器官	胚葉	組織・器官
外胚葉	神経管 → 神経系全般 表皮とその付属器 感覚器の主部	中胚葉	(脊索) 体節 ┬ 椎板 → 脊柱 　　├ 筋板 → 体壁の骨格筋 　　└ 皮板 → 真皮 中間中胚葉 → 泌尿生殖器の主部 側板 → 漿膜および内臓壁
内胚葉	消化・呼吸器系（粘膜上皮・腺上皮）	間葉	結合支持組織・平滑筋 四肢の骨格および筋 血液および血管

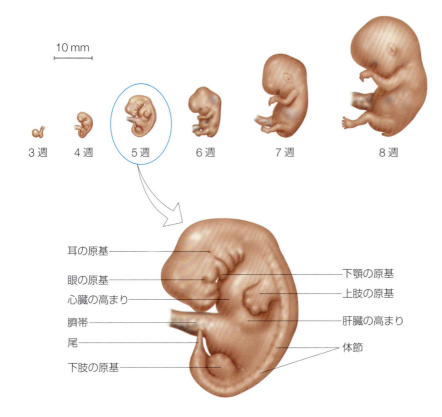

▶図10-17　胚子の発達
胚子は発達が進むにつれて大きくなるとともに，その外形もかわっていく。第5週の胎児では，すでに身体の基本的な構造がつくられており，眼・耳などの頭部の構造や上肢・下肢，心臓・肝臓などの原基がみとめられる。

3 胎児と胎盤

1 胎盤と臍帯

　子宮に着床した胞胚は，胚盤の尾方部が付着茎によって絨毛膜の内面につながっている。栄養膜の細胞は盛んに増殖して絨毛を出し（一次絨毛），やがて絨毛の芯に中胚葉が進入し（二次絨毛），さらに毛細血管があらわれる（三次絨毛）。絨毛は，はじめのうちは栄養膜の全周から出ているが，やがて子宮内膜の深層に向いた部分に限局して発達し（**絨毛膜有毛部**），ここに胎盤を形成する（▶図10-18）。反対側は伸展されて絨毛がなくなる（**絨毛膜無毛部**）。

● **脱落膜**　胞胚から絨毛が形成される間に，子宮壁にも変化がおこる。着床時の子宮内膜は，プロゲステロンの作用を受けて肥厚した状態にある。これに着床した受精卵からの影響が加わり，子宮間質の細胞が肥大し，厚くてやわらかい特殊な組織（**脱落膜** decidua）を形成する。脱落膜は胚を取り囲むが，とくにその深層に位置する部分を**基底脱落膜**といい，胎盤の形成に関与する。

● **胎盤**　胎盤 placenta は円盤状で（胎生末期で直径約 15 cm），母体側の基底脱落膜と胎児側の絨毛膜有毛部とが向き合い，その間に母体の血液を満たす空洞（**絨毛間腔**）をつくる❶。胎児側の絨毛は，水草の根のように母体の血液

NOTE
❶前置胎盤
　胎盤は，子宮前壁または後壁につくのが正常で，分娩時の子宮収縮によって早期に剥離することはない。しかし胎盤が子宮下部につくもの（前置胎盤）では，妊娠末期になると子宮下部が広がって胎盤が早期に剥離して出血し，分娩が始まることがある。このときはただちに帝王切開をする必要がある。

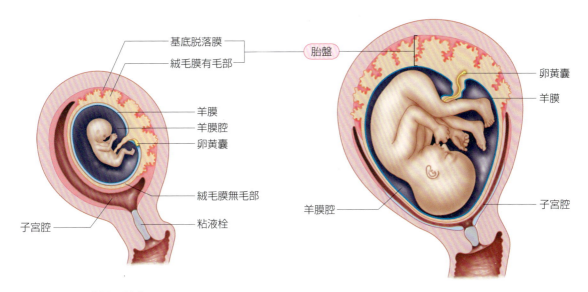

○図 10-18 胎盤の形成
胚を取り囲んだ脱落膜のうち,深層部の基底脱落膜は,絨毛膜有毛部とともに胎盤を形成する。羊膜腔の中には羊水があり,胎児はこの中で発達する。

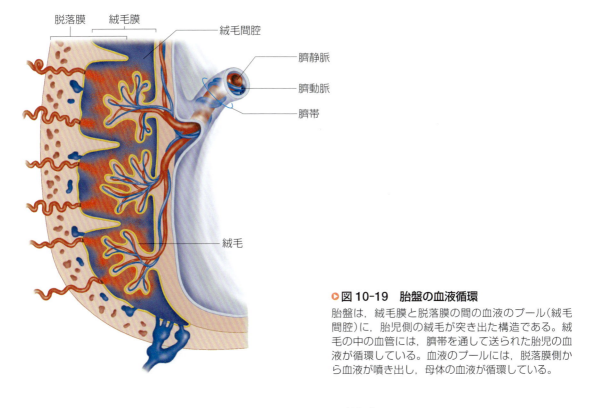

○図 10-19 胎盤の血液循環
胎盤は,絨毛膜と脱落膜の間の血液のプール(絨毛間腔)に,胎児側の絨毛が突き出た構造である。絨毛の中の血管には,臍帯を通して送られた胎児の血液が循環している。血液のプールには,脱落膜側から血液が噴き出し,母体の血液が循環している。

にひたり,母体側の動脈はこの空洞に直接開口して血液を灌流する。絨毛内の胎児の血管は,絨毛の外の母体の血液から酸素と栄養素を吸収し,二酸化炭素やその他の老廃物を排泄する(○図10-19)。

　胎児を娩出したあとに,胎盤が剝離して外に出ることを**後産**という。臍帯と母体側の脱落膜も一緒に排出される。胎盤が剝離すると子宮の粘膜面から

出血するが，子宮筋の収縮により自然に出血がとまる。

● **妊娠中のホルモン分泌と妊娠の維持**　プロゲステロンは，妊娠を維持させるのに不可欠なホルモンである。子宮内膜を分泌状態にして着床を可能にし，脱落膜の形成を促し，子宮平滑筋の収縮を抑えて流産を防ぐ。

胎盤はヒト絨毛性ゴナドトロピン human chorionic gonadotropin (hCG)❶ を分泌して，妊娠初期に卵巣の黄体からのプロゲステロン分泌を刺激する。10 週以後は，おもに胎盤がプロゲステロンを分泌するようになる。

● **臍帯**　臍帯 umbilical cord は，胎児と胎盤をつなぐ血管の通路である。発生初期に胚盤と絨毛膜内面をつないでいた付着茎は，しだいに胎児の腹側に移り，羊膜が拡大するとともに臍帯を形づくる。臍帯は，2 本の**臍動脈**と 1 本の**臍静脈**を含み，その間を膠様組織（ワルトン Wharton のゼリー）が埋め，表面は羊膜におおわれる。

● **羊膜と羊水**　胚子の外胚葉は，羊水をおさめる羊膜腔に面している。胚子の発生と成長が進むと，羊水を入れた羊膜腔もしだいに拡大し，子宮腔をふさぐようになる。胎児表面の外胚葉は，臍帯および胎盤の表面をおおう羊膜に移行し，さらに反転して羊水をおさめる羊膜腔を包む袋をなす。羊水は水様性の透明な液で，外からの刺激や振動などを緩和するクッションの役割をする。また分娩時には子宮口を押し開くのに役だつ。分娩開始時に羊膜が破れて羊水が子宮外に出ることを**破水**という。

> **NOTE**
> ❶ hCG
> hCG は，着床後 14 日目ごろから尿中にあらわれるため，妊娠の診断に用いられる。

2　生殖器の分化と発達

生殖器は，男性と女性でまったく構造が異なる。しかし発生初期の胚子は，男性生殖器と女性生殖器の原基をどちらも備えており，胚子が Y 染色体をもつ場合には男性生殖器への分化がおこり，Y 染色体をもたない場合には女性生殖器へと分化する（▶図 10-20）。

生殖路の原基は，男性では**ウォルフ管** Wolffian duct（中腎管），女性では**ミュラー管** Muellerian duct（中腎傍管）である。ウォルフ管は，頭部の中間中胚葉（前腎）から生じた管で，胸部と腹部を下行し，消化管の末端部（総排泄腔）に開口する。第 6 週ごろの胎児では，腹部の中間中胚葉が性腺の原基と中腎をつくり，その外側をウォルフ管が下行する。このころ，腹膜上皮の一部がウォルフ管によって誘導されて落ち込み，これに並行して走るミュラー管をつくる。ミュラー管も総排泄腔に開口する。

Y 染色体上には *SRY* とよばれる遺伝子があり，このはたらきにより，性腺原基は男性型の精巣へと分化する。間質のライディッヒ細胞からは男性ホルモンのテストステロンが分泌されて，男性生殖路になるウォルフ管を発達させ，精細管のセルトリ細胞からはミュラー管抑制因子が分泌されて，女性生殖路になるミュラー管を退化させる。

ウォルフ管からは，精巣上体管・精管・射精管が発生する。性腺原基とウォルフ管をつなぐ中腎の尿細管は，精巣輸出管になる。

ミュラー管は，正中部で左右が融合して，卵管・子宮・腟の上部となる。

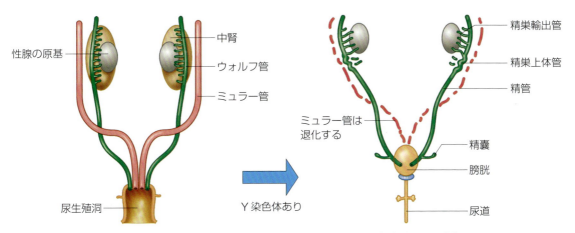

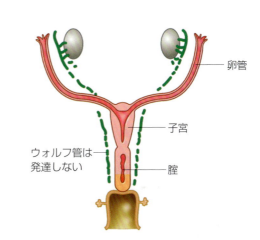

▶図 10-20　生殖器の分化

a. 未分化期
性腺が未分化の時期は，男女ともにウォルフ管とミュラー管がみとめられ，生殖器の分化はおこっていない。

b. 男性生殖器への分化
Y染色体があると，性腺原基は精巣へと分化し，ウォルフ管は男性生殖路となり，ミュラー管は退化する。

c. 女性生殖器への分化
Y染色体がない場合には，ミュラー管は卵管・子宮・腟の上部となり，ウォルフ管は発達しない。

臨床との関連　精巣下降と停留睾丸

　精巣は，発生初期には腹腔の中で生じ，中腎（のちに精巣輸出管になる）によってウォルフ管（のちに精巣上体管・精管になる）につながっている。胎生後期に，精巣は腹膜に沿って下降し，腹腔から出て陰囊内におさまる。精巣と精巣上体は，腹膜に包まれて陰囊におさまる。精巣下降が途中でとまり，精巣が鼠径部ないし腹腔内に停留することがあり，停留睾丸（潜伏精巣）cryptorchism, retained testis という。

　精巣が腹腔から出て陰囊内に入るのは，精子の産生と生存のためには，体温（37℃）よりも3℃ほど低い温度が最適だからである。腹腔外に出ることにより温度が低下することに加え，陰囊表面のしわがラジエーターとして機能し，内部の温度をさらに低下させている。停留睾丸の場合には温度が高すぎるため，精子の濃度が低い精子過少症（乏精子症）や，まったく精子がつくられない無精子症となる。

3 妊娠中の母体の変化

妊娠によって，母体には大きな変化が生じる（◯図 10-21）。その多くは胎児の発育・成熟のためによい環境を整えるためのものであるが，増大した子宮に圧迫された結果や，ホルモンバランスの変化に伴う二次的な変化も含まれる。

● **全身の変化**　妊娠中の生理的体重増加は 8〜10 kg ほどである。これは胎児の体重増加にもよるが，それ以外にも子宮の増大や妊娠により生理的に水分貯留傾向を生じ，血液を含めた細胞外液量が増大することなどによる❶。また，インスリン抵抗性の上昇，食後の高血糖と空腹時の低血糖の増幅，さらに尿細管における糖の再吸収能も低下するため，糖尿状態をおこしやすくなる。さらに血清脂質が上昇し，とくに妊娠末期には著しく高値となる。

● **子宮の変化**　妊娠に伴い最も大きな変化を示すのは，当然ながら子宮である。子宮の大きさは，非妊娠時には長さ 7 cm×幅 5 cm×厚さ 3 cm 程度であるが，妊娠末期には 35×25×22 cm にまで増大する。これは子宮平滑筋の肥大と，結合組織の肥大・増殖による。子宮の血流量も，妊娠末期には毎分 500 mL 程度まで増加する。

● **乳房の変化**　妊娠すると，まもなく乳腺の細胞が急速に増殖する。これはプロゲステロンの作用と考えられている。乳房は，妊娠 8 週ごろより乳腺の発育と脂肪蓄積によって腫大しはじめる。乳輪への色素沈着が進み，乳頭もしだいに大きくなる。

妊娠末期，もしくは分娩直後に**初乳**が出る。これは分娩後 3〜4 日経てから出る**真乳**と異なり，**カゼイン** casein❷ を含まない。初乳は，一般に薄い黄

> **NOTE**
> ❶妊婦の望ましい体重増加量は，妊娠前の体型によって異なる。その目安を日本産科婦人科学会が 2021 年に発表した。妊娠前に BMI が 18.5 未満のやせ型であった女性では 12〜15 kg，25 未満の正常体型では 10〜13 kg，30 未満の肥満体型では 7〜10 kg としている。ただし個人差も大きいので，あまり厳密には適用すべきではないとしている。
> なお，BMI は体重(kg)/身長(m)² で求められる。
> ❷カゼイン
> 乳汁に含まれるタンパク質の主成分で，リン酸を含む。

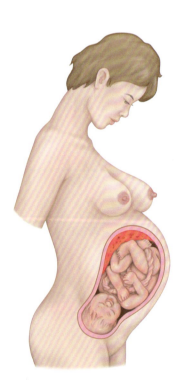

◯**図 10-21　分娩直前の母体と胎児**
妊娠 40 週ごろには，胎児は 3 kg ほどの大きさになり，分娩を待つ。

色みを帯びた色をしている。分娩後の乳汁の分泌は，乳児が乳管を通して乳汁を吸い出すことが刺激となって促進される（正のフィードバック）。したがって授乳を中止すると，自然に分泌がとまる。

分娩後 6〜12 か月は乳汁が分泌され，また授乳中は月経のあらわれ方が遅くなるのがふつうである❶。分娩後に盛んに乳汁分泌がおこるのは，下垂体前葉からプロラクチン❷が分泌されるためである（◯ 258 ページ）。

授乳期の乳腺は，血行が盛んになるため，乳房の皮静脈の拡張がみられる。授乳中に乳児に乳頭をかまれたり，吸いつく力が強くて乳頭に傷が生じたりすると，細菌感染をおこして乳腺炎となりやすい。

● **循環器系の変化**　妊娠により，赤血球容積，総ヘモグロビン（Hb）量が増加する。しかし，それよりも血漿量の増加のほうが著しく，赤血球数，Hb濃度，ヘマトクリット（Ht）値（◯ 129 ページ）は希釈されるため低下し，循環血液量は妊娠末期には非妊娠時の約 50% 増となる。これに伴って心拍出量も 30〜60% 増加する。

血圧は正常の妊娠ではあまり変化しない。妊娠末期に仰臥位をとると失神することがあり，これを仰臥位低血圧症候群とよび，妊婦の 5〜8% にみとめられる。これは増大した子宮によって下大静脈が圧迫され，下半身からの静脈血の還流が妨げられ，その結果，心拍出量が減少して低血圧をきたすためである。下大静脈は脊柱の右側を上行するため，左側臥位で寝ることで子宮による圧迫を防ぐことができる。また，増大した子宮による下半身の静脈の圧迫は，下肢の浮腫や静脈瘤の原因ともなる。

● **呼吸器系の変化**　増大した子宮によって横隔膜が挙上されるため，呼吸運動は腹式から胸式にかわる。呼吸数はほとんど変化しないが，1 回換気量（◯ 113 ページ）が増加し，酸素摂取量が増加する。肺活量はかわらないか，わずかに増加する。

● **内分泌系の変化**　妊娠中，下垂体は 2 倍以上に腫大する。プロラクチンの分泌は増加し，妊娠末期には非妊娠時の 10 倍にまで増加する。一方，下垂体からの性腺刺激ホルモン（ゴナドトロピン）の分泌は，胎盤からのエストロゲン・プロゲステロンによる負のフィードバックを受けて減少する。

● **泌尿器系の変化**　増大した子宮による尿管・膀胱の圧迫のために，尿の通過がわるくなり，感染（尿道炎や膀胱炎など）をおこしやすくなる。また尿意が頻繁におこるようになる（尿意頻数）。

● **消化器系の変化**　妊娠中は唾液が酸性に傾き，分泌も亢進する。これによって味覚や嗅覚が変化し，食べ物に対する嗜好がかわることがある。また胃酸分泌が減少し，胃や腸の蠕動運動が低下する。これらの変化は，妊娠初期の**つわり**の際の吐きけ・嘔吐の一因となっている。

4 分娩

着床後 270 日ごろになると，子宮頸部がやわらかくなり，子宮筋層のオキシトシン感受性が増して**分娩** labor, delivery の準備ができる。分娩の経過は 3 期に分けられる。

NOTE

❶**月経の再開**
分娩後 6 週間ぐらいで月経が再開することは，授乳女性では約 20% にしかみられないが，授乳していない女性では約 80% にみられる。授乳中でも分娩後 4 か月以上たつと月経が再開することが多い。

❷**乳汁分泌の開始**
妊娠中に乳汁が分泌されないのは，胎盤から出るホルモンが卵巣を刺激してエストロゲンが分泌され，これが下垂体前葉からのプロラクチンの作用を打ち消すためである。したがって，分娩後胎盤が娩出されるとエストロゲンの拮抗作用がなくなり，乳汁分泌が始まると考えられている。

① **分娩第 1 期(開口期)** 子宮の収縮(**陣痛**)が規則正しく始まってから,外子宮口の全開大(直径 10 cm)まで。子宮頸部が伸展されると反射性にオキシトシンの分泌が増加し,陣痛が強くなる(⊙ 275 ページ)。陣痛の間隔はしだいに短くなり,ついに胎胞が破れて羊水が流れ出す(破水)。

② **分娩第 2 期(娩出期)** 外子宮口の全開大から胎児の娩出まで。胎児はだんだんと産道に向かって押し出される。胎児を娩出する力(**娩出力**)はしだいに増していき,ピークに達すると母体外に排出され,胎児は第一吸息を行う。ふつう,胎児は頭部から娩出されるが,殿部や足が先に出ると難産になりやすい。一般に,新生児の身長は約 50 cm,体重は約 3,000 g である。

③ **分娩第 3 期(後産期)** 児の娩出ののち,胎盤などの胎児付属物が排出され,分娩が終了する。

5 胎児の血液循環

胎児は肺での呼吸を行わず,血液は肺にほとんど送られない。胎児の血液は胎盤に送られて,ガス交換,栄養の補給,不要物の排泄を行ったあと,右心に戻る。血液は右心から,肺を通らずに動脈系に送られるが,そのために静脈系から動脈系に抜ける 2 つの迂回路(卵円孔と動脈管)がある(⊙ 図 10-22)。

● **胎盤の循環** 胎盤に血液を送る臍動脈は,内腸骨動脈から出る 1 対の太い枝である(⊙ 483 ページ,図 10-19)。胎盤内に入った臍動脈は盛んに分岐して,絨毛の中に血液を送る。絨毛は,母体側の血液が満たされた絨毛間腔の中で広がり,接触面を広げている。胎児の血液は,母体の血液とはまざらないが,薄い組織層を通して,ガスや物質の交換を行う。酸素と栄養に富む血液は,臍静脈を通って胎児に戻り,**静脈管(アランチウス Arantius 管)**を通って下大静脈に入る。

● **静脈から動脈への迂回路** 酸素と栄養に富む下大静脈の血液は,右心房に戻ると,心房中隔に開いた**卵円孔**を通って左心房に抜ける(第 1 の迂回路)。さらに左心房から左心室,大動脈へと送られ,酸素に富んだ血液が上半身に優先的に送られる。

上大静脈から右心房に戻った血液は,右心室から肺動脈幹に送り出される。そこから太く開いた**動脈管(ボタロ Botallo 管)**を通して下行大動脈に抜ける(第 2 の迂回路)。肺循環の抵抗が大きいため,肺に流れる血流はわずかである。

● **生後循環への切りかえ** 最初の吸息は,分娩に伴う刺激(胎児血の二酸化炭素分圧〔Pco_2〕上昇や寒冷刺激など)により脳の呼吸中枢が刺激されておこる。大きな吸息によって声が出るため,産声とよばれる。肺呼吸が開始されることにより肺が広がり,肺循環の抵抗が減り,また動脈管の平滑筋が収縮するために,血液は肺に流れ,左心房に還流する。

肺から左心房に還流した血液は左心房内圧を高め,卵円孔が弁のしくみによって閉じる。動脈管・静脈管・臍動静脈は,まず血管壁の筋収縮によって閉鎖し,やがて結合組織に置きかわり,**臍動脈索**(膀胱動脈と臍を結ぶ)・**臍静脈索**(肝円索)・**静脈管索**・**動脈管索**といった索状構造になる。胎児期の卵

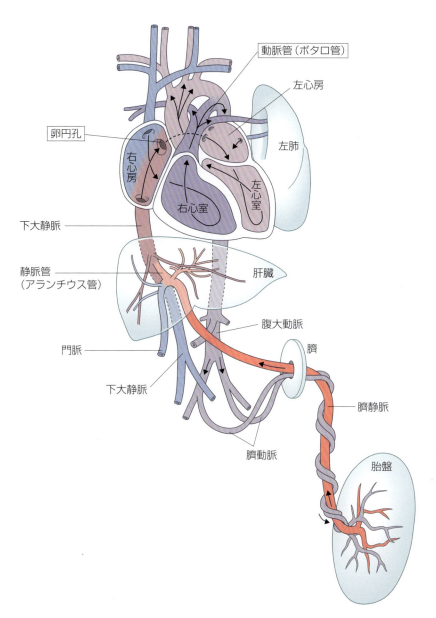

● 図 10-22 胎児の血液循環

胎児は，胎盤を通して母体から酸素と栄養の供給を受ける。胎盤から戻った血液は，臍静脈から肝臓の下面を通って下大静脈に流れ込む。心臓の近傍の 2 つの迂回路(卵円孔と動脈管)によって，右心の血液は肺を通らずに大動脈に流れ込む。

円孔の名残(なごり)である**卵円窩**が，成人の心房中隔にみることができる(● 153ページ，図 4-3)。

D 成長と老化

1 小児期の成長

　成長 growth とは，生物の容積・重量などが増加する現象である。一方，**発達** development とは，未熟な状態や機能が向上・成熟し，高度な状態・機

能に変化していくことをさす。小児期にはこの両者がおこっているため，成長と発達をあわせて**発育** growth and development とよぶこともある。

　成長とは，身体それぞれの部位・臓器・組織でおこっている現象であり，その総和として身長や体重の増加があらわれる。器官の成長は組織の成長によってもたらされ，組織の成長は細胞の成長によっている。

　組織や器官の DNA 含有量は細胞数を反映しており，タンパク質量は細胞の大きさを示す指標となる。個体の成長過程において，その初期には細胞数の増加，すなわち DNA 量の増加が主体である。しかし出生後，すなわち成長過程の後期になると，細胞数の増加は低下し，それぞれの細胞の増大，つまりタンパク質量の増加が成長の主体となる。たとえば，脳のニューロンは出生前に細胞分裂は終了しており，ニューロン数は出生時が最多である。その後は減少するばかりであるが，ニューロンどうしのシナプス結合の増加によって神経回路は複雑となり，知能は向上していく。

1 成長に影響を与える因子

　個体の成長は，基本的には遺伝因子によって規定されるが，さまざまな内部要因や外部要因からも影響を受ける（◎図 10-23）。

- **遺伝因子**　身長には人種差や家系による違いがあることから明らかなよ

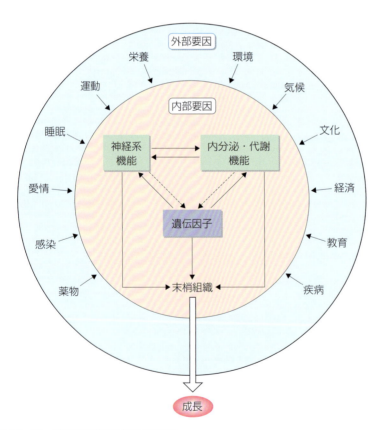

◎図 10-23　成長に影響を与える要因
個体の成長は遺伝因子に加え，その他のさまざまな内部要因や，さらには運動や栄養，文化などの外部要因にも影響される。

うに，成長を基本的に支配するのは遺伝子である．ただし，身長についてもただ1つの遺伝子によって決定されているわけではなく，複数の染色体上にある多数の遺伝子によって総合的に支配されている．

- **内部要因**　成長に大きな影響を与えるのはホルモンである．成長を直接コントロールする成長ホルモンや甲状腺ホルモンばかりでなく，性ホルモンや糖質コルチコイド，インスリン，プロラクチン，パラソルモン，カルシトニンなどの多数のホルモンが成長に影響を与える．
- **外部要因**　さまざまな外部要因が成長に影響を与えるが，これは内部要因に影響を与えることによって，あるいは遺伝因子の発現に影響を与えることによって成長を左右する．成長に影響を与える外部要因はきわめて数が多いが，以下のものが代表的である．

  1 **栄養**　適切な栄養の摂取とその利用は，成長の基本的条件である．栄養障害は成長の障害をもたらす．逆に，過剰な栄養は肥満をもたらすが，同時に身長の増加ももたらす．

  2 **睡眠と運動**　睡眠時に成長ホルモンの分泌が増加し，成長を促進する．運動も成長ホルモンの分泌を促進するが，過激な運動を長期間続けると，成長はかえって抑制される．

  3 **気候**　寒冷地のほうが身長が高くなる傾向がある．また小児の成長は，冬の終わりから春にかけての増加が多く，夏から秋にかけては少ない．

  4 **愛情**　親子間，とくに母子間の愛情に欠陥がある場合（いわゆる家庭内暴力やネグレクトなど），精神的・情緒的障害を生じるばかりでなく，著しい成長障害を生じることがある．これは愛情遮断症候群とよばれる．原因はよくわかっていないが，① 精神的抑圧が視床下部-下垂体系を介して成長ホルモンの分泌を低下させる，② 自律神経の変調のために栄養素の吸収や利用が低下する，などが考えられている．

  5 **社会的・経済的因子**　貧困家庭の小児よりも，社会的・経済的に高い階級の家庭の小児は身長が高く，二次性徴の発来も早い．また都市部の小児のほうが，村落の小児よりも成長がよい傾向がある．

  6 **疾病**　小児の慢性疾患の多くは，成長の遅れをもたらす．したがって，成長度は小児の健康状態の指標にもなる．

2 身長と体重の変化

出生時の体重は3,000 g（女児は3,000 g弱，男児は3,000 g強），身長は約50 cmである．1年間で体重は約3倍となり，身長は25 cm，つまり50％ほどのびる．その後は，幼児期・学童期を通して毎年6～7 cmのほぼ一定ののびを示すが，思春期になると年間8～10 cmの急激な成長（スパート）があらわれる．

出生時体重の軽重とは関係なく，遺伝因子による身長の高低は2歳ごろにはっきりとあらわれる．脳重量は新生児で330 gであり，これは成人の脳重量（1,200～1,500 g）の約1/4である．新生児の体重は成人の1/20にあたる3,000 gであることを考えると，脳の発達がほかの臓器と比較してきわめて

早くおこることがよくわかる。このため，出生時は4頭身であるが，その後は2歳で5頭身，6歳で6頭身，12歳で7頭身となる。また，体幹よりも下肢の成長が大きいため，体型（プロポーション）もしだいに変化する。

思春期には性ホルモンの影響で身長が急激にのびるが，この時期は骨成熟も急速に進むため，2～3年間の急激な成長ののち，成長率は激減する。女児の思春期発現は男児より2年ほど早いため，10～12歳ごろは女子のほうが身長が高いが，その後は性ホルモンの違いのために男子のほうが身長が高くなる。身長ののびは，女子が16歳，男子が18歳でほぼとまる。その後40～50歳までは身長は変化しないが，それ以後は椎間板の圧縮のため徐々に身長は減少する❶。

> NOTE
> ❶爬虫類などでは，成長は生涯続く。そのため，からだの大きい個体ほど高齢であり，逆にからだの大きさを測定することによって年齢を推定することができる。

3 思春期における性成熟

小児は，成長過程のある時期になると性ホルモンの分泌が活発となり，その作用によって男女の性的特徴（**二次性徴**）が出現しはじめる。二次性徴が出現しはじめてから完成するまでの期間を**思春期**という。

二次性徴は多数の生理的・形態的な変化であり，同時に精神的・情緒的な変化も伴う。それぞれの変化は時間的に連続して進行するが，変化のおこる時期や進む速度にはかなりの個人差がある。思春期は，女子では9～12歳ごろに始まり14～16歳ごろに終わる。男子では10～13歳ごろに始まり15～18歳ごろに終わる。始まってから完成するまでの期間も，2～5年と個人差が大きい。

● **女子の二次性徴**　女子にみられる二次性徴は，①乳房・乳腺の増大と発育，②陰唇の発育と色素沈着，③陰毛・腋毛の発生，④子宮・腟の成長，⑤腟分泌の増加，⑥月経の発来（初経），⑦殿部の発育，⑧皮下への脂肪沈着などである。

● **男子の二次性徴**　男子の二次性徴では①陰茎の肥大，②陰嚢の肥大と色素沈着，③陰毛・腋毛・髭の発生，④体毛の増加，⑤精巣・精嚢・前立腺の肥大と分泌の開始，⑥皮脂腺の分泌増加，⑦喉頭軟骨の突出，⑧変声（声がわり），⑨骨・筋の発達などがおこる。

また男女ともに，思春期には身体の変化に伴って異性への興味が増し，性欲が旺盛となり，精神的に不安定，反抗的，闘争的になるなど，精神的な変化も大きい。

◆ 思春期の発現機序

小児の性腺にも，性ホルモン分泌能力と卵胞成熟あるいは精子形成能力があるが，機能していない。これは下垂体から性腺刺激ホルモン（ゴナドトロピン）が分泌されないためである。しかし，小児の下垂体にもゴナドトロピンは含まれている。これが分泌されないのは，視床下部からの性腺刺激ホルモン放出ホルモン gonadotropin-releasing hormone（GnRH）の分泌が，神経機序によって抑制されているからである。思春期になるとこの抑制がとれて，視床下部からの GnRH 放出→下垂体からの性腺刺激ホルモンの放出→性腺か

らの性ホルモン放出がおこり，二次性徴が出現しはじめる。

　GnRHの分泌を抑制していた神経機序がなぜ解除されるのかは，いまだ十分には解明されていない。ただし，初経については次のことがわかっている。

　ノルウェーにおける研究によると，1830年代の初経年齢は17歳であったのに対し，1950年代では13.5歳となっており，初経年齢の低年齢化がみとめられた。しかし，思春期が開始して身長が急激にのびはじめるときの体重は約30kg，初経をみたときの体重は47kgであり変化していなかった。このことから，栄養や衛生の向上により体重の増加が促進され，思春期の開始が早くなったと考えられる。つまり，ある体重をこえると思春期が開始されると考えられる（273ページ，column）。また思春期開始には，松果体からのメラトニン分泌も関係している可能性も指摘されている。

● **性成熟の異常**　視床下部-下垂体-性腺系のいずれかに異常があると，正常な性成熟が妨げられる。正常範囲の年齢をこえても思春期が開始されず，二次性徴があらわれないものを性腺機能不全という。また，二次性徴の発現年齢が異常に早い場合を思春期早発症（性早熟症），異常に遅い場合を思春期遅発症という。

　女子に男性の，または男子に女性の二次性徴があらわれる場合を，異性化現象（女子の男性化現象，男子の女性化現象）という。また，自己の生物学的な性（セックス sex）と心理・社会的な性（ジェンダー gender）とが一致しない場合を性同一性障害という。これは遺伝子で決まる生物学的性と，自分が「女（男）である」あるいは「女（男）らしい」と感じる性の自己意識とが一致しない状態である。

臨床との関連　性同一性障害

　私たちを含めて哺乳類の性は，染色体の組み合わせによって決定される。性染色体がXXなら女性（雌），XYなら男性（雄）となる。そして，それに伴って性ホルモンの分泌もかわり，それぞれの性に合った外性器の発達，二次性徴の発現，そして心理的な性差があらわれる。ときどき染色体の異常や内分泌系の異常によって性腺の性と外性器の性が反対になる，つまり精巣をもつのに外性器が女性型であったり，卵巣をもつのに外性器が男性型となったりすることもあり，これは性分化疾患とよばれる。

　これらの生物学的な性（セックス sex）とは別に，心理・社会的な性（ジェンダー gender）がある。通常はこの両者は一致しているが，生物学的には女性（または男性）であることがわかっていても，自分がどうしても男性（女性）であると確信しており，間違った性に生まれてきてしまったと悩む場合があり，これは性同一性障害とよばれる。

　セックスが女性でジェンダーが男性である人は約3万人に1人，セックスが男性でジェンダーが女性である人は約1万人に1人と推定されている。これは趣味や嗜好の問題ではなく，幼小時から問題が出現するため，なんらかの生物学的な原因に起因していると考えられているが，いまだに明らかにはなっていない。このような人々に対しては，場合によってはホルモン療法や性器にかかわる手術が行われるが，日常的には共感と受容の態度で接することが大切である。

2 老化

　生物は誕生した以上，必ず死を迎える。誕生してから死亡するまでの身体的な変化を，若年時の成長をも含めて**加齢** aging という。加齢のうち，身体的ピークのあとの身体的・精神的な衰えが**老化**である。

　老化は生命をもったものが死へと向かうプロセスであるが，その過程で死に直結するさまざまな事故や疾病が生命の維持期間を短縮する。老化は身体を疾病にかかりやすい状態にし，かつ抵抗力を減弱させる。がんや生活習慣病などは，老化の過程で生命を短縮させる代表的なものである。

　もし，あらゆる疾病の発生を克服することができ，環境・栄養・公衆衛生その他が健康維持のために理想的な状態になったとすると，生存曲線は環境条件のわるい曲線(C)から曲線(B)へ，そして理想的な曲線(A)へと変化していく（○図10-24）。

　わが国では年々平均寿命(0歳児の平均余命)が延長しているが，これは曲線(C)から曲線(B)へとかわっているからである。今後さらに曲線(A)に近づくことは十分に考えられるが，ヒトの寿命は最長でも120歳と推定されており，曲線(A)が曲線(A′)にかわることはないと考えられている。

　生物の寿命は，ラットが2年，ネコが20年，ウマが46年，ゾウが70年など，種によってほぼ決まっている。しかし，寿命がなぜ決まっているのかは，いまだ明らかではない。さらに，なぜ老化がおこるのかについても諸説があるが，そのどれもが老化の根本原因を明らかにするにはいたっていない。

1 老化のメカニズム

　1 生物時計説　たとえばイネ科の植物は，発芽したあとは勢いよく生長するが，種子をつけてそれが成熟すると1年で枯死する。このように一定の周期で生命のリズムが運命づけられているという特徴は，生物全般にみられるものである。ヒトの場合も，胎児はほぼ40週で誕生し，1年で歩行を開始し，3年で会話が可能となり，思春期に恋をする。これらとまったく同じ

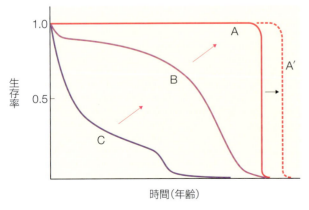

○図10-24　生存曲線

意味で，壮年期から老化が始まり，95歳前後で死を迎えるよう運命づけられているとする説である。

2 プログラム説　環境因子の影響を受けるとはいえ，老化は老化現象に関連する遺伝子の発現によって制御され，結果として最大寿命が規制されているとする説である。この説を支持する事実として，ヒトには遺伝的早老症とよばれる早期に老化症状があらわれる疾患があり，この疾患の患者は寿命も短い。また，体細胞は分裂回数によって規定された寿命，すなわち一定の分裂寿命をもつことが証明されている。体細胞の染色体末端(**テロメア**)は分裂のたびに短縮するため，一定の回数しか分裂することができない。このためテロメアは細胞分裂時計ともよばれる。

3 エラー破綻説　遺伝子の本体であるDNAの情報はRNAに転写され，その情報に基づいてタンパク質が合成されるが，その複雑な翻訳過程で間違い，つまりエラーがおこることは当然予想される。エラー破綻説は，加齢によって長い時間が経過するうちにエラーが少しずつ蓄積し，異常なタンパク質が増えて細胞の機能が低下していくのが老化であり，最終的に機能不全となるのが死であるとする考え方である。遺伝子の塩基配列自体の変異や修飾も，同様の結果をもたらす。

4 フリーラジカル説　フリーラジカルとは，不対電子❶をもった原子・分子であり，ほかの物質を酸化する力が強い。私たちの体内でもフリーラジカルはたえず発生しているが，体内にあるフリーラジカルを処理する酵素により，決定的な障害を受けないようになっている。しかし，このような有害な反応を消去するシステムが衰退すると老化を生じる。フリーラジカルによって障害される最も重要な部分はリン脂質からなる細胞膜であり，これが細胞機能の障害，ひいては各臓器の機能障害をもたらすとする考え方である。

NOTE
❶不対電子
　奇数個の電子をもつ元素・分子，または偶数個の電子をもつ場合でも電子軌道の数が多いために1つの軌道に電子が1つしか入らない場合のことをさす。電子が1個の水素(H)が，すぐにH_2となり安定となろうとするように，一般に不対電子は反応性が強い。

---

column　生殖と寿命

　最近は，一生を独身で通すなど，子どもをもうけない人もめずらしくはない。また，子どもができない夫婦も少なくない。自分の遺伝子を次の世代に伝えることができない，つまり「本章の概要」で述べたバトンを渡すことができない人は，生まれてきた意味がないのだろうか。その答えは，ヒト以外の哺乳類では「yes」，つまり意味がないが，ヒトでは「no」，つまり大いに意味があると考えられている。

　哺乳類には，ネズミのような小さなものから，ゾウのような大きなものまでがいる。小さなものは寿命が短く，大きくなるほど寿命は長くなる傾向があり，横軸に体重を，縦軸に寿命をとってグラフを作成すると，きれいな直線になる。

　例外はヒトであり，からだの大きさから予想される寿命(およそ25年)よりもはるかに長生きする。これはなぜだろうか。

　ヒト以外の哺乳類は，年をとって生殖能力がなくなるころに死ぬ。これは子孫を残せないにもかかわらず，エサだけを食べるものは，死んだほうがその種のほかの個体のためになるからである。むだなものは生かしておかないのが，自然の掟であるともいえるだろう。

　体重から予測されるヒトの寿命である25年は，生殖能力がピークを過ぎたころである。しかし，たとえば女性は，25歳どころか閉経を迎えてから数十年も生きつづけることができる。逆にいえば，閉経後の女性や，子どもをつくらない，またはつくれない人々が生きているということは，生きていたほうがヒトという種にとって有利であるということを物語っている。

　ここからは想像になるが，人は高度な社会生活を営む動物であり，そのような人々も技能や知識，知恵，愛情などによりヒトという種の繁栄に大いに貢献していると考えられる。

2 各器官系・組織における老化現象

● **循環器系** 心筋の収縮機能自体には加齢による影響はみとめられず，したがって安静時の心拍出量は変化しない。ただし，心拍数が減少するため，1回心拍出量は増加する。また運動負荷時の心機能上昇の程度は減弱する。つまり予備能が低下する。

　血管系では動脈壁の肥厚と結合組織の増加が目だち，動脈壁の伸展性が低下する（○図10-25）。またβ受容体の数の減少により，拡張反応が弱くなる。その結果，最高血圧は加齢とともに上昇する（○図10-26）。

● **血液** 白血球数は大きな変化を示さないが，赤血球は造血能の低下により減少する（○図10-27）。

● **呼吸器系** 呼吸筋力が低下し，肋軟骨の石灰化や胸郭の支持組織の線維化のために胸壁の弾性が低下する。全肺気量は不変であるが，残気量が増加し，肺活量は減少する。拡散能の低下と換気血流比の不均等の増大のため，動脈血酸素分圧が低下する。

● **消化器系** 老化現象の生じにくい臓器であり，反射機能の低下による誤嚥，Ca^{2+}吸収能の低下，消化管の運動機能低下による便秘がみられる程度である❶。

● **泌尿器系** 腎臓は加齢により萎縮する（○図10-28）。また，細動脈の硬化もみとめられるため，腎血流量・糸球体濾過量・再吸収能・濃縮能など，ほとんどすべての腎機能が低下する。このため水-電解質バランスの異常が出

> **NOTE**
> ❶日本人の死因の多くを占めていた胃がんの原因は，その大部分がヘリコバクター-ピロリ（ピロリ菌）感染である。しかし衛生環境の改善やピロリ菌除去のための抗菌薬服用の普及により，2014年現在では70歳代以上ではピロリ菌保有率は60％程度であるが，30歳代では10％ほどに低下している。胃がんの発症は今後，急激に低下すると予想される。

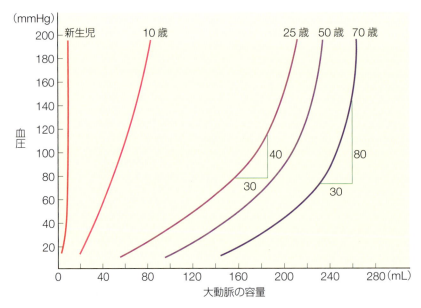

○ **図10-25　加齢に伴う大動脈の圧-容積関係の変化**
25歳では，大動脈の伸展性が大きいため，たとえば血流量が30 mL減少しても，血圧は約40 mmHg低下（正常血圧120 mmHg → 80 mmHg）するにすぎない。しかし70歳では，伸展性が減少するため，同じ血液量が減少した場合には約80 mmHg（150 mmHg → 70 mmHg）もの圧低下を引きおこす。

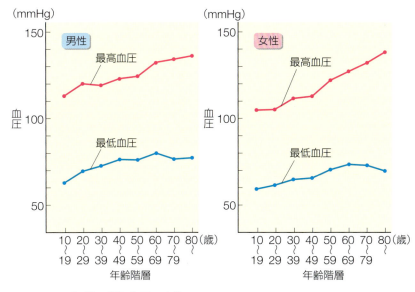

図 10-26　加齢に伴う血圧の変化

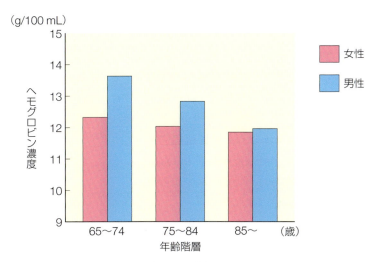

図 10-27　高齢者のヘモグロビン濃度

現しやすくなる。

　尿路については，女性では括約筋機能の低下による尿失禁，男性では前立腺の肥大による排尿障害などが出現しやすい。

● **内分泌系**　ホルモンの標的となる臓器の，ホルモンに対する反応性が全般的に低下する。それに対し，ホルモンの分泌量はホルモンによって増加するものも減少するものもあり，まちまちである。高齢者で内分泌機能に異常があった場合（甲状腺機能亢進症や低下症など），その症状が高齢のためであるとして見逃されたり，ほかの疾患によるものと誤解されたりすることが多い。

　高齢者における性ホルモンの分泌は，男性と女性とで大きく異なる。男性

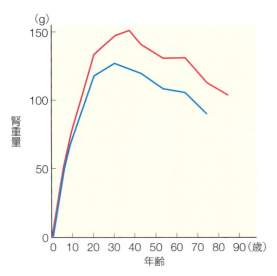

○図 10-28　加齢に伴う左腎臓の重量の変化（女性）
2つの報告によるデータをまとめた。

では，テストステロン分泌の減少の程度は軽度であり，70代でも20代の70％程度が分泌されている。一方，女性では閉経によりエストロゲン分泌は激減し，閉経前の10～30％に減少する。このため負のフィードバックがかからなくなり，下垂体からの性腺刺激ホルモン（ゴナドトロピン）分泌が亢進し，これによりさまざまな更年期障害が出現する。60歳以降は，ゴナドトロピン分泌は高値ではあるが，低下傾向を示す。

● **骨・関節**　骨は筋の支点となるばかりでなく，カルシウムの貯蔵部位としても重要である。加齢とともにカルシウムの摂取・吸収能が低下するため，血中カルシウム濃度を維持するために骨吸収が促進され，骨量の減少から骨の脆弱化をきたす（骨粗鬆症）。とくに閉経後の女性に生じやすい。

関節では，軟骨の減少と関節間隙腔の狭小化，そして長年の使用による機械的摩耗により，変形性関節症をきたしやすい。

● **免疫機能**　老化のみでは免疫機能はあまり低下しない。しかし嚥下障害や排尿障害などによる感染の機会の上昇，慢性の消耗性疾患に伴う栄養障害による免疫機能の低下をきたしやすい。高齢者にとっては，肺炎が最も頻度が高い感染症であり，死因となりやすい。

● **中枢神経系**　加齢とともに，脳内には老人斑などの特徴的な変化が生理的に出現する。身体的老化や認知症の影響も加わり，性格の変化（狷介だった人がおだやかで円満になったり，逆に円満だった人が感情的になるなど）をきたすことがある。判断力や思考力，技術的能力（結晶性知能）は低下しないが，新しいことを記憶する能力，創造する能力（流動性知能）は老化によって低下する。

work 復習と課題

❶ 精巣には，精子をつくる以外にどのようなはたらきがあるか。
❷ 男性の付属生殖腺にはどのようなものがあるか。
❸ 付属生殖腺は，精子のはたらきに対してどのような意義をもっているか。
❹ ダグラス窩とは，どの部位のことか。
❺ 排卵と月経の時間的な関係をまとめなさい。
❻ 黄体は，受精の有無によってどのように変化するか。
❼ 排卵後の卵子は，どのように卵管内を移動し，どこに達するか。
❽ 受精時の性の決定について，生殖細胞の形成からの染色体の動きとあわせて説明しなさい。
❾ 胎盤を通って輸送される物質の胎児における流れを，酸素と二酸化炭素を例にとって説明しなさい。
❿ 胎盤から放出されるホルモンとその役割についてまとめなさい。
⓫ 誕生後に，胎児の身体にはどのような変化がおこるか。
⓬ 乳汁分泌がおこるしくみを，関係するホルモンをあげて説明しなさい。
⓭ 思春期の発現はどのようにしておこるか。
⓮ 老化により，各器官系にはどのような変化がみとめられるか。

― 解剖生理学 ―

第11章

体表からみた人体の構造

1 体表から触知できる骨格部分

骨格は身体の支柱となる構造で，多数の骨が連結してできている。体表から触知できる骨格部分は，人体の部位を知るためのよい目印になる。体表から触知できる骨格部分を頭部（◯図 11-1-a）と全身（◯図 11-2）について示した。

1 頭頸部で触知できる骨格部分

◆ 顔面の骨格

頭部では，頭蓋冠をつくる前頭骨・頭頂骨・後頭骨を広く触れることができる。顔面では以下の部分がとくによく触れる。

- **頰骨弓**はこめかみの下で耳の前に触れ，頰骨と側頭骨をつなぐ。
- **乳様突起**（側頭骨の一部）は，耳の後下で丸く下方に突き出る突起である。
- **外後頭隆起**（後頭骨の一部）は，後頭部の中央に軽く突き出る骨部分である。
- **眼窩**は眼球をおさめる大きなくぼみで，上縁を前頭骨が，外側縁～下縁中央を頰骨が，内側縁～下縁中央を上顎骨がつくっている。眼窩の下外側あたりには頰骨が高まりをつくっている。
- **外鼻**の上部は鼻骨からできていてかたいが，外鼻の下部は軟骨（◯51ページ）からできていて弾力性がある。
- **下顎骨**は，オトガイから下顎の下縁に沿って広く触れる。耳の下方には下顎角が軽く突き出ている。上顎骨と下顎骨には歯がはえていて，上唇・下唇におおわれている。

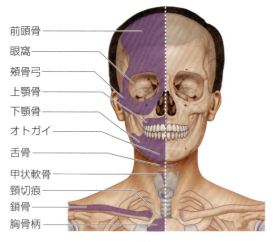

a. 触知できる骨
触知できる部分を紫色で示している。

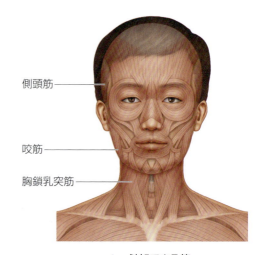

b. 触知できる筋

◯**図 11-1 体表から触知できる骨・筋（頭頸部）**

◆ 頸部の骨格

頸部前面では次の部分に触れる。**舌骨**は頸の最上部に触れる。**甲状軟骨**（喉頭の一部）は頸の中央に触れ，成人男性の場合には突き出して「のどぼとけ」をつくる。**頸切痕**（胸骨柄の一部）は頸の下端で胸鎖乳突筋の間に触れる。

2 体幹上部で触知できる骨格部分

体幹上部の前面では，**鎖骨**が頸部と胸部の境目で横方向に走っている。

◆ 胸郭の部分

胸部の前面から側面にかけては，胸郭の以下の部分に触れることができる。
- **胸骨**は胸部の前面に触れる。**胸骨角**は胸骨の上部に軽く突き出ており，ここに第2肋軟骨が関節をつくり，その高さは第4・第5胸椎間にほぼ一致する。胸骨の下端には**剣状突起**が突き出ている。

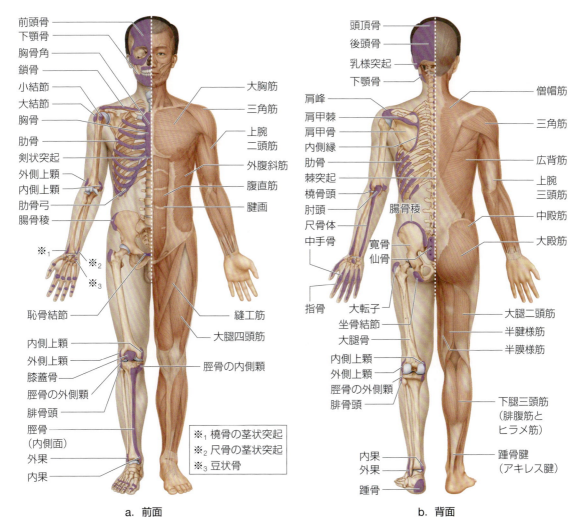

※1 橈骨の茎状突起
※2 尺骨の茎状突起
※3 豆状骨

a. 前面　　　b. 背面

図 11-2　体表から触知できる骨・筋

- **肋骨**は胸部の外側部に広く触れ，胸骨に近い部分は軟骨からできている。
- **肋骨弓**は胸郭の下縁で，中央から左右に向かって低くなっており，第7〜第10肋軟骨からできている。第11・第12肋骨は先端が遊離しており，胸郭の背面に触れることができる。

◆ 背部の骨格

体幹上部の後面では，脊柱の一部と肩甲骨に触れることができる。
- **棘突起**は椎骨の後方の突起で，背部の正中に触れる。とくに第7頸椎は**隆椎**とよばれ，棘突起が高く突き出ている。
- **肩甲骨**は上肢のつけ根の骨で，肩の高さで脊柱の両側にある。**肩甲棘**は肩甲骨後面の隆起で横方向に走る。**肩峰**は肩甲棘の外側端で高く突き出ている。**内側縁**は脊柱とほぼ平行している。

3 上肢で触知できる骨格部分

上肢では，とくに肩・肘・手首の周囲で骨格に触れることができる。

◆ 肩周囲の骨格

- **大結節**は上腕骨上部のふくらみで，肩の周囲で肩峰のすぐ下で外側に触れる。**小結節**はその内側前面に触れる小さなふくらみである。

◆ 肘周囲の骨格

- **外側上顆**と**内側上顆**は上腕骨下端の一部で，肘の左右に突き出している。
- **肘頭**は尺骨後面の上端で，肘の後面に触れる。そこから手首の近くまで**尺骨**をたどることができる。
- **橈骨頭**は橈骨上端の円板状のふくらみで，上腕骨の外側上顆の直下に触れる。

◆ 手首と手の骨格

- **豆状骨**は手根骨の1つで，手首の前面で小指側に突き出る。
- **中手骨**は手の甲をつくる5本の骨で，手背に触れる。**指骨**は指をつくる骨で，母指では2本，第2〜第5指では各3本がある。

4 体幹下部で触知できる骨格部分

体幹下部では骨盤のさまざまな部分に触れることができる。骨盤の正中部には脊柱の下端の仙骨があり，両側部は下肢のつけ根の寛骨からなる。

◆ 骨盤の骨格

- **仙骨**は体幹下部の背面に触れる。
- **腸骨稜**は寛骨の上縁の稜線で，脇腹の下方に触れ，ズボンなどのベルトがかかる部位である。
- **恥骨結節**は寛骨の前下端にある骨の高まりで，恥骨結合の両側で腹壁前面

- の最下部に触れる。
- **坐骨結節**は寛骨の後下端にある骨の高まりで、椅子に腰掛けたときに、座面に接触する部分である。

5 下肢で触知できる骨格部分

下肢では、とくに股関節・膝・足首の周囲で骨格に触れることができる。

◆ 股関節周囲の骨格

- **大腿骨**の**大転子**は、股関節の周囲で大腿外側面の最上部に触れる。

◆ 膝と下腿の骨格

- **膝蓋骨**は、膝の前面に触れる。その両側に大腿骨の外側上顆・内側上顆、脛骨の外側顆・内側顆、外側部に腓骨頭を触れる。
- **脛骨**は下腿の前面で膝から足首近くまで触れ、ここがいわゆる「向こうずね」や「弁慶の泣き所」とよばれる部分で、強くぶつけると激痛が生じる。

◆ 足首周囲の骨格

- **外果**と**内果**はいわゆる「くるぶし」で、外果は腓骨の下端、内果は脛骨の下端で、足首の両側に触れる。
- **踵**は**踵骨**の一部で、足の後端に突き出る。

2 体表から触知できる大きな筋

筋は骨格のまわりに付着し、骨格を動かして人体の運動を行う(●292ページ)。体表から触知できる筋は大きく重要なものであり、深部には小さな筋が多数隠れている。体表から触知できる筋を頭部(●図11-1-b)と全身(●図11-2)について示す。

1 頭頸部で触知できる筋

◆ 顔の筋

顔では、皮膚を動かす表情筋と下顎を動かす咀嚼筋に触れることができる。

- **表情筋**は口や眼のまわりなどで皮下に広がる筋で、顔の皮膚を動かす。薄く繊細な筋であるため、皮膚の上から個々の筋の形を触知するのは困難である。
- **咀嚼筋**は下顎を動かす筋で、そのうちの2つが頭部の皮下にあり、歯をかみしめると筋の緊張を触知できる。**咬筋**は頰骨弓の下で下顎角の上に位置する。**側頭筋**は頰骨弓より上でこめかみに位置する。

◆ 頸部の筋

頸部では，表情筋の一部の広頸筋と，大きな胸鎖乳突筋に触れる。
- 広頸筋は頸部の皮下に広がる薄い筋である。頸をのばして下顎の皮膚を引き上げる動作をすると，下顎から下にのびる筋束が浮き上がって見える。
- 胸鎖乳突筋は頸の側面にある斜めの太い筋で，胸骨上端と乳様突起を結ぶ。

2 体幹上部で触知できる筋

体幹上部では，前面の胸部と後面の背部で上肢帯の大きな筋を触知できる。

◆ 胸部の筋

大胸筋は前胸壁のふくらみをつくる筋で，腋窩の前壁をつくりながら上腕骨に達している。

◆ 背部の筋

- 僧帽筋は頸から胸にかけての背面にある筋で，肩甲骨を動かす。その上部が肩甲骨の上方に盛り上がっている。肩甲骨の内側縁と脊柱との間では，僧帽筋の深層に肩甲挙筋と大・小菱形筋がある。
- 広背筋は肩甲骨より下の背部にある筋で，腋窩の後壁をつくりながら上腕骨に達している。

3 上肢で触知できる筋

上肢では，とくに上腕で大きな筋を触知できる。
- 三角筋は，肩峰の外側で上腕の最上部のふくらみをつくる。肩関節を外転させると筋の緊張を触知できる。筋肉内注射の注射部位としてよく用いられる。
- 上腕二頭筋は，上腕の前面で力こぶをつくる筋である。手首を回外位にして肘を曲げると，緊張して盛り上がる。
- 上腕三頭筋は上腕の後面の筋で，肘を伸展させると緊張を触知できる。

4 体幹下部で触知できる筋

体幹下部の前面と外側面では腹壁の筋，後面では殿部の筋に触れる。

◆ 腹壁の筋

- 腹直筋は腹壁前面の中央部を縦に走り，筋を横向きに区切る腱画の位置を外から見ることができる。
- 外腹斜筋は，腹壁の外側部にある3層の筋の最表層である。

◆ 殿部の筋

- 大殿筋は，背部下端の殿部のふくらみの大部分を占めている。直立して股関節を伸展させると緊張する。

- **中殿筋**は，大殿筋より上方で腸骨稜より下に見えている。三角筋と同様に，筋肉内注射の注射部位としてよく用いられる。

5 下肢で触知できる筋

下肢では，大腿の前面・内側部・後面，下腿の後面で大きな筋を触知できる。

◆ 大腿の筋

- **縫工筋**（ほうこう）は大腿の前面で最表層を斜めに走る筋で，骨盤の外側部から膝の内側部に達する。
- **大腿四頭筋**（だいたいしとう）は，大腿前面のふくらみを占める筋である。足で物を蹴る（け）など，膝を伸展する動作をするときに緊張する。また，**膝蓋骨**（けん）の下方の膝蓋腱を軽くたたくと膝が伸展する**膝蓋腱反射**では，大腿四頭筋が反射的に収縮する。
- **内転筋群**（大内転筋・長内転筋・短内転筋）は大腿内側部に位置しており，左右の膝を近づけるなどの股関節を内転する動作で緊張する。
- **屈筋群**はハムストリングスともよばれ，大腿の後面にある。**大腿二頭筋**は外側部を占めて，膝窩の上外側縁をつくる。**半腱様筋**（はんけんよう）と**半膜様筋**（はんまくよう）は，内側部を占めて，膝窩の上内側縁をつくる。

◆ 下腿の筋

下腿三頭筋は，ふくらはぎという下腿後面のふくらみをつくり，2種類の筋からできている。**腓腹筋**（ひふく）には外側頭と内側頭があり，膝窩の下外側縁と下内側縁をつくる。**ヒラメ筋**は腓腹筋の深層にあり，下腿の下部で触れる。
踵骨腱（しょうこつけん）（アキレス腱）は下腿三頭筋の腱で，足首の後面にある。

3 体表から触知できる動脈

動脈は，心臓から送り出された血液を全身に運ぶ血管である（◯150，175ページ）。動脈の一部は体表近くを走っており，そこで心臓から伝えられる脈拍を触知することができる。体表から触知できる動脈を◯図11-3に示す。

1 頭頸部で触知できる動脈

総頸動脈は，頸の上部の側面で胸鎖乳突筋より前方に位置しており，脈拍を容易に触知することができる。

◆ 顔の動脈

顔の2個所で，外頸動脈の枝の脈拍を触れることができる。
- **浅側頭動脈**（せんそくとう）は，頬骨弓より上で耳介の前あたりを上行しており，側頭骨に接して皮膚の直下にあり脈を触れやすい。
- **顔面動脈**は，口角の下方の位置で，下顎骨の下縁を乗りこえて顔面にあら

われる。動脈が骨の表層を走るのを，皮下に触れることができる。

2 体幹で触知できる動脈

体幹の動脈は深部を走るので，体表から触知できるものは限られている。

鎖骨下動脈は，鎖骨の外側部の上方で，胸鎖乳突筋の外側縁と僧帽筋の前縁にはさまれた場所で触知することができる。

◆ 腹部の動脈

腹部の動脈は内臓の奥にあるが，消化管が腸間膜（⊙ 90 ページ）でぶら下げられていて容易に位置をかえるので，強く圧迫すると触知することができる。

- **腹大動脈**の脈拍は，やせた人で腹壁前面の正中部を強く圧迫すると，その奥に触知できる。
- **総腸骨動脈**の脈拍は，腹壁下部の両側を強く圧迫すると触知できる。

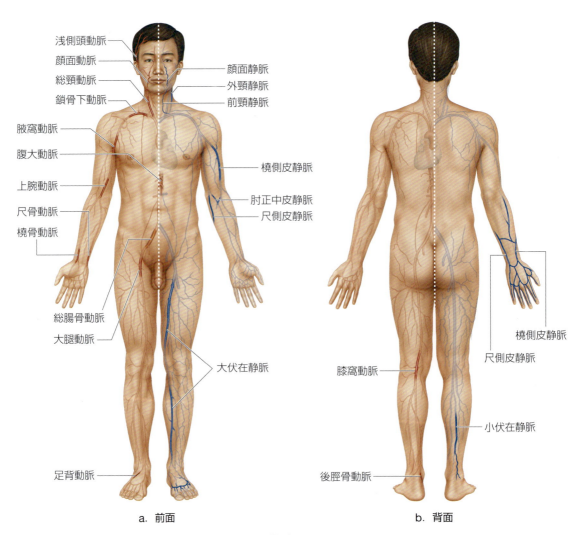

a. 前面　　　　　　　　　　　　　　　　b. 背面

⊙ 図 11-3　体表から触知できる動脈と到達できる静脈

3 上肢で触知できる動脈

上肢に血液を送る動脈は，大きな関節の屈側で脈拍を触れる。
- **腋窩動脈**の脈拍は，肩関節の屈側で腋窩を下から強く押すと触れる。
- **上腕動脈**の脈拍は，肘関節の屈側で肘の前面の浅いところに触知できる。

◆ 手首の動脈

手首の関節の屈側では，2か所で動脈を触れる。
- **橈骨動脈**の脈拍は，手首の母指側の橈側手根屈筋腱と橈骨との間のくぼみに触れる。この部位は脈拍の触診に最もよく用いられる。
- **尺骨動脈**の脈拍は，手首の小指側の尺側手根屈筋腱の母指側のくぼみで触知できる。

4 下肢で触知できる動脈

下肢に血液を送る動脈は，大きな関節の屈側および足背で脈拍を触れる。
- **大腿動脈**の脈拍は，股関節の屈側で大腿上部の前面の皮下に触知できる。
- **膝窩動脈**の脈拍は，膝関節の屈側で膝の後面に触知できる。
- **後脛骨動脈**は，足首の内果の後方を通過するところで脈拍を触知できる。
- **足背動脈**は，足首を背屈して前面に盛り上がった前脛骨筋の腱の小指側で脈拍を触知できる。

4 体表から到達できる静脈

静脈は，全身から心臓に戻る血液を運ぶ血管である（● 150, 177 ページ）。上肢と下肢では皮下の静脈が発達していて，採血や静脈内注射のために注射針をよく刺入する。皮静脈の走行と分岐には個人差が大きい。体表から到達できる静脈を● 図 11-3 に示す。

臨床との関連　脈拍の触知と血圧

　本文で示したように，身体のさまざまな部位で動脈の脈拍を触知することができるが，それぞれの部位で脈拍を触知できる血圧は異なる。たとえば，上記であげたなかで心臓から最も遠い足背動脈の脈拍は，最高血圧が 100 mmHg 以上ないと触知できない。同様に，橈骨動脈では 80 mmHg 以上，大腿動脈では 60 mmHg 以上，総頸動脈では 40 mmHg 以上ないと脈拍を触知できない。

　したがって，心拍動の有無（心臓が動いているか・とまっているか）を橈骨動脈の脈拍の有無によって判断することはできない。必ず左前胸部に手をあてて，心尖拍動の有無を確認すべきである。

　また，血圧計が手もとになくても，どの部位で脈拍を触知でき，どの部位で触知できないかによって，おおよその最高血圧を見当づけることもできる。

◆ 上肢の静脈

上肢の皮静脈には，主要な2つの系統と両者をつなぐ静脈とがある。
- **橈側皮静脈**は，手首から前腕の前外側縁を上行し，肩の前面で大胸筋と三角筋の間から深部に入り，腋窩静脈に注ぐ。
- **尺側皮静脈**は，前腕と上腕の内側を上行し，上腕の下1/3の高さで深部に入り，上腕静脈に注ぐ。
- **肘正中皮静脈**は肘の前面で両者をつなぐ静脈で，採血・静脈内注射によく用いられる。

◆ 下肢の静脈

下肢の主要な皮静脈には，主要な2つの系統がある。
- **大伏在静脈**は，内果の前方から上行して膝の後内側部を通り，**鼠径靱帯**（◯ 306ページ）の内側下方で深部に入り，大腿静脈に注ぐ。
- **小伏在静脈**は，外果の後方から下腿後面を上行し，膝窩で膝窩静脈に注ぐ。

巻末資料

① 解剖学によく出る漢字と概念

◆ 器官の領域

頭	とう	器官の丸まった端，また筋の近位端。上腕骨頭，上腕二頭筋の長頭など。
頸	けい	器官の端近くで細くなった部位。大腿骨頸，子宮頸など。
体	たい	器官の本体。胃体，上腕骨体など。
底	てい	器官の太い方の端。胃底，肺底など。
尖	せん	器官の細くなった端。心尖，仙骨尖など。
門	もん	器官に進入する部位。肝門，噴門など。
葉	よう	肉眼的に明らかな器官の大きな区分。肺葉，前頭葉など。

◆ 器官内部の空間と壁

腔	くう	人体・器官の内部にある空間。頭蓋腔，胸腔など。
洞	どう	人体・器官の内部にある大きなくぼみ。腎洞，前頭洞など。
蓋	がい	空間の天井にかぶさる蓋(ふた)状の構造。頭蓋，腔円蓋など。
口	こう	腔への入り口。外尿道口，耳管咽頭口など。
孔	こう	表面から内部に向かう孔，ないし貫通する孔。外耳孔，椎孔など。
窩	か	器官の表面の一部がくぼんでいる部位。関節窩，卵円窩など。
嚢	のう	膜で包まれて袋のように広がった空間。網嚢，ボウマン嚢など。
包	ほう	空間や器官を包み込む構造。関節包，毛包など。
鞘	しょう	ひも状のものを包む構造。腱鞘，髄鞘など。

◆ 器官の一部の特徴

突起	とっき	突き出した構造。乳様突起，椎骨の横突起など。
切痕	せっこん	切れ込んだ構造。坐骨切痕，角切痕など。
弓	きゅう	アーチ状になった構造。大動脈弓，頬骨弓など。
索	さく	ひものように細長くじょうぶな構造。腱索，精索など。
梁	りょう	柱状または梁(はり)状の構造。骨梁，脳梁など。
稜	りょう	器官の表面の一部が山脈状に盛り上がっている部位。腸骨稜，大結節稜など。
棘	きょく	とがって突き出した構造。坐骨棘，肩甲棘など。
顆	か	器官の一部がこぶ状に盛り上がった部位。外側上顆，後頭顆など。
結節	けっせつ	器官の表面でこぶ状に盛り上がった部分。坐骨結節，上腕骨の大結節など。
粗面	そめん	器官の表面の一部が不均一に盛り上がった部分。脛骨粗面，三角筋粗面など。
垂	すい	器官の一部からぶら下がった構造。口蓋垂，耳垂など。
斑	はん	器官の一部で色や様子のかわった部分。青斑核，緻密斑など。

◆ 膜の種類と構造

漿膜	しょうまく	内臓の表面を包み漿液でおおわれた膜。腹膜，胸膜，心膜がある。
漿液	しょうえき	内臓から分泌されるさらさらした液。
粘膜	ねんまく	内臓の内腔面を包み粘液でおおわれた膜。口・鼻・胃・腸などにある。
粘液	ねんえき	内臓から分泌されるねばねばした液。唾液腺の粘液など。
腹膜	ふくまく	腹部内臓を包む漿膜。
胸膜	きょうまく	肺を包む漿膜。
心膜	しんまく	心臓を包む漿膜。
髄膜	ずいまく	中枢神経を包む膜。

滑膜	かつまく	関節包の内層や滑液包をつくる薄い膜。
滑液	かつえき	関節包や滑液包の内部にある液。
間膜	かんまく	器官をぶら下げるカーテン状の構造。腸間膜, 肺間膜など。
壁側	へきそく	体内の空間で外壁に向かう面。壁側胸膜など。
臓側	ぞうそく	体内の空間で内臓に向かう面。心膜の臓側葉など。

◆ 運動器の構造

腱	けん	筋の端を骨格につなぐじょうぶな結合組織。
靭帯	じんたい	関節周辺の補強などをする, 方向のそろったじょうぶな結合組織。
支帯	したい	靭帯の一種で, 腱をおおって安定化させるじょうぶな結合組織。
筋膜	きんまく	筋の表面などをおおう, 膜状のじょうぶな結合組織。
滑車	かっしゃ	腱や骨とこすれ合う円筒状ないし環状の構造。上腕骨滑車, 上斜筋の滑車など。

◆ その他の構造, 変形

前庭	ぜんてい	本体の手前の部分。口腔前庭, 腟前庭など。
ワナ	わな	U字形に折り返した構造。頸神経ワナなど。
実質	じっしつ	器官の特徴となる組織からなる部分。
間質	かんしつ	器官の組織の一部で, 実質の間にはさまる部分。
支質	ししつ	間質の一種で, 結合組織線維の発達したもの。
絨毛	じゅうもう	表面から突き出した多数の細かな指状の構造。腸絨毛, クモ膜絨毛など。
腺	せん	物質を分泌する器官。唾液腺, 胃腺など。
陰窩	いんか	表面から落ち込んだ多数の細かなへこみ。腸陰窩, 扁桃陰窩など。
下垂	かすい	正常な位置よりも垂(た)れ下がっていること。胃下垂など。
捻転	ねんてん	管などがねじれて正常なはたらきができないこと。腸捻転など。
狭窄	きょうさく	管や孔が細くなって正常なはたらきができないこと。大動脈弁狭窄など。

◆ 方向と運動

前頭	ぜんとう	垂直かつ横方向の面で, 身体を前後の部分に分ける。
水平	すいへい	地面に平行な面で, 身体を上下の部分に分ける。
矢状	しじょう	垂直かつ前後方向の面で, 身体を左右の部分に分ける。
正中	せいちゅう	身体の中央にあって右半と左半に二分する部位。矢状と同じ方向。
上／下	じょう／か	地面から遠いほう／地面に近いほう。上・下腹壁動脈など。
前／後	ぜん／こう	進行方向に向かうほう／進行方向とは逆のほう。前・後室間枝など。
浅／深	せん／しん	表面に近いほう／表面から遠いほう。浅・深腸骨回旋動脈など。
内／外	ない／がい	中心に近いほう／中心から遠いほう。内・外腸骨動脈など。
内側／外側	ないそく／がいそく	正中に近いほう／正中から遠いほう。内側・外側上顆など。
橈側／尺側	とうそく／しゃくそく	手と前腕で, 親指に近いほう／小指に近いほう。橈・尺側手根屈筋など。
掌側／背側	しょうそく／はいそく	手掌に向かうほう／手背に向かうほう。掌側・背側骨間筋など。
近位／遠位	きんい／えんい	のび出した構造で, 中心に近いほう／中心から遠いほう。近位・遠位尿細管など。
輸入／輸出	ゆにゅう／ゆしゅつ	出入りする脈管などで, 送り入れるほう／送り出すほう。輸入・輸出細動脈など。
輪状／縦走	りんじょう／じゅうそう	管の壁にある構造で, 円周方向にある／管の軸方向にある。
屈曲／伸展	くっきょく／しんてん	関節の運動で, 骨のなす角度を小さくする／骨のなす角度を大きくする。
内転／外転	ないてん／がいてん	関節の運動で, 骨を中心軸に近づける／骨を中心軸から遠ざける。
内旋／外旋	ないせん／がいせん	関節の運動で, 骨の軸を内側にまわす／骨の軸を外側にまわす。
回内／回外	かいない／かいがい	前腕の運動で, 親指を内側に向ける／親指を外側に向ける。
内反／外反	ないはん／がいはん	足の運動で, 足底を内側に向ける／足底を外側に向ける。
括約／散大	かつやく／さんだい	管や孔について, 小さく縮める／大きく広げる。
挙上／下制	きょじょう／かせい	上に向かって引き上げる／下に向かって引きおろす。

巻末資料

❷ 解剖生理学を学ぶための化学の基礎知識

◆ 数をあらわす接頭語

接頭語	意味
モノ(mono)	1
ジ(di)	2
トリ(tri)	3

◆ 倍数をあらわす接頭語

接頭語	読み方	意味
k	キロ(kilo)	10^3
d	デシ(deci)	10^{-1}
c	センチ(centi)	10^{-2}
m	ミリ(milli)	10^{-3}

接頭語	読み方	意味
μ	マイクロ(micro)	10^{-6}
n	ナノ(nano)	10^{-9}
p	ピコ(pico)	10^{-12}

◆ 原子と分子

物質を構成する基本的な成分を元素とよび、炭素はC、酸素はOというようにそれぞれ元素記号であらわされる。

物質を構成する粒子を原子とよび、その質量を原子量という。また、複数の原子からなる物質を分子とよび、その質量を分子量という。分子量は、構成する原子の原子量の総和である。

例　二酸化炭素(CO_2)の分子量は、炭素(C)の原子量(12)に、酸素(O)の原子量(16)を2つ足したものであり、$12+16×2=44$ となる。

元素	元素記号	およその原子量
水素	H	1
炭素	C	12
窒素	N	14
酸素	O	16
ナトリウム	Na	23
マグネシウム	Mg	24
リン	P	31
硫黄	S	32
塩素	Cl	35.5
カリウム	K	39
カルシウム	Ca	40
鉄	Fe	56

◆ イオンと電解質

原子が電気を帯びたものをイオンとよび、正(＋)の電気を帯びたもの(電荷をもつという)を陽イオン、負(－)の電荷をもつものを陰イオンとよぶ。たとえばカルシウムイオン(Ca^{2+})は、正の電荷をもつ陽イオンである。また、そのイオンがもっている電荷の数を価数といい、Ca^{2+}の「2」が価数を示している。1価のものは「＋」または「－」のみで示される。

水にとかすと陽イオンと陰イオンに分かれることを電離といい、電離する物質を電解質とよぶ。

陽イオン	イオン式
水素イオン(プロトン)	H^+
ナトリウムイオン	Na^+
カリウムイオン	K^+
アンモニウムイオン	NH_4^+
カルシウムイオン	Ca^{2+}
マグネシウムイオン	Mg^{2+}

陰イオン	イオン式
塩化物イオン(塩素イオン)	Cl^-
水酸化物イオン(水酸イオン)	OH^-
炭酸水素イオン(重炭酸イオン)	HCO_3^-
炭酸イオン	CO_3^{2-}
リン酸水素イオン	HPO_4^{2-}
硫酸イオン	SO_4^{2-}

◆ mol と Eq

あるものを12個集めたものは，1ダースとよばれる。これと同じように，原子・分子・イオンなどを $6.02×10^{23}$ 個集めたものを 1 mol（モル）とよぶ。生体中の物質は量が少ないものが多いため，mmol（ミリモル）や μmol（マイクロモル）であらわすことも多い。

溶液中にとけている物質の量を 1 L あたり何 mol かであらわすことがあり，モル濃度とよばれる。モル濃度は mol/L であらわされ，慣習的に「M」であらわすこともある。

mol にそのイオンの価数をかけたものが Eq（イクイバレント）であり，当量とよばれる。

例　2 mol の K^+：2〔mol〕×1〔価数〕＝ 2〔Eq〕
　　5 mol の HPO_4^{2-}：5〔mol〕×2〔価数〕＝ 10〔Eq〕

◆ 酸・塩基・塩

- **酸**：水にとけて水素イオン（H^+）を生じる物質
  塩酸（HCl）⟶ 水素イオン（H^+）＋ 塩化物イオン（Cl^-）
- **塩基**：水にとけて水酸化物イオン（OH^-）を生じる物質
  アンモニア（NH_3）＋ 水（H_2O）⟶ アンモニウムイオン（NH_4^+）＋ 水酸化物イオン（OH^-）
- **塩（えん）**：酸と塩基の中和反応の結果，水とともに生じた物質
  塩酸（HCl：酸）＋ 水酸化ナトリウム（NaOH：塩基）⟶ 塩化ナトリウム（NaCl：塩）＋ 水（H_2O）

◆ pH（水素イオン指数）

純粋な水（H_2O）においても，ごくわずか H^+ と OH^- に電離している。このとき，H^+ と OH^- のモル濃度はそれぞれ 10^{-7} mol/L で等しい（中性）。ここに酸をとかすと H^+ が増加し，OH^- が減少する（酸性）。逆に塩基をとかすと OH^- が増加し，H^+ が減少する（アルカリ性，塩基性）。

pH は酸性・アルカリ性の程度を示す指標で，水素イオン濃度［H^+］を次の式であらわしたときの「n」として求められる。

$$[H^+]=10^{-n}\,[mol/L]$$

◆ 酸化と還元

- **酸化**：物質が酸素と結合する，または水素を失う。
- **還元**：物質が酸素を失う，または水素と結合する。

◆ 拡散と浸透，濾過

- **拡散**：濃度の異なる溶液を，溶質（図中のスクロース）・溶媒（水）の移動の障害にならない膜（全透膜）で隔てて接したとする。すると，溶質・溶媒ともに濃度の高いほうから低いほうに移動し，最終的にはまざり合って濃度は均一になる。この現象を拡散という。
- **浸透**：同様に，2つの溶液をある一定以上の大きさの物質を通さない半透膜で隔てたとする。図の半透膜は，水を通すがスクロースを通さないため，2つの溶液の濃度差が小さくなるように，濃度の

薄い溶液から濃い溶液へと水が移動する。この現象を浸透という。
- **浸透圧**：浸透が生じると，濃度の濃い溶液の水面が高くなる。上昇した液面に圧力をかけ，等しい高さになったとき，この圧力を浸透圧とよび，mmHgやcmH$_2$Oなどであらわす。ほかに溶液中の分子やイオンの粒子数から浸透圧をあらわすこともあり，Osmが用いられる（下記参照）。
- **濾過**：半透膜で区切られた濃度の異なる溶液の一方を加圧すると，水はその圧力に従って半透膜を通過し，他方側に移動する。この水の流れに伴って溶質が移動する現象を濾過という。

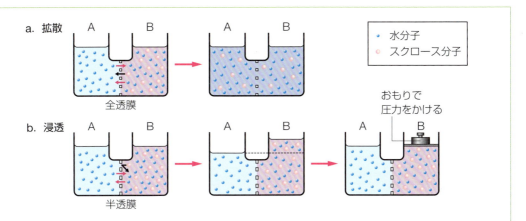

a：Aの管に水を入れ，Bの管にスクロース溶液を入れ，両者を全透膜で分ける。水分子とスクロース分子は自由に移動できるためまざり合い，両方の濃度は等しくなる。
b：半透膜で分け，Aに水，Bにスクロース溶液を入れた場合は，水分子は自由に移動できるが，スクロース分子はBからAには移動できない。そのためA・Bの体積に差が生じる。Bにおもりを加え，侵入した水を排出して左右が平衡になったときの圧が浸透圧である。

圧力の単位	意味
mmHg（ミリメートルエイチジー，またはミリメートル水銀柱）	水銀（Hg）を何mmの高さまで持ち上げる力であるかを意味する。
cmH$_2$O（センチメートルエイチツーオー，またはセンチメートル水柱）	水を何cmの高さまで持ち上げる力であるかを意味する。低圧のときに用いられる。
Torr（トル）	TorrはmmHgを単位としたトリチェリ博士の名前に由来する。1 mmHg＝1 Torr

◆ Osmと血漿の浸透圧

溶液の浸透圧は，その溶液中にどのくらいの数の分子やイオンなどの粒子がとけているかによって決定される。この粒子数をあらわす単位がOsm（オスモル）である。

グルコースなどは溶液中で分解しないため，1 molが1 Osmとなる。しかし，塩化ナトリウム（NaCl）はNa$^+$とCl$^-$に電離するため，完全に解離したときには，1 molのNaClから2 Osmが生じることになる。このように，電解質は電離して2つ以上の粒子に分かれるため，Osmはmolより大きくなる。molと同様に，OsmもmOsm（ミリオスモル）としてあらわされることが多い。

血漿の浸透圧もOsmであらわされ，基準値は275〜295 mOsm/kgH$_2$Oである。mOsm/Lも用いられるが，水と異なり，血漿1 L＝0.93 kgH$_2$Oであるため（水は1 L＝1 kg），mOsm/kgH$_2$Oを用いるほうが正確である。

血漿中にとけている高分子（アルブミンなどのタンパク質）によって生じる浸透圧は膠質浸透圧とよばれ，イオンなどによる浸透圧とは区別されるので注意が必要である。

糖の化学構造

単糖類

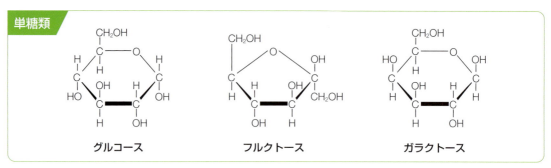

二糖類

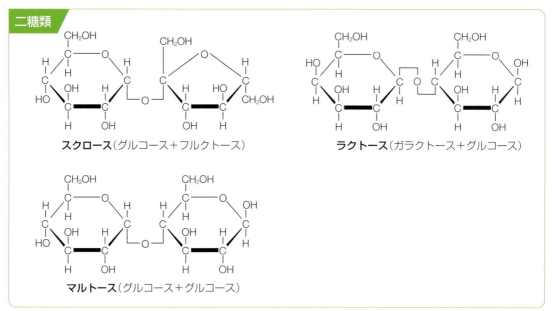

多糖類

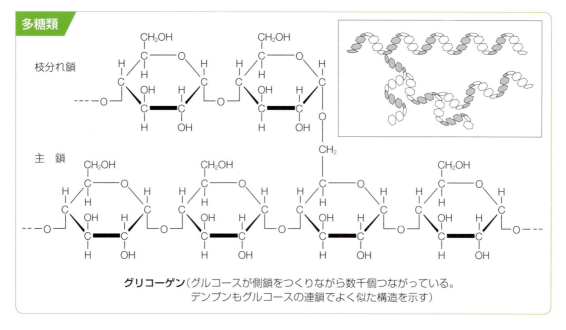

◆ アミノ酸の化学構造と略語

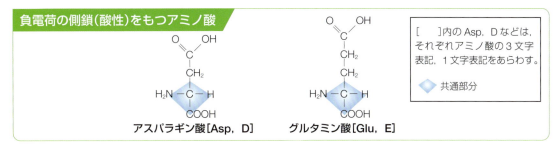

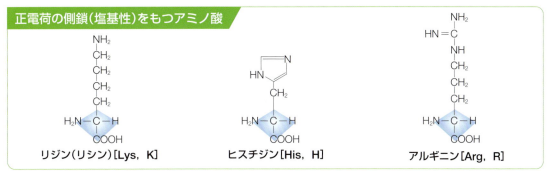

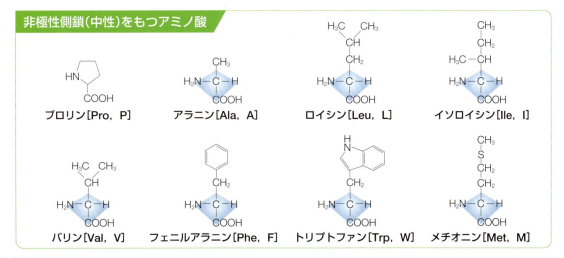

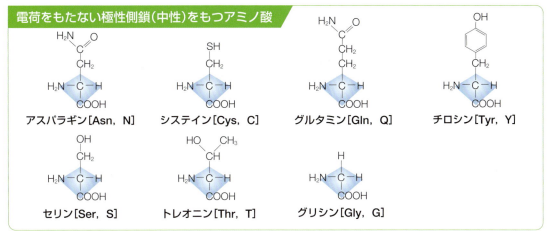

索引

※ f：図版中を示す。
※ t：表中を示す。

記号・数字・欧文

％肺活量　115
1,25-$(OH)_2D_3$　225
Ⅰ音　175
1回換気量　**113**, 114f
1回心拍出量　167
Ⅰ型アレルギー　446
Ⅰ型肺胞上皮細胞　110
1色覚　404
1秒率　115
1秒量　**115**, 116f
Ⅱ音　175
Ⅱ型アレルギー　447
Ⅱ型肺胞上皮細胞　110
2色覚　404
3-3-9度方式　429
Ⅲ音　175
Ⅲ型アレルギー　447
Ⅳ音　175
Ⅳ型アレルギー　447
αアドレナリン受容体　248t
α-アミラーゼ　**62**, 78
α運動神経線維　391f
α運動ニューロン　391
α細胞　**263**, 264f
α作用　199
α波　**421**, 421f
βアドレナリン受容体　248t
β細胞　**263**, 264f
β作用　199
β波　**421**, 421f
γ-アミノ酪酸　**365**, 366t
γ運動ニューロン　391f
γグロブリン　141, **443**
δ細胞　**263**, 264f
δ波　**421**, 421f
Θ波　**421**, 421f
ABO式血液型　**145**, 145f
ACE　38, **222**
ACTH　256, **258**
　── 放出ホルモン　256
ADH　220, **258**, 427
ADP　32
AMP　32

ANP　221, **272**
ATP　31
　── の化学構造　33f
　── の産生　32
Aδ線維　418
A細胞　**263**, 264f
A帯　**339**, 340f, 341f
BNP　273
BP　168
BUN　231
B細胞, リンパ球の　128f, **443**
B細胞, 膵島の　**263**, 264f
Bリンパ芽球　128f
CCK　71, **76**
CICR　349
cmH_2O　515
CM関節　**309**, 319
CO（心拍出量）　168
COPD　125
CRH　256
CRP　142
CSF　381
CVP　171
C線維　418
C反応性タンパク質　142
DHEA　269
DIP関節　**309**, 319f, 320
DM　265
DNA　28, **33**
　── 合成期　43f
　── 合成準備期　**42**, 43f
　── の二重らせん構造　34f
D細胞　256, **263**, 264f
ECG　161
EEG　421
EPSP　365
Eq　514
ES細胞　44
FSH　257, **258**, 474
G_0期　**42**, 43f
G_1期　**42**, 43f
G_2期　**42**, 43f
GABA　365
GCS　429
GERD　70

GFR　224
GH　256, **257**
　── 放出ホルモン　256
　── 抑制ホルモン　256
GHRH　256
GIH　256
GIP　71
GLUT2　37
GnRH　**256**, 492
GRH　256
G細胞　70
H^+　234
H^+-K^+交換ポンプ　37
Hb　129
HbA　90
HbF　90
hCG　**273**, 483
HCO_3^-　118
HLA抗原　147
HR　167
Ht値　129
Ig　141, **444**
IgA　444
IgE　444
IgG　444
IgM　444
IPSP　365
iPS細胞　44
IP関節　309
I帯　**339**, 340f, 341f
JGA　222
LH　257, **258**, 474
　── 放出ホルモン　256
LHRH　256
LTD　366
LTP　366
METs　352
MFB　428
MHC抗原　147
mmHg　515
mol　514
MP関節　**309**, 319f, 320
mRNA　33
MSH　257
M期　**42**, 43f

M 線 **340**, 340*f*, 341*f*
NK 細胞 441
NO 199
NSAIDs 418
Osm 515
P$_{O_2}$ 116
P$_{aCO_2}$ 116
PAH 225
P$_{aO_2}$ 116
P$_{CO_2}$ 116
PEA 167
PGE$_2$ **418**, 454
PGI$_2$ 199
pH **234**, 514
PIP 関節 **309**, 319*f*, 320
PQ 間隔 164*t*
PRL 256, **258**
PR 間隔 164*t*
PTH 259, **263**
pulselee VT 167
P 波 **163**, 164*t*
QRS 群 **163**, 164*t*
QT 164*t*
RBC 127
REM 422
Rh 式血液型 146
——の不適合妊娠 147*f*
RNA 28, **33**
RPF 224
rRNA 33
SaO$_2$ 130
SDN 427
SRY 484
ST 部分 **164**, 164*t*
SV 167
S 期 **42**, 43*f*
S 状結腸 **81**, 81*f*
S 状静脈洞 **183**, 185*f*
T$_3$ 259
T$_4$ 259
Tm 218
Torr 515
t-PA 144
TRH 256
tRNA 34
TSH 256, **258**
——放出ホルモン 256
TXA$_2$ 199
T 管 **341**, 341*f*, 343*f*
T 細胞 128*f*, **443**
T 波 **164**, 164*t*
T リンパ芽球 128*f*
U 波 163

VF 166
WBC 136
X 染色体 **43**, 479
X 連鎖性遺伝 **143**, **144**
Y 染色体 **43**, 479
Z 帯 **340**, 340*f*, 341*f*
Z 膜 340

あ

アイオドプシン 399
アイントーベンの三角形 165
アウエルバッハ神経叢 67*f*, **68**
青錐体 399
赤錐体 399
アキレス腱 295*f*, 327*f*, **328**, 503, 503*f*, 507
アクチン 30, **340**, 341*f*
——フィラメント **340**, 341*f*
足 **12**, 12*f*, 284*f*, 285*f*
——の関節 331
——の筋 328
——の骨 **324**, 324*f*
足首の運動 **331**, 332*f*
足細胞 **214**, 214*f*
アジソン病 269
アシドーシス 235
アストロサイト **360**, 360*f*
アスパラギン 517
——酸 517
アセチルコリン **247**, 366*t*
——受容体 248
——の作用 249*t*
頭 **11**, 511
圧覚 393
圧受容器 **197**, 244
アデニン 33
アデノシン 157, **423**
——一リン酸 32
——二リン酸 32
——三リン酸 31
後効果 393
後産 483
——期 488
アドレナリン 198, 199, 252*f*, 275, 349, **365**
——作動性線維 247
アナフィラキシーショック 447
アナボリック作用 347
アナボリックステロイド 347
アブミ骨 408*f*, **409**
——筋 409
アポクリン汗腺 48, **437**
アポクリン分泌 48

アミノ基 252*f*
アミノ酸 **31**, 517
——誘導体ホルモン 251
アミノペプチダーゼ 79
アミロイドβ 431
アラキドン酸 418
アラニン 517
アランチウス管 **488**, 489*f*
アルカリ血症 235
アルカリ性 **234**, 514
アルカローシス 235
アルギニン 517
アルツハイマー型認知症 431
アルドステロン 199, 221, **222**, 252*f*, 269, 427
アルブミン 140
アレルギー 446
アレルゲン 446
鞍関節 **290**, 291*f*
アンギオテンシノゲン 222
アンギオテンシン 222
——Ⅰ 222
——Ⅱ 199, **222**, 427
——変換酵素 38, **222**
暗順応 406
アンチトロンビン 142
アンドレアス=ヴェサリウス 3
アンドロゲン 271

い

胃 26, **67**, 67*f*
——間膜 92
——小窩 67*f*, **68**
——静脈 187*f*
——腺 68
——相 70
——体 **67**, 67*f*
——底 67*f*, **68**
——底腺 68
——動脈 179*f*, **182***f*
——の運動 68
——の機能 68
——の蠕動運動 69*f*
——壁 67*f*, **68**
胃液 69
——の分泌調節 **70**, 71*f*
イオドプシン 399
イオン **40**, 513
——チャネル型受容体 **38**, 366*t*
異化 30
医学 6
閾値 41
イクイバレント 514

索引 521

移行上皮 **46**, 46*f*
胃酸 69
意識混濁 429
意識障害 429
意識清明 429
意識レベル 429
異常3色覚 404
胃食道逆流症 70
胃切除後症候群 68
イソロイシン 517
胃大腸反射 83
痛み 415
── の分類 416
一次運動野 **378**, 378*f*
一次感覚野 379
一次記憶 424
一次極体 476
一次血栓 139
一次視覚野 **378**, 378*f*
一次絨毛 482
一次性徴 271
一次精母細胞 463*f*, **465**
一次体性感覚野 **378**, 378*f*
一次脱水 **231**, 231*f*
一次聴覚野 **378**, 378*f*
一次痛 418
一次卵胞 **467**, 468*f*
一酸化窒素 199
遺伝子 4, **43**
遺伝情報 43
イヌリン 223
意味記憶 425
イムノグロブリン 141
胃抑制ペプチド 71
医療 6
陰イオン **40**, 513
陰窩 512
陰核 466*f*, 470*f*, **471**
── 亀頭 470*f*
── 小帯 470*f*
── 包皮 470*f*
陰茎 462*f*, **464**
── 海綿体 461*f*, 462*f*, **464**
── 脚 461*f*
飲水行動 426
飲水中枢 427
インスリン **264**, 275
陰性変時作用 197
陰性変伝導作用 197
インターロイキン 442
咽頭 58*f*, **64**, 64*f*, 99
── 喉頭部 **64**, 64*f*, 100
── 口部 **64**, 64*f*, 100

── 枝 390
── 相 **65**, 65*f*
── 鼻部 **64**, 64*f*, 99
── 扁桃 **64**, 64*f*, 100
陰嚢 462*f*, **465**
インパルス 42
陰部神経 **386**, 386*f*
陰部大腿神経 386*f*

う

右胃静脈 187*f*
右胃動脈 182*f*
ウィリアム=ハーヴィー 3
ウィリス動脈輪 **180**, 181*f*
ウイルスの中和 444
ウィンスロー孔 93
ウェーバーの法則 393
ウェルニッケ中枢 379
ウェルニッケ野 378*f*, **379**, 430
ウォルフ管 **484**, 485*f*
右下葉気管支 103*f*
右冠状動脈 154*f*, **156**, 156*f*
右結腸曲 81
烏口突起 302*f*, **306**, 307*f*
烏口腕筋 **294**, 311*f*
右鎖骨下動脈 179*f*
右-左短絡 126
齲歯 61
右主気管支 103*f*
右上葉気管支 103*f*
右心室 153*f*, **154**
右心不全 204
右心房 153*f*, **154**
右総頸動脈 179*f*
うちくるぶし 324
右中葉気管支 103*f*
うつ熱 456
うつ病 431
項 **11**, 11*f*, 25
産声 488
右房室弁 **153**, 153*f*, 154*f*
うま味 414
右葉, 肝臓の **85**, 86*f*
ウラシル 33
右リンパ本幹 207*f*
ウロキナーゼ 145
ウロクロム 228
ウロビリノゲン 133
運動 351
── 時のエネルギー供給 **353**, 353*f*
── 単位 296
── の強度 352

運動神経 23
── 線維 23*t*, **368**
運動性言語野 378*f*, **379**, 430
運動性失語症 **379**, **430**
運動調節の中枢 373
運動ニューロン 23, 23*t*, 368, **391**
運動野 378
── の体部位局在 379*f*

え

永久歯 60
栄養 18
栄養膜 **479**, 480*f*
会陰 11, 11*f*, 27, 470*f*, **471**
腋窩 **11**, 11*f*
── 温 453
── 静脈 184*f*, **185**, 510
── 神経 **310**, 384*f*, 384*t*
── 線 15
── 動脈 179*f*, **180**, 508*f*, 509
── リンパ節 **448**, 448*f*
液性免疫 443
液体成分,血液の 126
エクリン汗腺 **48**, **437**
エストラジオール 251*f*, **271**, 474
エストリオール 271
エストロゲン **271**, 279, 467, 473*f*, 474
エストロン 271
エナメル質 **60**, 60*f*
エネルギー代謝 351
エピソード記憶 425
エブネル腺 **413**, 414*f*
エラー破綻説 495
エラスチン 49
エリスロポエチン **132**, **225**
塩 514
遠位 512
── 曲尿細管 213*f*, **217**
── 指節間関節 319*f*, **320**
── 直尿細管 213*f*, **217**
── 尿細管 217
円回内筋 **312**, 313*f*
塩基 514
──,DNAの 33
── 配列 33
塩基性 **234**, 514
遠近調節のしくみ 405*f*
嚥下 58, **65**, 65*f*
── 中枢 373
エンケファリン 420
遠視 405
炎症 441

遠心線維　23t, **359**
遠心伝導路　392
延髄　368, **371**, 372f
　──根　390
塩素チャネル　37
円柱上皮細胞　46
エンドセリン　199
エンドルフィン　420
塩味　414

お

横隔神経　384
横隔膜　25, **304**, 304f
横行結腸　**81**, 81f
横行結腸間膜　81f, **92f**
横行小管　341
横静脈洞　185f
黄色骨髄　286f, **287**
横足弓　324f, **325**
横足根関節　331
黄体　**468**, 468f, **474**
　──化ホルモン　**258**, 474
　──期　473f, **474**
　──ホルモン　467
黄体形成ホルモン　257, **258**, 473f, 474
　──放出ホルモン　256
黄疸　90, **133**
嘔吐中枢　373
横突起　**297**, 298f
横突孔　298f
横突肋骨窩　298f
黄斑　399
横紋筋　48
オーバーシュート　**41**, 362f
オールアウト　353
悪寒　455
オキシトシン　**259**, 279
オキシヘモグロビン　**130**, 130f
オステオイド　287
オスモル　515
オッディ括約筋　87
オトガイ　502f
　──筋　337f
　──結節　336f
　──孔　333f, **336f**
　──舌筋　338f
　──舌骨筋　338f, **339**
オピオイド　420
オプソニン　**445**, 445f
親知らず　61
オリーブ　371
　──核　372

オリゴデンドロサイト　**360**, 360f
オレキシン　423
温受容器　454
温点　395
温度感覚　393
温度受容器　**394**, 454
温熱性発汗　452

か

窩　511
顆　511
回　376
蓋　511
外因性発熱物質　454
外陰部
　──, 女性の　**470**, 470f
　──, 男性の　464
外果　11f, 323f, **324**, 503f, 505
回外　**293**, 512
　──, 前腕の　318f
　──筋　**312**, 313f
外眼筋　**402**, 403f
外頸静脈　**183**, 184f, 185f, 508f
外頸動脈　**179**, **180**, **181f**
開口期　488
外後頭隆起　335f, **502**
開口分泌　**47**, 47f
外肛門括約筋　**82**, 82f, **84**, 471f
外呼吸　97f, **108**
介在ニューロン　371
介在板　348
外耳　408
　──孔　333f, **408**, 408f
　──道　**408**, 408f
外子宮口　467f, **469**
概日リズム　272, **424**
外性器　470
外舌筋　63
外旋　**293**, 512
　──筋群　326
回旋筋　301
　──群　310
　──腱板　**310**, 315
回旋枝　154f, **156**, 156f
外側　512
　──口　**380**, 381f
　──溝　375f, 376f, **377**
　──広筋　294f, **326**, 327f
　──膝状体　**375**, **396**, 396f
　──縦足弓　324f
　──脊髄視床路　395f, **396**
　──足底動脈　183
　──側副靱帯　329f

　──大腿皮神経　386f
　──直筋　397f, **402**, 403f
　──半月　329f
　──皮質脊髄路　**392**, 392f
　──翼突筋　63, **337**
外側顆
　──, 大腿骨の　**322**, 323f
　──, 脛骨の　503f
外側上顆
　──, 上腕骨の　**308**, 308f, 503f, 504
　──, 大腿骨の　323f, 503f
回腸　**72**, 81f
　──における消化　76
外腸骨静脈　184f, **186**
外腸骨動脈　179f, **182**
外転　**293**, 512
　──神経　**388f**, **389**, 403
解糖系　**32**, 33f, 354
外套細胞　360
回内　**293**, 512
　──, 前腕の　318f
外尿道括約筋　226f, **227**
外尿道口　226f
　──, 女性の　**470**, **471**, 471f
　──, 男性の　464
海馬　**376**, 377f
　──傍回　377f
外胚葉　**479**, 481t
灰白交通枝　**244**, 245f
灰白質　**368**, **369**, 369f
灰白隆起　375
外反　512
外鼻　**98**, 502
　──孔　**98**, 99f
外皮系　**21**, 21f
外部環境　16
外腹斜筋　**294f**, 295f, 302f, 305f, **306**, 503f, 506
外分泌　249
　──腺　47f, **249**
　──部, 膵臓の　**263**, 264f
外閉鎖筋　326
解剖学　2
解剖学的真結合線　323f
解剖頸　**308**, 308f
外膜, 眼球の　398
外膜, 動脈の　175
蓋膜　**410**, 410f
海綿質　**286**, 286f
海綿静脈洞　185f
海綿体　464
　──部　226

回盲部　72
回盲弁　72, 73*f*
外有毛細胞　410, 410*f*
潰瘍　436
外リンパ　409
外肋間筋　303, 303*f*
カイロミクロン　79, 79*f*
カウパー腺　464
顔　11, 24
　──の感覚の分布　390*f*
下顎　58
　──窩　333*f*
　──角　336*f*
　──管　336
　──孔　336*f*
　──後静脈　185*f*
　──骨　332, 333*f*, 336, 336*f*, 502, 502*f*, 503*f*
　──枝　336, 336*f*
　──神経　337, 389, 389*f*
　──体　336, 336*f*
化学受容器　121
化学走化性因子　477
化学走性　137
下下垂体動脈　254*f*
踵　11*f*, 505
顆間窩　323
下眼窩裂　335
過換気症候群　235
下関節突起　298*f*
顆間隆起　323*f*
下気道　98, 98*f*
下丘　372
蝸牛　408*f*, 409*f*, 410, 410*f*
　──管　409*f*, 410, 410*f*
　──軸　410
　──神経　390, 409*f*, 410*f*
　──窓　409, 409*f*, 410
架橋　141
核, 細胞の　28, 28*f*
核, 中枢神経系の　368
角化　435
　──細胞　435*f*
角回　376*f*
顎下神経節　242*f*, 246, 247*f*
顎下腺　62, 62*f*
顎下リンパ節　448, 448*f*
顎関節　336
拡散　202, 514
　──係数　116
　──障害　125
核酸　33
角質層　435, 435*f*

核小体　28
核心温　452, 452*f*
顎舌骨筋　338*f*, 339
角切痕　67*f*, 68
拡張期血圧　188
核の左方移動　138
顎二腹筋　338*f*, 339
角膜　397*f*, 398, 398*f*
　──上皮　398*f*
　──反射　398, 407
核膜　28, 28*f*
　──孔　28, 28*f*
隔膜部　226
下顎神経節　246
下行脚　217, 217*t*
下後鋸筋　301
下行結腸　81, 81*f*
下行伝導路　371, 392
下喉頭神経　390
下肢　12, 12*f*, 13, 284*f*, 285*f*
　──の運動　329
　──の筋　320, 327*f*
　──の骨格　283, 320, 321*f*, 323*f*
　──の静脈　185
下矢状静脈洞　185*f*
下肢帯　13, 284, 284*f*, 285*f*, 320
　──の筋群　325
下斜筋　403, 403*f*
加重　344, 344*f*
顆状関節　291
下唇　58*f*
　──下制筋　337*f*
　──小帯　58*f*
下伸筋支帯　327*f*
下心臓神経　246
下垂　512
下垂体　254, 254*f*, 372*f*, 374
　──から分泌されるホルモン　257*f*
　──静脈洞　185*f*
　──門脈系　152, 254, 254*f*
下垂体後葉　254, 254*f*
　──ホルモン　258
下垂体前葉　254, 254*f*
　──ホルモン　256
価数　514
カスケード反応　142
ガス交換　108
　──, 肺における　116
　──, 肺胞における　116*f*
ガス組成　116
ガストリン　70
ガス分圧　117*t*

　──の変化, 肺胞での　117*f*
下制　512
カゼイン　486
下前頭溝　376*f*
下双子筋　326
下側頭溝　376*f*
肩　11
　──の筋　311*f*
下腿　11*f*, 12, 12*f*, 284*f*, 285*f*
　──三頭筋　327*f*, 328, 503*f*, 507
　──の筋　327
　──の骨　324
下大静脈　153*f*, 183, 184*f*
下腸間膜
　──神経節　242*f*
　──動脈　179*f*, 181, 182*f*
　──リンパ節　448, 448*f*
下直筋　402, 403*f*
滑液　54, 512
　──鞘　293
　──包　293
割球　479
滑車　293, 512
　──神経　388, 388*f*, 403
　──切痕　308*f*
褐色細胞腫　280
褐色脂肪組織　451
活性化T細胞　128*f*
活性型ビタミンD　225, 276
ガッセル神経節　389
滑走説　344
活動張力　373
活動電位　41, 361, 362*f*
滑膜　54, 289, 290*f*, 512
滑面小胞体　28*f*, 29
括約　512
カテコールアミン　199, 247
　──受容体　247, 248*t*
下殿動脈　182
果糖　30
下橈尺関節　308, 319*f*
下頭頂小葉　376*f*
下鼻甲介　99*f*, 335, 335*f*
下鼻道　99*f*, 335
下腹神経　227, 228*f*
下腹部　26, 27*f*
かゆ状液　69
ガラクトース　30, 516
カリウムチャネル　37, 41
顆粒球　137
顆粒細胞　222
顆粒層, 小脳皮質の　374
顆粒層, 表皮の　435, 435*f*

顆粒層黄体細胞　468
顆粒膜　468f, **474**
下涙小管　402f
下涙点　402f
カルシウム　276
　　── 代謝の調節　**276**, 277f
　　── チャネル　**37**, 364
　　── ポンプ　37
　　── 誘発性カルシウム遊離　349
カルシトニン　259, **262**, 276
カルモジュリン　350
加齢　494
ガレノス　3
仮肋　300f
下肋骨窩　298f
下肋部　**26**, 27f
眼圧　401
肝円索　86f, **488**
感音難聴　412
眼窩　25, 333f, **335**, 502, 502f
　　── 回　376f
　　── 下孔　333f
感覚器系　**21**, 21f
感覚機能　393
感覚消失　371
眼角静脈　185f
感覚神経　23
　　── 線維　23t, 368
感覚性言語野　378f, **379**, 430
感覚性失語症　379, **430**
感覚点　395
感覚ニューロン　23, 23t, 368
感覚野の体部位局在　379f
肝鎌状間膜　86f, **93**
肝管　86f, **87**
肝冠状間膜　86f
間期　42
換気　110
　　── 障害　**124**, 124f
換気血流比不均等　119, **125**
　　── の調節　120f
眼球　**397**, 397f
　　── 運動の調節　406
　　── 血管膜　398
　　── 結膜　397f, 398f, **401**, 402f
　　── 線維膜　398
　　── 内膜　399
　　── 付属器　401
眼筋　402
還元　514
眼瞼　**401**, 402f
　　── 結膜　**401**, 402f
還元ヘモグロビン　130

肝硬変　203
寛骨　284f, 285f, **320**, 321f, 322f, 503f
　　── 臼　322f, **329**
肝細胞　87f
幹細胞　44
間質　512
　　── 細胞　**271**, 463
間質液　**39**, 39f
肝十二指腸間膜　86
杆状核　128f
　　── 好中球　138
冠状血管系　156
冠状循環　156
冠状静脈洞　**156**, 156f
　　── 開口部　153f
冠状動脈　**156**, 180
冠状縫合　**332**, 333f, 334f
肝静脈　85, 183, 184f, **186**
肝小葉　**86**, 87f
眼神経　**389**, 389f
幹神経節　**244**, 245f
関節　**289**, 290f
　　── 円板　290
　　── 窩　290
　　── 腔　**289**, 290f
　　── 唇　290
　　── 頭　290
　　── 内靱帯　290
　　── 軟骨　286f, **289**, 290f
　　── の可動性　290
　　── の形状　290
　　── の老化現象　498
　　── 半月　**290**, 330
　　── 包　**289**, 290f
関節炎　292
関節強直　292
間接対光反射　407
関節突起　
　　── , 下顎骨の　297
　　── , 椎骨の　**336**, 336f
間接ビリルビン　133
汗腺　437
感染性心内膜炎　155
肝臓　26, **85**, 86f
　　── の機能　88
杆体　**399**, 400f
環椎　299
肝動脈　86
眼動脈　180
眼内圧　401
間脳　368, 372f, **374**
がん　42

　　── の転移　449
　　── のリンパ行性転移　208
眼房　400
　　── 水　400
　　── 部の構造　398f
間膜　512
甘味　414
顔面　502
　　── 筋　337
　　── 静脈　184f, **185**f, 508f
　　── 神経　252f, 246, 247f, 338, 388f, **389**
　　── 神経管　389
　　── 頭蓋　332, **334**
　　── 動脈　179f, **507**, 508f
肝門　**85**, 86f
間葉　481t
　　── 細胞　480
眼輪筋　294f, **338**, 337f, 402f
関連痛　419

き

キーセルバッハ部位　98f, **99**
記憶　424
気管　**102**, 103f
　　── 筋　103f
　　── 軟骨　103f
器官　2, 8, **10**
器官系　10
気管支　**102**, 103f
　　── 枝　390
　　── 縦隔リンパ本幹　207f
　　── 静脈　104
　　── 動脈　**104**, 180
気胸　106
起始　292
　　── 腱　296f
基準面　**14**, 15f
奇静脈　**183**, 184f
基靱帯　470
基節骨　**309**, 309f, 324f
基礎体温　473f
基礎代謝　351
拮抗筋　292
拮抗支配　243
基底層
　　── , 子宮内膜の　469
　　── , 表皮の　**435**, 435f, 469
基底脱落膜　**482**, 483f
基底板　**410**, 410f
亀頭　464
気道　97
　　── 粘膜　109f

――の機能　108
稀突起グリア細胞　360
キヌタ骨　408*f*, **409**
機能局在　376, **378**
機能層　469
機能的残気量　114*f*, **115**
基本味　414
キモトリプシン　**76**, 78
ギャップ結合　348*f*
弓　511
　――状静脈　213*f*
　――状動脈　**214**, 231*f*
球海綿体筋　464
嗅覚　393
　――器　414
　――野　379
球関節　**290**, 291*f*
嗅球　377*f*, 388, 388*f*, **415**, 415*f*
球形嚢　409*f*, **410**
嗅細胞　**414**, 415*f*
嗅索　**415**, 415*f*
嗅三角　415
球状帯　**266**, 266*f*
嗅上皮　415*f*
嗅小毛　415*f*
嗅神経　**388**, 415
求心線維　23*t*, **359**
求心伝導路　395
急性心不全　205
急性痛　418
嗅腺　415
吸息　110
　――相　110
急速眼球運動　422
嗅粘膜　414
嗅脳　376
橋　368, **371**, 372*f*
　――動脈　181*f*
胸横筋　303
胸郭　12*f*, 13, 284*f*, 285*f*, **300**, 300*f*, 503
胸管　**206**, 448*f*
頬筋　337*f*, **338**
胸腔　**13**, 14*f*, 25
凝固時間　144
胸骨　284*f*, 285*f*, **300**, 503, 503*f*
　――角　**300**, 300*f*, 503, 503*f*
　――甲状筋　338*f*, **339**
　――舌骨筋　294*f*, 338*f*, **339**
　――線　**14**, 15*f*
　――体　**300**, 300*f*
　――端　307*f*
　――柄　**300**, 300*f*, 502*f*

頬骨　**332**, 333*f*
　――弓　333*f*, **502**, 502*f*
胸鎖関節　**306**, 307*f*
狭窄　512
　――部，食道の　**67**
胸鎖乳突筋　294*f*, 295*f*, 302*f*, **338**, 338*f*, 502*f*, 506
胸式呼吸　112
凝集反応　145
強縮　**344**, 344*f*
胸神経　**23**, 383, 383*f*
強靱結合組織　50
狭心症　157
胸水　106
胸髄　384
胸腺　449
胸大動脈　153*f*, 178, 179*f*, **180**
胸椎　284*f*, 285*f*, 297*f*, 298*f*, **299**
胸部　**12**, 13*t*
　――導出　**162**, 162*f*
　――の器官　25
　――の筋　**302**
　――の内臓　**26**
胸腹式呼吸　112
胸腹壁静脈　184*f*
胸膜　25, **106**, 107*f*, 511
強膜　397*f*, **398**, 400*f*
　――静脈洞　397*f*, **398**, 398*f*
胸膜腔　106
　――内圧　110
協力筋　292
巨核芽球　128*f*
巨核球　128*f*, **139**
棘　511
　――下窩　307*f*
　――下筋　295*f*, 301*f*, **310**, 311*f*
　――筋　301
　――孔　333*f*
　――上窩　307*f*
　――上筋　301*f*, **310**, 311*f*
　――突起　**297**, 298*f*, 503*f*, 504
局所電流　361
曲精細管　**462**, 463*f*
極体　476
距骨　**324**, 324*f*
　――下関節　331
　――滑車　331
　――上関節　331
挙上　512
鋸状縁　399
距踵舟関節　331
巨赤芽球性貧血　135
距腿関節　331

許容作用　268
キラーT細胞　443
起立性低血圧　203
季肋部　**26**, 27*f*
キロミクロン　**79**, 79*f*
筋
　――系　**20**, 20*f*
　――収縮の種類　344*f*
　――組織　**48**, 48*f*
　――の形状　296*f*
　――の収縮　339
　――の名称　293
近位　512
　――曲尿細管　213*f*, **217**
　――指節間関節　319*f*, **320**
　――直尿細管　213*f*, **217**
　――尿細管　217
　――尿細管の機能　218
筋区画症候群　328
筋原性筋萎縮　347
筋原線維　48, **339**, 340*f*, 341*f*
筋細胞　**48**, 340*f*, 341*f*
　――膜　341
近視　405
筋枝　387
筋鞘　341
筋小胞体　**341**, 341*f*, 343*f*
筋性動脈　**176**, 176*f*
筋節　340*f*, **341**
筋線維　48, **339**, 340*f*, 341*f*
筋層間神経叢　68
筋束　**339**, 340*f*
筋頭　292
筋突起　**336**, 336*f*
筋肉増強剤　347
筋尾　292
筋皮神経　**384***f*, 384*t*
筋腹　292
筋紡錘　**296**, 391*f*, 394
筋ポンプ　193
筋膜　**293**, 340*f*, 512
筋裂孔　306

く

グアニン　33
区域気管支　**103**, 103*f*
腔　511
空腸　**72**, 81*f*, 76
クエン酸回路　**32**, 33*f*
駆出期　**169**, 169*t*
クスマウル呼吸　124
口　25
屈曲　**293**, 512

(屈曲)
　　——反射　370
屈筋群　507
屈筋腱　312
屈筋支帯　312, 313f, 314f
クッシング症候群　269, 279
屈折異常　405, 406f
クッパー細胞　133
頸　11, 11f, 13, 511
クプラ　411f, 412
苦味　414
クモ膜　369f, 381, 381f
　　——下腔　381, 381f
　　——顆粒　381f, 382
　　——絨毛　382
グラーフ卵胞　467, 468f, 474
グラスゴー-コーマ-スケール　429, 430t
グリア細胞　360, 360f
クリアランス　223
グリコーゲン　30, 264, 516
グリシン　517
グリセリン　30
グリセロール　30
グリソン鞘　86, 87f
グルカゴン　265, 275
グルコース　30, 516
　　——輸送体　37
グルタミン　517
　　——酸　365, 366t, 517
くるぶし　505
クレアチニン　223
クレアチンリン酸系　353
クレチン症　262
グロビン　129
グロブリン　140
クロム親和細胞　266

け

毛　435f, 436
頸横静脈　184f
鶏冠　335f
警告反応期　278
脛骨　284f, 285f, 321f, 323f, 324, 503f, 505
　　——神経　323f, 329, 386t
　　——粗面　324
形質細胞　128f, 443
茎状突起, 頭蓋骨の　333f, 335f
茎状突起, 橈骨の　308f
頸静脈孔　183, 185f, 333f, 334
頸神経　23, 383, 383f
　　——節　245f, 246

　　——叢　383f, 384
　　——ワナ　339
頸髄　384
頸切痕　502f, 503
頸椎　284f, 285f, 297f, 298f, 299
頸動脈管　333f
頸動脈小体　121, 180
茎突舌骨筋　338f, 339
頸部　12, 13t
　　——の器官　25
　　——の筋　338, 338f
　　——の内臓　26f
頸膨大　368
頸リンパ本幹　207f
外科頸　308, 308f
血圧　168, 187
　　——値の分類　206t
　　——の測定　188
　　——の調節　195
　　——の調節機構　198f
　　——の変化　191
血液　126
　　——ガス　116
　　——髄液関門　382
　　——脳関門　382
　　——の機能　127
　　——の細胞成分の分化　128f
　　——の循環　191
　　——の成分　127f
　　——の組成　126
　　——の老化現象　496
血液型　145
　　——不適合妊娠　146, 147f
血液凝固　142
　　——因子　142
　　——の過程　143f
　　——の阻止　142
血管　22
　　——運動中枢　197, 244, 373
　　——音　188
　　——拡張物質　199
　　——極　214, 214f
　　——収縮物質　198
　　——の構造　175, 176f
　　——の自律神経支配　197
　　——迷走神経反射　429
　　——裂孔　185, 306
血球　126, 127f
　　——の分化　128f
月経　469
　　——黄体　468
　　——期　473f, 474
　　——周期　472, 473f, 474

結合組織　49, 50f
　　——性の膜　53
　　——性毛包　437
血漿　39, 39f, 126, 127f
　　——タンパク質　140, 140f
楔状骨　324, 324f
月状骨　309, 309f
血小板　127f, 128f, 137f, 139
　　——血栓　139
血清　126, 127f
結節　511
　　——間溝　308f
血体　468
血中尿素窒素　231
結腸　81
　　——間膜　92
　　——ヒモ　81, 81f
　　——膨起　81, 81f
血沈　141
血糖値の調節機構　276f
血尿　229
血餅　126, 127f, 142, 144f
結膜　402f
　　——円蓋　401, 402f
　　——囊　402f
血友病　143
血流速度　192
血流の再配分　195, 196f
血流量　167
　　——の調節　195
解毒機能, 肝臓の　89
ケトン体　265
解熱　455, 455f
ゲノム　4, 43
ケラチン　435
　　——細胞　435f
下痢　83
腱　292, 512
　　——画　305, 503f, 506
　　——索　153f, 155
　　——受容器　296
　　——中心　304, 304f
　　——膜　381f
減圧反射　197
肩関節　315, 316f
　　——周囲炎　315
　　——包　315
肩甲下筋　310
肩甲下神経　310
肩甲下線　15
肩甲挙筋　301, 301f, 316, 317f, 506
肩甲棘　295f, 301f, 306, 307f, 311f, 503f, 504

肩甲骨　284f, 285f, **306**, 307f, 315, 503f, 504
　── の運動　**315**, 317f
　── を支える筋　317f
肩甲上神経　**310**, 384f
肩甲舌骨筋　338f, **339**
肩甲部　11f
肩鎖関節　**306**, 307f
犬歯　**61**, 61f
原子　513
　── 量　513
原始結節　480
原始線条　480
幻肢痛　416
腱鞘　**293**, 312
　──, 手指を動かす筋の　314f
剣状突起　**300**, 503f, 503f
原始卵胞　**467**, 468f
減数分裂　**475**, 476f, 477f
原腸　480
原尿　212
原発性アルドステロン症　**270**, 279
瞼板　**401**, 402f
肩峰　11f, 301f, 307f, 503f, **504**
　── 端　307f

こ

誤飲　65
口　511
孔　511
溝　376
後胃間膜　93
後腋窩線　**15**, 15f
好塩基球　128f, **139**
構音　102
高温相　473f
口蓋　59
　── 咽頭弓　58f, **59**
　── 骨　332
　── 垂　58f, **59**
　── 舌弓　58f, **59**
　── 帆　59
　── 扁桃　58f, **59**, 59f, 64f
後外側溝　369
効果器　241
岬角　**299**, 299f, 323f
後角　**369**, 369f
口角下制筋　337f
口角挙筋　337f, **338**
後過分極　**42**, 362f
高カリウム血症　233
睾丸　**461**, 461f
交感神経　**23**, 242f

　── 幹　23, **244**, 245f
　── 系　243
　── の構造　244
　── の伝導路　245f
後眼房　397f, 398f, **399**
口峡　**58**, 58f
咬筋　63, 294f, **337**, 337f, 338f, 502f, 505
口腔　**58**, 58f
　── 前庭　58
　── 相　**65**, 65f
広頸筋　294f, 337f, **338**, 506
後脛骨筋　328
後脛骨静脈　179f, **183**, 184f, 508f, 509
後脛骨動脈　179f, **183**, 508f
高血圧　205
　── をきたすホルモン　279
後結節　298f
抗原　442
　── 提示　442
硬口蓋　58f, **59**, 335f
後交通動脈　181f
後根　245f, 369f, **384**
虹彩　397f, **398**, 398f, 399
後索　369
後索 - 内側毛帯路　395f, **396**
交差適合試験　147
好酸球　128f, **139**
後枝　384
高次運動野　378f
後室間枝　154f, 156f
鉱質コルチコイド　221, **269**
膠質浸透圧　**140**, 203, 515
後斜角筋　338f
後縦隔　107
後十字靱帯　329f
拘縮　344
甲状舌骨筋　338f, **339**
甲状腺　259
　── の組織　260f
甲状腺機能亢進症　**262**, 279
甲状腺機能低下症　262
甲状腺刺激ホルモン　256, **258**
　── 放出ホルモン　256
甲状腺ホルモン　252f, **259**, 275
　── の作用　260
　── の分泌調節　**261**, 261f
鉤状突起　**308**, 308f
甲状軟骨　100, 101f, 502f, 503
口唇　58f, **59**
抗ストレス作用　268
後正中溝　**369**, 369f

後仙骨孔　322f
酵素　**32**, 38
拘束性換気障害　**124**, 124f
後側頭泉門　33f
抗体　141, **443**
　── 産生の過程　442f
　── の機能　444
高体温　456
後大脳動脈　181f
後柱　369
好中球　128f, **137**
　── による細菌の除去　441f
硬直　344
交通枝　244
後頭
　── 顆　333f
　── 筋　295f, **338**
　── 骨　**332**, 333f, 503f
　── 部　24
　── 葉　**376**, 376f
喉頭　64f, **100**, 101f
　── 口　64
喉頭蓋　59f, 64f, **100**, 101f
　── 軟骨　**100**, 101f
後頭蓋窩　333f, **334**
行動性体温調節　453
鉤突窩　308f
高ナトリウム血症　232
広背筋　294f, 295f, **301**, 301f, 302f, 311f, 315, 503f, 506
後鼻孔　58f, 64f, **98**, 99f, 333f
後負荷　173
後腹膜器官　93
興奮
　── 収縮連関　342
　── 伝導系　159
　── の伝達　364
　── の伝導　361
　── の伝導のしくみ　362f
興奮性シナプス　**364**, 365f
　── 後電位　365
　── における興奮の伝達　364f
硬膜　369f, **381**
　── 静脈洞　22, **183**, 185f, 381, 381f
肛門　**81**, 82f
　── 管　**81**, 82f
　── 挙筋　**82**, 471f
　── 櫛　81
　── 柱　**81**, 82f
　── 洞　82f
膠様組織　484
抗利尿ホルモン　220, **258**, 427

口輪筋　294f, **338**, 337f
口裂　58
交連線維　378
後彎　297f, **299**
誤嚥　65
　——性肺炎　65
コールラウシュヒダ　**81**, 82f
股関節　**329**, 329f, 505
　——の運動　**329**, 330f
呼吸　108
　——ガス　108
　——気量　**113**, 114f
　——細気管支　**103**, 106f
　——数　113
　——性代償　**235**, 236f
　——中枢　**121**, 373
　——調節中枢　121
　——の神経性調節　120
　——の神経性調節の中枢　122f
　——のメカニズム　**110**, 111f
　——部　99
　——ポンプ　193
呼吸運動　303f
　——の異常　122
　——の調節　120
呼吸器　97
呼吸器系　**18**, 18f, 98f
　——の病態生理　124
　——の変化，妊娠時の　487
　——の老化現象　496
呼吸筋　112
　——のはたらき　303f
呼吸性アシドーシス　**235**, 236f
呼吸性アルカローシス　**236**, 236f
黒質　372
鼓索神経　246, 247f, **389**
腰　**11**, 13
鼓室　**408**, 408f
　——階　**410**, 410f
五十肩　315
呼息　112
　——相　112
個体　10
骨格　12, 12f, **283**, 283t
骨格筋　48, 48f, **292**
　——収縮の種類　344
　——収縮のメカニズム　343f
　——の萎縮　347
　——の構造　292
　——の作用　293
　——の収縮機構　339
　——の神経支配　293
　——の長さ−張力関係　345

　——の微細機構　340f
　——の肥大　347
骨格系　**20**, 20f
骨芽細胞　277, **287**
骨幹　286f, **287**
骨間筋
　——，手の　**314**, 315f
　——，足の　329
骨間膜　318
骨基質　287
骨吸収　288f
骨形成　288f
骨細胞　50, 286f, **287**
骨小腔　287
骨髄　287
　——芽球　128f
　——球　128f
　——系幹細胞　128f
骨性結合　292
骨層板　286f, **287**
骨組織　**50**, 50f, 287
骨端　286f, **287**
　——線　286f, **289**
　——軟骨　289
骨単位　286f, **287**
骨盤　12f, 13, 286, **320**, 322f, 504
　——隔膜　471
　——腔　**13**, 14f, 27
　——傾斜　323f
　——上口　**320**, 323f
　——内の筋　325f
　——の静脈　186
　——内蔵神経　242f
骨盤部　**12**, 13t
　——の器官　27
骨半規管　409f, **412**
骨鼻腔　335
骨膜　**286**, 286f, 290f
骨迷路　**409**, 409f
骨梁　286
ゴナドトロピン　**257**, 492
　——放出ホルモン　256
古皮質　**376**, 380
鼓膜　**408**, 408f
　——張筋　409
固有感覚　393
固有肝動脈　**85**, 86f, 182f
固有口腔　58
固有心筋　159
固有卵巣索　467f, **470**
コラーゲン　49
ゴルジ腱器官　391f, **394**
ゴルジ装置　**29**, 286f

ゴルジ体　29
コルチ器　410
コルチゾル　267
コレシストキニン　71, **76**
コレステロール　36
　——誘導体　267
コロトコフ音　188
混合性換気障害　124f
混合性脱水　231f, **232**
コン症候群　270
昏睡　429
昏迷　429

さ

サーカディアンリズム　272, **424**
サーファクタント　110
細気管支　103
再吸収　202
鰓弓神経　391
最高血圧　188
最小血圧　188
左胃静脈　187f
臍静脈　**484**, 489f
　——索　488
再生不良性貧血　136
臍帯　484
最大血圧　188
最長筋　301
最低血圧　188
彩度　403
左胃動脈　179f, **182f**
細動脈　**176**, 200
臍動脈　**484**, 489f
　——索　488
サイトカイン　441
臍部　**26**, 27f
再分極　**42**, 362f
細胞　3, 8, **10**
　——外液　39
　——核　28
　——骨格　28f, **29**, 30
　——質　29
　——周期　**42**, 43f
　——傷害性 T 細胞　443
　——小器官　10, **29**
　——生物学　3
　——成分，血液の　126
　——性免疫　**443**, 445
　——説　3
　——の化学成分　30
　——の構造　**27**, 28f
　——分裂　42
　——内液　**38**, 39f

細胞体　360f
細胞膜　28f, **36**, 36f
　　──のタンパク質　36
　　──の特性　38
細網組織　50
臍輪　305
サイロキシン　252f, **259**
サイログロブリン　259
杯細胞　47, **109**
左下葉気管支　103f
左冠状動脈　154f, **156**, 156f
左気管支縦隔リンパ本幹　207f
索　511
左頸リンパ本幹　207f, 448f
左結腸曲　81
鎖骨　284f, 285f, 302f, **306**, 307f, 315, 502f, 503, 503f
　　──下筋　**302**, 302f, 311f
　　──下静脈　183, 184f, **185**, 185f, 186f
　　──下動脈　179f, **180**
　　──下リンパ本幹　207f
　　──中線　**14**, 15f
坐骨　284f, 285f, **321**, 322f
　　──海綿体筋　464
　　──棘　322f
　　──結節　**321**, 471f, 503f, 505
　　──神経　**385**, 386t
左鎖骨下動脈　179f
左鎖骨下リンパ本幹　207f, 448f
左主気管支　103f
左上葉気管支　103f
左心室　153f, **154**
　　──後静脈　156f
左腎静脈　184f
左心不全　204
左心房　153f, **154**
　　──斜静脈　156f
左総頸動脈　179f
サッケード　407
刷子縁　46f, 73f, **74**
サブスタンス P　366t, 420
左房室弁　**153**, 153f, 154f
左葉，肝臓の　**85**, 86f
左腕頭静脈　184f
酸　514
酸塩基平衡　**234**, 236f
　　──の異常　235
酸化　514
　　──ヘモグロビン　130
産科学的真結合線　323f
三角筋　294f, 295f, 302f, **310**, 311f, 315, 503f, 506

──粗面　308f
──部　11f
三角骨　**309**, 309f
残気量　114f, **115**
酸血症　235
三叉神経　388f, **389**, 389f
　　──節　**389**, 389f
三次絨毛　482
酸性　514
三尖弁　**153**, 153f, 154f
酸素
　　──解離曲線　**130**, 131f
　　──化ヘモグロビン　**130**, 130f
　　──の運搬　118
　　──負債　353
散大　512
三半規管　410
酸味　414

し

ジェンダー　493
耳介　11f, **408**, 408f
　　──後リンパ節　**448**, 448f
視覚　393, **403**
　　──器　397
　　──伝導路　**396**, 396f
　　──野　378
耳下腺　**62**, 62f
　　──リンパ節　**448**, 448f
歯冠　**60**, 60f
耳管　**408**, 408f
　　──開口部　64f, **99**, 99f, 100f
色覚　403
　　──異常　403
色調　403
子宮　466f, **469**
　　──円索　466f, 467f, **470**
　　──外膜　467f, **469**
　　──峡部　467f, **469**
　　──筋層　467f, **469**
　　──腔　467f, **469**, 483f
　　──頸　469
　　──頸管　467f, **469**
　　──広間膜　467, 467f, **469**
　　──周期　472
　　──静脈　467f
　　──腺　469
　　──体　467f, **469**
　　──腟部　467f, **469**
　　──底　467f, **469**
　　──動脈　182
　　──内膜　467f, **469**
　　──の変化，妊娠による　486

──壁　469
四丘体　372f
糸球体　213f, **214**, 214f
　　──基底膜　**214**, 214f
　　──濾液　212
糸球体外メサンギウム　222
　　──細胞　214f
糸球体濾過　215
　　──量　223
死腔　114
軸索　52, **360**, 360f
　　──間膜　361f
　　──小丘　360f, **362**
軸椎　299
指屈筋　**312**, 313f, 316, 316f
シクロオキシゲナーゼ　**418**, 455
刺激伝導系　158f, **159**
始原生殖細胞　475
耳垢　408
視交叉　388f, **396**, 396f
　　──上核　424
死後硬直　345
指骨　284f, 285f, 307f, **309**, 309f, 503f, 504
趾骨　284f, 285f, 321f, 324f, **325**
篩骨　**332**, 333f
　　──垂直板　335f
　　──洞　**99**, 100f
　　──蜂巣　335f
自己複製　44
歯根　**60**, 60f
　　──管　60f
　　──膜　**60**, 60f
視細胞　**399**, 400f
視索　**396**, 396f
　　──上核　255, **375**
視軸　397f
四肢原基　480
示指伸筋　313f
支質　512
脂質　30
　　──二重層　38
歯周炎　61
思春期　492
　　──早発症　493
　　──遅発症　493
　　──の発現機序　492
視床　372f, **374**
矢状　512
　　──縫合　**332**, 333f, 334f
　　──面　**14**, 15f
歯状核　374
視床下部　372f, **375**

(視床下部)
　　──ホルモン　256
視床下部-下垂体系　254
耳小骨　409
糸状乳頭　**59**, 59f
茸状乳頭　**59**, 59f
視床皮質路　375
指伸筋　294f, **295**
　　──総腱鞘　314f
視神経　**388**, 388f, **396**, 397f, 399
　　──管　333f, **334**, 335
　　──乳頭　397f, **399**
耳神経節　242f, **246**, 247f
歯髄　60
　　──腔　**60**, 60f
耳垂　**408**, 408f
システイン　517
耳石　**410**, 411f
　　──器　410
指節間関節　**309**, 320
趾節骨　325
脂腺　47, 435f, **437**
歯槽　**60**, 336
　　──骨　60f
　　──膿漏　61
　　──部　336f
持続支配　243
舌　58f, **59**, 59f
支帯　512
痔帯　**81**, 82f
膝窩　11f, **12**
　　──静脈　184f, **185**, 510
　　──動脈　179f, **183**, 508f, 509
　　──リンパ節　**448**, 448f
膝蓋腱　507
　　──反射　296, **370**, 507
膝蓋骨　284f, 285f, **330**, 503f, 505, 507
膝蓋靱帯　**326**, 327f
室間孔　**380**, 381f
膝関節　329f, **330**
　　──の運動　**330**, 331f
失語　430
実質　512
膝状体　**375**, **396**, 396f
室傍核　**255**, 375
耳道腺　408
シトシン　33
歯突起　298f, **299**
シナプス　52f, **53**, **359**, 364
　　──可塑性　366
　　──間隙　364f
　　──後細胞　**364**, 364f

　　──小胞　364
　　──前細胞　364f
　　──前膜　**364**, 364f
死にまね反応　429
指背腱膜　314
篩板　333f, **334**, 335f
脂肪　30
　　──骨髄　286f
　　──酸　30
　　──組織　**50**, 50f
　　──の消化と吸収　77f, **79**, 79f
視放線　375, **396**, 396f
指紋　435
視野　**403**, 404f
シャーピー線維　286f
尺側　512
　　──手根屈筋　**312**, 313f
　　──手根伸筋　312
　　──皮静脈　184f, **185**, 186f, 508f, 510
視野欠損　430
車軸関節　**291**, 291f
射精　465
　　──管　462f, **464**
斜台　333f, **334**
尺骨　284f, 285f, **307**, **308**, 308f, 504
　　──手根屈筋腱　509
　　──静脈　**185**, 186f
　　──神経　384f, 384t, **385**
　　──体　503f
　　──頭　308f, **309**
　　──動脈　179f, **180**, 508f, 509
射乳　279
ジャパン-コーマ-スケール　**429**, 430t
縦隔　25, **107**, 107f
自由下肢　13
　　──の骨格　322
集合管　213f, **217**
集合リンパ小節　449
踵骨　503f
十字靱帯　329f, **330**
収縮期血圧　188
収縮性　**175**, 349
収縮輪　42
舟状骨　**309**, 309f, 324
自由上肢　13
　　──の骨格　308
自由神経終末　**394**, 394f, 438
縦走　512
重層上皮　46
重層扁平上皮　**46**, 462f

縦足弓　325
重炭酸イオン　118
終動脈　178
十二指腸　72
　　──空腸曲　72
　　──腺　**72**, 74
　　──における消化　75
　　──乳頭　72, 84, 85f
終脳　368, 372f, **375**
終板　339
皺眉筋　337f
終末細気管支　103
充満期　169t, **171**
絨毛　**479**, **482**, 483f, 512
　　──間腔　**482**, 483f
　　──性ソマトマンモトロピン　273
　　──膜　**479**, 483f
　　──膜無毛部　**482**, 483f
縮瞳　407
手根管　312
手根骨　284f, 285f, **307**, **309**, 309f
手根中央関節　319f
主細胞　67f, **68**
種子骨　293
手掌　**11**, 11f
樹状突起　**51**, **359**, 360f
主膵管　84
受精　**477**, 478f
受精卵　479
出血傾向　144
出血時間　144
手背　**11**, 11f
寿命　494
主要組織適合抗原　147
受容体　**38**, 366t
シュレム管　**398**, 398f
シュワン細胞　**52**, **360**, 360f
シュワン鞘　**52**, 361f
循環器系　18f, 19, **150**
　　──の病態生理　203
　　──の変化, 妊娠時の　487
　　──の模式図　151f
　　──の老化現象　496
循環中枢　373
順応　393
瞬目　402
　　──反射　407
鞘　511
昇圧反射　197
小陰唇　466f, 470f, **471**
漿液　**53**, 511
小円筋　295f, **301**, **310**, 311f
消化　57

──，胃における 69
──，空腸と回腸における 76
──，十二指腸における 75
──管ホルモン 69, 70, 71
──に関する中枢 373
消化器系 18, 18f, 56, 56f
──の変化，妊娠時の 487
──の老化現象 496
上顎 58
── 骨 332, 333f, 502f
── 神経 389, 389f
── 洞 99, 100f, 335f, 336
上下垂体動脈 254f
松果体 272, 372f, 374
──細胞 272
上眼窩裂 334, 335f, 389f
上眼瞼挙筋 402, 402f, 403f
上眼静脈 185f
上関節突起 298f
上関節面 298f
小汗腺 48, 437
上気道 98, 98f, 99f
上丘 372
小臼歯 61, 61f
小胸筋 302f, 303f, 311f
小頬骨筋 337f, 338
笑筋 337f, 338
小グリア細胞 360
上頸神経節 246
小結節 308, 308f, 503f, 504
── 陵 301
小口蓋孔 333f
上行脚 217, 217t
上行結腸 81, 81f
上行性網様体賦活系 429
上行大動脈 179f, 180
上後腸骨棘 322f
上行伝導路 371, 395
上喉頭神経 390
踵骨 324, 324f, 505
── 腱 295f, 327f, 328, 503f, 507
小骨盤 320
常在細菌 440
上肢 11, 12f, 13, 284f, 285f
──の運動 314
──の筋 306
──の骨格 283, 306
──の静脈 183, 186f
──の骨 307f
小指外転筋 314, 315f, 328
小指球の筋群 314
小指屈筋 314, 315f

上矢状静脈洞 185f
小指伸筋 312, 313f
硝子体 397f, 401
上肢帯 12f, 13, 284f, 285f
── の筋群 310
── の骨格 306
小指対立筋 314, 315f
小趾対立筋 328
硝子軟骨 51
上斜筋 402, 403f
上縦隔 107
小十二指腸乳頭 85f
小循環 119, 150
上唇 58f
── 挙筋 337f
── 小帯 58f
── 鼻翼挙筋 337f
上伸筋支帯 327f
小心臓静脈 156f
上心臓神経 248
上錐体静脈洞 185f
脂溶性ホルモン 252, 253f
常染色体 43, 44f, 479
上前腸骨棘 302f, 322f
上前頭溝 376f
小泉門 332, 334f
上双子筋 326
掌側 512
── 骨間筋 314, 315f
上側頭溝 376f
上大静脈 153f, 183, 184f
小腸 72
── の運動 75, 75f
── の機能 75
── 壁 73, 73f
上腸間膜
── 神経節 242f
── 動脈 179f, 181, 182f
── リンパ節 448, 448f
上頂線 333f
上直筋 402, 403f
小殿筋 325f, 326
小転子 321f, 322, 323f
上殿動脈 182
情動 428
上橈尺関節 308, 318, 319f
衝動性眼球運動 407
小内臓神経 242f, 246
小脳 368, 372f, 373
── 核 374
── 脚 373
── 髄質 374
── テント 381

── 半球 373
── 皮質 373
上皮
── 性の膜 53
── 性毛包 437
── 組織 45
上鼻甲介 99f
上皮小体 259
── ホルモン 263
上鼻道 99f, 335f
小伏在静脈 185, 508f, 510
上腹部 26, 27f
上腹壁動脈 179f
小胞体 29
漿膜 13, 53, 511
── 腔 13
静脈 150, 176f, 177, 509
──，下肢の 185
──，骨盤の 186
──，上肢の 183, 186f
──，全身の 184f
──，頭頸部の 183, 185f
──，腹部の 186
── 角 183, 185f, 206, 207f
── 管 488, 489f
── 管索 488
── 血 119, 151
── 洞交会 185f
── 壁 177
── 弁 193
小網 92f, 93
睫毛 401, 402f
── 腺 401
掌紋 435
小葉間動脈 213f, 214
小腰筋 325f
小菱形筋 316, 506
小菱形骨 309, 309f
上涙小管 402f
上涙点 402f
上肋骨窩 298f
小彎 67, 67f
上腕 11, 11f, 12f, 284f, 285f
── 筋 294f, 295f, 311f, 311f
── 三頭筋 294f, 295f, 311, 503f, 506
── 静脈 184f, 185, 186f, 510
── 深動脈 179f
── 動脈 179f, 180, 508f, 509
── 二頭筋 294f, 295f, 302f, 310, 311f, 503f, 506
── の筋 311f
── の筋群 310

上腕骨　284f, 285f, 307f, **308**, 308f
　　──滑車　**308**, 308f
　　──小頭　**308**, 308f
　　──頭　**308**, 308f
初回通過効果　89
食作用　441
褥瘡　436
触点　395
食道　66
　　──相　**66**, 65f
　　──の狭窄部　67
　　──の蠕動運動　66, 66f
　　──裂孔　**304**, 304f
触媒　32
植物機能　**16**, 16t, 18
植物状態　**430**, 431t
鋤骨　**332**, 333f, 335f
処女膜　**470**, 470f
女性生殖器　466
女性ホルモン　271
所属リンパ節　208
触覚　393
　　──受容器　394
ショ糖　30
初乳　486
徐波　421
ショパール関節　324f, **331**
徐脈性不整脈　166
自律神経　16, 23t, 240, **241**, 368, 387
　　──の構造　244
　　──の神経伝達物質　**247**, 248f
　　──の中枢　243
自律性　241
視力　403
シルヴィウス管　**380**, 381f
歯列　**60**, 61f
腎盂　**211**, 212f
心音　175
進化　5
侵害受容器　394
　　──からの感覚の伝導路　419f
心外膜　155
心窩部　**26**, 27f
進化論　4
心基部　152
心筋　48f, **49**
　　──梗塞　157
　　──細胞　49
　　──層　155
　　──の収縮　348
伸筋支帯　313f, **314**f
神経
　　──管　**480**, 481f

　　──筋接合部　**296**, **339**, 342f
　　──原性筋萎縮　347
　　──膠細胞　360
　　──終末　360f
　　──鞘　52
　　──障害性疼痛　416
　　──線維の分類　363t
　　──叢　384
　　──組織　51
　　──堤　480
　　──内分泌　**255**, 255f
　　──板　480
神経下垂体　**254**, 254f
神経細胞　51
　　──層　374
神経節　243
　　──細胞　**368**, 399, 400f
神経系　**20**, 20f
　　──の区分　369f
神経伝達物質　**364**, 366t
　　──，自律神経の　**247**, 248f
神経頭蓋　332
深頸リンパ節　448
腎血漿流量　224
腎血流量　225
人工多能性幹細胞　44
心雑音　175
深指屈筋　**312**, 313f
　　──腱　312
心室　**153**, 154
　　──細動　**166**, 167
　　──性期外収縮　166
　　──中隔　153f, **154**
　　──の圧-容積関係　**172**, 174f
心周期　**169**, 169t, 171f
滲出液　53
腎小体　**212**, 213f, 214f
深掌動脈弓　180
深静脈　183
腎静脈　183, **186**
親水性　35
新生　132
心静止　166
新生児甲状腺機能低下症　262
真性赤血球増加症　136
腎性代償　**235**, 236f
腎性糖尿　219
腎性浮腫　203
心尖　25, **152**, 152f
心臓　25, **150**
　　──枝　390
　　──神経　245f, **248**
　　──促進中枢　**197**, 373

　　──に分布する神経　157
　　──の位置　**152**, 152f
　　──の外形　152
　　──の血管　156f
　　──の構造　**152**, 153f
　　──の興奮　157
　　──の自動性　157
　　──の収縮　167
　　──の自律神経支配　197
　　──壁　155
　　──抑制中枢　**197**, 244, 373
腎臓　27, **211**
　　──による血圧の調節　199
　　──の機能　212
　　──の前頭断面　212f
　　──の組織構造　213f
深鼠径輪　306
深鼠径リンパ節　**448**, 448f
人体　8
　　──各部の名称　11f
　　──内部の腔所　14f
　　──の階層性　**8**, 9f
　　──の区分　12
靱帯　**289**, 290f, 512
腎柱　**212**, 212f
伸張反射　370
陣痛　488
心底　152
心停止　166
伸展　**293**, 512
　　──受容器，肺の　122
　　──反射　370
心電図　**161**, 164f
浸透　514
腎洞　211
浸透圧　515
　　──受容器　427
腎動脈　179f, **182**, 213
心内膜　155
真乳　486
腎乳頭　**211**, 212f, 213f
心嚢　155
腎杯　**211**, 212f
心拍出量　168
心拍数　167
腎盤　**211**, 212f
真皮　22, **435**, 435f, 436
深腓骨神経　**328**, 386t
新皮質　376
　　──の機能　378
深部感覚　**296**, **394**
深部痛　416
心房　**153**, 154

―― 細動 169
―― 性ナトリウム利尿ペプチド 221, 272
―― 中隔 154
心膜 155, 511
腎門 211
腎葉 212, 212f
真肋 300f

す

垂 511
随意筋 48
膵液 75, 85
　―― の分泌調節 76f
髄液 381
水解小体 29
髄核 299
膵管 84, 85f
髄腔 286, 286f
髄質，腎臓の 211, 212f, 213f
髄質，卵巣の 467
髄鞘 52, 360f, 361, 361f
水晶体 397f, 398f, 401
　―― 線維 401
　―― 包 401
水素イオン 234
　―― 指数 234, 514
膵臓 84, 85f, 263, 264f
膵体 84, 85f
錐体
　――，視細胞の 399, 400f
　――，側頭骨の 333f, 334
　――，脳幹の 371
　―― 筋 294f
　―― 交叉 392
　―― 前索路 392f
　―― 側索路 392f
　―― 路 392, 392f
錐体外路 377
　―― 症状 380, 392
膵島 84, 263, 264f
膵頭 84, 85f
膵尾 84, 85f
水分の出納 230t
水平 512
　―― 面 14
髄放線 212
髄膜 53, 381, 381f, 511
睡眠 421
　―― 時無呼吸症候群 122, 123f
　―― 脳波 422
　―― の周期 423f
膵門脈系 85, 263

水溶性ホルモン 251, 253f
頭蓋 ⇒「とうがい」を見よ
スクラーゼ 78
スクロース 30, 516
スターリングの心臓の法則 174, 349
ステルコビリン 133
ステロイド 267
　―― 核 252f
　―― ホルモン 251
ストレス 278
スパイク 42
スパイロメータ 113
滑り説 344

せ

正円孔 333f, 334, 389f
正円窓 409
精管 461f, 463, 463f
　―― 動脈 182
　―― 膨大部 461f, 464
精丘 464
制御性T細胞 443
精原細胞 465
性行動 427
精細管 462
　―― 腔 463f
精細胞 463f, 464
精索 463f, 464
精子 463f, 465, 478f
　―― 細胞 463f, 465
　―― の形成 476, 477f
静止期 42, 43f
静止張力 373
静止電位 41, 41f, 361, 362f
性周期 473f
成熟卵胞 467
星状グリア細胞 360
精娘細胞 465
星状体 43f
星状大食細胞 133
生殖 460
　―― 機能，女性の 472
　―― 機能，男性の 465
生殖器
　――，女性の 466
　――，男性の 463, 463f
　―― の分化 485f
生殖器系 19, 19f
生殖細胞 475
　―― の形成 477f
精神神経疾患 431
精神性発汗 452

静水圧 189
性成熟 492
性腺 270
　―― の機能 271
性腺刺激ホルモン 257, 492
　―― 放出ホルモン 256, 492
性染色体 43, 44f, 479
精巣 461, 461f, 462f
　―― 下降 485
　―― 挙筋 464
　―― 上体 461f, 462f, 463, 463f
　―― 上体管 463f, 463f
　―― 上体垂 461f
　―― 静脈 184f, 463f
　―― 動脈 179f, 182, 463f
　―― 網 463f
　―― 輸出管 463f, 463f
清掃率 223
精祖細胞 463f, 465
生存曲線 494
声帯 64f, 100, 101f
　―― 筋 100
　―― 靱帯 100
　―― ヒダ 100, 101f
生態系 5
生体恒常性 16
正中 512
　―― 線 14, 15f
　―― 面 14, 15f
正中口 380, 381f
正中神経 384f, 384t, 385
正中仙骨稜 322f
成長 489
成長ホルモン 252f, 256, 257, 275
　―― 放出ホルモン 256
　―― 抑制ホルモン 256
性的二型 427
　―― 核 427
性同一性障害 493
精嚢 461f, 462f, 464
性の決定 479
正のフィードバック 275, 487
生物時計説 494
声門 100, 101f
正乱視 405
生理学 2
生理的狭窄部，尿管の 225
生理的シャント 118
生理的食塩水 134
精路 463
赤核 372
脊索 480
赤色骨髄 287

脊髄 297, **368**, 369*f*
　──根 390
　──損傷 386
　──の機能 370
　──反射 370
　──分節 384
脊髄神経 23, **367**, 383
　──溝 298*f*
　──節 245*f*, 369*f*, **384**
　──の機能 387
　──の線維構成 384*f*
　──の全体像 383*f*
　──の皮膚分布 388
脊柱 13, 284*f*, 285*f*, **297**, 297*f*, 369*f*
　──管 13, 14*f*, **297**
　──起立筋 301
赤沈 141
赤道面 43*f*
赤脾髄 **450**, 450*f*
赤緑色覚異常 404
セクレチン 69, 71, **76**
舌咽神経 242*f*, 246, 247*f*, 388*f*, **390**
舌下小丘 **62**, 62*f*
舌下神経 388*f*, **390**
　──管 333*f*, **334**
舌下腺 **62**, 62*f*
節間枝 **244**, 245*f*
赤筋 342
セックス 493
赤血球 **127**, 127*f*, 128*f*, 135*f*
　──型 145
　──数 129
　──沈降速度 141
　──の新生 132
　──の破壊 133
　──の変形性 129*f*
節後線維 **243**, 244*f*
舌骨 64*f*, 101*f*, 332, 335*f*, **336**, 338*f*, 502*f*, 503
　──下筋群 63, **339**
　──上筋群 63, **339**
　──舌筋 338*f*
節後ニューロン 243
切痕 511
舌根 59*f*
切歯 **60**, 61*f*
　──管 333*f*
摂食行動 **426**, 427*f*
摂食中枢 426
舌尖 59*f*
節前線維 **243**, 244*f*
節前ニューロン **243**, 244*f*

舌体 59*f*
舌苔 59
絶対不応期 362
接着斑 45
セットポイント 454
舌乳頭 59
舌扁桃 59*f*, **60**, 64*f*
舌盲孔 59*f*
セメント質 **60**, 60*f*
セリン 517
セルトリ細胞 **463**, 463*f*, 465
セルロース 30
セロトニン **365**, 366*t*
尖 511
腺 **249**, 512
線維芽細胞 49
前胃間膜 93
線維性結合 292
　──組織 **50**, 50*f*
線維性心膜 155
線維素 126
　──原 126
　──溶解 143*f*, **144**
線維軟骨 51
線維膜 290*f*
線維輪 155
前腋窩線 **15**, 15*f*
前外側溝 369
前角 **369**, 369*f*
前額面 14
前下行枝 156
全か無かの法則 42
前眼房 397*f*, 398*f*, **399**
前鋸筋 294*f*, 302*f*, **303**, 316, 317*f*
前脛骨筋 294*f*, 327*f*, **328**
前脛骨静脈 184*f*
前脛骨動脈 179*f*, **183**
前頸静脈 508*f*
浅頸リンパ節 **448**, 448*f*
前結節 298*f*
前交通動脈 181*f*
仙骨 284*f*, 285*f*, 297*f*, **299**, 299*f*, 320, 322*f*, 503*f*, 504
　──神経 23, 246, 383, 383*f*
　──神経叢 383*f*, **385**, 386*f*
　──裂孔 299
前骨髄球 128*f*
前根 245*f*, 369*f*, **384**
潜在的歩調とり 159
前索 369*f*, 369*f*
前枝 384
浅指屈筋 **312**, 313*f*
　──腱 312

前室間枝 154*f*, **156**, 156*f*
前斜角筋 338*f*
前縦隔 107
前十字靱帯 329*f*
前障 375*f*
線条体 375*f*, **377**
浅掌動脈弓 180
腺上皮 45, **47**
染色体 28, **43**, 44*f*
仙髄 384
腺性下垂体 **254**, 254*f*
前正中裂 **369**, 369*f*
前赤芽球 128*f*
前脊髄視床路 395*f*, **396**
前仙骨孔 322*f*
浅側頭静脈 184*f*, **185***f*
前側頭泉門 334*f*
浅側頭動脈 179*f*, **507**, 508*f*
浅鼠径輪 306
浅鼠径リンパ節 **448**, 448*f*
尖体 477
前大脳動脈 181*f*
選択的疲労 415
前置胎盤 483
前柱 369
仙腸関節 **320**, 322*f*
全張力 346
仙椎 299
前庭 408*f*, 409*f*, **410**, 512
　──階 **410**, 410*f*
　──球 471*f*
　──神経 **390**, 409*f*
　──窓 **409**, 409*f*, 410
　──動眼反射 407
　──ヒダ **100**, 101*f*
　──膜 410*f*
前電位 157
前頭 512
　──筋 294*f*, 337*f*, **338**
　──骨 **332**, 333*f*, 502*f*, 503*f*
　──洞 **99**, 100*f*, 335*f*
　──部 24
　──面 **14**, 15*f*
　──葉 **376**, 376*f*
蠕動 68
蠕動運動
　──, 胃の 69*f*
　──, 小腸の **75**, 75*f*
　──, 食道の **66**, 66*f*
　──, 尿管の **227**, 227*f*
前頭蓋窩 333*f*, **334**
前頭側頭型認知症 431
全肺気量 114*f*, **115**

索引　535

浅腓骨神経　**328**, 386*t*
前皮質脊髄路　**392**, 392*f*
前負荷　172
浅腹壁静脈　184*f*
全分泌　48
腺房　264*f*
前方障害　205
線毛　30
泉門　**332**, 334*f*
線溶　144
戦慄　455
前立腺　461*f*, 462*f*, **464**
── 部　226
前腕　**11**, 11*f*, 12*f*, 284*f*, 285*f*
── の回外と回内　318*f*
── の筋　313*f*
── の筋群　312
── の骨　**308**, 308*f*
前彎　297*f*, **299**

そ

総肝動脈　179*f*, **182***f*
臓器感覚　393
双極細胞　**399**, 400*f*
双極肢導出　**162**, 162*f*
双極性障害　431
総頸動脈　**180**, 181*f*, 185*f*, 507, 508*f*
ゾウゲ質　**60**, 60*f*
造血　126
── 幹細胞　**127**, 128*f*
── 組織　287
総腱輪　403*f*, **402**
造骨　277, **287**, 288*f*
爪根　**437**, 437*f*
双子筋　325*f*, **326**
総指伸筋　294*f*, 295*f*, **312**, 313*f*
桑実胚　478*f*, **479**
爪床　**437**, 437*f*
爪上皮　473*f*
増殖期　473*f*, **474**
臓側　**13**, 512
── 板　155
── 腹膜　**90**, 92*f*
── 葉　53
爪体　**437**, 437*f*
相対不応期　362
総胆管　75, **87**
総腸骨静脈　179*f*, **182**, 183, 184*f*, 186, 508, 508*f*
相同染色体　**43***f*, 476*f*
総鼻道　**98**, 335*f*
僧帽筋　294*f*, 295*f*, **301**, 301*f*, 302*f*, 311*f*, 316, 317*f*, 503*f*, 506

僧帽弁　**153**, 153*f*, 154*f*
総末梢抵抗　168
側角　**369**, 369*f*
足根骨　**284**, 285*f*, 321*f*, **324**, 324*f*
足根中足関節　331
足根の運動　331
側索　**369**, 369*f*
束状帯　**266**, 266*f*
側爪部　437*f*
側柱　369
足底　11*f*, **12**
── 弓　325
── 筋　327*f*
── 腱膜　329
── 動脈　183
── 方形筋　329
── 紋　435
側頭窩　333*f*
側頭下窩　333*f*
側頭筋　63, 294*f*, 295*f*, **337**, 502*f*, 505
側頭骨　**332**, 333*f*
側頭頭頂筋　237*f*
側頭部　24
側頭葉　**376**, 376*f*
側脳室　375*f*, 376, **380**, 381*f*
足背　11*f*, **12**
── 動脈　179*f*, **183**, 508*f*, 509
側板　**480**, 481*t*
側副循環　178
側副靱帯　330
側腹部　**26**, 27*f*
側副路　187*f*
鼠径管　**306**, 461*f*
鼠径靱帯　294*f*, 302*f*, **306**, 325*f*, 510
鼠径部　11*f*, **26**, 27*f*
鼠径輪　302*f*, **306**
組織　2, **10**
── 液　39
── 学　3
── 幹細胞　44
── プラスミノゲン活性化因子　144
咀嚼　58, **63**
── 筋　63, **337**, 505
疎水性　36
疎性結合組織　**50**, 502*f*
粗線　322
そとくるぶし　324
ソマトスタチン　**71**, 256, 264
── 産生細胞　256
粗面　511

── 小胞体　28*f*, **29**

た

ダーウィン　4
体　511
第一減数分裂　475
大陰唇　466*f*, **470**, 470*f*
体液　**38**, 39*f*
── の調節　230
大円筋　295*f*, 301*f*, **310**, 311*f*
体温　451
── 調節中枢　454
── の測定　453
── の調節　**453**, 455*f*
── の分布　452
胎芽　479
対角結合線　323*f*
体幹　**11**, 12, 12*f*, 283, 284*f*, 285*f*
── の筋　296
── の区分　13*t*
── の骨格　283, **296**
大汗腺　**48**, 437
大臼歯　**61**, 61*f*
大胸筋　294*f*, **302**, 302*f*, 311*f*, 315, 503*f*, 506
── 部　11*f*
大頬骨筋　337*f*, **338**
体腔　13
大結節　**308**, 308*f*, 503*f*, 504
大口蓋孔　333*f*
大後頭孔　**299**, 333*f*, **334**, 335*f*
対光反射　373, **407**
対向流増幅系　219
大骨盤　320
体細胞分裂　**43**, 43*f*
大坐骨孔　322
大坐骨切痕　322*f*
第三脳室　372*f*, 377*f*, **380**, 381*f*
第三腓骨筋　328
体肢　**12**, 13, 283, 285*f*, 384*f*
胎児　480
── の血液循環　489*f*
代謝　**30**, 351
── 水　230
── 調節型受容体　**38**, 366*t*
── 当量　352
代謝性アシドーシス　236*f*, **237**
代謝性アルカローシス　236*f*, **237**
大十二指腸乳頭　**72**, 85*f*
体循環　**119**, 150
── の静脈　183
── の動脈　178
大循環　**119**, 150

帯状回　372f, **376**, 377f
大静脈　22
　──孔　**304**, 304f
大食細胞　139
大心臓静脈　156f
体性運動神経　391
体性感覚　393, **394**
　──の伝導路　**395**, 395f
　──野　378
体性神経　16, 23t, **368**
体性痛　416
体節　**480**, 481t, 482f
大前庭腺　470f, **471**
大蠕動　83
大泉門　**332**, 334f
大腿　11f, **12**, 12f, 284f, 285f
　──筋膜張筋　294f, **326**, 327f
　──四頭筋　294f, **326**, 503f, 507
　──静脈　**184**, **185**, 510
　──神経　326, **385**, 386t
　──深静脈　184f
　──深動脈　179f
　──直筋　294f, **326**, 327f
　──動脈　179f, **182**, 508f, 509
　──二頭筋　295f, **327**, 327f, 503f, 507
　──の筋群　326
　──方形筋　325f, **326**
大腿骨　284f, 285f, 321f, **322**, 503f, 505
　──骨頭　323f
大腿骨頭　321f, **322**, 323f
　──壊死　329
　──靱帯　329
大大脳静脈　185f
大唾液腺　62
大腸　**80**, 81f
　──の機能　83
　──壁　82
大殿筋　295f, 301f, 325f, **326**, 327f, 471f, 503f, 506
大転子　321f, **322**, 323f, 503f, 505
大動脈　22, **178**
　──弓　153f, **178**, 179f
　──小体　121
　──洞　180
　──弁　153f, 154f
　──裂孔　**304**, 304f
タイト結合　**45**, 45f
大内臓神経　242f, **246**
大内転筋　**326**, 327f, 507
第二減数分裂　475
大脳　**368**, 372f, 375

　──鎌　**381**, 381f
　──脚　**371**, 372
　──縦裂　375f, **376**
　──動脈輪　**180**, 181f
　──の機能　378
　──の前頭断面　375f
　──の白質　378
大脳基底核　375, **377**
　──の機能　380
大脳皮質　375, **376**
　──の機能局在　378f
　──の局所障害　430
大脳辺縁系　377
胎盤　**482**, 483f, 489f
　──の循環　488
体表　11
体部位局在　378
大伏在静脈　184f, **185**, 508f, 510
体壁　16
大網　92f, **93**
大腰筋　305f, **325f**
第四脳室　372f, **380**, 381f
対流, 熱の　452f
大菱形筋　**316**, 506
大菱形骨　**309**, 309f
大彎　**67**, 67f
タウ　431
唾液　62
　──腺　**62**, 62f
　──分泌中枢　373
楕円関節　**290**, 291f
ダグラス窩　92f, 466f, **469**
多細胞腺　47
多シナプス反射　371
脱核　128f
脱臼　291
脱酸素化ヘモグロビン　**130**, 130f
脱水　231
脱分極　41, **361**, 362f
脱落膜　**482**, 483f
多糖類　**30**, 516
多尿　229
多能性幹細胞　44
田原結節　158f
多裂筋　301
多列線毛上皮　**46**, 46f
単芽球　128f
胆管　**85**, **87**
短環フィードバック　261f, **275**
短期記憶　424
単球　128f, **139**
単極肢導出　**162**, 162f
短骨　286

単細胞腺　47
炭酸水素イオン　118
炭酸脱水酵素　118
短趾屈筋　328
短趾伸筋　328
単シナプス反射　371
胆汁　**75**, **76**
　──酸　79
　──の産生　89
　──の分泌調節　76f
単収縮　**344**, 344f
短掌筋　314
短小指屈筋　314
短小趾屈筋　328
炭水化物　30
　──の消化と吸収　**78**, 77f
男性生殖器　**461**, 461f
弾性組織　50
弾性動脈　**176**, 176f, 192
弾性軟骨　51
男性ホルモン　**269**, 271
　──誘導体　347
胆石　87
単層円柱上皮　**46**, 46f
淡蒼球　375f, **377**
単層上皮　46
単層扁平上皮　**46**, 46f
単層立方上皮　46f
担体　37
短頭　296f
胆道　87
短橈側手根伸筋　**312**, 313f
単糖類　**30**, 516
短内転筋　**326**, 507
胆嚢　87
　──管　87
タンパク質　31
　──, 細胞膜の　36
　──同化作用　347
　──の合成　**34**, 35f
　──の消化と吸収　77f, **78**
　──の役割　34
　──分解酵素　138
短腓骨筋　328
短母指外転筋　**314**, 315f
短母指屈筋　**314**, 315f
短母趾屈筋　328
短母指伸筋　**312**, 313f
短母趾伸筋　328
淡明層　**435**, 435f

ち

チアノーゼ　203

チェイン-ストークス呼吸 123
置換骨 288
恥丘 470, 470f
蓄尿反射 227
恥骨 284f, 285f, 321, 322f
―― 下角 321
―― 弓 322f
―― 筋 294f, 326, 327f
―― 結合 302f, 320, 322f
―― 結合面 322f
―― 結節 503f, 504
―― 稜 321, 322f
智歯 61
腟 467f, 470
―― 円蓋 467f, 470
―― 口 470, 470f
―― 前庭 470f, 471
―― 前庭窩 470f
―― 動脈 467f
腟粘膜 470
―― 皺 467f
緻密質 286, 286f
緻密斑 214f, 222
チミン 33
着床 478f, 479
チャネル 36, 37f
中腋窩線 15f
肘窩 11, 11f
中隔核 377, 377f
中間広筋 294f, 326, 327f
肘関節 307f, 316, 317f
―― での運動 318f
中間中胚葉 480, 481t
中間尿細管 213f, 217
肘筋 313f
中頸神経節 246
中耳 408
―― 炎 100
中斜角筋 338f
中縦隔 107
中手骨 284f, 285f, 307f, 309, 309f, 503f, 504
中手指節関節 309, 319f, 320
中腎 485f
中心窩 397f, 399
中心管 369, 369f, 372f, 381f
中腎管 484
中心溝 376, 376f
中心後回 378
中心後溝 376f
中心子 29
中心小体 29, 43f
中心静脈 86, 87f

中心静脈圧 171
中心前回 376f, 378
中心前溝 376f
中心臓静脈 156f
中心臓神経 248
中心体 28f, 29
中腎傍管 484
虫垂 26, 73f, 80, 81f
―― 炎 80
中枢化学受容器 121
中枢神経 359, 367
―― 系の障害 429
―― 系の老化現象 498
―― の発生 366
中枢性チアノーゼ 203
中性脂肪 30
肘正中皮静脈 184f, 185, 186f, 508f, 510
中節骨 309, 309f, 324f
中足骨 284f, 285f, 321, 324f, 325
中大脳動脈 181f
中殿筋 295f, 325f, 326, 327f, 503f, 507
肘頭 308, 308f, 503f, 504
中頭蓋窩 333f, 334
中脳 368, 371, 372f
―― 小脚 372
―― 水道 380, 381f
中胚葉 480, 481t
中皮 53, 92
中鼻甲介 99f, 335f
中鼻道 99f, 335f
虫部 373
チューブリン 30
中膜, 動脈の 175
虫様筋 314, 315f, 329
肘リンパ節 448, 448f
中和抗体 444
腸陰窩 74
超音波 412
聴覚 393, 412
―― 伝導路 397
―― 野 378
―― 誘発電位 422
長環フィードバック 261f, 275
腸間膜 72, 92
―― 根 72, 92f
長期記憶 424
―― の種類 425f
長期増強 366
長期抑制 366
鳥距溝 378, 378f
蝶形骨 332, 333f

―― 小翼 333f, 334
―― 大翼 333f
―― 洞 99, 100f, 335f
腸脛靱帯 295f, 326
長骨 286
腸骨 284f, 285f, 321
―― 下腹神経 386f
―― 筋 325f
―― 鼠径神経 386f
―― 大腿靱帯 329
―― 翼 326
―― 稜 295f, 503f, 504
長趾屈筋 328
長趾伸筋 327f, 328
腸絨毛 73, 73f
長掌筋 312, 313f
腸上皮細胞 73f, 74
聴診間隙 189
聴性脳幹反応 422
腸腺 73, 73f, 74
腸相 70
蝶番関節 290, 291f
長頭 296f
長橈側手根伸筋 312, 313f
腸内細菌叢 83, 440
長内転筋 294f, 326, 327f, 507
懲罰系 428
長腓骨筋 327f, 328
聴放線 375, 397
長母指外転筋 312, 313f
長母指屈筋 312, 313f
長母趾屈筋 328
長母指伸筋 312, 313f
長母趾伸筋 327f, 328
跳躍伝導 363, 363f
腸腰筋 294f, 325, 325f, 327f
張力 345
腸リンパ本幹 207f
腸肋筋 301
直静脈洞 185f
直精細管 462, 463f
直接対光反射 407
直接ビリルビン 133
直腸 81, 81f, 82f
―― 温 452
―― 子宮窩 92f, 466f, 469
―― 静脈叢 81
―― 膀胱窩 462f
―― 膨大部 81, 82f
貯血槽 191
チロキシン 259
チロシン 517
陳述記憶 425

チン小帯　398f, **399**

つ

ツァイス腺　401
椎間円板　**297**, 299
椎間関節　299
椎間孔　298f, **299**
椎弓　**297**, 299f, 369f
　── 根　298f
　── 板　298f
椎孔　**297**, 298f
椎骨　**297**
　── 動脈　179f, **180**, 181f
　── の形状　298f
椎体　**297**, 298f, 369f
痛覚　393
　── の分類　416f
痛点　395
ツチ骨　408f, **409**
　── 条　408
爪　**437**, 437f
蔓状静脈叢　463f
つわり　487

て

手　**11**, 12f, **284**f, 285f
　── の運動　319
　── の関節　319f
　── の筋　315f
　── の筋群　314
　── の骨　**309**, 309f
底　511
定位反応　407
低温相　473f
低カリウム血症　234
抵抗期　278
抵抗血管　191
停止　292
　── 腱　296f
低体温　456
低ナトリウム血症　233
停留睾丸　485
デーデルライン桿菌　440
デオキシヘモグロビン　**130**, 130f
デオキシリボ核酸　28, **33**
デキストリン　62
手首　11f
　── の運動　318
テストステロン　251f, **271**
デスモソーム　45
テタニー　263
鉄　132
鉄欠乏性貧血　135

デヒドロエピアンドロステロン
　　　　　　　　　　269, 271
テロメア　495
転移RNA　34
伝音難聴　412
電解質　**39**, 514
　── コルチコイド　221, **269**
　── の異常　232
　── の吸収　80
電気泳動　140
電気的心軸　165
殿筋群　326
殿筋粗面　326
電子伝達系　**32**, 33f
転写　34
伝達, 興奮の　364
伝導
　──, 興奮の　361
　──, 熱の　**451**, 452f
電導収縮解離　167
殿部　11f, **12**
　── の筋　325f
デンプン　30

と

島　376
頭　511
洞　511
胴　12
同化　30
頭蓋　12f, **13**, **284**f, 285f
　── 冠　**332**, 335f
　── 腔　**13**, 14f, **332**, 335f
頭蓋骨　333f
　── の正中断面　335f
　── の前頭断面　335f
頭蓋内圧　382
　── 亢進　382
動眼神経　246, 252f, **388**, 388f
頭頚部
　── の筋　332
　── の骨格　332
　── の静脈　**183**, 185f
瞳孔　399
　── 括約筋　398f, **399**
　── 散大筋　399
　── 反射　373
統合失調症　431
橈骨　284f, 285f, 307f, **308**, 309
　── 頚　308f
　── 手根関節　307f, 309, **319**, 319f
　── 静脈　**185**, 186f

　── 神経　184f, 384t, **385**
　── 粗面　308f, **309**
　── 頭　308f, **309**, 503f, 504
　── 動脈　179f, **180**, 508f, 509
　── 輪状靱帯　317f
糖質　30
　── の消化と吸収　77f, **78**
糖質コルチコイド　**267**, 275
　── の抗炎症作用　268f
橈尺関節　318
等尺性収縮　**345**, 346f
投射線維　378
豆状骨　**309**, 309f, 504
動静脈吻合　177f, **178**, 178f
糖新生　267
頭相　70
闘争と逃走　278
橈側　512
　── 手根屈筋　**312**, 313f
　── 手根屈筋腱　509
　── 皮静脈　184f, **185**, 186f,
　　　　　　　　　　508f, 510
糖代謝の調節　275
頭頂間溝　376f
頭長筋　338f
頭頂後頭溝　**376**, 376f
頭頂骨　**332**, 333f, 503f
等張性収縮　**345**, 346f
頭頂部　24
頭頂葉　**376**, 376f
疼痛　415
　── の原因　417
　── の伝導　418
　── の発生機序　417
糖尿病　**264**, 265
逃避反射　370
頭部　**12**, 13t
　── の器官　24
　── の筋　336
動物機能　**16**, 16t, 20
洞房結節　**157**, 158f
洞房結節枝　156f
洞房ブロック　160
動脈　150, **175**, 176f, 507
　──, 全身の　179f
　──, 脳底の　181f
　──, 腹部消化器への　182f
　── 圧　187
　── 管　**488**, 489f
　── 管索　153f, **488**
　── 血　119, **151**
　── 血圧　168
　── 血酸素飽和度　130

──壁　175
──弁　153
透明帯　**468**, 468*f*
同名半盲　430
等容性弛緩期　**169**, 169*t*
等容性収縮期　**169**, 169*t*
洞様毛細血管　86, 87*f*, **201**, 201*f*
当量　514
ドーパミン　**247**, 256, 365, 366*t*
特異的防御機構　442
特殊感覚　393
──神経　391
特殊心筋　49
──線維　159
独立脂腺　437
突起　511
トライアッド　341
トランスファーRNA　34
トリアシルグリセロール　**30**, 79
トリグリセリド　**30**, 79
トリプシン　**76**, 78
トリプトファン　517
トリヨードサイロニン　259
努力肺活量　115
トルコ鞍　254, **334**, 335*f*
トレオニン　517
トロポニン　**340**, 341*f*
トロポミオシン　**340**, 341*f*
トロンビン　142
トロンボキサン A$_2$　**139**, **199**
トロンボモジュリン　142
貪食作用　137, **441**

な

内因子　70, **80**, 132
内因性鎮痛物質　420
内因性発熱物質　454
内陰部動脈　182
内果　11*f*, 323*f*, **324**, 503*f*, 505
内眼角　**401**, 402*f*
内胸静脈　**184***f*, 185*f*
内胸動脈　179*f*, **180**
内頚静脈　**183**, 184*f*, 185*f*
内頚動脈　179*f*, **180**, 181*f*
内後頭隆起　333*f*
内肛門括約筋　**82**, 82*f*, 84
内呼吸　97*f*, **108**
内細胞塊　479
内耳　409
──孔　333*f*, **334**
──神経　388*f*, **390**, 408*f*, 409*f*
内子宮口　467*f*
内舌筋　63

内旋　**293**, 512
内臓　16
──感覚　247, **393**
──痛　416
──痛覚　393
──反射　371
内臓頭蓋　332, **334**
内側　512
──縁　504
──顆　**322**, 323*f*
──広筋　294*f*, **326**, 327*f*
──膝状体　375
──縦足弓　324*f*
──前脳束　428
──足底動脈　183
──側副靱帯　317*f*, 329*f*
──直筋　397*f*, **402**, 403*f*
──半月　329*f*, **330**
──翼突筋　63, **337**
内側上顆
──, 上腕骨の　**308**, 308*f*, 503*f*, 504
──, 大腿骨の　**323***f*, 503*f*
内腸骨静脈　184*f*, **186**
内腸骨動脈　179*f*, **182**
内転　**293**, 512
──筋群　507
内頭蓋底　334
内尿道括約筋　226*f*, **227**
内尿道口　**226**, 226*f*
内胚葉　**479**, 481*t*
内反　512
内部環境　16
内腹斜筋　302*f*, 305*f*, **306**
内分泌　**249**, 250*f*
──細胞　249
──腺　47, **249**, 250*f*
──部, 膵臓の　**263**, 264*f*
内分泌系　**19**, 19*f*
──による調節　249
──の変化, 妊娠時の　487
──の老化現象　497
内閉鎖筋　82*f*, **325***f*, **326**
内包　375*f*, **378**
内膜, 動脈の　175
内有毛細胞　**410**, 410*f*
内リンパ　409
内肋間筋　**303**, 303*f*
ナチュラルキラー細胞　441
ナトリウム-カリウムポンプ　**37**, 41
ナトリウムチャネル　37
ナトリウムポンプ　41
軟口蓋　58*f*, **59**, 64*f*

軟骨　51
──細胞　51
──小腔　51
──性結合　292
──組織　50*f*, **51**
難聴　412
軟膜　369*f*, **381**, 381*f*

に

肉様膜　465
ニコチン性受容体　**249**, 249*t*
二酸化炭素の運搬　**118**, 119*f*
二次感覚野　379
二次記憶　424
二次視覚野　**378**, 378*f*
二次絨毛　482
二次性高血圧　**206**, 279
二次性徴　271, **492**
二次精母細胞　463*f*, **465**
二次体性感覚野　378*f*
二次聴覚野　378*f*, **379**
二次痛　418
二重支配　242
二重らせん　33
二次卵胞　**467**, 468*f*, 474
二次卵母細胞　474, **476**
日内変動　453
二糖類　**30**, 516
──の膜消化　79*f*
日本昏睡尺度　429
乳化　76
乳管　**472**, 472*f*
──洞　472
乳がん　472
乳酸　354
乳酸桿菌　440
乳歯　61
乳汁　487
──分泌　279
乳腺　437, **472**, 472*f*
乳糖　30
──不耐症　78
──分解酵素　78
乳頭　**472**, 472*f*
──筋　153*f*, **155**
──線　14
──体　372*f*, **375**, 377*f*
乳突洞　409
乳突蜂巣　409
乳び　**79**, 206
──槽　**206**, 207*f*, 448*f*
乳房　**472**, 472*f*
──の発達　279

（乳房）
　　──の変化，妊娠による　486
乳様突起　333f, **338**, 338f, 502, 503f
乳輪　**472**, 472f
ニューロン　51, **52**f, **359**, 360f
尿　18, **212**
　　──生成　**212**, 213f
　　──のpH　229
　　──の異常　229
　　──の成分　228
　　──の貯蔵　227
　　──の濃縮　219
　　──の比重　229
　　──の輸送　227
　　──量の異常　229
尿管　**225**, 226f, 461f
　　──口　**226**, 226f
尿細管　216
　　──極　**214**, 214f
　　──最大輸送量　218
　　──糸球体フィードバック　222
　　──における再吸収と分泌　218f
　　──の機能　217
尿失禁　230
尿生殖隔膜　226f, 461f, 462f, 466f, **471**
尿道　**226**, 226f, 464
　　──海綿体　461f, 462f, **464**
　　──括約筋　461f
　　──球　461f, **464**
　　──球腺　461f, **464**
尿閉　229
尿崩症　258
妊娠　479
妊娠黄体　468
認知症　431

ぬ

ヌクレオチド　33

ね

ネクサス　348
熱産生　451
熱の出納　451
熱放散　**451**, 452f
ネフロン　217
粘液　47, **53**, 511
粘液栓　483f
捻挫　**290**, 291
捻転　512
粘膜　**53**, 511
　　──上皮　53
　　──における防御　440
　　──付属リンパ組織　449

の

脳　24, **371**
　　──弓　377f
　　──室　**380**, 381f
　　──頭蓋　332
　　──の左外側面　376f
　　──の正中断面　372f
　　──の統合機能　420
　　──波　**421**, 421f
　　──貧血　203
　　──梁　372f, **376**, 375f, 377f
嚢　511
脳圧　382
　　──亢進　382
脳幹　368, **371**, 372f
　　──の機能　372
　　──網様体　429
脳死　430
　　──判定基準　431t
脳神経　23, 367, **387**, 388f
　　──の機能　391
脳性ナトリウム利尿ペプチド　272
脳脊髄液　381
　　──圧　382
脳底動脈　181f
ノルアドレナリン　199, **247**, 349, 351, 365, 366t
ノルエピネフリン　247
ノンレム睡眠　422
　　──の脳波　422f

は

歯　**60**, 60f
パーキンソン病　380
肺　25, **103**, 104f
　　──胸膜　106
　　──気量　113
　　──区域　**104**, 105f
　　──静脈　153f, **178**
　　──小葉　103
　　──尖　26, **103**, 104f
　　──弾性収縮力　110
　　──底　**103**, 104f
　　──門　104
パイエル板　74, 449
胚外中胚葉　480f
肺活量　**114**, 114f
　　──計　113
胚子　**479**, 482f
肺循環　119, 150, **178**
　　──の特徴　120f

胚性幹細胞　44
背側　512
　　──骨間筋　**314**, 315f
肺動脈　153f, **178**
　　──弁　**153**f, 154f
排尿　227
　　──筋　226f, **227**
　　──困難　229
　　──中枢　**227**, 373
　　──痛　229
　　──の異常　229
　　──の機序　228f
　　──反射　228
　　──路　225
胚盤　**479**, 480f
　　──胞　479
　　──葉下層　480f
　　──葉上層　480f
背部の筋　**300**, 301f
排便　83
　　──反射　84
　　──を調節するしくみ　84f
肺胞　**104**, 106f
　　──管　**103**, 106f
　　──換気量　114
　　──上皮細胞　104
　　──でのガス交換　116f
　　──嚢　**103**, 106f
　　──の機能　110
廃用性筋萎縮　347
排卵　**468**, 468f, 478f
　　──期　474
バウヒン弁　**72**, 73f
白筋　342
薄筋　294f, 295f, **326**, 327f
白交通枝　**244**, 245f
白質　368, **369**, 369f
　　──，大脳の　378
拍出期　169
白線　294f, 302f, **305**, 305f
白体　**468**, 468f
白内障　401
白脾髄　**450**, 450f
破骨　277, **287**, 288f
　　──細胞　51, 277, **287**
破水　**484**, 488
バソプレシン　**220**, 258, 427
パチニ小体　296
発育　490
発汗　230
白血球　127f, **128**f, **136**, 137f
発声　101
発生学　3

発達　489
発熱　**454**, 455*f*
　　——物質　454
バッファローハンプ　270
鼻　25, **98**
ハバース管　286*f*, **287**
馬尾　**369**, 383*f*
ハムストリングス　507
腹　11
パラアミノ馬尿酸　225
パラソルモン　221, 259, **263**, 276
バリン　517
バルトリン腺　471
破裂孔　333*f*
斑　511
反回神経　390
半関節　291
半規管　408*f*, **410**, 412
半奇静脈　**183**, 184*f*
半棘筋　301
半月　437*f*
半月神経節　389
半月ヒダ　**81**, 81*f*
半腱様筋　295*f*, **327**, 327*f*, 503*f*, 507
半交叉　388
反射弓　**244**, 370
反射性呼吸促進　122
板状筋　301
帆状弁　153
伴性遺伝　144
半側空間無視　430
ハンチントン病　380
汎適応症候群　278
半透膜　**38**, 514
半膜様筋　295*f*, **327**, 327*f*, 503*f*, 507

ひ

被殻　375*f*, **377**
比較解剖学　3
比較生理学　3
皮下組織　22, 435, 435*f*, **436**
鼻筋　337*f*
鼻腔　64*f*, **98**, 99*f*
鼻甲介　**98**, 335
腓骨　284*f*, 285*f*, 321*f*, 323*f*, **324**
　　——頭　323*f*, 503*f*, **505**
　　——動脈　179*f*, **183**
尾骨　284*f*, 285*f*, 297*f*, **299**, 299*f*, 320
　　——神経　23, **383**, 383*f*
鼻根　**98**, 99*f*
　　——筋　337*f*
膝　11*f*, **12**

皮枝　387
肘　11
　　——の運動　316
皮質
　　——, 腎臓の　**211**, 212*f*, 213*f*
　　——, 中枢神経の　368
　　——, 卵巣の　467
　　——核路　392
微絨毛　28*f*, 73*f*, **74**
尾状核　375*f*, **377**
微小管　30
微小循環　200
皮静脈　23, **183**, 509
脾静脈　184*f*, **450**, 450*f*
尾状葉　**85**, 86*f*
尾髄　384
脾髄静脈　450*f*
脾髄動脈　450*f*
ヒス束　**158**, 158*f*
ヒスタミン　**199**, 366*t*, 441
ヒスチジン　517
非ステロイド性抗炎症薬　418
ヒストン　28, **42**
鼻尖　**98**, 99*f*
鼻腺　99
鼻前庭　**99**, 99*f*
脾臓　**450**, 450*f*
ビタミン　32
　　——A　406
　　——B₁₂　132
　　——D　276
　　——D₃　225
　　——の吸収　80
左 ⇒「左」から始まる語句は「さ」を見よ
脾柱　450*f*
　　——静脈　450*f*
　　——動脈　450*f*
鼻中隔　**98**, 335
非陳述記憶　425
尾椎　299
非電解質　40
脾洞　450*f*
脾動脈　179*f*, 182*f*, **450**, 450*f*
非特異的防御機構　440
ヒト絨毛性ゴナドトロピン　**273**, 483
ヒト組織適合性白血球抗原　147
泌尿器　211
泌尿器系　**18**, 18*f*, **211**
　　——の変化, 妊娠時の　487
　　——の老化現象　496
鼻背　**98**, 99*f*

疲憊期　278
皮膚　22, **435**, 435*f*
　　——温　452
　　——感覚　393, **394**
　　——循環　178
　　——腺　437
　　——における防御　440
　　——の機能　439
　　——の受容器　394*f*
　　——分節　387
腓腹筋　294*f*, 295*f*, 327*f*, **328**, 503*f*, 507
疲弊期　278
肥満細胞　441
眉毛下制筋　337*f*
脾門　450*f*
表在痛　416
表情筋　63, **337**, 337*f*, 505
標的器官　249
病的呼吸　**122**, 123*f*
標的細胞　249
表皮　22, **435**, 435*f*
鼻翼　**98**, 99*f*
ヒラメ筋　294*f*, 295*f*, 327*f*, **328**, 503*f*, 507
ビリルビン　133
　　——の腸肝循環　**133**, 134*f*
鼻涙管　**98**, **402**, 402*f*
　　——の開口部　100*f*
ピルビン酸　32
披裂軟骨　**100**, 101*f*
ピロリ菌　70
貧血　135
頻尿　229
頻脈性不整脈　166

ふ

ファーター乳頭　**72**, 85*f*
ファーテル-パチニ小体　296, **394**, 394*f*, 438
ファブリカ　3
フィードバック　274
　　——機構　17
フィードフォワード　**274**, 352, 453
フィジカルイグザミネーション　24
フィブリノゲン　126, 140, **142**
フィブリン　126, **142**
　　——溶解　144
フェニルアラニン　517
不応期　**42**, 362
フォルクマン管　286*f*
付加骨　288
不感蒸散　230

不規則形骨　286
腹横筋　302*f*, 305*f*, **306**
腹腔　**13**, 14*f*, 26
　——神経節　242*f*, 245*f*, **246**
　——動脈　179*f*, **181**, 182*f*
　——リンパ節　**448**, 448*f*
副睾丸　463
副交感神経　**23**, 242*f*
　——の構造　246
副交感神経系　243
副甲状腺　259
　——の機能　263
　——の組織　260*f*
　——ホルモン　221, 259, **263**, 276, 277
副細胞　67*f*, **68**
伏在裂孔　185
複視　407
腹式呼吸　112
副腎　**265**, 266*f*
　——の分泌細胞　266*f*
副神経　**338**, 388*f*, 390
副腎髄質　**266**, 266*f*
　——細胞　266*f*
　——の機能　270
副腎性器症候群　270
副腎皮質　**266**, 266*f*
　——細胞　266*f*
　——の機能　267
副腎皮質刺激ホルモン　256, **258**
　——放出ホルモン　256
副膵管　85*f*
輻輳反射　373, **407**
腹大動脈　178, 179*f*, **180**, 508, 508*f*
腹直筋　294*f*, 302*f*, **305**, 503*f*, 506
　——鞘　**305**, 305*f*
　——鞘後葉　302*f*
副鼻腔　**99**, 100*f*, 336
腹部　**12**, 13*t*
　——の器官　26
　——の筋　302*f*, **304**, 305*f*
　——の静脈　186
　——の水平断面　91*f*
　——の正中断面　92*f*
　——の内臓　26*f*
　——の領域　27*f*
腹膜　**90**, 302*f*, 511
　——外器官　92
　——腔　90
　——垂　**81**, 81*f*
　——内器官　93
ふくらはぎ　11*f*, **507**
浮腫　203

不随意筋　48, **348**
不整脈　166
不正乱視　405
付属共鳴腔　100
付属生殖腺　464
プチアリン　62
付着茎　**479**, 480*f*
不動性の連結　292
ブドウ糖　30
ブドウ膜　398
負のフィードバック　17, **274**
ブラジキニン　**418**, 441
プラスミノゲン　144
プラスミン　144
フランク-スターリングの心臓の法則　**174**, 349
フリーラジカル説　495
振り子運動，小腸の　75
プルキンエ細胞層　374
プルキンエ線維　158*f*, **159**
フルクトース　**30**, 516
ブルンネル腺　72
ブローカ中枢　379
ブローカ野　378*f*, **379**, 430
ブロードマン　376
プログラム説　495
プロゲステロン　**271**, 279, 467, 473*f*, 474
プロスタグランジン　36
　——E$_2$　**418**, 454
　——I$_2$　142, **199**
プロスタサイクリン　142, **199**
プロテアーゼ　138
プロトロンビン　142
プロラクチン　256, **258**, 279
　——抑制ホルモン　256
プロリン　517
分化　42
分界溝　59*f*
分界線　**320**, 322*f*
吻合　177
分子　**10**, 513
　——量　513
分子層　374
分節運動，小腸の　**75**, 75*f*
分泌　249
分泌期　473*f*, **475**
糞便　80
分娩　487
噴門　**67**, 67*f*
分葉核　128*f*
　——好中球　138
分裂期　**42**, 43*f*

分裂準備期　**42**, 43*f*

へ

平滑筋　48*f*, **49**
　——細胞　49
　——の収縮　350
平均血圧　193
閉経　474
平衡覚　393, **413**
　——の感知　411*f*
平衡砂　410
平衡聴神経　389
平衡斑　410
閉鎖孔　**322**, 322*f*
閉鎖静脈　184*f*
閉鎖神経　326, **385**, 386*f*, 386*t*
閉鎖動脈　179*f*, **182**
閉塞性換気障害　**124**, 124*f*
平面関節　291
ペースメーカー　157
ヘーリング-ブロイエル反射　122
壁細胞　67*f*, **68**
壁側　**13**, 512
　——胸膜　106
　——板　155
　——腹膜　**90**, 92*f*
　——葉　53
臍　11*f*
ヘパリン　143
ペプシノゲン　69
ペプシン　**69**, 78
ペプチド　31
ペプチドホルモン　251
ヘマトクリット値　129
ヘム　**129**, 130*f*
ヘモグロビン　**128**, 129, 130*f*
　——A　90
　——F　90
　——尿　229
　——濃度　129
ヘリコバクター-ピロリ　70
ヘルパーT細胞　442
ベル-マジャンディーの法則　384
辺縁系　**377**, 377*f*
辺縁皮質　376
辺縁葉　376
変時作用　197
娩出期　488
娩出力　488
変伝導作用　197
扁桃　449
　——体　**377**, 377*f*
便秘　83

扁平骨　286
扁平上皮細胞　46
扁平足　325
鞭毛　28*f*
変力作用　197
ヘンレループ　213*f*, **217**

ほ

包　511
防衛反応　428
方形回内筋　**312**, 313*f*
方形葉　**85**, 86*f*
縫合　**332**, 334*f*
膀胱　**226**, 226*f*, 462*f*
抱合型ビリルビン　133
縫工筋　294*f*, **326**, 327*f*, 503*f*, 507
膀胱三角　**226**, 226*f*
　　——部　461*f*
傍糸球体装置　214*f*, **222**
房室結節　**158**, 158*f*
房室束　**158**, 158*f*
房室ブロック　**160**, **161**
房室弁　153
放射，熱の　**451**, 452*f*
報酬系　428
萌出　61
帽状腱膜　**338**, 337*f*
紡錘糸　**42**, 43*f*
縫線　465
膨大部稜　412
乏尿　229
胞胚　478*f*, **479**, 480*f*
　　——腔　479
包皮　464
傍分泌　**249**, 250*f*
ボウマン腔　214*f*
ボウマン腺　415*f*
ボウマン嚢　213*f*, **214**, 214*f*
ボウマン膜　415
傍濾胞細胞　259
飽和度　403
頬　59
補酵素　32
母趾外転筋　328
母指球の筋群　314
母指対立筋　**314**, 315*f*
母指内転筋　**314**, 315*f*
母趾内転筋　328
母指の運動　319
補助呼吸筋　112
補助ポンプ　191
ホスホリパーゼ　418
補体　**445**, 445*f*

ボタロ管　**488**, 489*f*
歩調とり
　　——，心臓の　157
　　——，腎杯の　227
　　——電位　157
勃起　464, **465**
骨
　　——，上肢の　307*f*
　　——の機能　289
　　——の形態　286
　　——の構造　**286**, 286*f*
　　——の成長　288
　　——の組成　287
　　——の発生　288
　　——の連結　289
　　——の老化現象　498
ホメオスタシス　**16**, 17*f*
ポリペプチド　31
ホルモン　**240**, **249**
　　——の化学構造による分類　252*f*
　　——の生理作用　250
　　——分泌の調節　273
ホルモン-受容体複合体　252
ホロクリン分泌　48
本態性高血圧　**206**, 279
本能行動　426
ポンプ　37
翻訳　34

ま

マイスネル小体　**394**, 394*f*, 438
毎分心拍出量　168
毎分肺胞換気量　114
マイボーム腺　401
膜消化　78
膜電位　41
膜半規管　409*f*, **412**
膜迷路　**409**, 409*f*
マクロファージ　128*f*, **139**, 441, 441*f*
マジャンディー孔　**380**, 381*f*
マックバーニー点　**26**, **80**
まつ毛　401
末梢化学受容器　**121**, 122*f*
末梢循環系　175
末梢神経　**23**, 359, **367**
　　——線維　368
　　——の構造　52
　　——の分類　23*t*
末梢性チアノーゼ　203
末節骨　**309**, 309*f*, 324*f*
麻痺　371
マルターゼ　78

マルトース　516
マルピーギ小体　212
満月様顔貌　270
慢性心不全　204
慢性痛　419
慢性閉塞性肺疾患　125
満腹中枢　426

み

ミエリン鞘　52, **361**
ミオシン　**340**, 341*f*
　　——フィラメント　340
味覚　393, **413**
　　——器　413
　　——野　379
右 ⇒「右」から始まる語句は「う」
　を見よ
ミクログリア　**360**, 360*f*
味孔　414*f*
味細胞　414*f*
水の吸収　80
水の出納　230
ミセル　**79**, 79*f*
三つ組構造　341
密性結合組織　50
密着帯　45
ミトコンドリア　28*f*, **29**
緑錐体　399
耳　**25**, 407, 408*f*
脈圧　188
脈波　194
脈拍　**194**, 509
脈絡叢　381
脈絡膜　397*f*, **398**, 398*f*, 400*f*
ミュラー管　**484**, 485*f*
　　——抑制因子　484
味蕾　59, **413**, 414*f*
ミリイクイバレント　40

む

ムコ多糖類　51
むし歯　61
無髄神経　52, **361**
ムスカリン性受容体　**248**, 249*t*
娘核　43*f*
娘細胞　43*f*, **44**
ムチン　**47**, 62
無尿　229
胸　11
無脈性心室頻拍　167
無脈性電気活動　167

め

眼　25, **397**
　──の遠近調節　404
明暗順応　406
明順応　406
迷走神経　23, 242*f*, 246, 388*f*, **390**
　──背側核　197
明度　403
メサンギウム　**214**, 214*f*
メチオニン　517
メッセンジャーRNA　33
メッツ　352
メニエール病　413
メモリーB細胞　443
メラトニン　**272**, 272*f*
メラニン　257
　──顆粒　436
メラニン細胞　**435**, 435*f*
　──刺激ホルモン　257
メルケル盤　**394**, 394*f*
免疫　442
　──グロブリン　141, **443**, 444*t*
　──の異常　446
免疫系　**19**, 19*f*
　──の老化現象　498

も

毛孔　437
毛根　437
毛細血管　150, **176**, 176*f*, 200
　──圧　202
　──の類型　201*f*
毛細リンパ管　206
網状赤血球　**128**, 128*f*
網状帯　**266**, 266*f*
毛小皮　436
盲腸　72, 73*f*, **80**, 81*f*
　──炎　80
盲点　403
毛乳頭　435*f*, **437**
網嚢　92*f*
　──孔　92*f*, **93**
盲斑　403
毛母　437
　──基　435*f*, **437**
毛包　435*f*, **437**
　──腺　437
網膜　397*f*, 398*f*, **399**, 400*f*
毛様体　397*f*, **398**, 398*f*
　──筋　398
　──小帯　397*f*, 398*f*, **399**
　──神経節　242*f*, **246**, 388

　──突起　398
網様体　**368**, 372
モノアシルグリセロール　79
モノアミン　365
　──作動性ニューロン　365
モノグリセリド　79
モル　514
モル腺　401
モルヒネ　420
門　511
門脈　22, 85, 86, **88**, 186
　──圧亢進症　88
　──系　**151**, 187*f*
モンロー孔　**380**, 381*f*

や

野牛肩　270
夜盲症　406

ゆ

優位半球　379
有郭乳頭　**60**, 59*f*
有棘層　**435**, 435*f*
有鈎骨　**309**, 309*f*
有酸素運動　354
有酸素系　354
有糸分裂　43
有髄神経　52, **361**
　──線維　**361**, 361*f*
有線領　378
有窓型毛細血管　**201**, 201*f*
有頭骨　**309**, 309*f*
誘導体　267
誘発電位　421
有毛細胞　**409**, 412
幽門　**67**, 67*f*
幽門括約筋　68
遊離ビリルビン　133
輸出　512
　──細動脈　213*f*, **214**
　──リンパ管　447
輸送体　36
輸入　512
　──細動脈　213*f*, **214**
　──リンパ管　447

よ

葉　511
陽イオン　**40**, 513
葉間動脈　213
葉気管支　103
溶血　133
　──性貧血　135

葉酸　132
溶質　514
葉状乳頭　**59**, 59*f*
腰静脈　**183**, 184*f*
腰神経　23, **383**, 383*f*
腰神経叢　383*f*, **385**, 386*f*
羊水　484
腰髄　384
陽性変時作用　197
陽性変伝導作用　197
陽性変力作用　197
腰仙骨神経叢　**386**, 386*f*
腰椎　284*f*, 285*f*, 297*f*, 298*f*, **299**
腰動脈　179*f*, **182**
溶媒　514
腰部　11*f*
腰方形筋　305*f*
腰膨大　368
羊膜　483*f*, **484**
　──腔　479, 480*f*, 483*f*, 484
容量血管　191
腰リンパ節　**448**, 448*f*
腰リンパ本幹　**207***f*, 448*f*
翼口蓋窩　246
翼口蓋神経節　242*f*, **246**, 247*f*
翼突筋　63, **337**
抑制性シナプス　**364**, 365*f*
　──後電位　365
予測肺活量　115
予備吸気量　**114**, 114*f*
予備呼気量　**114**, 114*f*
予防接種　446

ら

ライディッヒ細胞　271, **463**, 463*f*
ラクターゼ　78
ラクトース　**30**, 516
ラセン器　**410**, 410*f*
ラセン動脈　469
ラトケ嚢　254
ラムダ縫合　**332**, 333*f*, 334*f*
ランヴィエ絞輪　52, 363*f*, **363**
卵円窩　153*f*, **154**, 489
卵円孔　333*f*, **334***f*, 389*f*
　──，心臓の　154
　──，胎児の　**488**, 489*f*
卵円窓　409
卵黄腸管　480
卵黄嚢　**479**, 483*f*
　──茎　480
卵割　478*f*, **479**
卵管　466*f*, 467*f*, **469**
　──峡部　469

―― 采　466f, 467, 467f, **469**
―― 子宮部　467f
―― 腹腔口　469
―― 膨大部　467f, **469**
―― 漏斗　467f, **469**
卵丘　**467**, 468f
卵形嚢　409f, **410**
ランゲルハンス細胞　435f, **436**
ランゲルハンス島　**84**, **263**
乱視　405
卵子　467
―― の形成　**476**, 477f
卵娘細胞　476
卵巣　466f, **467**, 467f
―― 間膜　**467**, 467f
―― 周期　**472**, 473f, **474**
―― 提索　467f
―― 動脈　182
―― 門　**467**, 468f
卵胞　467
―― 液　474
―― 期　473f, **474**
―― 腔　468f, **474**
―― 刺激ホルモン　257, **258**, 473f, 474
―― 上皮　467, **468**
―― ホルモン　467
―― 膜　468f, **474**
卵母細胞　**467**, 468f

り

リアノジン受容体　343f
リーベルキューン腺　73
離出分泌　48
梨状筋　325f, **326**
梨状口　335
リシン　517
リジン　517
リスフラン関節　324f, **331**
リソソーム　28f, **29**
リゾチーム　62, **440**
立方骨　324
立方上皮細胞　46
立毛筋　435f, **437**
リパーゼ　**76**, 79
リボ核酸　28, **33**
リボソーム　28f, **29**

―― RNA　33
リポタンパク質　79
流行性耳下腺炎　62
隆椎　504
梁　511
稜　511
菱形窩　371
菱形筋　**301**, 301f, 317f
両方向伝導　362
緑内障　401
リン脂質　**30**, 36
輪状　512
―― 甲状筋　338f
―― 軟骨　58f, 64f, **100**, 101f
―― ヒダ　**73**, 73f
臨床解剖学　3
臨床生理学　3
鱗状縫合　**332**, 333f
リンパ　206
―― 液　206
―― 球　**139**, **442**
―― 行性転移　208
―― 小節　73f, **447**, **449**
―― 節　206, 207f, **447**, 448f
―― の循環　207
―― 本幹　**183**, 185f
リンパ管　22, **206**, 207f
―― 閉塞　203
リンパ系　152
―― 幹細胞　128f
―― の概観　207f

る

涙器　**401**, 402f
涙骨　332
涙腺　**401**, 402f
涙点　402
類洞　86, 87f, **201**, 201f
涙嚢　402f
ルシュカ孔　**380**, 381f
ルテイン細胞　468
ルフィニ小体　**394**, 394f

れ

冷受容器　454
冷点　395
劣位半球　379

レニン　199, **222**
―― 顆粒　222
レニン-アンギオテンシン-アルドステロン系　199, **222**, 427
―― による血圧の調整　223f
レビー小体型認知症　431
レプチン　273, **426**
レム睡眠　422
連結橋　340
連合線維　378
連合野　**376**, 379
レンズ核　375f, **377**
連続型毛細血管　**201**, 201f

ろ

ロイシン　517
老化　494
―― 現象　496
老視　401, **405**
漏斗　372f
―― 柄　254f, **255**
濾過　**202**, 515
肋硬骨　300f
―― 部　300
肋軟骨　**300**, 300f
―― 部　300
肋間静脈　**183**, 184f
肋間神経　383f, **385**
肋間動脈　179f, **180**
肋骨　284f, 285f, **300**, 503f, 504
―― 弓　15f, **300**, 503f, 504
―― 結節　298f, **300**
―― 頭　298f, **300**
ロドプシン　**399**, 406
濾胞　259

わ

ワナ　512
ワルダイエル咽頭輪　64
ワルトンのゼリー　484
腕尺関節　308
腕神経叢　383f, **384**, 384f
―― のおもな枝と運動性分布域　384t
腕橈骨筋　294f, 295f, **312**, 313f
腕頭静脈　**183**, 185f
腕頭動脈　179f, **180**